河南林业生态

张敬增 赵顷霖 主编

黄河水利出版社

图书在版编目(CIP)数据

河南林业生态/张敬增,赵顷霖主编.—郑州:黄河水利出版社,2004.5

ISBN 7-80621-767-3

Ⅰ.河… Ⅱ.①张… ②赵… Ⅲ.森林-生态环境-概况-河南省 Ⅳ.S718.5

中国版本图书馆CIP数据核字(2004)第012506号

出 版 社:黄河水利出版社

地址:河南省郑州市金水路11号 邮政编码:450003

发行单位:黄河水利出版社

发行部电话及传真:0371-6022620

E-mail:yrcp@public.zz.ha.cn

承印单位:河南第二新华印刷厂

开本:850 mm×1 168 mm 1/32

印张:14 插页:12

字数:345千字 印数:1—3 000

版次:2004年5月第1版 印次:2004年5月第1次印刷

书号:ISBN 7-80621-767-3/S·57 定价:45.00元

太白顶自然保护区内的天然马尾松林

杉木速生丰产林

豫东沙区杨树防护林

原始次生林

平原防风固沙林

鸡公山大深沟生态景区

大别山区竹林

平原防护林

山清水秀

伏牛山区原始次生林

大别山区天然次生林

宝天曼国家自然保护区内的高山原始矮林

伏牛山区日本落叶松林

生长在宝天曼国家自然保护区内的河南省惟一的高山黄花菜

三门峡黄河湿地保护区

野生动物驯养

人 工 防 治
林木病虫害

豫东沙区 农桐间作

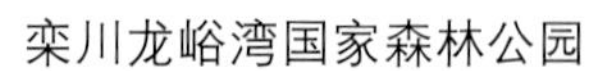

栾川龙峪湾国家森林公园

宝天曼国家自然保护区

老界岭自然保护区

龙峪湾国家森林公园

山区绿化既改善了生态环境，又为国家建设提供了大量木材

山区小流域治理

水源涵养林

翻淤压沙

开挖沟河，治理水害

飞播造林

用淤泥覆盖沙地治理风沙危害，即“贴膏药”

京九铁路绿色长廊纪念林

用材林、经济林、农作物复合种植

非公有制经济投资生态建设

荒山造林

豫北水乡 稻杉间作

焦裕禄亲手栽下的泡桐树

杨树速生丰产林

农林复合种植

杉木速生丰产林

农田防护林网

编委会名单

序

林业生态建设是功在当代、惠及子孙的伟大事业和宏伟工程。坚持不懈地搞好林业生态建设是保证经济社会健康发展,实现中华民族伟大复兴的需要。众所周知,森林是陆地生态系统的主体,林业是生态环境建设的主体。林业既是国民经济的基础产业,又是从事维护国土生态安全、促进经济可持续发展、以向社会提供森林生态服务的产业。发达的林业,是国家富足、民族繁荣、社会文明的一个重要标志。

当前,保护森林和发展林业,已成为全球环境的主题,越来越受到国际社会的关注。1991 年 9 月,130 多个国家和地区的 2 500 多名专家以《巴黎宣言》向全世界呼吁:重建地球的绿色植被。1992 年 6 月,世界环境与发展大会通过了《里约环境与发展宣言》等重要文件,指出“一个足够面积的、健康的、明智经营的森林生态系统的存在,对于我们人类是至关重要的”;强调“世界最高级会议要解决的问题中,没有任何问题比林业更重要的了”,“应赋予林业以首要地位”。

林业的重要性首先体现在其生态效益上。从国际上看,进入 20 世纪 70 年代,全球经济和社会高速发展,给环境带来了巨大压力,以牺牲资源和环境换取经济增长的生产方式,已严重阻碍经济和社会的发展。1972 年,国际上一个名为罗马俱乐部的著名咨询机构,向联合国提交了一份《增长的极限》研究报告,认为经济的发展受到生态危机的严重威胁已到了极限。如何正确处理经济建设、社会发展与环境保护的关系,已成为全人类必须共同重视并加以解决的重大问题。荒漠化居世界十大环境问题之首,全世界70%的农业用地已不同程度荒漠化,且以每年500万hm^2至667万hm^2的速度在扩展,每年造成的损失高达420多亿美元,世界上每6个人中就有1人受到荒漠化的直接威胁。大气中二氧化碳浓度升高直接造成“温室效应”,近110年来,地面大气温度已升高0.5~1.5℃,当大气中二氧化碳浓度增加到当前水平的2倍时,全球气温将升高1.5~4.5℃,海平面上升0.3~1.0m,全球30%的人口将被迫迁移。土地荒漠化、臭氧层破坏、温室效应、酸雨等问题,都与森林破坏有关,森林作为陆地生态系统的主体也就自然成了国际社会日益瞩目的焦点。人们呼吁:森林可以没有人类,人类决不可以没有森林,森林是人类未来前途的“希望工程”。

对于一个国家来讲,综合国力、发展后劲在很大程度上取决于资源的丰富程度和开发利用的合理程度。森林资源丰富与否,在某种程度上决定了一个国家生态环境的优劣和经济发展的潜力。世界上许多发达国家同时也是森林资源非常丰富的国家。日本的森林覆盖率在60%以上。美国国有森林全面禁伐,森林覆盖率维持在33%左右。历史上由于森林消失而导致国家衰亡、文明转移的例证也屡见不鲜。号称四大古国、历史上曾显赫一时的古巴比伦文明的衰落,就是由于大量砍伐森林,生态环境恶化而造成的。古埃及、古印度文明的衰落,以及我国古黄河文明的转移,都与森林的严重破坏密不可分。

远古时期的河南,到处是茂林修竹,鸟兽群集,被森林所覆盖。公元前2700年左右,全省森林覆盖率约为63%。随着人口的增长、生产的发展及战乱的破坏,成片森林被砍。至新中国成立时,全省平原地区仅保存林木2.5亿株,林木覆盖率仅有1.5%;山区保存有林地面积不足133万hm^2,林木蓄积量1 278万m^3,森林覆盖率也只有7.81%,成为一个名副其实的缺林少绿的省份。森林的破坏,生态的恶化,给地处中原的河南带来了深重的灾难。20世纪五六十年代的豫东黄泛区、豫北黄河故道,到处是一片“风沙黄流起,十年九不收”的悲凉景象,成千上万人流离失所。同时,伴随着森林消失的是河南省生物多样性迅速减少,国家珍稀动物华南虎、朱鹮等20世纪五六十年代在河南省相继消失,多种珍稀野生动植物濒临灭绝。生态的失衡导致森林、农作物病虫害、鼠害的大面积暴发肆虐。黄河为中华民族的母亲河,由于流域内植被稀少,水土流失严重,每年以10cm左右的高度淤积,成为“悬河”。丰水期洪水泛滥,枯水期黄河断流。新中国成立初期花园口可通过最大洪峰为22 000m^3/s,现在6 000~7 000m^3/s就告急。淮河发源于河南省,由于森林覆盖率低,不少地方荒山秃岭,水土不保,大雨大灾,小雨小灾,无雨干旱,雨季洪水与泥沙俱下,河床与河堤同增。鲁山县画眉沟水库建成当年,一场暴雨即淤平;陆浑、白沙、薄山、昭平台4座水库淤积已达1.1亿m^3,相当于失去一座大型水库。河南省1975年8月发生的特大洪涝灾害,造成板桥、石漫滩水库大坝决口,而与之毗邻的薄山、东风水库则安然无恙,其主要原因就是这两座水库周围森林覆盖率高,拦截洪水能力强。“恶水”缘自“穷山”出,绿水皆从青山来。只有大力植树造林,治理好“穷山”,才能根除“恶水”。“穷山”是因,“恶水”是果,“恶水”是现象,“穷山”是本质;治水须治山,治山必兴林,这是人类与自然共存的经验总结。

改革开放以来,党和政府高度重视林业生态建设工作,特别是1997年江泽民总书记对生态环境建设作出重要批示、国家实施

《全国生态环境建设规划》和西部大开发战略以来，中央进一步加大了生态环境建设的投入，天然林保护工程、“三北”和长江中下游地区重点防护林体系建设工程、退耕还林(草)工程、防沙治沙工程、野生动植物保护及自然保护区工程、重点地区以速生丰产用材林为主的林业产业基地建设工程等六大全国林业生态建设重点工程取得重大进展，一些生态破坏严重的地区得到有效的恢复和改善。但是，总体上看，目前我国普遍存在的粗放型经济增长方式仍未根本转变，一些地区人为造成的生态破坏问题依然严重，生态恶化的范围在扩大、程度在加剧、危害在加重的总趋势还没有得到有效遏制。当前，《全国生态环境建设规划》的发布和全国六大林业生态重点工程的实施，充分表明了中国政府坚决遏制生态恶化、改善生态环境的信心和决心，体现了第三代领导集体高度的历史责任感和为人民负责、为子孙后代负责的强烈使命感。

新中国成立后，河南省林业经历了20世纪50年代建立国有林场、60年代平原造林治沙两个大发展时期，但也遭受到“大炼钢铁”、文化大革命、对集体林木实行分户经营管理三次大的破坏。80年代初，河南省从林业的自身特点和省情出发，实行与农业生产责任制相适应、符合河南实际的林业政策，把“统”和“分”有机地结合起来，较好地调动了农民植树造林的积极性，大力造林，普遍造林，国家、集体、个人一齐上，造、育、管、护密切配合，造林绿化事业走上稳步发展的轨道，特别是平原绿化进展较快。90年代之后，河南省林业建设紧紧围绕“增资源、增效益、增活力”的目标，完善平原，主攻山区，加快造林步伐，强化森林资源保护和管理，大力发展林业产业，全省林业建设呈现出快速发展的好形势。

近年来，河南省委、省政府十分重视林业建设。省委明确提出了再造山川秀美中州大地的要求，省政府印发了《河南省生态环境建设规划》和《河南省林业生态工程建设规划》，省人大常委会作出了《关于动员全省人民，大力植树造林，搞好生态环境建设的决议》。确定了今后一个时期河南省林业工作以改善生态环境，提高人民生活质量，实现可持续发展，再造山川秀美的中州大地为总体目标。天然林保护工程、退耕还林(草)工程、绿色通道工程、平原绿化工程、长江和淮河防护林工程等国家和省林业重点工程在全省已相继启动并取得重大成果，防沙治沙、城乡绿化、水土保持生物治理、野生动植物保护和自然保护区建设等重点工程也即将或正在启动，林业发展的前景十分喜人。经过几十年来全省人民的不懈努力，截至1998年全国第四次森林资源清查，河南省有林地面积增加到209万 hm^2，活立木蓄积量增加到1.32亿 m^3，森林覆盖率提高到19.83%，全省94个平原、半平原县(市、区)全部达到部颁平原绿化标准，被国家授予“全国平原绿化先进省”称号。如今的豫东、豫北风沙区，已变成了“绿野无际，林茂粮丰”的重要粮仓，林网、道路、村镇、沟河渠全方位绿化，构筑了河南省平原农业稳产、高产的重要生态屏障。座座荒山秃岭披上了绿装，野生动植物种群数量在逐步回升，一些国有林区已成为今天省内外知名的森林旅游胜地。目前，全省共有88个国有林场和88个国有苗圃，总经营面积38.6万 hm^2；建立国家森林公园17个，省级森林公园31个，总面积19万 hm^2。有森林生态、湿地系统和野生动物类型自然保护区16个(国家级5个，省级11个)，总面积31.3万 hm^2，其中内乡宝天曼、伏牛山、太行山猕猴、罗山董寨4个国家级自然保护区被世界自然基金会(WWF)列入优先保护及具有国家和全球重要意义的区域。

科学家们预言，21世纪将是生物学世纪，绿色的世纪。保护地球，保护大自然，构筑良好的绿色生态屏障无疑是未来世纪人类图存的首要前提。多年来,河南省在林业生态建设方面虽然做了大量工作并取得了显著成绩,但是,作为一个人口大省,工农业生产发展迅速,人均占有的资源量很少,生态环境保护与经济发展之间的矛盾日益突出;面对依然十分脆弱的生态环境,我们所担负的生态建设任务仍然十分繁重,还有大量的工作要做。为了进一步加强林业生态的保护、科研和建设工作,河南省林业厅通过多年调查研究,在摸清了全省林业生态的概况及保护和建设状况后,组织了一批科技工作者编写了《河南林业生态》一书。

《河南林业生态》是河南省第一部全面系统地介绍林业生态的专业书籍。真实地反映了河南省林业生态概貌和取得的令人瞩目的成就,探索性地对林业三大效益进行量化分析研究,并详细论述了河南省林业生态的历史变迁、环境特点、存在问题及今后林业生态建设的战略任务和措施,具有较强的科学性、文献性和知识性,是领导决策、科学研究、宣传教育、对外交流的宝贵资料。衷心希望通过这本书,能使广大读者对河南省林业生态环境建设的重要性和建设成就有一个全面了解,从而更加热爱大自然,保护生态环境,为林业生态环境建设,维护生态平衡贡献自己的一份力量。

张敬增　赵顷霖

2004年3月

前　言

林业生态建设是功在当代,惠及子孙的伟大事业和宏伟工程。林业既是国民经济的基础产业,又是从事维护国土生态安全,促进经济可持续发展,以向社会提供森林生态服务的产业。当前,保护森林和发展林业,已成为全球环境的主题,越来越受到国际社会的关注。

新中国成立后,河南省林业建设虽几经反复,但在全省人民的共同努力下,造林绿化事业逐步走上稳步发展的轨道。特别是平原绿化工作进展较快。20世纪90年代之后,全省林业建设呈现出快速发展的好形势,取得了较为显著的成绩,但是,作为一个人口大省,工农业生产发展迅速,人均占有的资源量很少,生态环境保护与经济发展之间的矛盾日益突出,我们所担负的生态建设任务仍然十分繁重,还有大量的工作要做。为了进一步加强林业生态的保护、科研和建设工作,我们组织编写了《河南林业生态》一书。

《河南林业生态》是河南省第一部全面系统地介绍林业生态的专业书籍,具有较强的科学性、文献性和知识性,对领导决策、科学研究、宣传教育、对外交流具有重要的参考价值。

本书共分6章,具体编写人员有:赵勇(第一章和第三章),光增云、方保华(第二章),席中岳、黄文革、袁其站、刘玉(第四章),赵体顺、马群智(第五章),徐忠、柴明卿、申富勇、王明付(第六章)。

全书由张敬增、赵顷霖、赵体顺、徐忠通编和定稿。

由于我们的水平有限，不当之处，敬请不吝赐教。

编　者

2004年2月

目　录

第一章　历史时期河南森林变迁与生态环境演化

森林属天然资源,早在人类出现以前就存在着,这是林业不同于农业、畜牧业的一个特点。中国森林的变迁史就是人类进化的发展史,也是森林资源不断减少的历史,又是由此造成生态失调、灾害频繁发生而促使人们从事林业管理经营、发展林业科学技术的历史。

我国古代的森林状况究竟如何,各时期的森林植被有多少,森林的变化与生态环境的关系如何。目前尚无确切的数据可考。据有关专家考证,几亿年前,中国大地基本上为高大的古森林覆盖,以后由于地质构造运动引起地壳沉降,有些地区的古森林被埋入地下,逐步变成煤层。我国丰富的煤炭蕴藏量足以说明我国当时丰富的森林资源景象。《山海经·五藏山经》所记载的400多座山,无林的是少数。据对泥炭沼的孢子分析,证明天然森林现已绝迹的华北平原早在7 500～2 500年前,曾分布着以栎属为主、混有松属的茂密森林。

随着人类的出现,人类对森林的破坏就开始了。由于我国古代时期人口稀少,生活与生产工具原始,以及受当时技术水平的限制,人类对森林的破坏程度还十分有限,对森林影响较小,即使到了原始社会,全国森林覆盖率仍高达64%,其中东北地区高达90%以上,中南地区80%以上,华北地区在60%以上,而目前少林的西北地区森林覆盖率在古代时期也高达40%以上。《诗经》提及的林木和采伐的诗句很多,反映了奴隶社会时华北一带曾经是茂密的森林。然而,随着人口的增加,农业与工业的发展,科技的进步和社会经济的发展,加上战争的破坏,导致森林从多变少、由好变坏。

黄河流域是中华民族文明的发源地和农业发源地。据历史记载,西周时期河南省黄河流域的森林覆盖率高达53%,华北平原和太行山一带曾是"草木繁茂,禽兽繁殖"、"地幽人迹少,树密鸟声多"的地方。到了清末,华北地区仅残留一些天然次生林,森林覆盖率不足5%。

综观历史,河南森林的变化除受到自然条件的影响外,更重要的是受到人为因素的干扰。历史时期河南森林植被总的发展变化趋势是森林面积越来越少,原始林逐步为天然次生林和人工林所替代。历史遗留给新中国的是满目疮痍、荒山秃岭、生态恶化的凄凉惨状。

新中国成立后,党和政府十分重视植树造林、改善生态环境,全国森林资源迅速恢复。根据联合国粮农组织1995年公布的报告,我国森林面积居世界第5位,仅次于苏联、巴西、加拿大和美国;森林总蓄积量居世界第8位,森林每公顷生物量高于世界平均水平。但是,我国森林覆盖率只有世界平均水平26%的一半;人均森林面积0.11hm^2,是世界人均水平的17.2%,居世界119位;人均森林蓄积量是世界人均的12%,反映我国面临的林业环境形势相当严峻。

现代林业研究证明,森林是陆地生态系统主体,是全球生态问题的核心,是人类社会可持续发展的基础和保证,是实现环境和发展相统一的关键和纽带。森林的变化对地球生态环境的影响十分重要。因此,保护森林、发展林业绝不只是简单的经济问题,而是关系到保护地球、维持生态平衡和人类前途命运的大事。这种思想和认识的形成则是来自于我国数千年关于森林与生态环境关系的历史经验和教训的总结。认识是生产实践的产物,是和生产力发展水平密切联系的，恩格斯在《自然辩证法》中说："人的智力是按照人如何学会改变自然而发展"，明确指出实践对提高人类认识水平的决定意义。历史时期人们对森林保护环境作用的认识，是千百年来人们劳动的产物，是人们对生产经验的总结。具体地说，主要是发展农业，垦殖土地的产物，是人们从毁林开荒，导致生态失调的惨痛教训中，一点一滴积累起来的，并随着人们认识水平的不断发展而提高。

第一节　黄河流域森林植被变迁及其生态环境演变

黄河是中国的第二条大河，发源于青海省巴颜喀拉山北麓的约古宗列盆地，流经青海、四川、甘肃、宁夏、内蒙古、山西、陕西、河南、山东9省（区），由山东省垦利县境内注入渤海，全长5 464km，流域面积75.2万km^2，共有338个县，流域人口1.2亿。黄河干流河道，按流域特点分为上、中、下3个河段，河源至内蒙古托克托为上游，河道长3 472km，流域面积38.6万km^2，约占流域面积的51%，是黄河水源的主要来源区；托克托至河南省的桃花峪为中游，流域面积34.3万km^2，干流长1 206km，是黄河泥沙的主要来源区，约占黄河泥沙的90%。

黄河流经河南省灵宝、陕县、三门峡、渑池、新安、济源、孟津、洛阳、孟县、巩县、荥阳、武陟、郑州、原阳、中牟、封丘、开封、兰考、长垣、濮阳、范县、台前等市（县），由台前县张庄流入山东省，河南境内河段长度为711km，流域面积3.62万km^2。黄河多泥沙，在漫长的历史时期内，黄河填海造陆，缔造了包括豫东平原、豫北平原在内的面积达25万km^2的黄淮海平原，为中华民族开拓了广阔的国土资源。黄河流经之地，大多土壤肥沃，气候温和，雨量比较适中,适宜人类生存和发展。黄河流域是中华民族的摇篮,中华文明的发源地,几十万年以前,河南黄河两岸已有人类在此繁衍生息。夏、商、周3个王朝就是从这里兴起、发展的。到了隋代和唐代前期,黄河中下游地区是全国主要的粮食生产基地。汉唐是我国封建社会的鼎盛时期,黄河流域是当时人口密度最大,经济、文化最发达、最辉煌的地区。上下五千年,历史积淀深厚,人文景观皆宝,人文资源十分丰富。

黄河中下游地区是我国历史上农业经济发展最早的地区。早期的农业经济为农牧副兼营林渔的多元经济格局,至战国后期开始向单一的农耕经济格局转变。这一转变对黄河流域生态环境的影响是非常深刻的。根据西安半坡、泰安大汶口等文化遗址和《诗经》、《山海经》、《禹贡》等文献记载证明,在战国以前除平原地区的农业已有相当规模以外,其他广大地区都还被森林、草地所覆盖,生态环境状况相当良好。春秋战国时期黄河中游平原地区农业发展迅速,森林面积显著缩小,这个时期黄河中游地区的森林覆盖率为53%,至秦汉时期下降至42%,至唐宋时期再下降至32%,直到新中国建立前夕仅有3%左右。这种农业社会的鼎盛和辉煌是建立在森林锐减基础之上、以生态环境恶化为代价的。从公元10世纪起,黄河中游地区,随着这种森林植被破坏,生态环境逐步恶化,最终导致严重的水土流失,致使下游地区的河流、湖泊淤塞,灌溉系统毁坏,水旱频繁,土地沙碱化。而同时,由于人口的无节制增加又进一步引起对土地、森林等自然资源的过度开发利用,使自然地理环境更加恶化,人地关系日趋紧张,人地关系发生迅速变化,即重复人口增加—经济发展—生态环境遭到破坏的演变过程。至元、明、清时期,因生态破坏,致使黄河中下游地区农业经济渐趋衰退,不再保持全国经济中心区的地位,直至近代仍难见当日的辉煌。

气候异常是洪水灾害的直接原因,而流域生态环境的不断恶化则是导致水患频繁的内在因素。黄河之所以成为民族之忧患，是由于生态环境脆弱造成的。历史时期的黄河中游地区，原本是森林、草原密布，那时的气候温暖湿润、河水流量大、池沼湖泊星罗棋布、绿色遍野、水草丰茂，是人类栖息的理想之地。然而数千年来，人类的干扰，使之发生了较大的变化。现在的黄河中游地区降水量减少、气候干燥，河流枯竭、湖泊消失，土壤盐碱化和沙化程度加重。往昔青山绿水的风貌难以再现。治理黄河是中华民族安民兴邦的大事。治理好黄河水害，利用好黄河水资源，建设好黄河生态环境，对黄河流域乃至全国经济社会的可持续发展具有十分重要的战略意义。

归根结底，黄河中下游地区自然环境的这种变化，除了自然方面的原因之外，主要是几千年来人类的生产活动和不合理的开发，使森林和草原植被大量减少以至消失的缘故。

一、先秦时期黄河流域的森林植被状况

据历史文献和大量考古资料证明，在尧舜时期，黄河流域平原和盆地草木丰茂，地广人稀，禽兽近人，至于山地丘陵则更是林深草密。到了春秋时期，农业的发展使一些平地被开垦为农田；在汾、渭谷地以北，则以牧为主；广大山地丘陵区，仍然为森林和草原所占据，植被覆盖率可达50%以上。这一时期，黄河中下游地区森林植被的破坏，以平原地区为主，这主要与当时的农业发展有关。因为在总面积不变的情况下，农田面积和森林面积总是互为消长的，森林植被完好，农业就无法发展，而一旦农业发展，就必然导致森林的破坏和减少。屯垦活动使黄河中下游的森林植被受到严重破坏，引起水土流失，大量的泥沙黄土倾泻于黄河之中，最终导致黄河决溢及中下游平原土壤盐碱沙化。黄河挟带这些泥沙进入黄河中下游平原。这里地势低平，河道变宽，流速减慢，水中泥沙沉积，河床逐渐变高，决溢泛滥次数增加。

根据考古资料分析，一万年前的河南省豫东平原地区，丘陵起伏，河流纵横，沼泽遍野。平原水网区阔叶林茂密，竹林成片，草丛散布其中，大约6 000年前，这里即有人类聚居，广大原野长期为森林草丛覆盖。战国时中国进入封建社会，建宫殿、造战车，树木遭到破坏，致使“宋无长木”。由于农民生产积极性较奴隶大大提高，又使用铁制农具，农业生产进一步发展，耕地面积扩展迅速，人口也不断增加。豫东、豫北平原上出现不少城市，如大梁（开封）、商丘、暇丘（淮阳境）、顿丘（内黄东）、廪丘（范县南）、长丘（封丘境）、谷丘（虞城南）、葵丘（兰考）、平丘（陈留）等，大面积森林被农田所替代，造成城市的近郊出现薪柴缺乏的现象。

西周、春秋和战国时期，黄河中游地区的农业发展，主要在晋南的汾涑平原、太行山南的河内地区、陕西泾渭河下游的周原一带、河南伊洛河下游的伊洛平原等地，所以这些地方的森林首先受到破坏。豫西伊洛平原森林减少和消失是从西周开始的。周平王东迁以后，这里成为全国的政治经济中心，宫室的建筑需要大量的木材，粮食的消费需要大量土地，两者需要的结果，自然又是森林植被的大量被破坏。战国末年，洛阳周围的土地开垦已达到极限。当时著名的政治家苏秦曾说过，假如他能有洛阳近郊的良田二顷，宁可舍弃六国相印。伊洛平原耕地之紧缺于此可见一斑，耕地紧缺到这种程度，森林当然是不复存在了。这一时期，黄河中下游平原地区的森林植被已经基本消失。

综观历史，黄河中下游的森林覆盖率在秦汉时为43%，以后逐代下降，森林的减少加剧了自然灾害的发生频率。据统计，自周定王五年（公元前602年）至清咸丰五年（公元1855年）的2 400多年间，黄河决口1 500多次，大的改道达26次，有5次大的变迁。河南水土流失，由来已久，早在春秋时《尚书》中就有关于“河流混浊”和“平治水土”的记载。上述黄河流域森林植被的减少消失，是这一地区环境恶化的主要根源。

二、秦汉时期黄河流域森林植被状况

这一时期，是黄河中游平原地区森林彻底消失、山地森林开始减少和消失的时期。先秦时期，平原地区的森林虽然已经大幅度减少，但遗留下来的也还不少。如西汉长安城周围的上林苑，方圆数百里之地，仍是树林茂密郁郁葱葱，为汉代皇帝优游狩猎之地。秦汉离宫别馆遍布关中，其所在之处也应是树木茂密之地。伊洛河附近的一些涧、谷和黄河以北的河内地区，也还存在着很多树木，其中枣树和竹子最引人注目，著名的“竹林七贤”就隐居在那里。当然这些已不可能和先秦时期的森林相比，但至少可以说明，平原地区规模较大的林区还是为数不少的。到秦汉南北朝时期，平原地区已无成片的森林存在。

秦汉两代由于人口密集，粮食的需求量大为增加。秦始皇就在关中开凿郑国渠，引泾河水灌溉农田，借以改良渭北的大片盐碱地。说明这时此地的土地已很紧张。以后土地开辟的范围越大，森林植被的面积就越小。可以说秦始皇时期京都的周围平原，是基本没有什么森林可言了。这一时期，建筑所用木材数量之多十分惊人，秦始皇先是建筑咸阳宫，以后每灭一国，即依照原来的宫室规模在咸阳原上重新建筑，使得“自雍门以东至泾、渭，殿阁复道周阁相属”，“令咸阳之旁二百里内宫观二百七十，复道甬道相连”。楚汉战争中，秦的建筑尽付兵火。西汉灭秦后，在长安另起炉灶，建造了千门万户、富丽堂皇的宫殿群，其时建造宫殿的木材、烧造秦砖汉瓦和浇铸金属器皿的薪炭都需要大量木材，平原地区的森林实在无法满足这种需要，致使近山的森林也遭到破坏。

战国后期到秦汉时期，为了把草原开辟成农田，政府曾多次有组织地向边疆迁徙人口。秦始皇三十二年(公元前 215 年)，命将军蒙恬率兵 30 万北击匈奴，掠取河南地，自榆中至阴山，设县 34 个。三十三年(公元前 214 年)，又发内地之罪人实之初县，进行开垦经营。西汉武帝元狩年间,关东遭灾,武帝征贫民725 000余口,“以实陇西、北地、西河、上郡”等地;元鼎年间,又“分武威、酒泉地置张掖、敦煌郡,徙民以实之”,又在上郡、朔方、西河、河西“开田官,斥塞卒六十万人戍田之”。经过秦皇汉武几次大规模的移民实边、斥卒戍田活动,草原被开垦而变为农田的自然不在少数。

此时期,河南太行山地区分布有大面积竹林。公元前110年,黄河在瓠子(今滑县)决口,汉武帝命令“下淇园之竹为健”填石上堵塞洪水(《史记·河渠书》);东汉初,刘秀命寇询守河内(今博爱、沁阳),询“代淇园之竹理失百余万”(《元和郡县志》);唐、宋、元在这里设司竹监管理竹园(《中国森林史料》);明、清《一统志》说“淇县、辉县出竹”,丹河“近河多竹木田园,皆引此水灌溉为利最博”,至今博爱仍是盛产竹子的县份。但是,由于气候变化,古代的野生竹林已变为灌溉竹园。太行山前的平原地带在战国时属魏,李俚作“尽地力之教”,规划土地,除去山地、泽薮和居民点,其他土地尽成农田(郭沫若);《战国策·魏策》也记述“魏地小,庐田原舍,曾无所岛牧牛马之地”,意即连放牧牛马的地方都没有了。由此可知太行山前平原地区的天然林早已绝迹。所以两汉时是全国中心地区,经济发达,人口众多。这里冶铁与陶瓷工业兴盛。殷商、安阳冶铜,战国辉县、西汉鹤壁与温县、北宋安阳与林县铸铁。汉、宋时林县设有铁官,明《一统志》说“汲县苍山出青铁,淇县出锡”。安阳相州窑烧制瓷器的最早年代上溯到北齐。其他如鹤壁集窑、修武当阳峪窑、安阳观台窑等,早在五代时已开始生产陶瓷。这两种工业都需要大量木材作燃料。战国时赵都邯郸、魏晋南北朝时的邺,均位于太行山附近,当时都城的营建,也都取材于太行山。这些都是本地区森林在不同历史时期毁灭的原因。但自然灾害和战争,曾使这里人口锐减。

在伏牛山南坡,大致范围为卢氏、栾川、嵩县、鲁山一线以南,京广线以西,桐柏山以北的山地丘陵和南阳盆地,春秋时期因距洛阳较远,人口较少,故森林茂密。《山海经·中次十一经》记述了春秋战国时期伏牛山南坡的森林和树种有松、柏、梓、构、柚(楠)、橿、柞、桑、苴(山楂)、桃、李、竹等,其中温带树种多达12种,亚热带树种有楮和竹类。这时竹林分布较广,种类不少。三国时诸葛亮火烧曹操的军队于新野博望坡,不少树木被焚。这说明当时南阳周围还有森林。

魏晋南北朝时期,政局动荡,战乱不息,森林植被屡遭破坏。函谷关以西曾有大片桃林,郁郁葱葱,一望无际,枝柯交叉,密不可分,军队马匹战车根本无法通过,被认为是关东、关西之间的要塞。十六国时期,这里已无桃树可言,成为军营驻地。北魏征伐赫连勃勃时,“遣士卒于阴山伐木,大造攻具”,使阴山山脉的森林也遭到破坏。北魏最初建都平城(今山西大同市东北),其宫室住宅建筑所需之木当来自附近山区。其后又开垦黄河以北的土地,使今内蒙古的包头一带都成为农田,包头以南的黄河中游地区就更不用说了。

三、唐宋时期黄河的森林植被状况

唐宋时期,这一地区的游牧之风仍有保存,但已不占主要地位,因为此地的少数民族,已经不专门从事畜牧活动,而是一边发展农业,一边从事畜牧业,农田和牧场各占一定比例。根据当时的治国方略,政府在原来的草原地区又开辟了大量的田地,如泾州等开垦的成绩都非常突出。尤其值得注意的是,在山西西部黄河和汾河之间,西汉时这里的人口还不多,唐代却设立了7个州。政区的设置反映了人口的增加,而人口增多,所需的土地就多,草原的数量当然得大量减少了。明清时期的转牧为农应从明初的屯田算起。明代初年,政府即十分重视开垦土地、发展农业,除动员百姓开垦外,还实行军屯、商屯。军屯就是组织当地驻军进行开垦,每军士按规定开垦50~100亩不等的土地,有的地方竟高达200亩。

当时黄土高原的延绥、大同、太原、固原、宁夏等地都是明代军事重镇,驻军人数众多,开垦数量相当可观。商屯是专对盐商而言的。当时,盐商要经营盐业,首先得往边境运粮换取盐引,然后拿着盐引到产盐地取盐。因为从内地运粮到边地非常困难,所以很多盐商干脆和戍边将士一起,在边地开垦种地,就地交粮。这样,军垦、商垦、民垦三者结合,使得边境地区成为开垦重点,最后几乎是无地不垦、无处不垦了。到了清代,农业地区又越过明长城,继续向北延伸,长城以南的草原基本无所遗存了。在唐宋时期,山地森林已遭到严重破坏,中唐时修建长安城所用巨木主要取之于北方的岚、胜二州,宋代开封城所用木材主要采自渭河上游地区。

森林的消亡必然带来生态环境的恶化,以伊河、洛河为例,唐代伊河水是"纤鳞竿见"(《全唐诗·龙门八咏》),洛河清澈见底,人称"清洛"(《全唐诗·晚秋洛阳客会》)。北宋时洛河流域因森林受到破坏,河水已开始变浊,但仍较黄河为清,故引洛河东入洋河代替黄河(《宋史·河渠志》)。明以后,洛河水更加混浊,而伊河仍然清澈,其原因就在于当时伊河上游的伏牛山区的森林较多的缘故,以后伊河上游林木被毁,河水也开始变浊。因而河南森林的破坏,是形成与加剧黄河泛滥成灾的重要因素之一。

从以上论述可以看出:从先秦至明清,黄河中游地区的森林和草原植被经历了一个从多到少乃至消失的变迁过程,而这一变迁过程又直接影响到黄河中下游地区乃至整个黄河流域生态环境。

四、明清时期黄河的森林植被状况

黄河中下游流域的森林在经过了数个朝代的开发、利用和破坏之后,天然植被已经不复存在。森林覆被率急剧下降到 3% 左右。而这种森林植被的变化,致使这条"母亲河"给中下游流域带来了无尽的灾难。据《明史·河渠志》和《清史稿·河渠志》记载,明清两代黄河中下游大的决溢就有 100 多次,平均每 5 年一次,一般的小型的决溢不计其数。每次决溢之后,都使受灾之地的土壤盐碱、沙化,不堪耕种。如明崇祯十五年(公元 1642 年),黄河在开封决口,豫东平原被淹,水过之后,土地“咸成碱卤,皆成石田”。清雍正三年(公元 1725 年),阳武一带被黄河淹没,水后土地皆变成盐碱地。中牟县受黄河泛溢之害甚苦,土壤盐碱、沙化的程度也最严重。道光二十九年(公元 1849 年)河决九堡,主流从中牟县流过,水涸之后,沙深盈丈。光绪十三年(公元 1887 年),郑工石桥决口,直趋中牟县西北隅,水后县城周围尽变白沙。县北“白气茫茫,远望如沙漠,遇风作小丘陵,起伏其间”;县南“多薄沙不能耕种,沙壅成岗,每风起沙飞,其如粟如菽者,刺面不能正视,轮蹄所过,十里之外,踪迹莫可辨之”。同治七年(公元 1868 年),黄河在郑州决口,郑州境内土地全成沙土白泥和盐碱之地。仅这一次决溢就使得 1 500 顷左右的田地变成盐碱地。山东鲁西北平原为黄河中下游平原的重要组成部分,又在豫东平原之下,土壤盐碱情况更加严重。如该地区的德州、聊城、东平、菏泽 4 州县由于盐碱土广布不能耕种,只能经营硝石。曹县、濮州、阳谷、堂邑、冠县、临清等地也因盐碱土太重,无法种植,政府只好豁免田租。这些地方土地盐碱的主要原因,都是因为地势低平,排水不畅,水分蒸发后盐分积聚所致。河南省黄河以北的林县、安阳等地,明代以前森林还很多,明初,政府向这里大量移民进行开垦。至清代人口猛增,土地紧缺,“山石尽辟为田”,森林被破坏几尽。综上可知,明清两代不合理的过度的农业开发是黄河流域自然环境恶化的最重要、最直接的原因。

五、黄河流域森林植被的变迁与生态环境演变的关系

黄河是一条举世闻名的多泥沙河流,水少沙多,水沙失衡。大量泥沙淤积并抬高河道,使洪水宣泄不畅,甚至造成决溢泛滥,是产生水患灾害的根本原因。黄河泥沙主要来自黄土高原,因而黄

土高原生态环境状况如何,必然关系到下游两岸的安全问题。黄土高原自形成以来,长期处在振荡式上升运动中,高原表面除少部分为石质山区、石山林区、沙漠草原、沙漠区之外,其余均为黄土和红色土所覆盖,土层深厚,达数十米至200m不等。高原上的黄土颗粒,自南而北逐渐变粗,质地疏松,抗蚀能力低,遇水易崩解,加上植被覆盖率很低(平均在6%以下),每逢暴雨来临,水土流失十分严重。尤其是黄土丘陵沟壑区,水土流失最为严重,平均年土壤侵蚀模数每平方公里在10 000t以上,是黄河高含沙的主要源地。黄土高原土壤侵蚀模数大小与其本身生态环境状况直接相关。大量的研究结果证明,造成黄土高原严重水土流失的原因,固然有其自身的内在因素,但人类长时期砍伐森林、开垦草原等不合理利用资源的行为,也是造成这一现象的重要因素。

历史时期的黄河流域曾到处是森林和草原。古代黄河中下游植被发育良好,长城以北水草丰盛,曾是“天苍苍,野茫茫,风吹草低见牛羊”的天然牧场。秦汉王朝开始,黄土高原生态环境出现第一次大的转折,即开始向这里移民屯垦,农牧界线一再北移,曾一度移至阴山以北,西界达乌兰布和沙漠一带。到汉武帝时,这一片被称为“新秦中”的发达农业区,大片草原和森林被破坏,水土流失加重,无定河和泾河的含沙量很快上升。到西汉中期,泾水更加混浊,史书曾记载有“泾水一石,其泥数斗”。到了唐代,农牧界线又一次迅速北移到河套以北,特别是安史之乱以后,大片草原又垦为农田,水土流失再一次加剧。到了北宋时期,为了巩固北部边防,抵御北方民族侵犯,在泾、渭、洛和无定河等流域的中上游地区屯垦,许多原始森林被砍伐,草原整片被破坏,水土流失越演越烈。明清时期更加剧了对林、草的垦伐,造成黄土高原第三次大破坏,而这次破坏最为彻底,使黄河水更加混浊,达到了“平时之水,沙居其六,一入伏秋,则居其八”的严峻局面。黄河流域的森林资源破坏日趋严重,终于造成了黄土高原现在的局面。长城以南为森林草原，野生动物成群。经过两千多年来的气候变迁，群雄逐鹿，战乱灾荒，无度开垦、放牧、采伐，形成今日黄土高原土地沙化、水土流失，下游河床抬高，土壤盐渍化景象。

黄河是中华民族的摇篮。从秦代到清代，由于对黄河流域的过度开发，流域内的森林植被遭到严重破坏，造成了严重的水土流失和草场退化、风蚀沙化，使之成为易淤、易决之河，成为"中国之忧患"，"黄河文明"也逐渐衰退了。据统计，从公元前 602 年(周定王五年)到 1938 年的 2 540 年间，黄河下游决溢次数达 1 590 次，较大改道 26 次，其中自商周至隋代每 10 年只有 2.9 次；唐代至元代则有 474 次，平均每 10 年 6.3 次；明清时期，上升到 934 次，平均每 10 年就有 17.2 次，较唐宋增加了近两倍；黄河近代(1912 ~ 1936 年)共发生 103 次决溢改道，平均每 10 年猛升至 47 次。而对照前述历史时期的森林变迁资料，充分反映了黄河流域的森林植被与下游决溢改道的频率密切相关。

黄河水量减少和断流加剧的严酷现实促使人们深思。恩格斯指出："我们不要过分陶醉于我们对自然界的胜利。对于每一次这样的胜利，自然界都报复了我们。每一次胜利，在第一步都确实取得了我们预期的结果，但是在第二步和第三步却有了完全不同的、出乎预料的影响，常常把第一个结果又取消了。"他还举例：希腊等一些地方的居民为了得到耕地，把森林都砍光了，结果这些地方成为荒芜不毛之地，因为失去了森林，也就失去了积聚和贮存水分的中心。阿尔卑斯山的意大利人，因为砍光了山坡的松林，把高山畜牧业的基础给摧毁了，结果使山泉枯竭，洪水倾泻。恩格斯一百多年前的这些忠告对今天的人们仍具有警示作用。

新中国成立以来，国家投入大量的人、财、物，对黄河及其流域进行了包括植被和水土流失在内的综合治理，新中国成立 50 多年来伏秋大汛没有出现一次决口。

第二节　史前的河南森林与生态环境

一、初期森林概况

在距今7 500～2 500年前的中全新世，中国经历了从裴李岗文化，仰韶文化，龙山文化，夏、商、西周到东周、春秋时期的过渡。封建社会以前，第四纪最末一个冰期之后，气候开始转暖，约在7 000年前，当时人类处于新石器时代，中国天然的植被分布，从东南到西北，大致是森林、草原和荒漠三个地带。河南位于森林地带，不论山地、平原到处是森林密布。位于河南省黄河中下游流域的地区是中华民族的发源地之一，人类很早就在这里栖息生活，到处都有人类活动留下的遗迹(址)。南召县云阳镇出土的南召猿人，其生活时代与北京猿人相当，即中更新世。陕县张家湾、赵家湾、会兴镇出土旧石器时代的尖状器、刮削器、砾石砍砸器和石核、石片等，根据石器特征初步确认也与北京猿人时期相当。陕西蓝田猿人和河南南召猿人的出现，使一些学者认为："在华北地区内最古老的人类遗骸和文化遗物，似乎是在秦岭北麓一带地区"，"时代最早的文化是在陕西潼关，河南灵宝、陕县与晋南的垣曲地区"。在距今约13 000年，即晚更新世，安阳小南海和许昌灵井都有人类居住。7 000年前的新郑裴李岗文化遗址属新石器时代早期，这种类型的文化遗址，在开封、洛阳、信阳等地区和密县峨沟已发现30多处，这时已出现原始农业与人类定居生活。

古代河南的森林状况，从安阳殷墟发掘出距今5 000多年的动物群遗骨，有充足的证明河南古代森林动物除麋、貉外，还有野生水牛、四不像、野猪和热带动物竹鼠、亚洲象、犀牛、貘等，以及数量不等的狸、熊、獾、虎、豹、黑鼠等。现在竹鼠主要分布在长江流域，亚洲象则南退到西双版纳地区。这些热带或亚热带森林动物的存在,反映了当时河南气候温暖的特征。此外,河南省还有较大面积的天然竹林,从而证明殷墟一带除森林、草原、湖泊和沼泽之外,还有相当面积的竹林存在。

河南太行山南麓和中条山一带,在商代后期曾经是商王垄断的田猎区域,还设官管理。殷墟甲骨文曾有打猎时捕获一头大象的记载,现在河南简称"豫"就是一个人牵了一头大象的标志。这也反映了当时气候温暖,相当于今日云南西双版纳的气候。竺可桢认为,5 000 年来竹类分布北限大约向南后退 1～3 个纬度。根据对淅川下王岗遗址中,从仰韶文化层到西周文化层的动物群分析,证明在三五千年前,这一带有茂密的森林和野生竹林,并有稀树草地,灌丛和水生植物的分布。

在春秋时豫北淇河两岸也分布着茂密的竹林,《诗经·淇隩》中有"瞻彼淇隩,绿竹猗猗"的诗句,证明了这里的植被状况。根据李树芳《中国豫北平原地区全新世孢粉组合及其意义》的孢粉分析材料证明,豫北平原当时生长的针叶树种有松属、云杉属、铁杉属和喜暖的罗汉松科、杉科植物;阔叶树种有栎属、桦木科、桤木属、板栗属、榆属、椴属、榛属、鹅耳枥属等;藻类除卷相属、里白科、水龙骨科、鳞始蕨科、石松科、阴地蕨属外,还有喜热的凤尾蕨科。

近年对淅川下王岗遗址从仰韶文化到西周文化层的动物遗骨分析,以及下王岗遗址中动物遗骨的分析对比,可以知道三五千年前,秦岭的东延部分伏牛山,有茂盛的森林和野生竹林。《诗经》有秦岭山地多松、竹的记载,伏牛山的鲁山县是以栎属为主的针阔混交林,主要阔叶树种还有臭椿属,针叶树以松属居多,林下灌木蔷薇科最多,草本植物以禾本科、藜科、蒿属为主,其他为菊科、十字花科、豆科、毛茛科、玄参科、莎草科和香蒲属。

《山海经》比较全面地记述了伏牛山区的森林情况,当时伏牛山北坡位于卢氏,陕县、新安、孟津、鲁山、登封、巩县、郑州等县

(市)境内主要的森林树种有竹箭(水竹)、枣、牡荆、漆、棕榈、榖(即楮或构树)、臭椿、柳、桑、榆木、桃、柏、郁李等。伏牛山北坡除温带树种外,还有漆、捕、棕榈等喜暖的亚热带树种和热带树种,山上大多为森林所覆盖,兽多虎豹。《山海经·中次六经》和《中次八经》有"熊耳之山,其上多漆,其下多榖(棕榈)"和"女儿之山(宜阳县西)……其兽多虎"的记述。崤山上的"桃木之塞"(陕西潼关到河南灵宝一带)和"松柏之塞"(指旧函谷关,今灵宝北王垛村)就是因多桃树和松柏而得名。伏牛山南坡树种有松、柏、檀、漆、柞、桑、梓、构树等,《山海经·中次十一经》叙述内乡"羽望之山,……其上多松柏,其下多漆梓","又东三百里曰奥山(今泌阳),其上多柏、杻、橿。"这些记载,无不表明河南省伏牛山森林的茂密情景。

有人估计公元前 2 700 年河南森林面积为 10 万 km^2,森林覆盖率高达 63%。据林鸿荣先生对山海经—中山经(现河南、山西、陕西、四川和湖北一带)考证,当时该地域森林总覆盖率约为 61%,而考虑到南北的差距,河南的森林覆盖率应在 59%左右,也印证了河南森林在这一时期丰富的特点。

二、森林变迁的主要原因

随着黄河流域出现以关中、豫西、晋南一带为中心的仰韶文化,这种文化遗址遍及河南各地,如渑池仰韶、陕县庙底沟、洛阳王湾、安阳后岗等。仰韶文化时期,已经出现了原始农业,人类开始定居生活,捕鱼狩猎,采集野果。由于受生存条件的限制,其活动范围多在水源附近,因此居住村落大多选择在河流两岸的阶地上,或者是两河汇流处较高而平坦的地方。根据当时人类生产能力推断,人类对森林的影响较小,主要是把森林作为食物的采集地,从森林中获取动、植物。此后,人类进入大河村文化和龙山文化时期。龙山文化属于父系氏族公社阶段,其文化遗址在河南的洛阳王湾、陕县庙底沟等地均有发现。此时期,定居生活比过去更加稳定，农业技术进一步发展，由于生产工具的逐步改进，开荒时砍伐树木的效率显著提高，耕地面积逐步扩大，农业在经济生活中地位更加重要，原始农业有了更大的发展，不仅有种植业，而且开始养家畜。这一时期，从住房建筑材料到生产工具和生活用具，都离不开木材。劳动生产工具也有提高，特别是比较厚重的大型磨光石斧的使用，大大提高了砍伐树木的效率。裴李岗文化、仰韶文化和龙山文化属于原始社会后期，已从母系氏族公社进入父系氏族公社阶段。中国传说中的共工氏、四岳、伏羲氏、伯益的后裔黄氏、江氏、舜等人物都在本省境内活动，这与出土的文化遗址相联系，说明河南是中国人类活动最早的地区之一，同时也是农业耕垦最早的省份之一。当时人们除毁林为耕地外，还使用木材构筑房屋、制作用具。但毕竟由于人口稀少，生产能力低下，因而对森林破坏轻微。

原始社会氏族公社制度瓦解后，人类进入第一个阶级社会——奴隶社会，传说中的夏代就是第一个奴隶社会，夏都阳城就在今天的河南登封市部城镇。这时期主要的农业生产工具还是木石器和一部分骨器、蚌器，但已发现有铸铜手工业作坊的遗迹。农业由刀耕火种发展到锄耕农业，使用的木石工具，到春秋后期逐渐为铁制农具所代替，并开始使用牛耕，大大加速耕地的扩展，人类对森林大范围的破坏也由此开始。

河南省西部和北部是夏、商两代活动的中心地区。周初河南境内封国近百个，东周又迁都洛阳，因此在奴隶社会时期，河南长期为全国政治中心，其经济发达，人口密集，生产力水平较高。王都所处的伊、洛河下游和太行山前的沁阳盆地，农业生产早于本省其他地区，如春秋末年卫国人烟稠密，生产的发展使豫北平原地区此时难以看到天然林。洛阳附近也是如此。丘陵上只能看到人工栽培的李园。但东周初，郑国迁都到新郑时，该地还是“斩之蓬蒿翠蓄而共之”(《诗经·王风》)，“家郑之间有隙地焉”(《左传》)，说明当时的豫东平原还是人口稀少、森林茂密的景象。当人口的增加，隙地上建了六个“邑”时，这时的宋国已经“无长木”了。

春秋时期，诸侯争霸，战争频繁，本省多次成为战场，森林遭到严重的破坏。如公元前656年齐桓公侵蔡伐楚，观兵召陵(今国城东)，公元前575年及公元前557年晋楚两国战于鄢陵(今鄢陵西北)、湛阪(今平顶山西北)，《左传》中著名的城淮之战对森林都有较大的破坏。河南黄河流域天然森林已经荡然无存，部分地区开始出现人工林，西周到春秋时期黄河中下游已普遍种桑养蚕，《禹贡》提到豫州(河南古称)出产贡丝和丝织品就证明了这一点。随着农业技术的进步和居住条件的改善，人类开始在居住区进行人工植树活动。从《吕氏春秋》“子产相郑，桃李垂于街”和《左传》“诸侯伐郑，魏犨斩行栗”的记载中可知，居住地和道路已人工栽植行道树。

进入封建社会，生产力大大提高，特别是铁制农具的使用，加上七雄争霸，讲求农战，奖励垦殖，加之人口猛增，都加速了农田的开垦。魏国李悝作“尽地力之教”，规划土地，除去山地、沼泽和居民点，其他土地均开垦农田。《战国策·魏策》记述：“魏地(今河南东北部)小，庐田原舍，曾无所属牧牛马之地。”意思是说连放牧牛马的地方都没有了。《商君书·徕民篇》记述韩国(今河南中部)“土狭而民众”，部分地区已经见不到森林了，宋国出现“无长木”情景。洛阳、大梁(开封)、阳翟(即禹县)、宛(南阳)均为当时著名的经济大都会，商业繁盛，人口众多，可知当时的河南是全国人口最多的省区之一，平原地区的农田开垦较其他省区为早，天然林已很难见到。

冶铁技术的发展，导致铁制农具大量出现，又使更大面积的农田耕作、开垦广阔的森林地区成为可能，推动了土地的大面积垦殖。如晋国“南郡之田”原是“狐狸所居，豺狼所嗥”的荒野，经过春秋时期“剪其荆棘，驱其狐狸豺狼”，开垦为耕地。郑国在平王东迁之初,还是个较为荒芜的地方,到春秋后期成为一块工农商都较发达的地区。该地区的森林破坏可见一斑。

商代是我国有可靠文字记载的第一个奴隶社会。河南属于商代统治中心地区。从成汤至盘庚六次迁都,均在河南境内,最后的王朝朝歌就在豫北地区。代之而起的是周代奴隶社会的全盛时期。周初全国有封国1 000多个,河南境内有近百个,西周时周公营建东都洛阳。平王迁都于此后,河南又成为全国政治中心,经济发达,人口亦较其他地区为多。商代已经进入青铜器时代,郑州发现商代炼铜作坊遗址,该时期农业生产工具已由金属代替木石器,但都以木材作柄。冶炼青铜需要大量的木炭,大规模的森林砍伐就此拉开了帷幕,不久伊洛河下游和沁阳盆地已很难看到天然林的存在,但在豫东平原人口密度不大,垦殖范围亦小,森林还保存比较好。公元前632年城濮之战中,晋文公下令把小国有莘(今陈留)的森林伐掉,使豫东平原的天然林遭到严重的破坏。

综上所述,不难看出此时期的森林变化与人类的活动是密切相关的,特别是人口的增长、农业的发展是影响河南省森林变化的主要原因,其次还有战争的原因。

三、生态环境演化

由于人类的活动造成森林的减少和破坏,直接带来了生态环境的改变,从气候变化和自然灾害两个方面可以看出森林的变迁所引起的生态环境的恶化。

(一)气候变化

竺可桢将中国5 000年来的气候划分为三个时期,即公元前3000~前1100年的温暖时期(从仰韶文化到商末),公元前1100~公元1400年的寒暖交替时期和公元1400~1900年的寒冷时期。寒暖交替时期又分为三个寒冷时期和三个温暖时期:周初(公元前1000~公元前850年),东汉、魏、晋、南北朝(公元初~600年)和南宋(公元 1000 ~ 1200 年)为三个寒冷时期;春秋到西汉(公元前 770 ~ 公元初),隋唐(公元 600 ~ 1000 年)和元初(公元 1200 ~ 1300 年)为三个温暖时期。温暖时期的气温较现在高,春秋时亚热带的梅树在黄河流域普遍生长,秦和西汉时的物候比清初(公元 1600 年)早三个星期,唐代长安可种柑橘并结实,长安郊外种有梅树。公元 1400 ~ 1900 年的明清时期气候转冷。

殷墟时期,从 5 000 年前的仰韶文化到 3 000 年前是中国的温暖气候时代,比现在年平均温度高 2℃左右,1 月的平均温度比现在高 3 ~ 5℃。当时中国天然植被分布,从东南向西北,大致是森林、草原和荒漠三个地带。

商代温暖时期,自成汤即位于亳起(公元前 1766 年),至商纣末年止,计 600 余年。当时气候比现在温暖。豫北安阳一带,一月份多年平均气温比现在高 3 ~ 5℃,年平均气温高 2℃。

西周由暖变冷时期,自周武王即位起至幽王末年(公元前 771 年)止,共 351 年,有 2 次冬冰的记载。在《通鉴辑览》中,又有“……江汉冰”的记载。江汉既然结冰,位于其北的河南,则更冷无疑。

春秋回暖时期,鲁隐公元年(公元前 722 年)到鲁哀公十四年(公元前 481 年),河南豫东有 3 次春无冰的记载,在《河南通志》中记有“春无冰,宋郑饥。”当时之春为现在的冬,说明气候偏暖。

战国由暖转寒时期,自周元王元年(公元前 475 年)至秦始皇二十六年(公元前 221 年),史籍中寒情记载较多。《汉书·五行志》记有“(河南)八月风雪”和“(淇、汲等县)岁寒”。公元前 225 年《史记》中记有“新郑一带……大雨雪深二尺五寸”,反映当时气候明显偏寒。

(二)自然灾害

先秦时期,河南的自然灾害主要是由旱涝而引起的。中原地区在 4 000 年以前,即仰韶文化到大河村文化时期,大部分时期的年降水量比现今稍多，为半湿润气候。公元前 2300 年到公元前 2000 年，尧及夏朝晚期，为湿润多雨期，经常发生涝灾。史中记有“尧有九年之水患……”。公元前 1900 年到公元前 1800 年，有一个严重的干旱少雨期。

商代，先旱后涝。河南境内此期有大旱 9 次，大水 7 次。大旱主要发生在商初，“汤有七年之旱灾”。其中公元前 1763 年之大旱，灾情最重。“大旱，人之无粮有卖子者，汤发庄山之金，铸币赎之”。大水主要在中丁六年（公元前 1557 年）至盘庚十四年（公元前 1388 年），其危害甚巨，曾迫使商 5 次迁都。

西周，以旱为主。西周属干旱少雨时期。成王元年（公元前 1042 年）记有“洹水一日三绝”。周厉王二十一年（公元前 857 年）至二十六年（公元前 852 年），连旱 6 年。由《诗经·小雅·雨无正》“浩浩昊天，不骏其德，降丧饥道，斩伐四国”的记载，可见当时干旱除陕西外，河南亦有之。“晋文侯元年泾渭洛竭”，表明豫西之干旱。

春秋时期，自然灾害以偏旱为主，此时期河南曾出现全省性大旱年 1 次，局部地区大旱年 7 次。发生全省性大雨、局部地区大雨 3 次。该时期主要灾害是干旱。旱涝相比，属偏旱少雨时期。

战国时期，旱涝交错，以涝为主，此时期出现全省性大雨水 1 次，局部大雨水 5 次（豫西、豫北各 2 次，豫东 1 次）。还出现 2 次全省大旱。

综合分析，上述气候的变化和自然灾害的发生虽然不能全部归咎为森林的破坏，但是人类的这种大规模的破坏森林是引起环境变迁的主要原因。这是现代林业已经证明了的事实。

四、综合评述

随着社会的发展，人类对木材的用量越来越大，烧制陶瓷、冶铁、营造宫室、修筑房屋均需大量木材，这一时期已有 7 种工匠离不开木材。此外人们还从漆树上割取漆汁制作精美漆器，反映了木材使用之广，用量之大。随之带来了木材的短缺，迫使统治者不得不设官管理天然林和开始营造人工林，并制定法律以限制采伐，严禁盗伐树木。商周时期已设官管理山林，并定出各种管理措施保护天然林。如《周礼·地官·山虞》“春秋之斩木不久禁”。《孟子》“斧斤以时入山林”。《周礼》规定“凡窃木者，有刑罚”；“凡不树者无椁”，即不栽树的人死后不得用椁（指套在棺材外面的大棺材）。《左传》中记载，子产当郑国宰相，严禁擅自砍伐檀木。当时统治者也提倡植树，如齐相管仲提出“民之能树艺者，置之黄金一斤，直食八石；民之能树百果、使繁衷者，置之黄金一斤，直食八石”（《管子·立政》中的金指的是铜）。《诗经》、《尚书》、《左传》等书记载当时人工栽植的树种有桐、梓、楸、茶、梧桐、檀、槐、杨、柳、桑、粑、柘和竹等，果树有榛、栗、梅、李、桃、枣、棘、樾、甘棠等，其中大多数是能在本省生长的温带树种。但该时期对森林重要性的概念仅仅是在提供木材的基础上。

在林木的利用方面，桑叶养蚕的历史则更长。春秋时黄河流域已普遍栽桑养蚕。随着农业的发展，人们开始栽植树木，农圃开始分工，已有专植桃树的桃园，其他果树有枣、榛、栗等，另外还培育了经济树木和用材树，城市和道路栽植行道树，足以证明当时人们对树木非常珍爱。《诗经·郑风·将仲子篇》描写了郑国人民爱护桑檀的情形。利用竹子制作各种工具，河南可谓历史悠久，殷墟甲骨文中发现有“箙”、“笰”、“箟”等带竹首的文字，《汉书》和《诗经》对这里的竹子的生长和利用均有记述。

对森林保护环境作用的认识最早可追溯到上古时代，其中春秋时期是其产生、发展的重要时期。土地的大量开垦，必然要砍伐掉大面积的森林，并由此带来局部地区生态环境的恶化，如水土流失、水旱之灾的加剧。

首先，人们对森林保持水土的作用有了初步的认识。“保持水土”这个概念，在我国古代很早就产生了，当时称之为“平治水土”。

此话在我国最古老的文献汇编《尚书》中曾多次出现。古人对森林可以保持水土的认识,从今所见到的文献材料来看,《尚书》当属最早。这不仅反映了先民对森林保持水土作用的最初认识,而且也说明这种认识的形成可以追溯到尧舜时代。战国时期,孟子有段记述今山东临淄南部牛山变迁的话更值得注意。他说:“牛山之木尝美矣,以其郊于大国也,斧斤伐之,可以为美乎。是其日夜之所息,南露之所润,非无萌蘖之生焉。牛羊又从而牧之,是以若被濯濯也。”可见孟子已能把毁林与水土流失联系起来,这从一个侧面说明他已较清楚地认识到森林具有保持水土的作用。

其次，对毁林与天灾之间的关系，也有了简单的认识。懂得毁林会导致和加剧水旱之灾。《左传·韶公十六年》记载：“郑大旱。使屠击、祝款、竖柎有事于桑山。斩其木、不雨。子产曰：‘有事于山，山林也；而斩其木，其罪大矣，夺之官邑’。”子产是春秋时期的杰出政治家，针对“不雨”情况，他采取了“埶山林”的作法。而不是“斩其木”，表明子产对森林与降雨的关系有了一定的认识，朦胧地觉得种树能增加降水，减轻旱灾。战国时期的著作《文韬》记载：“人主好破坏名山，壅塞大川，决通名水，则岁多大水，伤民，五谷不滋。”“破坏名山”主要是指毁坏名山的森林植被。这说明当时人们对于因毁林而引起山洪爆发、带来水灾之关系已有了相当的了解。

其三,当时人们还认识到林木具有护堤固坝和保护野生动植物资源的作用。《管子·度地篇》曰:“大者为之堤,小者为之防,夹水四道,禾稼不伤,岁埠增之,树以荆棘,以固其地,杂之以柏杨,以备决水。”在堤防上种荆棘、柏杨以固堤,说明此时已认识到林木的固堤作用,反映当时人已认识到森林是野生动植物繁衍和发展的基础,只有保护森林,才能使野生动植物不受摧残。

先秦时期是我国古代人民对森林保护环境作用认识的第一个时期,也是萌芽时期。

第三节 秦汉时期河南森林与生态环境

一、森林概况

秦汉时期，河南省人口密集地区的森林几乎被破坏殆尽，只有人口稀少、偏僻的山区森林还有保存。据记载，春秋战国列强竞争之际，砍木为行军之惯技。到秦汉南北朝时期，平原地区已无成片的森林存在。秦统一天下后，东登泰山，见山中有鲜花木，乃下令曰："勿伐草木。"其山林稀少、森林荒废之状况由此可知。秦始皇造阿房宫，乃远采蜀山之木，以供建筑之需，可知当时中原一带，乔木林已经荡然无存。

二、森林变迁的主要原因

（一）人口的增长因素

大面积、大规模垦殖在秦汉时期盛行。由于汉代人口急剧增多，导致耕地面积急剧发展。两汉时期，河南人口达 1 048 万～1 600万，居全国首位，是清代乾隆三十年（公元 1765 年）以前各代人口之冠。全省人口分配不均匀，山区少，平原多，主要集中在豫东、豫北平原，伊洛河下游，洪汝河流域，淮河中游以及南阳盆地等平原地区。《史记·货殖列传》记述豫西弘农郡（卢氏、灵宝一带）人口密度为 1.2 人/km^2。豫东平原的陈留郡为 13.9 人/km^2，颍川郡 20.7 人/km^2，为山区的 11 倍和 19 倍。该时期南阳已成为全国闻名的大都会，当时宛（即南阳）洛（即洛阳）并称，西汉时南阳郡人口 194 万，东汉增至 240 多万，居全国之冠。

人口的激增必然带来农业种植面积的扩大。为扩大种植面积，大面积的森林被破坏。当时的农业普遍使用牛耕和铁制农具，不仅平原地区全被开辟为农田，而且一些丘陵也被耕垦。更有甚者,为加快扩大农业面积,普遍采用火烧森林的方法。这种开辟农田之法,其毁坏程度甚至比战争还要大。据盐铁论记载:“伐木而种谷,焚莱而种粟”。可知当时开垦森林为农地多用火烧,“使青葱荟蔚之茂林,一旦变为灰烬,且恐其根株之有碍农作,必欲扫除净尽,而使其永无萌蘖之一日也。”

(二)战争原因

战争是森林破坏的主要和直接原因。为了战争,需要制造大量的战车、战船、弓箭、兵器柄杆、云梯等;为便于行军,要砍树开道;为阻止对方行军,要砍树设障,更有甚者,用火烧森林来消灭敌人。该时期,河南的众多的森林多次因战争而毁坏,面积急剧减少。历史上因战争致使森林破坏的例子很多,三国时期尤其典型。如诸葛亮火烧博望坡,陆逊火烧锊亭,使数百里之森林,化为焦土。

南北朝时期,北方大乱,河南成了长期混战的战场,混战长达300年之久,人民大量死亡流徙,许多城市化为灰烬,农田变成次生灌丛和草地。《晋书·食货志》中有东汉末袁绍军队没有东西吃,“皆资椹(指桑椹)枣”,老百姓也以桑椹度荒的记载。由此可知战争对森林植被的破坏程度是巨大的。

(三)其他因素

封建统治阶级为修筑宫殿官邸而大量采伐森林,另外烧炭、冶铁、铁器制造等也使得森林大范围毁坏。根据当时的生产条件推算,每生产1 000kg铁需要7 000kg木炭。

(四)人工林的发展

战争和农业等因素使人类居住范围的森林遭到毁灭性的破坏,统治阶级也提倡在广大农区发展人工林,该时期河南省广大地区的天然林早已为栽培植被所代替。河南平原地区以及南阳盆地不仅种植各种粮食作物,如谷物、蔬菜和各种经济作物,而且兼种松、柏、桐、梓、漆、榆、枣等多种树木。不仅平地尽成耕田,而且山坡地也被垦辟,如《淅川县志》所载:“坡岭沙滩,无不种植,故地无旷土。”由于“海内为一，开关梁，弛山泽之禁，是以富商大贸周流天下，交易之物莫不通”。出现了以获利为目的的大面积人工经济林。

东汉时土地兼并之风大盛，地方豪强的田庄里不仅种植谷物、蔬菜和各种经济作物，还种植松树、柏、桐、梓、漆、榆、桑等多种树木，农业、林业、手工业和畜牧业结合在一起，形成一个自给自足的生产单位。

一直到唐中叶，庄田制代替了均田制，并延续到宋元朝代，由于衣着的需要，以及向官府贡纳丝绢，平原地区大量植桑养蚕。遍及河南府、开封府、怀、陕、锊、许、汝、滑等州产绢棉帛和方纹绫。除植桑外，农民种植零星果树或小面积果园，城市及其附近有一些园林，政治局面稳定时街道上和河堤上也栽植上行道树和其他树木。“陈(淮阳)夏(禹县)千亩漆”富与“千户侯等”。《太平寰宇记》中说南北朝时豫北滑县还有漆林。南北朝至隋唐时期，佛教在中国盛行，建立了许多寺院，这些寺院中大多栽有修身养性的“禅林”，至今在许多寺院中仍保存着相当数量的古树。

北魏孝文帝太和九年(公元485年)推行均田制。均田制实行近300年，对破坏的自然植被在一定意义上进行了补偿。如《魏书·食货志》说：“男夫一人给二十亩，课莳榆，种桑五十树、枣五株、榆三根。非桑之上，夫给一亩，依法课府榆、枣”，“限三年种毕，不毕，夺其不毕之地”。可见对种植树木，发展经济林做出了强硬的规定。

三、生态环境演变

(一)气候变化

西汉时期，气候寒冷，与当今气温相比，该时期偏冷。据《汉书·五行志》记载：“三月水冰，四月风雪，学东十余郡，人相食。”文帝前元十四年(公元前166年)、景帝前元二年(公元前155年)，

《陈州府志》均记载,“六月大雨雪”。景帝前元六年(公元前 151 年),《太康县志》记有“三月大雨雪”。武帝元光四年(公元前 131 年),《开封府志》记有“四月陨霜断草木”。其寒情延续时间较长,直到新莽天凤三年(公元 16 年),《资治通鉴》载有“春二月乙酉大雨雪,关东尤甚,深者一丈,竹柏槐枯”(那时关东主要指函谷关以东之河南)。

东汉时期,气候比现在寒冷。《续汉书·礼仪志》记有“六月乙卯霜”。章帝建初末年,《后汉书·章彪传》记有“立夏迄盛夏寒”。据《后汉书·襄楷传》记载,延熹八年(公元 165 年)“其各特寒,杀鸟兽、害鱼鳖、城榜竹柏之叶有伤枯者”。同时亦出现过寒暖交替现象。如豫西地区,永平四年(公元 61 年)《后汉书·五行志》记有“冬无宿雪”,“今时复旱如炎如焚”。

魏晋时期,《河南通志》记载魏文帝黄初六年(公元 225 年)至东晋恭帝元熙元年(公元 419 年)、西晋武帝泰始九年(公元 273 年)“四月辛未陨霜”。《临颍县志》也记载“三月陨霜伤麦”。《晋书·本记》记载永嘉元年(公元 307 年)“十二月冬雪”,(《十六国春秋》)记载建兴元年(公元 313 年)“十月……庚午大雪”。

南北朝时期,以寒冷为主。如公元 425 年有“十月大雪数尺”之记载。《北魏·书志》记有“九月京师大风雪三尺”。豫北于南燕太上四年(公元 408 年),“河流冻合”(《十六国春秋》)。豫东在东晋义熙五年(公元 409 年)到北魏延昌四年(公元 515 年),“三月癸亥河南八州陨霜”(《北魏·书志》),寒区已达省级范围。当时豫北较大寒冷就有 7 次,每次都有大雪,而此时暖情在豫西仅有 3 次。

(二)自然灾害

西汉主旱时期,此期共 200 多年,前 100 年有省级大旱 5 次,省级大雨水 2 次,旱情占优势;后 100 多年,省级大旱 4 次,省级大雨年 5 次。就全期来看,前期偏旱,后期又涝。

东汉,先旱后涝时期。在永元十二年(公元 100 年)以前,全省有省级大旱 4 次,同期省级大雨水年 2 次,该期以旱为主;永元十三年(公元 101 年)到建安二十四年(公元 219 年)间,省级大旱 3 次,省级大雨水年 7 次,其中还有 1 次特大雨水年。统观东汉全期,是先旱后涝。

魏晋,先涝后旱时期。西晋永康元年(公元 300 年)以前,有省级大旱 1 次,省级大雨水年 8 次,其中 1 次为特大雨水年。西晋永康二年(公元 301 年)至东晋元熙元年(公元 419 年),省级大旱 3 次,其中公元 308 年为特大旱,而这个时期省级的大雨水年仅有 1 次,旱占优势,全期是先涝后旱。

南北朝主旱、隋朝主涝时期。自公元 420 ~ 618 年,跨 5、6 两个世纪,河南共发生省级大旱 6 次,大雨水年 3 次,特大雨涝 1 次。到 6 世纪前后的 118 年中,发生省级大旱 7 次,省级大雨水年 7 次。在这 200 年中,前半段是以旱为主,后半段旱涝次数均等。而隋朝(公元 581 ~ 618 年)的 38 年中,却发生大雨年 5 次,大旱 1 次。故南北朝为主旱时期,隋朝为主涝时期。

四、综合评述

封建社会时期当政治局面稳定时,木材紧缺,统治者也注意四旁植树。秦始皇统一六国后,“为驰道于天下,东穷燕齐,南极吴楚……道广五十步,三丈而树”,“树以青松”(《汉书·贾山传》)。隋炀帝开通齐渠,广 40 步,两岸都建御道,种柳树以扩岸,“课民种榆、柳以固堤河”。

当时汉人用坞、壁、垒、堡来自卫。这种组织小者数十百家,大者万户,既是生产组织,又是军事组织,和东汉时的田庄一样,形成一个自给自足的经济单位,除种植作物、蔬菜外,还种桑植树。

关于毁林与水旱之灾的关系,这个时期也有了进一步的论述。如西汉著名学者贡禹曾就其关系作过较确切的说明。他说:“今汉家铸铁,及诸铁官皆置吏卒徒,攻山取铜铁,一岁功十万人以上……凿地数百丈，销阴气之精，地臧空虚，不能含气出云。”认识到由于采矿、冶炼，毁坏了地层和大批森林，使得水汽减少，地下水位下降，破坏了正常的水汽循环，导致水旱之灾发生。所以他大声疾呼：“斩伐林木亡有时禁，水旱之灾未必不由此也。”正确揭示毁林与水旱之灾的关系。

这个时期还进一步产生了“林茂粮丰”的思想，如汉代思想家仲长统曰：“丛林之下，为仓庾之坻”。又曰：“北方中榆九根，宜蚕桑，田谷好。”指出发展林业有利于改善农业生态环境，促进粮食生产，表明当时人们对农业与林业相辅相成的关系有了一定的认识。

宋魏岘在《四明它山水利备览》中说，种植防护林应“植榉柳之属，令其根盘错据，岁久沙积，林木茂盛，其堤愈固，必成高岸，可以永久”。这说明在种树固堤方面，人们已经懂得选择根系发达的优良树种，可见种植方式有了进步。

第四节　唐宋[illegible]林与[illegible]

一、森林植被概况

唐宋时期，河南山地森林已遭[illegible]中唐时修建长安城所用巨木主要取之于北方的岚、胜二州[illegible]开封城所用木材主要采自渭河上游地区，可知开封一带森林的缺乏程度了。唐诗有：“庭中有奇树，种来三十春；主人惜不得，持斧断其根。”说明庭院内的大树也很少了。

河南、关内、河东三道，是我国黄土地的主要分布区，也是我国古代文化最为集中、最为繁荣的地区。这一带的平原、丘陵、山地森林，始自夏、商、周三代不间断地进行着类型演变，至隋唐五代，于泾渭下游的关中平原、汾水流域的冲积平原、伊洛河平原、黄淮平原以及太行山区的沁阳盆地、齐鲁山地丘陵，已无天然森林可言，所见只是一些竹林、果园以及桑、榆、枣等树的人工林。这些人工林顺应着长安、洛阳等城市的需要和农业、手工业的发展而有所发展。

此时的天然森林，主要分布于三道山地及偏远的丘陵地带。这些天然林虽也持续着演变过程，但森林的面积或者表现为急剧缩小，或者表现为林相残败，但还未到全面毁坏程度，值得称道者仍不为少。山上“长林大竹”仍与山下幽谷林木相映成趣，如洛阳附近的熊耳、嵩山以及黄河北边的王屋、太行诸山，也大体如此。这里唐时“松杉出郭外，雨电下嵩阴”；还有“枫香林”与“东溪松”遥相呼应，不愧为重点林区或一方名胜。到了北宋，这一带分布松林的山体，仍是制墨松材的重要供给地。

该时期太行山地，包括太行山及其山前地带，即现在的黄河以北、京广线以西地区，也以草木丛茂著称；其以东的山地丘陵，自古森林茂密。《诗经·商颂·殷武》记载：“涉彼景山，松柏丸丸”，所指即安阳西部太行山区。唐、宋各代有关太行山森林的记述不少，如五代北宋时位于太行山北端的林县“茂林乔松”（明嘉靖《彰德府志》）。这里的森林始自先秦，虽有不同程度的消耗，但至北宋依然并不为少。例如位于太行山中段的林县，据万历《彰德府志》记载，县境内设磻阳、双泉两个伐木机构，是主要供应太行以东黄河以北用材的大规模伐木机构。每个机构有五六百人之多，其伐木工作大概早在五代时期就开始了。森林之盛与破坏情况可以想见。北宋时期之所以能够同时设置磻阳、双泉二务采办木材，乃是当时仍多“茂林乔松”之故。

据《辉县志》（道光十五年）描述，辉县境内的太行山是“萧萧松像林”。“泉声竹林夜，山色稻花秋”与“爱此林泉幽……草阁依林丘”是元代人韩准和明代人祁昌对苏门山的描写。太行山树种在北宋时,《林县志》记载有栗、楸、榆、椒、椴、桐、杨、槐、银杏、松、柏、桧、漆等,其中有的为喜热树种。而到了明清时期,由于气候转冷,一些喜热树种和漆树已难以看到。

伏牛山地森林在唐宋时期还十分茂密,唐代诗人描述邙山"空山夜月来松杉","山上惟闻松柏声"。唐宋时从沈州(今灵宝)治所能看到秦岭上的松柏(《吕淑和文集》)。当时武则天在崤山(今陕县宫前)建有避暑行宫,说明山上森林葱郁,气候凉爽。唐宋时伏牛山中的陆浑、伊阳(均在嵩县境内)二县各置监司,专管采伐木材,可知森林之多与伐木规模之大。《宋史·五行志》记载,"政和元年(公元 1111 年)九月,河南府(即洛阳地区)野蚕成茧",说明伏牛山北坡多栎林。鲁山全新世晚期的孢粉分析材料也证明这一点。主要阔叶树种还有臭椿属;零星出现的有桦、榆、胡桃、槭等属;针叶树以松树为主,林下灌木蔷薇科居多。

大别、桐柏山地,古时这里是深山峡谷,人烟稀少,远离京城,交通不便,因此是河南森林植被破坏最晚的地方。西汉《盐铁论》有"隋唐之材,不可胜用"的记述,说明公元前 1 世纪上半叶桐柏山有大面积天然林。唐时大别山区人口不多,刘辰卿《新息道中》谈当地是"古木苍苍离乱后,几家同住一孤城"。

卢氏、陕县、宜阳、洛宁、偃师等县地方志关于伏牛山北坡森林的记载颇多。伏牛山北坡人工竹林县份有洛宁、荥阳、宜阳、洛阳等,特别是洛宁县志记有"多竹,弥望千亩,苍翠成林",至今洛宁仍是盛产竹子的地方。

二、森林变迁的主要原因

(一)木材用途广泛造成森林破坏的加剧

除了农业发展而使森林进一步毁坏之外,这一时期最突出的特点就是对森林多用途的认识进一步提高。随着人类对森林认识的加深,木材的利用也逐步走向综合方面,随之带来了森林破坏的加剧。主要表现在以下4个方面。

其一,取烟制墨。唐宋时熊耳山、嵩山以及太行山曾因燃烧松木,毁掉了大量松林。

其二,瓷窑业和井盐业的发展,需要大量的木材和薪炭作燃料,这也意味着要以砍伐大量的森林为代价。

其三,饲养柞蚕。由于桑树能饲养柞蚕,唐代已将伏牛山低山丘陵上的桑林辟为蚕坡。《唐书》记载"泌阳贡绢布、绢(指柞绸)"。宋《太平寰宇记》也有唐州(即唐河)、邓州(即邓县)产绢的记载。

其四,毁林种茶。《光山县志》记载:"宋时光州卿光山,所产片茶,有东首、浅山、薄侧等名。又于光山、固始并置茶场。"可知宋代已进山毁林种茶。

(二)战争的原因

南宋时宋金对峙,大别、桐柏山处于两国交战地区,如南宋绍兴期间(公元1131~1137年),岳武穆部兵,屡出桐柏、战信阳;南宋淳熙元年(公元1174年),禁淮西诸关采伐林木,可说明森林遭到大规模破坏。

盛唐时期的豫东平原地区,树木昌茂,尚可游猎。至安史之乱,田荒树疏。唐中叶以后,庄田制代替了均田制,宋元继续实行。但由于农民需向官府贡丝纳绢,所以平原地区仍大量植桑养蚕。宋室南迁后,中原地区又和魏晋南北朝时一样,长期遭受战争破坏。当时女真人作战前要先砍伐园林、运土木填壕堑,行军时,各种树木,包括桑、柘在内,全部被砍光伐尽。蒙古人破坏之惨,不亚于女真人。从此河南桑蚕一蹶不振。

(三)森林破坏的特点

唐宋时期是时间跨度最长、经济发展最快的时代,该时期森林破坏的主要特点当属于因修建宫殿、以薪炭为燃料、养殖桑蚕、建设茶园以及皇室成员火猎法游猎,使大批的森林化为灰烬。尽管人工林面积不断增加,但总的趋势是森林总量仍在减少,从而使河南省森林资源比秦汉时期还要少。唐前期(安史之乱以前)京畿、都畿、河南、河北等黄河中下游地区习称北方经济区,位于长江中下游的江南、淮南地区在唐后期称南方经济区。此两区经济相联,天然林的消耗、人工林的增长、林产品的种类以及生态条件的变化,也显示各自鲜明的特点。天然林的消耗,北重南轻是其突出特点。所谓北重,是指北方天然森林由于农牧手工业的持续发展,森林面积在前代的基础上进一步缩小;附近诸山,因两京营造,薪炭供给,林相的日益破坏,致使近处良材、美木早在开元盛世,就"欲求"而"不可得";同时还指各种用材的严重短缺,"桑柳槐松之类,南人无用者,北人皆不择而取之"。如果还算有材可用,那么朱全忠于唐末逼迫昭宗迁都洛阳时,竟将长安宫室、百司及民房木料全部拆掉,浮渭而入洛,以长安旧料修缮洛阳宫室,就显然无木可采了。不可否认,南方森林曾因多种用途采伐北运,或用于当地;又因"人家烧竹种山田"、"十亩山田近石涵"被陆续开发成"山田",但同北方相比,其消耗资源的程度无论在唐前期还是唐后期,都还谈不上显著。

人工林在该时期显著增长。人工林的营建,主要受制于均田制的推行、庄园制的发展以及户口数的变迁。唐前期河北、河南户数最多、人口密度最大,江南地区远远落后于北方;北方丁男在田中依法种植桑、榆、枣等类人工林,当然大大超过了南方。安史之乱,北人大量南迁,江南户数、人口密度跃居全国之首;南方的地理优势也为庄园经济推波助澜,见之于各类庄园的多种人工林即日益超过北方。据查,北方人工林的优势,似乎不晚于开元中期就衰落下来了,因为《旧唐书·玄宗本纪》记载:开元二十五年"以关辅寡蚕","皆资菽粟",故令以粟米交庸调资课。这是土地全被用来种粮、以便解决吃饭问题的反映,也是人工林无立锥之地的反映。

综观隋唐五代森林资源的消长,除战争原因之外,营建、樵采、择用、拓地无疑是其主导因素。所谓营造是指包括长安、洛阳两京宫殿的营建、改建,各地离宫、园苑的营建,各地封疆大吏官邸、藩镇宫府以及五代十国宫室的营建,还有木材流通所反映的种种营建活动。与营建相比,樵采、择用当然只能居于从属地位,但仍不失为森林资源消失的重要原因。樵采是煤炭尚未发现和使用之前,为人们生产、生活提供基本能源——木柴、木炭的重要方式。它涉及千家万户的生活,又涉及种种手工业生产。择用是指提供特定木材而进行的选择性采伐。它同一些地区地带性森林例如常绿阔叶林区的樟、楠资源的严重消耗密切相关。拓地,就是毁林开垦。把天然森林地带转变而为农耕地带。

三、生态环境的演变

(一)气候变化

隋唐时期,气候特征表现为先暖后寒。该时期跨越 7、8、9 三个世纪。暖区已遍布全省范围。豫西、豫北和豫南均有“冬无雪”的记载。《新唐书·本纪》有豫西“冬无雪”的记载。公元 664 年豫北也出现“冬无雪”的暖情。从武则天长安元年(公元 701 年)至唐德宗贞元十六年(公元 800 年),气候仍以暖为主;自公元 801 年至公元 905 年,气候是由暖转寒的过渡时期。

五代到宋初,以暖为主。梁开平元年(公元 907 年)至宋真宗咸平三年(公元 1000 年),寒情主要在豫东,共 8 次,概为冬雪。豫西,记有寒情 3 次。但当时全省都对暖情记载较详,如在淳化三年(公元 992 年),全省有 5 个地区以上“冬无冰”;豫东多达 10 次“冬无雪”;豫西有 5 次“冬无雪”或“六月大热”的记载。

北宋、南宋是寒冷时期。北宋真宗咸平四年(公元 1001 年)至南宋宁宗庆元六年(公元 1200 年),豫东计有寒情 16 次,史料中记有“三月雪”,“十一月雨水冰”,“正月大雪”,“冬雪苦寒,人多冻死”,“十月雨水冰”等。11 世纪,在暖情方面,豫东只记有 5 次“冬无冰雪”。这 100 年中,寒情占优势。12 世纪,豫东共发生寒情 4

次,豫北有寒情2次,在后半世纪豫南出现2次寒情。

元代是回暖时期。元代总的趋向是气候开始转暖。至元十四年(公元1277年)《元史·五行志》记载豫西"冬无雨雪";天历二年(公元1329年)《元史·本纪》中记有"去冬无雪"。黄河流域又有竹子的生产,河南重新设立了管理竹子生产的竹监司。但温暖期较短,远不及现在,更达不到前三个暖期的程度。本时期寒情记载也不少。金天兴元年(公元1232年),全省3个以上寒区皆有春雪。元代中后期,豫东和豫北各有寒情5次,豫西有2次。元代寒情无论从次数或区域范围看,均超过暖情,与前2世纪的多雪严寒天气迥然不同,应属回暖时期。

(二)自然灾害

唐代是雨水偏多时期。武德元年至贞元十六年(公元618~800年)间,共发生全省性大旱3次,大雨涝8次,以多雨年份为主,且有2次为特大雨水年。当时全省数十州发大水,诸河溢决,没稼毁庐,死人万千。贞元十七年(公元801年)直至唐末,发生省级大旱年2次,整个唐代雨水偏多。

五代、宋、金各代是先旱后涝时期。这一时期自后梁开平元年至金承安五年(公元907~1200年),包括五代、北宋、南宋及金等。后梁开平元年至北宋咸平三年(公元907~1000年)间,发生省级大旱年3次,省级大雨涝年2次;北宋咸平四年至元符三年(公元1001~1100年),发生大旱年3次,省级大雨水年4次。从宋元符三年至金承安五年(公元1100~1200年)间,省级大旱年只有1次,大雨年2次。

元代是以旱为主时期。元代崛起漠北,人居中原。自太祖铁木真元年起(公元1206年),到至正二十七年(公元1367年)止,出现省级大旱7次;泰定四年(公元1327年)到至顺元年(公元1330年),4年连旱,元代前后也发生省级水涝5次。

从以上的史料记载中可以了解到,唐宋时期,自然灾害加剧。

而究其原因,与森林植被破坏和森林覆被率的减少有较大的关系。这时期的人们也认识到森林在灾害的防护方面的作用,并且有意识地限制砍伐森林和种植人工林。

四、综合评述

森林是生物和地理现象,又是历史和社会的现象。森林资源的消长,既有自然的原因,又有人为的原因。但在具体的历史时代,自然原因往往并不显著,主导因素应当是人类活动的频度、强度、性质以及社会经济的发展。

唐代北方森林面积进一步缩小,不少林区残败,又兼自然恢复力弱,相应的生态后果当然接踵而至。其中,同州、华州、陕州"土瘠民贫",反映昔日"膏壤沃野千里"之地,已经变成水土严重流失、土质明显恶化之地;黄河"其横千里,混猛而涨"、"汴流浑浑,不修则淀",反映这时的黄河水系因森林植被不良已进入频繁泛滥期,成为一条"决愁民生,中土患势"的害河。史载,唐前期(武德七年至开元二十九年)116 年间,河南旱、涝、蝗灾分别为 7 次、22 次、3 次,江南分别为 1 次、6 次、1 次,反映出无论是受灾程度还是频度北方都远远高于南方。实际上直至唐亡,基本趋势也是如此。

森林植被的显著变化必然带来生态环境的改变。这主要是生态平衡机制运作的不协调或者崩溃造成的。而生态平衡能否维持,陆地上的森林作用是最为关键的。"失去了森林,也失去了积累和贮存水分的中心",这一时期的人们,已经认识到森林的这种作用。当然水土流失不是失去森林的全部后果,但只要失去森林,必导致水土流失、河流浑浊、自然灾害频繁。这些现象亦足令当时的人们触目惊心。

认识到森林与水土流失的关系,人类开始有意识地保护和管理森林。由于隋唐五代实行农林兼营,农耕地带同时也是人工林区,因此它既有消耗天然森林的一面,也有增长人工林的一面。

唐宋时期是中国封建社会曲折发展的时期,曾出现过唐、宋几个盛世,经济高度繁荣。社会经济的发展为人们认识水平的提高提供了坚实的基础。

第一,对森林保持水土的作用有了明确的认识。通过长期实践积累,到唐宋时期终于形成了“治水先治山”的精辟思想。“治山”实际上就是要绿化山地以保持水土。说明人们对这方面的认识已较明确。这一思想后来还由遣唐使传播到国外,备受日本人推崇,成为今天日本国土整治的指导思想。另外,成语“山明水秀”(宋黄庭坚《蓦山溪·别意》)、“青山绿水”(宋释普济《五灯会之》)则是当时人们对森林与水土保持关系长期认识的积累和简练概括。这个时期人们也认识到毁林所引起的水土流失,会导致地力下降。如西汉初期,著名政治家晁错就曾指出:“焚林斩木不时,命曰伤地。”“伤地”就是破坏地力。进入宋代,人们对森林保持水土的认识又进一步深入,并开始有了详细的描述和说明。如当时的学者魏岘,通过对浙江四明(今宁波)它山地区水土流失、洪水泛滥的调查研究,正确详尽地阐述了森林保持水土、防止洪灾的作用。他说,四明它山地区“昔时巨木高森,沿溪平地竹木蔚然茂密,虽暴水湍激,沙土为木根盘固,流下不多,所淤亦少”。后来由于“木植价穹,斧斤相寻”,导致“靡山不童,而平地竹木亦为之一空”。结果“大水之时,既无林木少抑奔湍之势,又无根缆以固沙土之留,致使浮沙随流而下,淤塞溪流,至高三四丈,绵亘二三里”。通过正反两方面事实,他把森林保持水土的作用阐述得一清二楚。

第二,认识到森林对增加降雨,减少旱情的作用。《唐六典·卷七·虞部》云:“凡五岳及名山能蕴灵显异,兴云致雨,有利于人者,皆禁樵采”。明文规定五岳及其他名山禁樵采,原因是它能“兴云致雨,有利于人者”,这表明唐人也在一定程度上认识到大片山林存在,有利于提高空气湿度,增加降雨量,减轻旱情。

第三,对种植林木以固堤坝的作用有了更深的认识,并发展为社会的普遍思想。唐宋时代,防护林的建设已在各地普遍出现。如北方黄河大堤,王嗣宗"以秘书丞通判澶州","并和东西,植树万株,以固堤防";渭河泾渠上"(刘公)于崖夹植杞柳万本,下垂根以作固,上生材以备用"。防护林建设的盛行,使林木的固堤防浪作用更家喻户晓。

第四,森林可以保护野生动植物的认识,在这个时期也得以继承和发扬。对此,《淮南子》一书有较详尽的论述。《说山训》曰:"欲致鸟者先树木……木茂而鸟集","山有猛兽,林木为之不斩。"并指出,如果"构木为台,焚林而田",会使"万物不繁"。甚至在《本经训》中警告:"焚林而猎,烧燎大木……此五者,一足亡天下矣。"把焚林提到亡国的高度,这种认识较之前期无疑进了一步。

第五,这个时期的人们认识到种植竹木可以降低酷热和减轻噪音。如杜甫《营屋》诗云:"我有江阴竹,能令朱夏寒。"反映唐人已懂得竹林具有降温之功能。又韩愈"绿槐十二街,涣散驰轮蹄"诗句,表明当时还意识到长安大街上的茂密树,可以减轻或消除车马往来的隆隆噪音。

第六,人们对种树防风御寒的作用有了新认识。如相传为唐人郭橐驼所著的《种树书》就曾写到:"竹林中有树切勿去之,盖竹树枝所碍,虽风雪不复御斜。"然而,当时人们对森林生态保护方面的认识还较简单、肤浅。

第五节　明清时期的河南森林与生态环境

一、初期森林植被概况

这一时期,频繁的改朝换代和内部纷争,使人口数量骤减。豫北范县“因地荒不耕，榆钱落地，岁久皆成大树”，称为“榆园”。人口减少使得许多地方草木丛生，平原树木得到一时的恢复。如《旧唐书》记述唐初伊洛以东“灌莽巨泽，苍茫千里，人烟断绝，鸡犬不闻，道路萧条，进退艰阻”。安史之乱后河南“东至郑渊……人烟断绝”。

清代后期由于人口骤增，耕垦日甚，出现了《嵩县县志》记载的“近山皆垦辟”、“今山渐空矣”和《莱阳县志》中所说的“雍正（公元1723～1735年）以后已无可垦之处”的局面。

明末清初太行山林县仅两万余人，从林县城到太行山麓是“荒莱役胫”，造成良田荒芜，杂灌丛生。但到清乾隆十六年（公元1751年）后，人口大增，垦殖范围日广，更重要的是适宜山区种植的玉米、红薯的引入，造成“山石尽辟为田，犹不敷耕种”的景象。在康熙时所修的县志中有记载捕捉过活鹿，而乾隆时的林县志中鹿已不见，则可见森林已大量减少，最后出现了“外山注濯濯，屋材腾贵”，“薪材不易”、“杨亦罕见”的情况（康熙《林县县志》）。

明中叶，蚕坡遍及伏牛山区。嘉靖（公元1522～1566年）年间编写的《南阳府志》说：“山丝绸则南召、镇平、内乡、方城、泌阳、桐柏、舞阳、叶县俱有所出，而南召、镇平最盛。南召有栎坡五六十处，山丝产额，甲于各县。”南阳、方城、泌阳等县志中也都有关于蚕坡的记述。如南阳县志“就山近者，就坡陪树懈，春蚕冬薪。”即利用栎类春天饲养柞蚕，冬天伐去老枝供作柴烧，到明春萌发新条。现在南召、镇平仍为河南主要柞蚕基地，南召蚕坡几乎占全县林地之一半。清代《河南通志》说“漆以南召、淅川、南阳为多”，《鲁山县志》还记载石人山“雍正八年（公元1730年），林多虎患……数年始息”，可知近200年前伏牛山北坡森林之茂盛。以上说明，明清时期伏牛山南坡森林仍然可观。

明代将大别、桐柏列为“禁山”，明末清初王夫之《噩梦》称这里是“土广人稀之地”，泌阳、信阳、息县、光山等各县县志也多有记述。康熙时光山县“群虎据其湾(虎湾为一村名)搏人,集乡勇捕杀至二十余,虎患始息”,可见森林的茂盛。大别、桐柏山地树种繁多,如马尾松、侧柏、桧、漆、檀、枫、梓、楸、椿、槐、榆、杨、柳、桑、栗、栲、梧桐、泡桐、油桐、香椿、乌桕、杜仲、黄杨等。竹林种类多,面积广,各县县志记载的竹子种类不下十种。至今豫南仍是本省盛产茶、竹的地方。

位于伊、洛河下游的洛阳,东周以来有九个朝代建都。在唐时洛阳附近还只能看到人工竹林。随着社会的发展,人口的增加,耕地更为紧张,很难设想洛阳近郊还会有大片森林存在。而且洛阳也是经常遭受战乱的地方,多次化为废墟,丛莽遍地。影响本地区植被变化的自然因素主要是古今气候变化。元明以来气候变冷,喜暖的亚热带树种除漆树尚有分布外,棕榈等已南退到长江流域。而影响本地区森林盛衰的主要社会因素则是人口增多造成的耕地扩大和战争毁林,以及历代在洛阳多次异地营建王都。如汉魏故城在白马寺以东,隋以后又在白马寺以西修建都城,建都用材大多取材于伏牛山。

河南平原地区农田面积的扩大除受人口增多因素外,还受历代屯田的影响。如元代河南全省只有80万人,屯田面积却名列前茅,整个明代,河南屯田面积仍然可观。明中叶后,棉花在河南广为栽培,清代河南成为全国著名的产棉区。棉花种植面积的扩大,使原有的自然植被,包括人工植被(桑树林)毁坏殆尽。此时期广大的豫东、豫北平原大面积桑田再难见到。

二、生态环境演变

(一)气候变化

公元1368年至1911年,气候比现在冷,是近5 000年来最寒冷的时期。自明洪武元年(公元1368年)起至崇祯十七年(公元1644年)止,当时达到全省性大寒有2次。据《明史·五行志》和

《中国历史天灾人祸志》记载:“冬十一月至明年孟春……河南、徐淮大雪数尺,淮东之海冰四十余里,人畜冻死。”当时大雪遍及 5 个区,年积雪 2~3 个月,大部分地区积雪丈余。大雪塞户,民凿穴而出门。因为雪积久天气特寒,人畜多冻死。大雪涉及全省 25 个县及鄂北、皖北等地区。

该时期气候异常的年份出现频繁,既有大雪井冰的冷冬,也有桃李再花的暖冬,冷暖年份交错分布。虽有景泰六年(公元 1455 年)、天顺六年(公元 1462 年)及成化十五年(公元 1479 年)3 次的全省冬无雪,但暖情不突出,且仅限于 3 个地区,较之上述地广雪深奇寒之冷情,显居次要地位,本世纪以寒为主。

从弘治十四年起(公元 1501 年)到万历二十八年(公元 1600 年)止,大寒年共有 2 次,而当时省级之暖年计有 8 次,内除 1 年无冬雪外,还有更酷热的记载,不仅次数较多,而且有连续 3 年的冬暖。寒暖对比,暖情明显占优势。

明万历二十九年(公元 1601 年)至崇祯十七年(公元 1644 年)大寒年有 4 次,特别是崇祯四年(公元 1631 年)之寒情较剧。有的地区“冬大雪月余”(见康熙《开封志》)。有的地区“大雪五日夜,洞谷皆平,禽兽僵死,民绝窜火,雪融尸见者不一”(见嘉庆《密县志》)。此期气候偏冷。

17 世纪后半期,有 4 次大寒年,其中以康熙二十九年(公元 1690 年)之特大寒最为典型。寒区遍及 5 个地区,江河封雪,井泉冰冻,人畜果木冻死无数。到 18 世纪,自康熙四十年(公元 1701 年)至嘉庆元年(公元 1796 年),大寒年仅有 2 次,不仅次数少,而且无井冰奇寒之记载。豫西有多年冬无雪和豫北冬季有林木开花结实之记载。气候有回暖迹象。

清嘉庆元年(公元 1796 年)至光绪二十六年(公元 1900 年)有大寒年 5 次,受寒地区超过 4 个。有的地方冬季大雪 50 余日,鸟兽多死,树木半枯。豫南路旁雪深齐人,有冻僵倒雪而死者。豫北大雪深3尺,10月下雪翌年1月始晴,飞鸟冻死者无数。此时期属于寒冷期。

(二)自然灾害

明代,是既涝又旱以旱为主时期。发生省级大旱年6次,其中成化十九年至二十一年(公元1483~1485年)连续3年大旱。特别是成化二十年(公元1484年),各地区连岁不雨,饥民遍野,死者枕籍,范围涉及陕、冀、晋、鲁各邻省。该时段计有省级水涝8次。弘治六年(公元1493年)的大雨雪,雪域遍及5个地区,雪量大、雪期长,十分罕见。

弘治十四年至万历二十八年(公元1501~1600年)间,发生省级大旱12次,嘉靖七年(公元1528年)为全省之特大干旱,有的地方春夏连旱,有的地方夏秋连旱,因旱荒无收,或人相食。旱区遍及全省及邻省山东、山西、陕西等地。这一时段发生省级大雨水年6次,万历二十一年(公元1593年)特大雨年,雨区遍及5个地区,长达4~8月,沙颍和洪汝清河俱有决溢,以致平地为渊。

万历二十九年至崇祯十六年(公元1601~1643年)间,旱涝灾情频繁。共发生大旱10次,其中公元1634~1641年,8年连续大旱,旱期之长十分罕见。崇祯十二年(公元1639年),旱区遍及全省80%的县份。文献中有黄河涸、山崩、川竭、井皆浅涸等记载,灾情极为严重,草秃木枯,野无行人,骨肉相食,民死过半。这个时期发生大雨水年4次,崇祯五年(公元1632年)大雨,雨猛且时间长,并广及全省。

清代是先涝后旱以涝为主时期。公元1644~1700年,出现省级大旱6次,其中公元1689~1692年连旱4年。公元1691年旱情最重,在开封、彰德、怀庆、南阳、汝宁、汝州等所属各地皆以旱、蝗为害,使田禾大伤,民大饥。该时段发生省级水灾8次,河水决溢,洪水横流,多处水深平地丈余,涝区遍及5个地区。

康熙四十年至嘉庆五年(公元1701~1800年),共发生大旱年

8 次,大旱极为严重,豫西“自去冬至今(三月十八日)未沾雨雪,麦苗微细,夏末不能长发”。豫东“大旱赤地千里……民饥相食,死亡流离,十去六七……”。这一时期,共发生大雨涝 6 次,其中有 2 次特大雨涝。本世纪旱涝灾情均严重,并且次数多,时间长。

嘉庆六年至宣统三年(公元 1801 ~ 1911 年),共发生大旱 9 次,赤地万里,黄沁水微,伊洛断流,粮食耗尽,渐食树皮、榆叶,继而争食六畜,以致骨肉相残,遂致流血载途,饿孚盈野,人民死亡无数,造成清代 200 多年来未有的奇灾。这一时期共发生大雨涝年 11 次,旱涝均重,但雨涝次数较多。

统观清代,先涝后旱,旱后又涝,旱涝均较突出,涝略多于旱。

三、综合评述

明清两代虽是我国封建社会的衰落时期,但在人工造林、森林更新方面得到较大的发展。明宋廉《宋史·食货志》记载,“每丁种桑、枣 20 株”。到了清代,人工造林更新也颇见成效。这一时期新增加的森林比以往任何时期都要多,但其砍伐毁坏的数量更大,主要原因在于朝廷经常采办“皇木”、毁林退种、民间滥伐和森林火灾等,使得河南的森林在明清时期遭到毁灭性的破坏。

这一时期也是对森林保护环境作用认识大发展时期,在认识的深度和广度上都取得了长足的进步。这个进步的重要推力,主要归于对山区的开发。由于人口激增,耕地日感不足,出现“田尽而地,地尽而山”的现象。加上这时“瘠卤沙冈,皆可以长”的甘薯和“但得薄土,即可播种”的玉米传入中国,为开发山区提供了高产易种的作物品种,大大促进了山区的开发。由于山区生态平衡较为脆弱,毁林开垦极易破坏生态平衡;同时,山区开发又多是无组织的滥伐、滥垦,因此就不可避免带来一系列生态灾难,给人们的认识提供了深刻的反面教材,丰富和发展了当时人们对森林保护环境作用的认识。

第一,明清时期对森林保持水土的作用普遍有了明确的认识,这从散见于当时各地方志中众多的记载可以得到证明。如:"凡山皆可封殖,栽松种竹,土石自固,利益自众";又如乾隆时"棚民垦山,深者至五六尺,土疏而种植十倍,然大雨时行,溪流湮淤,十余年后,沃土无存,地力亦竭。今大平山、大源洞、果子洞诸处山形骨立,非数十年休息不能下种"等。此外,这时人们还认识到种草可以保持水土,"采草子,乘春初稍锄,处处密种,俟其畅茂,虽雨淋不能刷土矣"。

第二,人们普遍认识到毁林与江河淤塞的关系。这个问题早在宋代就有人隐隐约约提到,如魏岘在《四明它山水利备览》中"淤塞溪流,至高三四丈,绵亘二三里"的描写,但尚未普遍到整个社会。就连大文豪苏东坡在这方面的认识亦较含糊,这从他对吴松江淤塞原因的论述中,看得很清楚。他说:"若要吴松江不塞,吴江一县人民,可尽徙于他处,庶是上流宽泻,清水力盛,泥沙自不能积,何致有堙塞之患哉?"显而易见,他未意识到这主要是毁林造成的。但是到了明清,人们对此认识不仅十分明确,而且也相当普遍。如清代政治家严如熤在《三省边防备览·民食》中说:"汉中之乌龙江、滑水河各水,民循堰渠之规,田收灌溉之益,盖有利无害者。自数十年来,老林开垦,山地挖松,每当夏秋之时,山水暴涨,挟沙壅石而行,个江河渐次填高,其沙石往往灌入其中,非冲坏堤,即壅塞渠口",指出毁林不仅会淤塞江河,而且还将危害灌渠。清代著名政治家魏源在他的惊世著作中亦有这方面见解。他说:"秦蜀老林,棚民垦山,泥沙随雨尽下,故江之石水斗泥,几同浊河"。足见这类认识具有普遍性。

第三,人们对森林涵养水源的作用也有了较详尽、深刻的论述。清代文学家梅伯言在《记棚民事》一文中记载,当时一些反对巡抚毁林造田的安徽"棚民"曾向他申述说:"未开发之山,土坚石固,草木茂密。腐叶积数年可二三寸,每天雨,从树至叶，从叶至土，历石滴成泉，其下水也缓，又水下而土不随其下，水缓，故低田受之不为灾，而半月不雨，高田犹受其浸溉”。进而以反面事实说明这个作用。“今以斤斧童其山，而以锄犁疏其土，一雨未毕，沙石随下，奔流注涧壑中，皆填淤不可注水，毕至洼田中乃止，乃洼田竭，而山田之水无继者”。又据清人鲁士骥《备荒管见》说：“山无林木，濯濯成童，则山中之泉脉不旺，而雨潦时降，泥沙石块与之俱下，则田益硗矣，必也。使民也甘泉奔注，而田以樵采以时，而广蓄巨木，郁成茂林，则上承雨露，下滋泉脉，雨潦时降，甘泉奔注，而田以肥美矣。”接着指出：“凡田地之肥瘠，视山原之美恶，若其山多草木，郁积磅礴，其泉流必厚，而田受其滋。否则春秋多骤雨，沙石随之而下，田虽本肥，受害既深，亦从而瘠矣”。论述如此详细，可见“林茂粮丰”思想在明清时期又有了新发展。

第四，对森林与水旱之灾的关系，普遍有了更进一步的认识，主要表现在能对这一关系作透彻的论述，如明代学者阎绳芳在《镇河楼记》中说：“(明）正德前，树木丛茂，民寡薪采。山之诸泉，汇而为盘沱水，流而为昌源河，长波澎湃，由六支、丰泽等村，经上段都而如于汾。虽六七月大雨时行，为木石所蕴于流，故道终岁未见其徙且竭焉。一故由来远镇迄县北诸村，臧浚支渠，溉田数千顷，祈以此丰富。嘉靖初，元民竟为居室，南山之林，采无虚岁。而土人且利山之濯濯，垦以为田，寻株尺蘖，必铲削无遗。天若暴雨，水无所碍，朝落于南山，而夕即达于平壤，延涨溃决，流无定所，屡徙于贾令南北”。对毁林造成洪水灾害的全过程，作了正确、系统的论述，而且对由此造成的经济损失也作了估算，“祁丰富，减于前之什七矣”。这种分析是前所未有的。至于农谚“山上光，年景荒”；“山上开荒，山下遭殃”；“种树防旱涝”则是此类思想家喻户晓的产物。

第五，人们还认识到种树可以调节气候、改良环境、有益身心。

如清康熙朝人杨宾《柳边纪略·卷一》云:“宁古塔尤佳,惜四山树木,为居民所伐,郁葱佳气,不似昔年耳。”这个对往昔良好环境的怀恋,实际体现了人们对毁林导致环境质量恶化的认识。它们“能吸云雨,能补地缺,能培风水,能兴村落”。使“肥美土地发旺时节,万树阴浓处处接,一片绿云世界,行人荫息,百鸟鸣知,山光掩映,日影婆娑,真可爱!真可乐!”明人文震亨《长物志》亦曰:“取苔护封枝梢,古者移栽石岩或庭际,最古另种数亩,花时坐卧其中,令人神骨俱清。”可见当时人们已认识到植树有助于人的身心健康。明清两代颂赞柳树的诗文不少。此外,佛教在中国流行悠久,寺院遍布各地,这些佛寺大多栽有修身养性的“祥林”,所以至今庙寺仍多古树。

第六,人们对种树防风御寒的作用有了新认识。这方面至少可追溯到唐代,然而,当时的认识还较简单、肤浅。明清时期则有了较大进步,人们的认识进一步深化。关于林木御寒避霜的作用,元末明初俞贞木在其《种树书》中指出,“棘能避霜,花果以棘园即茂”。棘,即酸枣树,是一种落叶灌木。又明末著名农学家徐光启也认为:“凡作园,于西北两边种竹以御寒,则果木畏寒者,不至冻损。”又说,若能“筑成土阜(即堆),种竹其上尤善”。说明当时人们已经懂得林带愈高,防护面积愈大、防护效果愈好的道理。清人所著《秦边记略·卷四》也指出,在受风沙侵袭的地区,如果“经营得人”,采取植树防风等“因地制宜”的办法,那么,风沙问题可以得到有效减缓。此外,农谚“寸草遮丈风”、“伴大树草不沾霜”则体现了人们对此项认识的普遍性。

明清时期既是森林破坏严重的时期,也是我国历史上对森林保护环境作用认识的重要发展时期,达到了我国封建社会传统认识水平的顶峰。与以前相比,此时期的认识,较全面、系统、明确、深刻,神秘色彩基本退去,个别方面的认识甚至接近现在的认识水平。

第六节　近代以来及新中国成立前的河南森林与生态环境

一、初期森林概况

清代后期至民国时期(公元 1840 ~ 1949 年),是半封建半殖民地社会。据《中国森林史料》记载,此时期,全国性林业机构先后归属实业部、农林部和农商部。河南先设森林局、林务处、林务监督公署、森林办事处,后改为造林局。在开封、信阳、南阳、洛阳、辉县等地成立农林局,并建立苏门山、太行废堤、嵩山、古城 4 个省辖林场。虽然设有林业机构但也是有名无实。林业技术人员极少,经费不足,只能开展小规模的造林,无力清查全省森林资源,森林面积无确切数字。本时期仅对嵩山森林作了比较详细的勘察。嵩山有林地面积为 84 667hm^2,蓄积量 19.3 万 m^3。其中天然林为 7 933hm^2,树种百余种,以檫、槲、青冈最多,侧柏、枫香等次之。位于嵩山阳坡的会善寺,寺后有 5 000 余株的柏树林,由于无人保护,随意放牧,乱砍乱伐,到新中国成立前已经变为童山秃阜。1938 年军阀石友三火烧少林寺,嵩山森林毁掉不少。据《申报年鉴》(1936 年)登载,实业部中华民国 24 年(1935 年)修正发表的数字,河南省宜林地面积为 500 万 hm^2,但每年造林面积却微乎其微,如中华民国 18 年(1929 年),全省植树 14 万株,4 个省辖林场共造林 933hm^2;中华民国 20 年(1931 年)造林最多也不超过 4 667hm^2。一些山区县虽设有苗圃,但一般面积只有几公顷,个别县造林较多,如《陕县县志》记载中华民国 25 年(1936 年)在黄河堤上栽树 90 648 株,公路行道树 29 040 株,私有经济林 28 586 株,共计 148 274 株。《方城县志》记载,该县在七峰山、神仙洞种树

18 000株，且该县栎坡果园亦多，山蚕业颇盛。

二、森林破坏的原因

总的来看，本时期虽造了一些人工林，但破坏的森林更多。新中国成立前，全省森林覆被率不到2%。森林的破坏达到了有史以来的最高峰。森林受破坏的原因，除了同以前历史时期的农垦、建筑、薪炭等生产生活因素外，还加上了两个新的因素，即帝国主义掠夺和近代的战争。森林加速消失的主要因素有以下几方面：第一，历代统治阶级根本不重视林业。虽然设立了一些林业机构，颁布了一些法规，但都是一纸空文，流于形式，既不积极造林，又不认真保护与经营现有森林，导致森林面积日趋减少。第二，由于战争连绵不断，森林遭到日军和国民党军队的大肆破坏。第三，人口增长过快，山坡被垦，导致林地面积日趋减少。如《方城县志》记载，该县20年左右人口增加一倍。中华民国22年(1933年)，陕县保安团壮丁队在该县南山开荒1 491hm^2。与此同时，老百姓开荒面积也不小。第四，伏牛山区饲养柞蚕和大别山区垦荒种茶，也毁掉一部分森林。

三、综合评述

综观1949年前历史时期河南森林的变迁，可以看出：

(1)古代河南是一个多林省份，而且树种丰富。

(2)历史时期河南森林植被变迁是一个复杂的历史过程，它既受控于自然环境的沧桑变化，也受制于人类社会的多种活动，是自然环境变化与人类社会活动共同作用的结果。影响森林资源消长的基本因素既有自然的也有社会的。

自然因素包括森林本身、天然火灾、气候变化、地质变动等。森林是一个活的有机体，在没有人为干扰的情况下，它与自然界保持相对的平衡。在有人类社会以来的历史中，这些因素对森林减少的作用与人类的作用相比,可以看做是相对次要的。

社会因素是影响森林资源消长的主要因素。如人口数量、人口分布、社会行为、经济和技术水平等。人类可以造林,也能毁林,但从历史上看毁林是主要的。大规模的毁林主要由于以下原因:

第一,古代火田狩猎对森林的破坏。

第二,人口数量影响森林破坏的程度。自古至今,人口由少变多,而森林资源却与此相反,由多变少。这是由于人类在生产力水平相对低下的以农耕为主的时代,不得不为了生存而扩大耕地和获取林产品,以养活越来越多的人口。可以肯定地说,森林受破坏的程度与人口密度有关,密度越大,破坏越严重。

第三,毁林开荒。随着人口的增长,历代不得不采取屯垦政策以发展农业。这就要砍伐、焚烧一部分森林来开辟农业用地。

第四,统治阶级大兴土木。滥伐森林。历代王朝修建宫殿、寝陵,破坏了不少森林。

第五,战争毁林。森林毁于战乱,在中国历史上从未停止过。

第六,薪炭。在古代煤和天然气尚未被大量开发之时,人们主要依赖木材来烧饭、取暖和作各种加工业燃料。

第七,在近代,帝国主义掠夺,大肆毁林。

(3)森林遭受破坏的进程,大体是先平原,后山区,与农业由平原向山区逐步发展的规律相符。同时本省天然林是由北向南逐步消失,这与夏、商、周三代王都、春秋时诸侯大国多位于本省的北中部,以及汉魏、唐宋建都于本省中部的历史发展有关。

(4)历史时期森林植被的变迁受到人类活动的很大影响,反过来,森林植被的变化也对人类社会的发展产生一定的反作用,彼此形成双向制约机制,而且总的来看,人类活动又居于主导地位。

(5)森林破坏后果严重。森林消失必产生一系列生态和社会问题。100多年前,恩格斯指出:“我们不要过分陶醉于我们对自然界的胜利,对于每一次这样的胜利,自然界都报复了我们。”事实正是这样,古巴比伦、印度、埃及乃至中国西部文明的消亡和衰退,都与它们长期肆无忌惮地破坏大自然有关系。中国西部文明的兴盛,包括楼兰古国、汉唐文化等,都是建筑在生态环境优越和森林资源丰富的基础之上的,而它们的衰亡也与此有关。

历史证明,森林资源的大量消失,不仅缺乏木材、燃料,而且已经并将继续产生一系列社会性问题,生态环境恶化就是最大的社会问题。如水土流失加剧,风沙危害与水旱灾害日趋严重。

1949 年中华人民共和国成立以前,河南森林由于历代破坏,山区基本没有原始森林,比较好的天然次生林地也只有 60 余万公顷,导致了大面积的水土流失,生态环境恶化;东部平原由于黄河多次决口和改道,在辽阔的豫东平原上留下了 20 多万公顷盐碱沙荒的农业区。

主要参考文献

1 恩格斯. 自然辩证法. 北京:人民出版社,1979
2 河南森林编委会. 河南森林. 北京:中国林业出版社,1997
3 河南省地方史志编委会. 河南省志·气象志. 郑州:河南人民出版社,1991
4 王文揩. 河南地理志. 郑州:河南人民出版社,1989
5 文焕然,等. 中国历史时期植物与动物变迁研究. 重庆:重庆出版社,1995
6 徐福龄. 黄河下游河道的历史演变. 见:中美黄河下游防洪措施学术讨论会论文集. 北京:中国环境科学出版社,1988
7 时子明,等. 河南自然条件与自然资源. 郑州:河南科技出版社,1983
8 王云森. 中国古代土壤科学. 北京:科学出版社,1980
9 陈嵘. 中国森林史料. 北京:中国林业出版社,1983
10 王建革. 史前华北火耕农业的变迁. 农业考古,1988(1)
11 凌大燮. 我国森林资源的变迁. 中国农史,1983(2)

12 李志伟．世纪末大盘点(五),中国森林状态备忘录．森林与人类,1999(2)
13 周宏伟．长江流域森林变迁的历史考察．中国农史,1999(4)
14 樊宝敏,董源．中国历代森林覆被率的探讨．北京林业大学学报,2001,23(4)
15 赵冈．中国历史上生态环境之变迁．北京:中国环境科学出版社,1996
16 马忠良,宋朝枢,张清华,等．中国森林的变迁．北京:中国林业出版社,1997
17 袁可．山海经·校注．上海:上海古籍出版社,1980
18 史念海．山河集·二集．北京:生活读书新知三联书店,1981
19 熊大桐．中国森林的历史变迁．北京:中国林业出版社,1997
20 熊大桐．中国近代林业史．北京:中国林业出版社,1989
21 刘东生．黄土与环境.北京:科学出版社,1985
22 沈照仁．中国森林在世界中的地位．世界林业研究,1997(3)
23 薛茂贤．森林与生态环境的关系．林业科技,1996(4)
24 尚定周,潘介满．历史上的中国林业．农业考古,1988(1)
25 林鸿荣．隋唐五代森林述略．农业考古,1995(1)
26 朱士光．历史时期华北平原的植被变迁．陕西师范大学学报(自然科学版),1994,22(4)
27 中国植被编辑委员会．中国植被．北京:科学出版社,1980
28 龚高法．历史时期我国气候带的变迁及生物分布界限的推移．历史地理(第五集),1987
29 倪根金．试论中国历史上森林对保护环境作用的认识．农业考古,1995(3)

第二章　河南林业生态环境特点与问题分析

第一节　河南林业生态环境因素分析

河南省地处中原腹地,由于在地理条件上有重要的自然分界线——秦岭与淮河横贯本省中南部,因而该线南北不论在地质、气候还是在动物、植物等方面均显著不同。同时,本省东部属湿润生态环境,而西部进入半干旱状态,因而林业生态环境既有南北过渡特征,又有东西转折特点。地貌条件、气候条件、地表水和地下水条件、土壤条件、动植物资源等构成了林业生态环境的基本因素。这些环境因子相互作用,如气候条件中的降水、日照、气温、风等气候因子在一定程度上对土壤的形成有很大影响,土壤则是林业生态环境生物条件的载体,生物条件同时也对气候条件和土壤性质具有重要作用,加之人类活动对其他因素的影响,形成了本省目前的林业生态环境条件。

一、地形与地貌条件

(一)地形概况

从本省总的地势看,由西向东逐渐降低。西部山地大部海拔在 1 000m 以上,东部平原多在 100m 以下。北部、西部和南部分别有太行山、伏牛山、桐柏山和大别山四大山系。东部是广大的黄淮海冲积平原。山区与平原的过渡地带，多为丘陵垄岗。

全省山地面积约 7.4 万 km^2（包括丘陵），占全省总面积的 44.3%，其中深山区约占山地面积的 28%，浅山区约占山地面积的 32%，丘陵区占山地面积的 40%；丘陵面积近 3 万 km^2，约占全省总面积的 17.7%。太行山脉由北向南经林州、辉县县境，至南端转而向西，到黄河北岸而止，构成晋、豫两省的天然分界线。太行山地多为海拔 1 000m 左右的中低山，其西为地势平缓的山西高原，以东则地势陡然下降，由悬崖绝壁过渡为低山丘岭，东延至京广线而后转入平原。本省西部山地系秦岭山脉的东延，成放射状，分为崤山、熊耳山、外方山、伏牛山等支脉。山势陡峻，群峰云集，一般海拔 1 000m 以上，尤以灵宝老鸦岔最高，海拔 2 413.8m。本省南部为桐柏山和大别山，主要分布于南阳市东部与信阳市南部，位于豫鄂两省的交界处，山脉走向大致由西北向东南，一般海拔 600～800m，新县的黄毛尖、商城的黄柏山和金刚台等山峰可达 1 000m以上。

全省平原面积约 9.3 万 km^2，占全省总面积的 55.7%，分为黄海平原、黄淮平原与南阳盆地三大部分，为黄河冲积扇平原，地势由西向东北、东、东南三个方向倾斜，冲积厚度达三四百米。黄河河床高出两侧地面 3～10m，其北到省界为黄海平原，其南达淮河干流为黄淮平原。黄河故道附近，由于流水及风力再搬运的结果，多形成垄状沙丘群。黄淮平原南部地势比较低洼，海拔多在 40～50m，地势由西北向东南略有倾斜。南阳盆地位于本省西南部，盆地西、北、东三面环山，地势北高南低，海拔 50～150m。

（二）地貌基本轮廓

我国地貌自西向东呈现为三个巨大的地貌台阶，逐级急剧降低。河南在全国地貌中的位置，横跨第二和第三两级地貌台阶。西部的太行山、崤山、熊耳山、嵩山、外方山及伏牛山等山地属于二级地貌台阶；西部中山与东部平原之间，有一广阔的低山丘陵地带,构成第二级地貌台阶向第三地貌台阶过渡的边坡;东部的平原、南阳盆地及其以东的山地丘陵,则为第三地貌台阶的组成部分。但在豫西地区由于巨大的秦岭纬向构造体系极为复杂,所形成的山脉由西向东北至东南呈扇状分布,致使该地段第二级地貌台阶的前缘边坡出现北北东—南南西方向的线性特征,不像其他典型地段那样显著。另外,华北平原与江汉平原之间,既有南(阳)襄(樊)隘道相通,又有近东西向延伸的桐柏—大别山地丘陵构成淮河与长江两大流域的分水岭。河南现代地貌结构的基本轮廓,是西部为连绵起伏的山地,东部以广阔坦荡的平原为主。全省基本地势自西向东呈阶梯状降低,由中山、低山、丘陵过渡到平原。中山海拔在1 000m以上,其中最高者超过2 000m;低山海拔多在500~1 000m之间;丘陵海拔一般低于400m;平原海拔均在200m以下,其中绝大部分海拔在100m以下。西南部的南阳盆地为省内最大的一个山间盆地。南部省界桐柏—大别山脉,以低山丘陵为主,中山仅在主脊地带断续分布。在淮河以南,地势由南向北呈阶梯状降低,由中山、低山、丘陵过渡为波状起伏的平原。因此,本省地貌条件甚为复杂,山地、丘陵、平原及盆地等均很发育。黄土地貌及风沙地貌也相当典型,且地貌的区域组合特点也较为明显,为因地制宜发展林业生产,改善林业生态环境提供了优越的地貌条件。

(三)地貌分区

按照形态成因,结合林业生产实际,将全省地貌分为以下7个地貌类型区。

1.堆积平原地貌区

(1)太行山前倾斜洪积平原:位于堆积平原地貌区的西北部。主要分布在卫河以西,武陟至赵河以北,太行山麓以东,由卫河、蟒河等洪积、冲积物组成,自西向东倾斜,海拔50~150m,有深厚的松散堆积层,灌排方便。该区东南部为良好的农田,西北部由于地势高、起伏较大等原因,不适宜耕作,但对林业发展有利。

（2）伏牛山前缓倾斜洪积、冲积平原：位于堆积平原地貌区的西部，包括京广线以西，伏牛山麓以东地区。由沙河、颍河、汝河等河的山前洪积和冲积物组成，海拔多为50～100m，坡降1/500～1/1 000。该区大部分区域土壤肥厚，灌溉水资源丰富，但靠近山地丘陵地带的部分岗地干旱和水土流失严重。另外，山地丘陵边缘沟谷众多，易形成山洪危害，应作为林业建设的重点。

（3）大别山前缓倾斜洪积、冲积平原：主要包括洪积倾斜平原及冲积河谷带状平原两种地貌类型，海拔60～80m，坡降1/500～1/1 000。区内土壤肥厚，水源丰富，为良好水田基地。岗丘地区沟谷较多，大多已开垦为农田，有沟蚀和片蚀现象，应加强水土保持，适当发展经济林。

（4）黄河冲积平原：位于堆积平原地貌区的中北部，主要是黄河冲积扇。海拔一般在50～100m，坡降1/500～1/800，地面广阔平坦，土层深厚疏松，水源丰富，灌溉条件好。不利地貌条件是在河道两侧和洼地边缘，有一定的盐碱化现象，应采取措施治理。

（5）淮北冲积、湖积平原：位于堆积平原地貌区的中南部，主要分布在淮河干流以北，沙河、颍河以南地区，是由近代河流冲积物和第四纪上更新统湖积物堆积形成的低缓平原，海拔40～50m，坡降大部分为1/6 000～1/8 000，其地面广阔平坦，土层深厚，土质肥沃，水源充沛，是本省重要的粮食生产基地。由于地势低而平缓，洼地面积较大，是省内主要低洼易涝地区之一，但对发展林业有利。

2.南阳堆积盆地地貌区

位于本省西南部的南阳盆地，属南襄盆地的一部分。区内大部分地区地形平坦，土层深厚，水源丰富，因地形上的差异，分为以下两个二级地貌。

（1）边缘倾斜洪积冲积平原：位于南阳堆积盆地地貌区的边缘地带。该区地貌以洪积倾斜平原为主，岗地与冲沟相间分布，大部分岗地较平缓开阔，土壤为黄棕壤，多开垦为农田，产量不高，适宜造林种草。

(2)低平缓湖积平原:位于南阳盆地中南部。该区地面平缓开阔,上部为湖泊与河流沉积物所覆盖,下层有较厚的黄黏土,间有砂姜层,土壤肥沃,气候温和,雨量充沛,水源丰富,具有发展高产稳产农田的良好地貌条件。

3.大别—桐柏侵蚀剥蚀地貌区

本区包括桐柏山大部、大别山北部和南阳盆地东侧的低山丘陵,位于本省南部边境。大部分为低山丘陵,中山面积占15%。本区可分为3个二级地貌区。

(1)桐柏—大别侵蚀剥蚀中山地貌:集中分布于本省南部边缘,主要由花岗岩、石英岩、片麻岩、片岩及大理岩等质地坚硬的岩层组成。山地海拔一般在1 000m左右,主峰九峰尖为1 553m。坡度在25°~35°,山地中上部坡度一般在40°以上。中山地段的天然次生林和人工林生长都较好,但受破坏较严重,林业建设应以生态林为主。

(2)大别—桐柏剥蚀低山丘陵地貌:包括大别、桐柏山中山以外的全部低山丘陵及一些山间盆地,海拔大部分为300~600m,部分700~800m。此区可再分为南部的低山区和北部的丘陵区,前者大致在桐柏、董家河、柳林、苏家河、沙窝、苏仙石一线以南,后者大致在此线以北。山间盆地最大者为桐柏—吴城盆地,面积200多平方公里。由于局部陡坡开荒,水土流失较严重,应因地制宜发展商品林,加强水土保持。

(3)大别—桐柏剥蚀垄岗地貌:主要分布在大别山北麓和桐柏山北侧,伏牛山南麓也有分布,呈平缓垄岗,长数公里至数十公里,宽1~2km,海拔100~200m,多为洪积物堆积后经过剥蚀作用而形成。岗顶平缓,岗地坡度10°~25°,现多已修成农田。少部分垄岗荒地,可发展茶叶、竹子、板栗等经济林与薪炭林。

4.伏牛山褶皱构造地貌区

秦岭东延进入河南省呈放射状分布,有小秦岭、崤山、熊耳山、外方山等，通称伏牛山，又由于处于本省西部，所以又称豫西山地。

(1)伏牛山褶皱中山地貌：主要分布在卢氏至合峪以南，西平至西峡以北和乔端、夏馆以西的地区。其他中山地貌有小秦岭、崤山、熊耳山和外方山等。以褶皱构造为主导成因，也有断块构造。山体呈楔形的断块隆起，群山耸立，高峻雄伟。一般海拔在1 000～2 000m，相对高差300～500m，最高峰灵宝老鸦岔达2 413.8m。山脊多呈锯齿状，山地多呈"V"形峡谷和深谷，谷底宽0.5～3m，局部有少量堆积物。山地坡度一般在30°～35°，部分达50°以上。此区森林资源丰富，具有较高的生物多样性，应大力开展造林和森林生态系统保护工作，建立各类自然保护区，以促进林业生态环境建设。

(2)嵩山侵蚀低中山地貌：主要分布在伊河以东，沙河以北，包括嵩山、箕山、平顶山、嵖岈山等低中山地带。其中低山面积占75%左右。嵖岈山属单斜侵蚀低山和剥蚀丘陵地貌，平顶山属侵蚀剥蚀低山地貌，嵩山属侵蚀低山丘陵与断陷洪积盆地复合地貌，箕山为断层地貌。此区森林植被多被破坏，水土流失严重。应采取措施恢复植被。

(3)伏牛山东南侵蚀剥蚀低山丘陵地貌：位于南阳盆地以北，沙河以南，熊耳山—伏牛山中山以东等广大地区，包括鲁山、襄县、郏县、叶县、宝丰、南召、方城等县，是由侵蚀剥蚀低山丘陵和洪积盆地组成的地貌复合区。该区花岗岩裸露，风化程度深，地貌以低山和丘陵为主，分别占本区总面积的75%和25%左右，一般海拔500～1 000m，坡度15°～25°，部分在25°以上；丘陵海拔一般在200～500m，地势低缓，坡度约在15°以下。根据此区地貌条件，应大力开展植树造林，发展用材林、薪炭林和经济林，提高森林覆盖率，积极治理水土流失。

(4)淅川岩溶低山丘陵地貌：位于伏牛山褶皱构造地貌区的西南部，包括南阳盆地以西，西坪、西峡以南地区，该区岩性主要为石灰岩,经地表和地下水作用,溶洞、溶沟等岩溶地貌有不同程度发育。地貌以连绵起伏的低山和丘陵为主,林木较少,水土流失严重,但因其区内有河流谷地和盆地,具有发展林业的良好条件。

5.黄土地貌区

包括郑州以西,太行山东及以南的范围。该区黄土土层深厚,土壤肥沃,除局部地区有石质山地分布外,主要由各种黄土地貌类型组成。本区可分为3个二级地貌区。

(1)黄土塬(台塬):黄土塬是由黄土构成的高平原,即经流水的强烈侵蚀和切割而保留下来的高原面。黄土塬集中分布在三门峡、灵宝、洛宁、宜阳、渑池等地,塬的边缘一般有15~30m高的陡壁(坎)与河谷阶地相连,最高可达120m。塬面面积大小不等,海拔500~800m。黄土塬土层深厚,塬面平坦,但地下水埋藏深,一般60~100m,引用附近河水也较困难,因此灌溉条件较差,解决供水问题是林业生产的关键。

(2)黄土丘陵(梁、峁):主要分布在郑州以西的荥阳、巩义、偃师、洛阳、宜阳、陕县、灵宝等地,是由早期完整的黄土塬经流水的侵蚀破坏演变而来。有的黄土塬和黄土丘陵被进一步侵蚀为穹隆状及长条状的黄土梁。三门峡、陕县、灵宝区域海拔500~700m,相对高度100m左右,丘陵较为平缓,一般15°~20°;洛河谷地北侧的黄土丘陵,西高东低,一般海拔500m左右,相对高差70~100m;渑池盆地边缘的黄土丘陵,海拔500~600m,相对高差80m左右,顶部圆浑;嵩县田湖以北的伊河谷地两侧与偃师南部的黄土丘陵,一般海拔250~400m,丘顶平缓,相对高差100m以下。新安、渑池、孟津、伊川、临汝、汝阳等地的丘陵可划为红黏土丘陵,系表层黄土流失后,使红黏土裸露而形成。

黄土丘陵分布面积大,土层深,农业地貌条件好,大部分开垦为农田。但因黄土抗蚀性差,加上植被覆盖率低,坡面冲刷和线状侵蚀都较强烈,所以黄土丘陵区林业生态工程的当务之急是实施退耕还林等整治措施,对缓坡丘陵的耕地实行坡改梯,以控制或减少水土流失。

(3)黄土阶地:主要分布在郑州以西的黄河、伊河、洛河、沙河、颍河、汝河和贾鲁河中上游与唐、白河两岸,一般可分为一、二、三级阶地。黄河两侧的一级阶地海拔100~300m,阶面平坦,微向河心倾斜,系由全新统亚砂土、粉细砂及部分中细砂组成,一般阶面宽3~9km不等;二级阶地一般海拔120~380m,西高东低,由上更新统亚砂土、细砂组成;三级阶地多分布在黄土丘陵与黄河之间,海拔140~450m,由上更新统亚砂土、亚黏土组成。伊洛河的一级阶地海拔300~600m,阶面宽300~500m,阶面倾向河心,坡降1/100~17/100,上层为全新统亚砂土,下层为砂砾石组成;二级阶地一般海拔400~600m,阶面宽400~500m,坡降1/200左右,由更新统黄土类亚砂土、亚黏土组成。

6.太行山断块构造地貌

断块构造地貌是一种以断块的抬升作用为主导成因的地貌类型,即早期山地经断块断裂活动,再经地壳构造变动而抬升,故抬升后山顶较为平缓而山坡却异常陡峻。

(1)太行山北段断块构造中山地貌:包括济源市的邵源、王屋,沁阳市的西部,焦作市,辉县市的薄壁、黄水,安阳县水冶一线西北地区。主要由片麻岩和石英岩经过断裂和侵蚀作用形成。由于断层影响,山势陡峭,其特征是构造侵蚀切割作用强烈,悬崖绝壁,河谷呈“V”形,山坡呈梯级状陡壁,峡谷深达50~200m,全国瀑布落差最大的云台山即在此区。

(2)太行山南段侵蚀剥蚀低中山地貌:由古变质岩或石灰岩组成,一般海拔250~1 000m,最高峰天台山海拔1 715.7m。山间河流较多,河谷宽阔,如沁河及其支流等。地下水为重碳酸钙镁型水。植被主要是天然次生林及人工植被。此区应积极开展退耕还林工作。

(3)太行山东麓侵蚀剥蚀低山、丘陵与洪积盆地复合地貌:位于太行山东部的低山丘陵,海拔 400 ~ 800m ,山体基岩多为石灰岩。低山坡度大多较陡,一般 30° ~ 50°,顶部平缓。丘陵坡度平缓,以侵蚀为主。盆地主要是林县盆地、淇县盆地、南寨盆地等,海拔 300m 左右,盆地和河谷上部有深厚的黄土,下部是石砾和泥沙。缺少地下浅层水,但有裂隙上升泉,如著名的辉县百泉。

7.沙丘地貌区

主要分布在黄河冲积扇,包括中牟、开封、尉氏、新郑、郑州、通许、淇县、兰考、民权、商丘、封丘、原阳、延津、滑县、内黄等县(市),是由于历史上黄河频繁决口和改道,地表沉积大量的松散泥沙,后经风力作用而形成的。沙丘一般高 3 ~ 5m,最高达 10m 左右。沙丘地貌可再分为固定沙丘、半固定沙丘、流动沙丘、沙岗地、波状沙地、平沙地和风蚀洼地 7 个类型。

沙丘地貌由于透水性强,表层疏松易被风搬运,加之表层腐殖质层很薄或基本无腐殖质层,植被难以生长,治理难度较大。新中国成立后经采取营造防风固沙林等措施,大部分沙丘或沙岗地被林草植被覆盖而固定,绝大部分沙岗地、波状沙地、平沙地和风蚀洼地被改造成沙改田而得到有效治理。近年来在平原沙区大力营造农田林网,有的县、市已达到较高的水平,全省大部分沙丘沙地面貌有很大改观。

二、气候条件

(一)气温

河南省地跨北亚热带和暖温带地区,气候比较温和,具有明显的过渡性特征。南北各地区气候显著不同,山地和平原气候也有明显差异。总的气候特点是:冬天寒冷而少雨雪,春季干旱多风沙,夏天炎热而多雨,秋季晴朗日照长。

全省各地年平均气温在 13 ~ 15℃之间,北部安阳市 1 月、7 月

平均气温分别为 -1.6 ℃、26.9℃，年平均气温 13.6℃；南部信阳市 1 月、7 月平均气温分别为 1.8 ℃、27.5℃，年平均气温 15.1℃；东部商丘市 1 月、7 月平均气温分别为 -0.7 ℃、26.9℃，年平均气温 13.9℃；西部三门峡市 1 月、7 月平均气温分别为 -0.6℃、26.5℃，年平均气温 13.8℃；中部郑州市 1 月、7 月平均气温分别为 0.2℃、27.2℃，年平均气温 14.2℃。全省各地气温具有由北向南递增和由东向西递减的趋势。分属于北亚热带范围的信阳和南阳地区，年平均气温在 15℃左右，全年日平均气温≥0℃的温暖期 320d 以上，其中日平均气温≥5℃的植物的“生长期”达 260d 以上，日平均气温≥10℃的植物的“生长活跃期”220d 以上，积温4 700 ~ 5 000℃，无霜期多在 220 ~ 240d，是全省积温最高的地区，有杉木(*Cunninghamia lanceolata*)、马尾松(*Pinus massoniana*)、油茶(*Camellia oleifera*)等生长。其中淅川一带 1 月份平均气温 2.3℃，能种植柑橘(*Citrus*)；分属于暖温带范围内的大部分地区，年平均气温在 13 ~ 14.5℃，全年日平均气温≥0℃的“温暖期”在 300 ~ 320d，日平均气温≥5℃的植物“生长期”为 240 ~ 260d，日平均气温≥10℃的植物“生长活跃期”为 200 ~ 220d，其积温为 4 300 ~ 4 700℃；豫西山地和豫北太行山地，因地势较高，年平均气温在 12.1 ~ 12.7℃，其中日平均气温≥10℃的植物“生长活跃期”为 187 ~ 197d，其积温为 3 500 ~ 3 700℃，是全省热量资源最少的地区。

(二)霜期

河南省各地霜期为 4 个月到 6 个月。西部山区霜期长，达半年左右。平均初霜期在 10 月中下旬。如卢氏平均初霜日在 10 月 18 日，最早出现初霜日是 10 月 26 日，平均终霜日是 4 月 17 日，最晚终霜日是 5 月 15 日，无霜期 183d。南部和西南部霜期最短，如西峡县平均初霜日在 11 月 13 日，最早初霜日是 10 月 22 日，平均终霜日是 3 月 21 日，最晚终霜日是 4 月 9 日，无霜期 236d。

河南省各地无霜期达 183 ~ 236d，林木生长期与无霜期密切相关。西北部山区生长期较短，信阳淮南与南阳地区生长期较长。

（三）降水

本省年平均降水量在600～1 200mm，淮南降水量最多，达1 000～1 200mm，黄淮之间为700～900mm，豫北和豫西丘陵为600～700mm。

全省降水量在季节分配上很不均匀。夏季6、7、8三个月，由于太平洋副热带高压势力的加强和极峰的北移，加上高空冷气团、热雷雨和台风等原因，造成广大范围内的大量降雨，全省绝大部分地区降雨可占全年降水总量的50%～60%，其中7月和8月降水特多，雨量可占到全年的50%以上。如卫辉市达70%左右，淮河地区集中程度较低，也在45%～50%。除夏季外，绝大多数地区都在干燥的大陆气团的控制之下。冬季降水量仅占年降水量的7%以下，春秋两季也不过只占年降水量的18%左右。本省全年降雪的平均始现和终止时间长三个多月。伏牛山区和太行山区，一般在11月中旬开始下雪，3月初终止；其他地区一般在11月下旬开始到2月下旬终止；淮南信阳、固始等地冬季气温较高，雪期较短，始现日较晚，但在一般情况下，信阳地区积雪都比北部地区为厚，最大积雪深度可达50cm以上。

上述降水量的季节分布，对形成良好的林业生态系统环境较为有利，特别是4～10月是森林植物生长旺盛的季节，也是全省各地降水较多的月份，一般可占全年降水量的80%～90%。淮南地区为800～1 000mm，黄河两岸和豫西沿黄河丘陵区为500mm左右。豫北安阳1月份降水最少，为3.4mm，降水量集中于7、8两月，分别为171.4mm和150.0mm，年均降水588.4mm；豫南固始1月份降水最少，为29.9mm，降水量集中于6、7两月，分别为148.4mm和221.8mm，年均降水1 073.6mm；豫南三门峡1月份降水最少，为4.6mm，7月降水量最大，为121.2mm，年均降水575.0mm。

（四）湿度

河南省各地年平均相对湿度为59%～77%。淮南相对湿度最大,达77%;其次是淮北平原和南阳盆地;豫西丘陵及豫北地区年平均相对湿度为59%~70%,是全省相对湿度较低的地区。河南受季风的影响,绝对与相对湿度均自东南向西北逐渐减小。如固始县7、8两个月的相对湿度最大,均为82%,年均相对湿度77%;驻马店7、8两个月的相对湿度次之,均为81%,年均相对湿度72%;郑州7、8两个月的相对湿度为76%和79%,年均相对湿度66%;鹤壁7、8两个月的相对湿度为74%和76%,年均相对湿度59%。

(五)蒸发量

各地区的气候干湿度和植物水分供需平衡情况,主要决定于该地区降水量和蒸发量(包括植物蒸腾量)之间的差值。这个差值既可反映该地区水分余缺趋势,也可作为计算灌溉需水量的主要依据。若降水量等于或者相当于蒸发量,说明水分供应基本平衡;若降水量大于蒸发量,说明水分有余;降水量小于蒸发量,则为水分不足。

河南省各地年蒸发量为1 300~2 300mm,远远超过年降水量。由南往北蒸发量逐渐增加 。西峡年均蒸发量为1 387.3mm,信阳年均蒸发量为1 355.7mm,安阳年均蒸发量为1 927.1mm,三门峡年均蒸发量为2 326.4mm,商丘年均蒸发量为1 719.4mm。各月蒸发量以6月份最大,一般200~300mm;12月与1月份最少,通常在50~70mm。如西峡6月蒸发量为265.5mm,12月与1月份蒸发量分别为69.3mm和64.3mm;信阳6月蒸发量为193.4mm,12月与1月份蒸发量分别为50.3mm和43.0mm;安阳6月蒸发量为314.6mm,12月与1月份蒸发量分别为52.0mm和51.9mm;三门峡6月蒸发量为371.9mm,12月与1月份蒸发量分别为71.7mm和75.2mm;商丘6月蒸发量为293.7mm,12月与1月份蒸发量分别为50.6mm和45.2mm。

(六)日照条件

日照时间长短,对植物的生长发育有很大影响。根据计算,本省全年可得太阳照射的总时数(即日照时数)为 4 428.1 ~ 4 432.3h,而实际日照时数又因地理环境和云雾的影响而不同。全年实际日照时数在 2 000 ~ 2 600h 之间,大致相当于可照时间的一半左右(45% ~ 55%)。其分布趋势为北部多于南部,平原多于山区。如安阳、濮阳全年实际日照时数分别为 2 540.9h 和 2 586.8h,中部许昌、郑州全年实际日照时数分别为 2 190.0h 和 2 380.4h,南部南阳、固始全年实际日照时数分别为 2 135.5h 和 2 133.5h。黄河以北全年日照大部分在 2 400 ~ 2 600h,与西南山地 2 000h 相比,偏多 450 ~ 550h,是本省日照时间最长的地区。其余地区都在 2 000 ~ 2 400h。各地全日照百分率为 45% ~ 55%,商丘可达57%。

从季节变化来看,本省实际日照时数以夏季为最多,其中 7 月平均时数为 210 ~ 240h,其分布是中部地区日照较短,在 210 ~ 220h,向北、向南递增为 220 ~ 230h;冬季最少,1 月平均日照时数为 130 ~ 180h,日照率与夏季一致,均在 45% ~ 55%;春季(4 月)本省各地实际日照,黄河以南为 160 ~ 200h,黄河以北为 210 ~ 220h,豫北安阳地区可达 220h 以上,但日照率全省却在 40% ~ 55%,为一年中日照率最小的季节;秋季(10 月)各地日照时数为 160 ~ 200h,豫北安阳地区多达 210h 以上,各地日照率为 45% ~ 60%,是一年中日照率最大的季节。

(七)不利气候条件

河南地处中原,冷暖空气交替频繁发生,季风气候特别明显,易造成本省旱、涝、干旱、风、大风、沙暴、冰雹以及霜冻等多种自然灾害的发生。这些不利的气候条件不仅严重影响林业生产,而且对人民群众的生命财产也都有很大的破坏性。为了减轻不利气候条件对林业生产的影响,改善林业生态环境,必须掌握不利气候条件的时空变化规律,结合本省造林技术要求和林业重点生态工程建设,力争在较短的时间内取得明显成效。

1.暴雨

暴雨是河南省主要灾害性天气之一,往往造成山丘黄土地区严重的水土流失、山前平原的洪水威胁、低洼排水不良地区的内涝等灾害,导致林地损毁和造林成活率降低或失败。

河南省降暴雨最多的地区是桐柏—大别山区的新县、信阳鸡公山一带,年平均出现暴雨4次,年平均暴雨量400mm以上;其次是淮河两岸及驻马店、确山、遂平一带的丘陵区和豫西山地的鲁山,豫东平原的永城,年平均出现暴雨3~4次;再次是豫东平原和南阳盆地,年平均出现2~3次,年平均暴雨量250mm以上;豫西山地和太行山地,每年出现暴雨1~2次。

就暴雨发生的季节来看,本省暴雨一般以6~9月较多,又以7~8月为最多。这两个月的暴雨次数一般要占全年总暴雨次数的60%以上(豫北地区则占70%以上)。连续两天以上的暴雨大多出现在7~8月,这是由于正当夏季季风的最盛时期,为暴雨形成提供了丰富的水源条件。1975年8月5~7日,由于3号台风的影响,驻马店地区淮河中、上游发生了特大暴雨,上蔡、西平、平舆、舞阳、遂平、泌阳、确山等县3天降水量之和都在500mm以上,其中泌阳、确山、舞阳、遂平等县3天共降雨1 000mm以上,个别地区达到1 411.2mm,泌阳县林庄一带,出现了1 631mm的降水量,大大超过当地多年平均降水量800~900mm,从而造成了312处水库决口,致使淮河中下游的广大地区发生了特大的水灾和旷日持久的涝灾。

2.干旱

干旱是河南省最普遍、最频繁的气象灾害。据历史记载,自公元1263~1911年的648年间,全省性“旱年”计305个,“大旱年”52个,“特大旱年”38个。合计旱年份为395个,占记载总年数的61%。

本省历史上的干旱,以豫北地区最为频繁和严重,豫东和豫中次之,豫西的沿河地区以及豫东南再次之,豫西山区和豫西南出现次数最少,程度也最轻。

从干旱季节来看,全省一年四季都可能发生干旱。但春旱出现最为频繁,占37%,干旱期也相当长,无透雨日一般在60~70d,最长可达80~90d。初夏干旱出现也较多,占29%,居第二位。伏旱频率低,占20%,干旱期较短,无透雨日数一般长40~60d,但旱象严重,常出现大旱。秋旱最少,只占14%。河南省季节连旱,一年中连续5个月干旱的以冬、春季较多,连续2个月和3个月的主要是春、夏旱。如2001年3月至5月间的80余天时间,全省大部分地区无有效降水,全省平均降水量仅为21.3mm,许多水库干涸、中小河流断流,地下水位下降3m左右,部分地区下降6~12m。全省春旱分布北部较多,南部较少;伏旱则是南部较多,北部较少。春旱和初夏旱的发生,全旱区基本一致,即某一年如果发生干旱基本上各地区都同时出现旱象,但干旱的解除时间却自南向北逐渐延迟。伏旱的出现和解除在地区上的差异更大,这主要是由于伏雨的空间分布很不均匀和多地区性雷阵雨而造成的。

在林业生产实践中抗旱措施主要有工程措施和生物措施等,如修建各种大、中、小型水库,各种拦水、截水和蓄水(旱窖、旱井、水泥池、塘、堰、坝等)等水利工程及封山育林、造林种草等生物措施。同时,根据干旱的季节发生特点和区域发生特点,合理安排全省的造林季节和造林地区,如重视雨季造林工作,对减轻干旱对林业生产的不利影响具有积极的作用。

3.干热风

干热风在本省常发生于春夏之交,对春季造林成效影响很大,由于长时间高温和相对湿度较小,使新植苗木失水或炽伤而死亡。根据河南省气象部门对干热风的强度及危害而确定的指标,下午2时气温大于或等于30℃,相对湿度小于或等于30%,风速3~4m/s,风向西南或南风连续两天以上的,属轻度干热风;如果下午

2时气温大于或等于32℃,相对湿度小于或等于25%,风速3～4m/s,风向西南或南风连续3d以上的,属重度干热风。

全省发生干热风的地方以豫东北平原地区最为严重,平均达10年6～8遇,最多可达10年8～9遇,最少也有10年2～5遇。其分布有由南向北、自西向东递增的趋势。干热风盛发期常在5～6月间。当时正值小麦抽穗至腊熟阶段,也是树木生长和苗木出土之后需水量多的时期。干热的空气使土温增高,蒸发量增大,土壤水分迅速减少,造成小麦减产,苗木枯萎,甚至死亡。干热风严重地区,小麦可减产30%～50%,侧柏、油松等苗木死亡率可达50%以上,沙性土苗圃受干热风影响造成苗木枯死率更高。营造防护林网对减少干热风危害有显著作用。

4.大风与沙尘暴

河南省一般把等于和大于8级(17.0m/s)以上的风称为大风。

本省大风区包括豫北、豫东平原、豫西山地丘陵区东部和南阳盆地东北部,大风中心地带是安阳、鹤壁、新乡、郑州、嵩山、平顶山一带。如鹤壁,每年大风日数为45.3d,原阳、郑州、登封、平顶山、永城等近20个县(市),每年大风日数20d以上,嵩山每年大风日数为108.3d,为全省之冠。从大风季节分布来看,春季大风日数最多,风向多为偏北和北风。大风对树木易造成风折等。如1969年8月16日,济源市受大风侵袭,毁树15万棵。

沙尘暴是大风引起的沙尘飞扬、水平能见度小于或等于1 000m的沙尘天气,对林业等危害很大。河南省由于历史上黄河决口泛滥形成大面积的沙丘、沙地(主要分布在豫东和豫北平原),为沙尘暴提供了物质基础。全年沙尘暴的分布区基本上与本省沙丘、沙地分布范围相似。巩义以东的黄河两岸,每年平均出现3个以上的沙暴日,中心地带是郑州到民权一线的沿黄河两岸的地区。郑州是全省出现沙暴日最多的城市之一,每年平均出现7d以上;开封和兰考为6～7d;另一个沙暴区是豫北的内黄一带,每年平均出现3d以上,中心地区的内黄每年平均出现6d以上。综观本省沙尘暴出现的年变化特点,春季多发生沙尘暴,冬季和夏初次之,而夏季的7、8两个月和秋季的9、10、11各月,沙尘暴则很少出现。

目前防御风沙危害的最有效措施是植树造林,恢复林草植被。这对减低一定范围内的风速,固定流沙,保持水土,调节空气湿度,改善当地的气候条件,改善和保护土壤,绿化美化生活环境和生产环境,都具有重要意义。

三、地表水和地下水

河南省是一个河流众多,有一定径流资源和地下水资源的省份。全省流域面积在100km^{2}以上的河流共有470多条,其中1 000km^{2}以上的河流50余条,5 000km^{2}以上的河流有16条。全省径流总量约352.82亿m^3,占全国径流总量的1.3%。全省地下水资源为221.83亿m^3/a,其中平原浅层水119.31亿m^3/a,平原深层水49.42亿m^3/a;岗地浅层水18.66亿m^3/a,岗地深层水1.18亿m^3/a,山区地下水33.26亿m^3/a。

(一)地表水

1.主要水系

(1)黄河水系:黄河自潼关流入河南,经本省北部,在台前县流入山东。黄河在境内长约700km,流域面积36 200km^2,占黄河流域总面积的5.1%,占河南总面积的21.7%。黄河流域在河南包括三门峡、洛阳市的大部分,开封、新乡、安阳三市和郑州市的一部分。黄河入河南后,流经中条山与崤山之间,在陕县以东切过坚硬的闪长斑岩岩盘,河宽300~400m,构成驰名中外的三门峡,水流湍急,水力资源丰富。自孟津以东,黄河进入平原,河道骤然变宽,水流变缓,泥沙大量沉积,以致河床逐年抬高。郑州以东河床比两岸地面高出3m以上,到开封河床高出两岸地面10m之多,长期依赖南北两岸大堤约束河水,形成世界著称的“地上悬河”。夏季洪水暴涨,历史上经常发生决口改道,给本省的生产和人民生活带来巨大的灾难。新中国成立后,三门峡、小浪底等水利枢纽工程的建成以及两岸堤防的加固和增高,不仅使洪水基本上得到了控制,而且使黄河水成为扇形冲积平原上农业灌溉、工业和城镇供水发电的重要水源之一。

黄河在河南境内的主要支流均在郑州以西。其较大的支流南侧有伊河、洛河。洛河发源于陕西省洛南县终南山,经卢氏县流入河南境内,并在偃师县杨村与发源于栾川县熊耳山的伊河汇流,所以以下称之为伊洛河。伊洛河至巩县神北注入黄河。伊洛河在河南境内流域面积达 15 900km^2,多流经山地丘陵区,坡陡流急,具有丰富的水力资源,是流经地工农业用水的主要水源,其北侧还有沁河、蟒河;郑州铁路桥以东较大支流有天然文岩渠和金堤河,但均属于间歇性的平原河道。

(2)淮河水系:淮河是河南省的主要河流,淮河发源于桐柏山北麓,东经长台关、息县、淮滨入安徽省,在河南省境内长约340km,流域面积为 88 300km^2, 占全省总面积的 52.8%。支流很多,在省境内流域面积 100km^2 以上的支流达 260 多条。有干弱支强之势。南侧支流较短,发源于大别、桐柏山区,主要有浉河、竹竿河、潢河、史灌河、白露河等。这些河流水流湍急,水量丰富,有"山水"之称。北侧诸支流大部发源于豫西山地,少数发源于黄河以南平坡地,主要有洪河、南汝河、北汝河、颍河、沙河、涡河、贾鲁河等。这些河流水流缓慢,有"坡水"之称。

淮河水系流量较大,流域面积较广,水利设施较差,在山洪暴发时,形成洪峰,造成水涝灾害。1949 年后经过大规模治理,兴建了水库和各种防洪排水设施,营造了大面积水源涵养林,水涝灾害已大为减轻。

(3)长江水系:河南西南部的唐河、白河和丹江是汉水的主要支流,经湖北境流入汉水。汉水是长江最长的支流,在河南省境内流域面积为 27 200km^2,占全省土地面积的 16.3%。

白河发源于南召县伏牛山南麓,流经南召、新野等县;唐河发源于方城县伏牛山东麓,流经方城、社旗、唐河、新野等县,两河于湖北境内汇合,称为唐白河。整个水系因伏牛山峰谷高差大,洪水集流迅速,进入南阳盆地,河道宣泄不及,常在唐白河下游造成洪涝灾害。丹江发源于陕西境内,从荆紫关入河南,穿越河南省淅川县西部,为过境河流。

汉水等支流泥沙含量较高,如丹江输沙率达 226kg/s,这与丹江发源于陕西境内黄土地区有直接关系。

(4)海河水系(亦称卫河水系):卫河位于豫北,是海河最长的支流,在本省境内长约 400km,流域面积约 15 300km^2,占全省总面积的 9.2%。卫河发源于山西省高平县,支流很多,在本省境内约有大小支流 30 多条,其中较大的有安阳河、淇河等。卫河水系的流量不大,如 1970 年淇门水文站观测,卫河平均流量为11.8m^3/s,最大流量为 328m^3/s,各支流的枯、丰水季节明显,含沙量及输沙率中等,属较好的灌溉用水,是本省通航和灌溉条件较好的水系。

河南四大水系主要支流情况,详见表 2-1。

2.地表径流

地表径流的分布受降水量、蒸发量、地形、植被、土壤、地质以及人类活动等多种因素的影响,其中以降水的影响为主,因此,地表径流的分布基本上和降水量分布的趋势一致。就全省范围看,径流的分布大致表现为南部多于西北部,山地大于平原和丘陵。年等流线基本上成纬向分布,南部 600mm,北部递减为 500mm。

本省多年平均降水量约为 805mm,年降水总体积为 1 331 亿 m^3,天然径流总量为 352.82 亿 m^3,折合径流深度 213mm,平均年蒸发量为 592mm,年蒸发总体积为 978.18 亿 m^3,全省径流系数为 26.4%(径流深度除以降水量)。河南省境内淮河、长江、黄河、海河四大水系的水量平衡情况见表 2-2。

表 2－1　河南各水系主要支流统计表

淮河水系			黄河水系			长江水系			海河水系		
支流名称	长度(km)	流域面积(km^2)	支流名称	长度(km)	流域面积(km^2)	支流名称	长度(km)	流域面积(km^2)	支流名称	长度(km)	流域面积(km^2)
浉　河	138	2 110	洛　河	450	12 936	唐　河	191.1	7 734.6	共产主义渠	112	6 404
竹竿河	112	2 610	伊　河	268	6 120	白　河	328.2	12 224.0	安阳河	140	1 903
潢　河	134	2 400	伊洛河	718	18 835	丹　江	117.4	14 713.6	淇　河	162	2 100
白露河	136	2 200	沁　河	450	14 120	老灌河	255.0	4 219.3			
史灌河	211	6 880	蟒　河	136	999	淇　河	150.0	1 498.0			
洪　河	312	12 380	天然文岩渠	159	2 727	湍　河	216.3	4 946.2			
北汝河	250	6 080	金堤河	159	5 047	赵　河	102.5	1 342.0			
澧　河	145	2 187				刁　河	133.0	1 006.3			
颍　河	262	7 348									
贾鲁河	246	5 895									
汾泉河	145	4 070									
浍　河	57	1 314									
涡　河	170	4 265									
沙　河	412	28 800									
沱　河	145	2 315									
惠济河	182	4 130									

注　据《河南自然条件与自然资源》1983。

表 2－2　河南四大水系水量平衡表

流　域	面　积（km^2）	降水量（mm）	径流量（mm）	陆面蒸发量（mm）	径流系数
淮　河	88 300	894	245	649	0.27
长　江	27 200	855	266	589	0.31
黄　河	36 200	665	158	507	0.24
海　河	15 300	607	116	491	0.19

森林植物对径流和水量平衡的影响是多方面的。如减低风速、降低气温、减少蒸发、阻水、吸水、渗水和防止土壤冲刷等。据洛阳地区气象站观测，陡坡 4 年生柠条比荒坡减少径流量 73%，减少冲刷 66%，一年生草木樨比一般荒坡减少径流和泥沙 60% ~ 80%。

据舞阳石漫滩林场观测，在 1975 年 8 月特大暴雨期间，有林地与无林地的径流情况截然不同。如岗上和关平院两个林区，海拔都在 800m 左右，3d 降雨量也都在 1 320mm 左右。但岗上林区由于森林覆盖率在 80% 以上，土壤腐殖质层达 25cm 左右，保水性能良好。8 月 5 日降雨量 320mm，山沟流水略涨，水清而不混；次日又降雨 350mm，山沟流水上涨，水呈灰黄色，山坡径流明显；7 日又降雨 650mm，山洪暴发，山上少量碎石泥沙下流，沟水混浊不清，但雨后流水很快变清，三个多月内一直清水长流。而关平院林区系荒山秃岭，仅部分新造 1 ~ 2 年生油松幼树，植被稀疏，8 月 5 日降雨使山洪暴发，河水猛涨；6 日土石下流有 5 处滑坡、河水漫溢，冲坏沿岸村庄农田，7d 之后沟水断流。

（二）地下水

本省地下水可采量为 221.83 亿 m^3，其中平原可采量为 168.73 亿 m^3，占全省可采量的 76%；山区岗地可采量 53.1 亿 m^3，占全省可采量的 24%。详见表 2－3。

表 2-3　河南省地下水资源表

项目	平原区			岗　地			山区	总计
	浅水层	深水层	合计	浅水层	深水层	合计		
计算面积(km^2)	83 300	79 000		25 400	5 700		52 300	161 100
可采资源(亿 m^3/a)	119.31	49.42	168.73	18.66	1.18	19.84	33.26	221.83

河南省有多种类型地下水分布，大体分为豫西及豫南山地基岩裂隙水和东部平原浅层潜水及深层承压水两大类型。豫西及豫南山区又可分为基岩裂隙潜水、碎屑岩孔隙裂隙潜水，主要分布在山前地带及山间盆地的边缘；东部平原浅层及深层承压水可分为距地面 50m 以内的浅层水(即上层滞水、孔隙潜水)和距地面 50m 以下的深层水(即深部承压水)，两层之间有不透水层相隔离。豫西及豫南山区地下水的补给主要为降雨渗入补给，受地形坡度影响，侧向排泄形成河川流的一部分水流，另外一部分以河谷潜流、山前侧渗及泉水出露等形式出现。平原区主要以降雨补给地下水为主，其他如渠灌、井灌、河道侧渗、山前侧渗等补给形式，平原地下水的排泄主要包括潜水蒸发、实际开采、河道排泄等方面。

本省山区、丘陵区及山前倾斜平原的中上部浅层地下矿化度一般均小于 0.5g/L；到了倾斜平原的下部，通常小于 1g/L，其中局部洼地可达 1 ~ 2g/L；冲积平原地区地下水矿化度一般为 1 ~ 1.5g/L，到了黄河冲积扇的前缘地带，如商丘、南乐、濮阳一带，地下水矿化度可达 2 ~ 3g/L，个别地区可达 3 ~ 5g/L，民权高达 8 ~ 17g/L。在林业建设实践中，矿化度 3 ~ 5g/L 的水应限制使用，大于 5g/L 的水不适宜林业生产活动时灌溉，因此对地下水矿化度高的地区应因地制宜，适地适树，选用耐盐碱的树种，如旱柳(*Salix nstsudana*)、小叶杨(*Populus simonii*)、柽柳(*Tamarix chinensis*)等，并采取各种排灌等水利措施以及土壤改良的办法，提高造林成活率，达到逐步改善盐碱地的自然和生态条件。

四、土壤

土壤是各种成土因素综合作用的产物，一定的成土条件形成相应的成土过程，因而也决定了土壤属性和相应的土壤类型。土壤既受气候、水文和生物条件的影响，具有明显的地带性分布规律，同时也受区域性成土因素的影响，表现出不同的区域性特征。土壤的地带性分布规律和空间组合上的不同特征，使直接受土壤条件作用的植被具有相应的变化，并形成不同的植被条件。因此，土壤作为林业生产的基本条件，对林业生态环境建设具有重要意义。

（一）土壤地带性分布

1.土壤水平地带性分布

土壤水平地带性分布表现在纬度地带性分布和经度地带性分布两个水平方向上，原因是受纬度和经度地带生物气候条件的影响形成的。

(1)纬度地带性分布：本省的淮南地区土壤具有铁硅铝土特性，地带性土壤黄棕壤和黄褐土广泛分布；北部黄河流域地区土壤具有硅铝土特性，地带性褐土较多。因此，全省可自南向北划分为两个土壤带，即南部的黄棕壤、黄褐土带与北部的褐土带。在学术界，南北土壤分界线具体位置观点不一。据《河南土壤地理》记载，分界线为伏牛山主脉沿沙河至漯河市，东接汾泉河一线。界线以南的黄棕壤集中分布于该区南部的低山丘陵区，黄褐土则分布于该区北部的丘陵岗区；界线以北的褐土集中分布于该界线以北、京广线以西的低山丘陵与黄土丘陵区。在豫东及豫北平原主要是潮土，其次是风沙土，零星分布的有盐土、碱土、沼泽土、新积土。在豫东南及豫西南的平原区主要是砂姜黑土，也有零星的潮土。

(2)经度地带性分布：本省北半部土壤经度地带性不清楚，只有京广线以西低山丘陵和黄土丘陵地区才有地带性褐土的分布。

本省南部东西两侧,即京广线以东淮南垄岗区的黄褐土淋溶作用较强,剖面中铁锰新生体较多,砂姜等石灰新生体甚少且部位较深;京广线以西南阳盆地的黄褐土,其淋溶作用较弱,剖面中铁锰新生体较少,石灰新生体较浅。京广线东西土壤的这些差异,反映了本省土壤的经度地带性变化。

2.土壤垂直地带性分布

河南山地土壤的垂直地带性分布,因山地所处地理位置不同而明显不同。在太行山区的林县四方脑东坡,海拔 1 200m 左右为棕壤与褐土的分界线,1 200m 以下为褐土,1 200 ~ 1 500m 为棕壤,1 500m 以上为山地草甸土。在豫西山地,如灵宝小秦岭北坡,海拔 1 200m 以下为褐土带,其中海拔 300 ~ 750m 土壤为普通褐土、石灰性褐土或褐土性土,海拔 750 ~ 1 200m 土壤为淋溶褐土;海拔 1 200m 以上为棕壤带;海拔 2 200m 以上平缓山顶有小面积山地草甸土。在伏牛山的老君山北坡,海拔 900m 以下为褐土带,其中 700 ~ 750m 洪冲积母质上分布有褐土性土,海拔 750 ~ 900m 低山为淋溶褐土;海拔 900m 以上为棕壤带;海拔 2 100m 以上山顶缓处有山地草甸土分布。老君山南坡,海拔 400m 以下为黄褐土,海拔 400 ~ 1 300m 为黄棕壤,海拔 1 300m 以上为棕壤,2 100m 以上平缓山顶为草甸土。大别山区的金岗台海拔 1 584m,土壤垂直分布较明显。海拔 200 ~ 1 300m 为黄棕壤,其中海拔 200 ~ 300m 丘陵地带的黄棕壤,土层相对较厚;海拔 300 ~ 500m 多为石质低山、丘陵,植被稀疏,土壤为黄棕壤性土;海拔 500 ~ 1 300m 林木茂密,多为黄棕壤与黄棕壤性土。海拔 1 300m 以上为棕壤,1 500m 以上山顶平缓处有山地草甸土分布。

(二)主要土壤类型的基本性状

1.棕壤

棕壤又称棕色森林土,也有称拉曼棕壤,主要分布在太行山、伏牛山、大别山及桐柏山林区及海拔 1 000m 以上的山地,其行政区分布主要在三门峡市、洛阳市南部、南阳市北部、安阳市西部、新乡和焦作市北部、郑州市和平顶山市西部、信阳南部等地，面积占全省土壤面积的3.23%。本省棕壤中绝大部分是自然土壤，未经耕作或不宜耕作。全省以洛阳市的棕壤面积最大，达27.74万hm^2，占全省棕壤面积的62.38%。

棕壤的成土植被各山区有所不同，豫西伏牛山北坡与太行山区以落叶阔叶林为主，主要植物种类有短柄枹（*Quercus glandulifera*）、锐齿槲栎（*Q. acutidentata*）、华山松（*Pinus armandi*）、云杉（*Picea asperata*）、太白冷杉（*Abies suttchuenensis*）、榛子（*Corylus heterophylla*）、照山白（*Rhododendron micranthum*）、河南杜鹃（*Rhododedron henanense*）、羊胡子草等；伏牛山区有北亚热带常绿落叶阔叶林与针叶林，主要种类有栓皮栎（*Quercus variabilis*）、麻栎（*Q. acutissima*）、油松（*Pinus tabulaeformis*）、铁杉（*Tsuga chinensis*）、连翘（*Hypericum erectum*）、胡枝子（*Lespedeza bicolor*）等；桐柏大别山区主要是由槲栎与黄山松组成的针阔叶混交林与黄山松林，主要种类有槲栎（*Quercus aliena*）、乌饭树（*Vaccinium bractearum*）、榛子、黄背草（*Themeda triandra*）、白茅（*Imperata*）等。棕壤的母岩较复杂，多为花岗岩、片麻岩、灰岩及砂质岩，地形多为海拔1 000m以上的中山区。

棕壤的主要特征是剖面呈棕色或暗棕色，上部因有较厚的腐殖质影响而色调较暗，下部颜色较鲜，风化比较强烈，有一定程度的淋溶作用，所以土层土质黏重，黏化现象明显，整个剖面均无石灰反应，pH值6.0左右，呈微酸性。林下土壤养分含量较高，0~20cm土层平均含有机质3.92%，全氮0.246%，速效磷6.8mg/kg，速效钾169mg/kg。

2.褐土

褐土又称褐色森林土。褐土主要分布在伏牛山主脉与沙河、汾泉河一线以北、京广路以西的广大地区。分布的行政区包括三门峡市、洛阳市、焦作市的西北部、新乡市和平顶山市的北部、安阳市西部、郑州和鹤壁二市的西部，漯河市和商丘市有小面积分布。全省褐土面积占全省总土壤面积的20.33%。河南省褐土中耕地褐土占67%，其余占33%。全省各地(市)中以三门峡市和洛阳市褐土面积较大，分别占全省褐土面积的19.90%和18.79%。

褐土区的植被多为疏林草灌，常见的有侧柏—荆条—酸枣—黄背草群落，酸枣(*Ziziphus guguba*)、胡枝子、荆条(*Vitex negundo*)等灌丛也广泛分布。在路旁、沟谷及耕作区散生有刺槐(*Robinia pseudoacacia*)、杨、榆、槐、泡桐、楸、椿等，农田经济林树种有苹果、梨、山楂、核桃、柿、枣、杏等。褐土的地形地貌成土条件主要为石质或土质中山、低山、丘陵，河谷阶地、山前洪积扇、岗地、盆地等。其成土母质在黄土丘陵区有马兰黄土、离石黄土、午城黄土和黄土状物质，在母岩上发育的褐土其母质为各种岩类的残积—坡积物(包括各类岩类风化物)，另外也有洪积母质和堆垫母质等。

褐土主要特征是土壤剖面具有明显的黏化现象和碳酸钙淀积层 。黏化现象与褐土形成过程有关。在温暖湿润的季节，土壤矿物部分受到较强的化学风化，使大颗粒分解为黏粒，上层黏粒移动到下层，使土壤中下层黏粒相当集中。由于褐土母质来源于第四纪黄土或洪积、坡积物质，因此，褐土以粉粒为主，0.05~0.005mm的粒径比例占50%以上。褐土的母质主要来源于黄土，黄土母质中含有大量的碳酸钙，碳酸钙受淋溶，在一定深度形成碳酸钙积聚层，以砂姜状聚积于体内或以白菌丝状穿插于孔隙之间，成为褐土的主要标志之一。形态特征为枯枝落叶层之下是一个暗灰棕色的腐殖层；心土层呈棕色或黄棕色，质地黏重，呈棱块和块状结构，夹杂有棕色或暗棕色胶膜及铁锰结核，黏粒很多的便形成黏盘层。心土层以下为母质层，土壤质地偏黏，通透性差；土壤养分含量适中。

3.黄棕壤

河南省的黄棕壤主要分布在伏牛山南坡与大别山、桐柏山海拔 1 300m 以下的山地，呈一狭长地带分布，包括南阳、信阳等地以及驻马店、平顶山部分县(市)。全省黄棕壤面积占土壤总面积的 2.35%，其中大部分为自然土壤，少部分为耕地。

黄棕壤地区植被类型为含有常绿阔叶树种的落叶阔叶林与针叶林的混交林，其下多为灌丛与草本植物。常绿阔叶树种有女贞(*Ligustrum lucidum*)、冬青(*Ilex purprea*)、山胡椒(*Lindera glaaucaa*)、茶树等。落叶阔叶树种有麻栎、栓皮栎、枹树、槲栎、茅栗(*Castanea seguinii*)等；林下灌丛及草本植物有胡枝子、杜鹃、蕨类、白茅等。黄棕壤多分布于低山和丘陵地区，部分地区为中山，母质为各种岩石的残积—坡积物。黄棕壤受人类生产活动影响较大，加之低山丘陵区的垦殖活动易引起水土流失，使土层变薄，石砾增多，土壤养分含量较低，增加了人工恢复植被的难度。

黄棕壤的基本性状特征为：淋溶作用较强，盐基代换量、盐基饱和度、吸收容量较褐土低；黏化层明显，母质比较黏重，心层有黏化特征，形成黏化层；铁、锰淋溶淀积显著，铁锰化合物随降水向下层移动，失水凝结，积累渐厚，一般在 30 ~ 45cm 深处有垂直分布的条纹状，具有光滑表面的黑褐色铁锰胶膜，45 ~ 120cm 间出现犹如豌豆大的铁锰结核的淀积，使黄棕壤有别于本省其他土类。

4.黄褐土

黄褐土是褐土向黄、红壤过渡的地带性土壤，主要分布在沙河干流以南伏牛山、桐柏山、大别山海拔 500m 以下的低丘、缓岗及阶地上，包括南阳、信阳、驻马店、平顶山及漯河等市林区。黄褐土面积占全省土壤面积的 11.83%，其中大部分为耕地，少部分为自然土壤。

黄褐土区的原始植被已不复存在，目前均为人工林和次生林木。不同黄褐土亚类，由于分布地区和地形地势的不同，其植被也不同。如黄褐土性土亚类以人工林和天然次生林为主，多为疏林地，主要树种有麻栎、栓皮栎、槲栎、茅栗、合欢(*Albizia julibrissin*)、刺槐、马尾松等，灌木有酸枣等，草本有白草（*Pennisetum centrasiaticum*）、黄背草等；黄褐土亚类多为耕地，有少量人工栽植的乔木树，如椿树、榆树、杨树等。在缓岗地形部位上，成土母质多为第四纪中、上更新统沉积物，色黄棕而质地黏重，厚数十米；在 400～500m 以下为低山丘陵，主要是各种母岩，其下部为半风化的母岩或母质。由于黄褐土经过人类长期耕作施肥、修筑梯田等措施，形成了疏松的耕作层和紧实的犁底层，土壤肥力提高，一般被群众认为是好耕地，虽然栽植林木较容易，但部分群众不愿意退耕还林，是影响黄褐土区植被恢复的重要因素。

黄褐土剖面特征：通体呈黄褐色或棕褐色，表层多呈棕色，团块或碎块状结构，土壤发生层次明显，质地黏重，结构体表面被覆暗棕色胶膜，有小铁子、砂姜斑点状、片状铁锰斑块，易形成上层滞水，有较坚实的变质黏化层，土层较厚，全剖面多呈中性反应，pH6.0～7.0 之间。

5.潮土

潮土是土壤分类工作者根据农民群众反映该土有夜潮现象，即群众称之为“夜潮土”、“回潮土” 而定名的。此类土壤主要分布在京广线以东，沙颍河以北冲积平原和淮河、唐白河、伊洛河两岸。全省 18 个地市均分布有潮土。分布该土壤 20 万 hm^2 以上的市从多到少依次有商丘、周口、开封、新乡、安阳、濮阳和焦作 。潮土中耕地潮土占 93%左右。

潮土区大部分自然植被已被人工植被所代替，目前主要种植小麦、玉米、棉花、花生、大豆等农作物，栽植泡桐、杨类、国槐、榆、梨、枣、桃等。自然植被很少，主要是田间杂草，如狗牙根（*Cynodon dactylon*）、白茅（*Tmerata cylindrica*）、黄花蒿（*Artemisia annua*）等。潮土的母质主要是河流沉积物。潮土区地形较平坦，微地貌特点有平地 、微洼地、微倾斜平地、洼地、高滩地。由于河流多次泛滥改道，使中小地形发生变化，因而土壤母质和水分条件也发生了明显差异,一般自然堤分布的为沙性土,缓坡地多为壤质土,洼地多为黏性土。因水热条件分配不均,地形平坦,排水不畅,地下水位浅,往往造成春旱秋涝和土壤盐碱化。

潮土剖面主要特征为土壤发生层次不明显,而质地层次非常明显,但厚薄不一,不同剖面的成土物质颗粒粗细具有明显的分选差异,剖面以黄色为主,下层有蓝灰色、红褐色铁锈斑纹,地表有机质积累较少,碳酸钙含量高,石灰反应较强,土壤呈中性至微碱性,pH 值 7.0~8.5。潮土质地因母质不同差异较大,沙质、壤质、黏质都有。沙质潮土的土壤持水性差,壤质潮土持水性中等,黏质潮土持水量较大。持水能力差的沙质潮土保水保肥能力差,持水能力强的黏质潮土水肥等养分易于积累。

6.风沙土

风沙土是河流挟带的沙质沉积物再经风力搬运而成的。河南省风沙土主要分布在黄河历代变迁的故道滩地,呈带状分布;其他各河流两岸也有零星分布,如漳卫河故道等地。豫东、豫北的濮阳市、开封市、商丘市,郑州市东部,新乡、安阳市东部,许昌市和周口市北部,是风沙土的主要分布区,集中于中牟、兰考、民权、宁陵、长垣、濮阳、内黄、延津、封丘、新郑、尉氏等县(市)。

由于风沙土区风蚀严重,干旱缺水,光照强烈,昼夜温差悬殊,沙性大,通透性强,保水肥性差,养分贫瘠等恶劣的生态环境条件,因此风沙土区植被缺乏多样性。主要是沙生植物,如沙蓬(*Agriophyllum squarrosun*)、虫实(*Corispermum*)、白茅、狗尾草(*Setaria viridis*)、鸡眼草(*Kummerowia strata*)、马唐(*Digitaria sanguinalis*)、地锦(*Euphorbia humifusa*)等。沙区植物主根很深,侧根发达,地上部分较矮,茎、叶多披茸毛。新中国成立后风沙土得到有效治理,各地大力营造防风固沙林,栽植种类主要有刺槐、旱柳、毛白杨(*Populus tomentosa*)、加杨(*P. canadensis*)、沙兰杨(*P. c. var*)、紫穗槐(*Amarpha fruticosa*)、杞柳(*Salix integra*)等,周口、开封、濮阳等地的部分沙区县(市)在全国平原绿化初级达标的基础上,近年来又按照高级达标的要求,组织开展植树造林,使原来沙区稀疏的植被有了较大改观,有的县(市)沙区农田林网控制率在95%以上,风沙土的理化性质也相应得到改善。风沙土的母质主要是河流沉积物。

风沙土特征:河南省风沙土均属草甸风沙土亚类,距地表70cm以内均为沙土。土壤颜色呈灰黄色或淡黄色,没有土壤有机质层或很薄,一般不超过3cm。黏粒在表层稍有积聚,但不下移。土体一般无石灰反应,土壤pH8.0左右。土壤表层有机质含量一般为3~5g/kg,全氮为0.30g/kg左右,速效磷2~3mg/kg,速效钾50~80mg/kg。

7.砂姜黑土

该土类因土壤中有碳酸钙结核,称之为砂姜,故名砂姜黑土。本省砂姜黑土主要分布在伏牛山、桐柏山的东部,大别山北部的淮北平原的低洼地区及南阳盆地中南部。政区包括驻马店市的遂平、西平、上蔡、汝南、正阳、平舆、新蔡、泌阳,漯河市的临颍、郾城,周口市的沈丘、项城、商水,信阳市的息县、淮滨,南阳市的卧龙区、唐河、新野、邓州、社旗等县(市)。砂姜黑土占全省土壤总面积的9.25%。在该土类中,耕种砂姜黑土占98%左右。

砂姜黑土的植被主要是水生与湿生性植物,如莎草(*Cyperus*)、荆三棱(*Scirpus yagara*)、灯心草(*Juncus effusus*)、菹草(*Potamogeton crispus*)、半边莲(*Lobelia chinensis*)、蒲(*Typha orientals*)等。目前的砂姜黑土区主要人工植被是农作物及部分经济林,历史上已经发生过沼泽化、脱沼泽化、草甸化和旱耕熟化过程,形成了现在的砂姜黑土和植被景观。砂姜黑土以富含碳酸钙的古河、湖相沉积物为母质。

砂姜黑土的主要特征是有明显的黑土层。黑土层有的出露地表,有的仅被近代冲积物所覆盖,厚度一般20~40cm不等,暗灰色至黑灰色，质地黏重，多为壤黏土，有机质含量多在1%以上。另外，土壤中有较多的砂姜形成，越往下层含量越多，有的形成砂姜黏盘层，这是砂姜黑土的另一共同特征。砂姜层以下是一个带有灰蓝色的灰白色潜育层，为砂姜与黏土结成紧实至密的结盘，具有阻水作用，土质黏重，多为黏壤土至黏土，通气性也差，孔隙率小于10%，有效水分少，易旱、易涝，湿时泥泞，干时坚硬、裂缝。土壤全量养分含量较高，但速效养分含量较低。因此，河南省砂姜黑土剖面构型明显，一般分为三层：表层为棕灰色或灰色，覆盖层为灰黄色，碎屑状与粒状结构；心土层为黑色或暗灰色，碎块状结构；底土层为棕黄色，块状结构，有较多砂姜。剖面上部无石灰反应，pH7.5左右，下部多有石灰反应，pH值稍高。

8.石质土和粗骨土

本省石质土和粗骨土分布在大别山、桐柏山、伏牛山、太行山等地区。石质土多在母质坚实度大、山坡陡峻的花岗岩、板岩、硅质砂岩、石灰岩地区，粗骨土多在坡度稍缓母质松软易碎、硬度较小的页岩、千枚岩地区。两土类表层以岩石碎片为主，无植被防护或仅生长稀疏植被，是林业生产建设的难点地区。政区包括安阳、鹤壁、焦作、新乡、三门峡、洛阳、郑州、商丘、平顶山、许昌、驻马店、南阳、信阳13个市。全省石质土和粗骨土总面积约占全省土壤总面积的17.42%，其中石质土占4.15%，粗骨土占13.27%。

石质土与粗骨土的划分：两土类均属初育土，但又是两个明显不同的土类。石质土属于薄层A－R型土壤。A层10cm左右，在A层下为基岩层。主要分布于坡度陡、植被差、侵蚀严重的石质山地，砾石含量>700g/kg。而粗骨土属于A－C型土壤。A层下为不同厚薄的风化岩层，均为松散碎屑层。主要分布于低山及石质丘陵区，植被覆盖差，土壤侵蚀重，土层厚度一般<30cm，石砾含量300～700g/kg。石质土和粗骨土的主要区别在于前者A层下为母岩，后者A层下为母质。

9.红黏土

分布于豫西嵴山与熊耳山两侧的低丘台地、邙山的残丘中上部、南阳盆地的周边岗地、淮河以南的垄岗地区,太行山区也有零星分布。洛阳市和三门峡市红黏土分别占全省红黏土面积的59.3%和26.3%。全省红黏土中,非耕地面积占40%~50%,坡地开荒比较普遍,因此红黏土中林业用地比例较大。国家天然林保护和退耕还林工程项目区涉及有红黏土分布的县有嵩县、陕县、渑池、卢氏等。

红黏土是第三纪或第四纪形成的红色风化壳出露地表后发育而成的岩成土壤,为非地带性土壤,其红色土壤与古代气候有关。红黏土的主要特征是:土壤整体为红色或红棕色,结构致密少孔,干硬坚实。土壤发育层次不明显,第三纪红黏土上形成的红黏土,除了耕层和过渡层外,土体中下部分层不明显。第四纪红色黏土上形成的红黏土,除耕层颜色较暗外,耕层以下层次不明显。土质黏重,通体以黏壤或黏土为主,土壤呈中性或微碱性反应,pH7.0~8.0,碳酸钙含量一般小于3g/kg;有弱石灰反应的,碳酸钙含量一般为4~16g/kg。

五、生物资源

(一)植物资源

河南省的植物因受气候、土壤、地形及水热等条件影响,表现出南北不同地带的过渡性和自平原到山地的不同环境的复杂性。由于植物的生境条件不同,就构成了多种多样的植被类型,蕴藏着丰富多样的植物资源。

1.植物区系概况和主要特征

(1)科、属、种统计:据《河南省志·植物志》资料,全省维管植物有198科1 142属3 979种及变种,约占全国植物总种数的10%多。其中蕨类植物29科70属205种及变种,占全国蕨类植物总科数的55%,总属数的30%,总种数的10%。裸子植物10科28属74种及变种,占全国裸子植物总科数的80%,总属数的70%,总种数的26%。被子植物159科1 044属、3 670种及变种,占全国被子植物总科数的54%,属的35%,种的16%。在全省198科植物中,禾本科(*Gramineae*)、莎草科(*Cyperaceae*)、豆科(*Leguminosae*)、蔷薇科(*Rosaceae*)、菊科(*Compositae*)、毛茛科(*Ranunculaceae*)、百合科(*Liliaceae*)、唇形科(*Labiatae*)、十字花科(*Cruciferae*)、伞形科(*Umblliferae*)、桦木科(*Betulaceae*)、杨柳科(*Salicaceae*)、槭树科(*Aceraceae*)等35科,约2 700种,约占全省被子植物科数的22.6%,占全省被子植物种数的73.6%左右。

(2)特有种属:河南省的植物特有种有河南蒿(*Aemisiahonanensis*)、河南马光蒿(*Prtedicularis hoonanensis*)、河南蹄盖蕨(*Athyrium honanensis*)、嵩县短肠蕨(*Allanrodia sunghsienensis*)、河南忍冬(*Lonicera honanensis*)、兰考泡桐(*Paulownia elonhate*)、河南杈叶槭(*Acer robustum vra. honanensis*)、假锯叶栎(*Quercus pseudoserrata*)、多元僵子栎(*Q. baronii var. capillata*)、匙叶栎(*Q. spathulata*)、光叶马鞍树(*Maackia tenuifolia*)、河南鹅耳枥(*Carpinus funiushanensis*)、河南杜鹃(*Rhododendron henanense*)、筠竹(*Phyllostachys glauca var. yunzhu*)、河南海棠(*Malus honanensis*)、大官杨(*Populus dakuanensis*)、毛柱山梅花(*Philadelphus subcanus*)等。

此外,本省分布的我国特有属有:香果树(*Emmenopterys*)、青檀(*Pteroceltis*)、连香树(*Cercidiphyllun*)、猬实(*Kolkwitzia*)、山白树(*Sinowilsonia*)、青钱柳(*Cyclocarya*)、牛鼻栓(*Fortunearia*)、杜仲(*Eucommia*)、文冠果(*Xanthoceras*)、枳椇(*Poncirus*)、山拐枣(*Polithyrsis*)、水青树(*Tetracentron*)、侧柏(*Platycladus*)、大血藤(*Sargentodoxa*)、串果藤(*Sinofanchetia*)等。

(3)含有古代植物区系成分:在济源、渑池、确山等地发现许多中生代植物,其中蕨类植物有支脉蕨(*Cladophlebis azeiana*)、义马似木贼(*Eguisetum yimansis*)等,种子蕨有(*Thinnfeldia rhomaboialis*)、苏铁类的义马镰羽叶(*Drapanozamiites yimaensis*)等,银杏类有奥勃鲁契拟银杏(*Ginkgoites obutschowii*)等,松柏类有 *Podozamites lanceolata*。

在新生代第三纪时,据灵宝、桐柏、卢氏、方城和三门峡等地的古植物资料,见诸于化石的蕨类植物有紫箕属(*Osmunda*)、水蕨属长形希指蕨(*Schizaea longus*)、白垩希指蕨(*S. cretaceus*)等;裸子植物有水杉(*Metasequois sp.*)、麻黄(*Ephedra sp.*)银杏科(*Ginkgoaceae*)、柏科(*Cupressaceae*)、南洋杉科(*Araucariaceae*)、罗汉松科(*Podocarpaceae*)等;被子植物有壳斗科的栎(*Quercus*)、榆(*Ulmus*)、翁格榉(*Zelkoca ungeri*)、核桃(*Juglans*)、长叶连香树(*Cercidipyllum elongatum*)、柳(*Salix*)、桦(*Betula*)、鹅耳枥(*Carpinus*)、密叶银桦(*Grevillea densigoeie*)、漆树科(*Anacardiaceae*)、槭树科(*Aceraceae*)、楝科(*Euphorbiaceae*)、芸香科(*Rutaceae*)、桑科(*Moraceae*)、大戟科(*Euphorbiaceae*)、毛茛科(*Ranunculaceae*)、桃金娘科(*Myrtaceae*)等。在第四纪时植物种类及其分布的轮廓与现代的植物种类及其分布相似,当时华北森林以栎属为主,间有松属(*Pinus*)及榆(*Ulmus*)、椴(*Tilia*)、桦木(*Betula*) 、槭树(*Acer*)、柿树(*Diospyros*)、鹅耳枥(*Carpinus*)、柳(*Salix*)等,而本省陕县及附近化石植物就有松(*Pinus*)、冷杉(*Abies*)、云杉(*Picea*)、栎(*Quercus*)、槭、椴等,其中的槭的标本与现代分布于本省鸡公山的中华槭(*Acer sinense*)相似;枣的标本与现代广布于黄河流域的枣(*Zizyphus jujuba*)相似。

(4)外来植物区系成分:河南地处中原,是中华文明的主要发源地,与中外科学技术和文化交流悠久而频繁,促进了外来植物传入中原。在河南植物区系中有许多外来植物,如刺槐、加拿大柏、钻天柏(美柏)、法国梧桐等,它们还是林业生产的重要树种;有些外来植物已逸为野生,如小白酒草(加拿大蓬)(*Conyza candensis*)、马齿苋(*Portulaca oleracea*)、车前(*Plantago major*)、曼陀罗(*Datura stramonium*)等。

(5)与毗邻地区植物区系的关系：

Ⅰ 与华北区植物区系的关系：与华北地区共有种有元宝槭(*Acer fruncatum*)、黑榆(*Ulmus davidiana*)、文冠果(*Xanthocesos sorbifolia*)、野皂荚(*Gieditsia haterophylla*)等；另有一些种类广泛分布于华北地区，而在河南省的伏牛山、崤山、熊耳山、外方山、太行山和豫东、豫北平原也多为优势种类，如油松、白皮松、毛白杨、旱柳、千金榆、臭椿(*Ailanthus altissma*)、酸枣、荆条、槲栎、枸杞(*Lycium chinense*)、胡枝子(*Lespedeza bicolor*)、蛇葡萄(*Ampelopsis acomitifolia*)、白羊草(*Bothriochla ischaemum*)、华北绣线菊(*Spiraea fritschiana*)、蒲公英(*Tatayacu mongolicum*)、柿等。

Ⅱ 与华中区植物区系的关系：与华中地区共有的特有种有小果润楠(*Machilus microcarpa*)、湖北枫杨(*Pterocarya hupehensis*)、豪猪刺(*Bberberis julianae*)等。华中地区的代表植物在河南境内伏牛山、淮河以北广泛分布的有：马尾松、杉木、樟(*Cinnamomum camphora*)、枫香、青冈(*Cycloblanopsis glauca*)、白栎(*Quercus fabri*)、乌桕(*Sapium sebiferum*)、毛竹(*Phyllostachys higra*)、枫杨、黄檀(*Dalbergia hupeana*)、光叶海桐(*Pittosporum glabratum*)、三尖杉(*Cephalotaxus fortunei*)、红豆杉 (*Taxus chiensis*)及紫楠(*Phoebe sheareri*)、三桠乌药(*Lindern obtusiloba*)、山胡椒(*L. glauca*)、牛鼻栓(*Fortunearia sinensis*)、白檀(*Symplocos paniculata*)、山合欢(*Albizia kalkora*)、连香树、美丽胡枝子(*Lespedeza formosa*)、芫花(*Daphne genkwa*)、算盘子(*Glochidion puberum*)、中华猕猴桃(*Actinidia chinensis*)、杜仲(*Eucommia ulmoides*)、刺楸(*Kalopanax pictus*)、女贞(*Ligustrum ucidinm*)、木通(*Akebia guinuta*)、三叶木通(*A. trifoliata*)、华中五味子、粗榧、无患子等。这些华中地区的特有种和代表植物种类，反映了河南省植物区系与华中区植物区系的密切关系。

Ⅲ 与华东地区植物区系的关系：与华东区共有的特有种有大别山五针松(*Pinus fenzeliana var dabeshanensis*)、老鸦柿(*Diospyros rhombifolia*)、红脉钓樟(*Lindera chienii*)、华东槐(木)蓝(*Indigofera fortunei*)等。

Ⅳ 与西南区植物区系的关系:西南区系代表种在本省也有较多分布,如桦椴(*Tilia chinensis*)、聚叶虎耳草(*Sedifrage officinalis*)、华西银腊梅(*Potentilla arbuscula*)、白皮槭(*Acer griseunl*)、粗齿铁线莲(*Clemalis argentilucide*)、华山松(*Pinus armandii*)以及铁杉、太白冷杉(巴山冷杉)、红桦(*Betula albosinensis*)、金钱槭(*Dipteronia sinensis*)、七叶树(*Aesulus chinensis*)、春榆(*Ulms propinqua*)、云锦杜鹃(*Rhododendron fortunei*)、山拐枣(*Poliothyrsis sinensis*)、山桐子(*Ldesia polycarpa*)、秦岭小檗(*Berberis circumserrata*)、马桑(*Coriaia sinica*)、箭竹(*Sinarundinaria nitida*)等。

Ⅴ 与西北区植物区系的关系:西北植物区系的代表种在本省境内分布的有:柽柳(*Tanrix chinensis*)、碱蓬(*Suaeda glauca*)、猪毛菜(*Salaola collna*)、猬实(*Corispermum hyssopifolium*)、蓝花棘豆(*Oxytropsis coerulea*)以及沙蓬、蒺藜(*Tribulus terrestris*)、披针叶黄华(*Thermopsis lanceolata*)、达乌里胡枝子(*Lespedeza davurica*)、骆驼蓬(*Peganum nigellastrum*)、刺果甘草(*Glycyrrhiza pallidiflora*)、黄刺玫(*Rosa xanthina*)、阿尔泰狗哇花(*Heteropappus altaicus*)、乌拉特绣线菊(*Spiraea uratensis*)、西北栒子(*Cotoneaster zabelii*)、砂珍棘豆(*Oxytropis psammocharis*)等,主要分布在豫东、豫北平原的沙区和盐碱土上。

2.植被类型、分区及分布

(1)植被类型:本省植被分类单位从高到低为植被型、群系纲、群系、群丛,全省共有针叶林、阔叶林、竹林、灌丛和灌草丛、草甸、沼泽和水生植被、栽培植被等7个植被型;落叶针叶林、常绿针叶林、针阔叶混交林、常绿阔叶林、落叶阔叶林、落叶常绿阔叶混交林、单轴型竹林、合轴型竹林、复轴型竹林、常绿灌丛、落叶灌丛、灌草丛、典型草甸、温生草甸、盐生草甸、砂生草甸、木本沼泽、草本沼泽、挺水植被、浮水植被、沉水植被、旱地作物、水田作物、蔬菜、常绿经济林、落叶经济林等26个群系纲。群系纲下全省分为169个群系。

(2)植被分区:按照植被分区必须显示出地区性的植被特点的原则,依据植被类型的特点、植物区系成分的特点和自然环境的特点,在充分考虑本省植被分区与全国植被分区的对应以及与邻省植被分区的联系的情况下,将全省植被分为植被区域、植被地带、植被区和植被片4个等级,共有2个植被区域、2个植被地带、4个植被区、12个植被片。现按从高级单位到低级单位和从北到南的顺序,列出本省植被分区系统。

暖温带落叶阔叶林区域:

Ⅰ. 南暖温带落叶阔叶林地带

ⅠA. 黄淮海平原载培植被区

ⅠA_1. 黄淮海平原小麦杂粮二年三熟(或一年二熟)植被片

ⅠA_2. 淮北平原一年二熟小麦杂粮植被片

ⅠB. 豫西、豫西北山地、丘陵、台地落叶阔叶植被区

ⅠB_1. 太行山地落叶栎林植被片

ⅠB_2. 太行山东麓丘陵、平地二年三熟(或一年二熟)植被片

ⅠB_3. 豫西黄土丘陵、平川、台地以小麦为主的二年三熟植被片

ⅠB_4. 伏牛山山地栎林植被片

ⅠB_5. 嵩山、外方山、伏牛山东侧低山、丘陵以小麦为主的二年三熟植被片

亚热带常绿阔叶林区域:

Ⅱ. 北亚热带常绿落叶阔叶林地带

ⅡA. 伏南山地、丘陵、盆地常绿落叶阔叶林植被区

ⅡA_1. 伏南山地含有常绿成分的落叶阔叶林植被片

ⅡA_2. 伏南低山、丘陵萌生林植被片

ⅡA_3. 南阳盆地以小麦为主的二年三熟植被片

ⅡB. 桐柏、大别山地、丘陵、平原常绿落叶阔叶林植被区

ⅡB_1. 淮南平原以水稻为主的一年二熟植被片

ⅡB_2. 桐柏、大别山地、丘陵栎林植被片

(3)植被分布规律基本上归纳为两种,一是水平地带性分布,二是垂直地带性分布。

Ⅰ 植被水平地带性分布:在本省纬度方向上分属两个植被地带,即北部的南暖温带落叶阔叶林地带和南部的北亚热带常绿落叶阔叶林地带。

南暖温带落叶阔叶林地带包含淮河干流以北及伏牛山山脊以北的平原和山地,整个地带的地势为西高东低,年均气温 12 ~ 14℃,年降水量 600 ~ 900mm;山地土壤主要为棕壤,浅山丘陵地区为褐土,平原地区以潮土为主,这些生态环境因素,与植被地理分布密切相关。该地带的落叶阔叶林主要有锐齿槲栎林、栓皮栎林、短柄枹林、桦木林、山杨林,以及由一些较耐阴湿植物构成的主要分布于沟谷地段上的阔叶林。该地带虽没有常绿乔木,但偶有半常绿的黄橿子栎(*Quercus baronii*)和多毛橿子栎等植物生长。在高海拔的山地,含有常绿的粉红杜鹃矮曲林和常绿的河南杜鹃灌丛。落叶灌丛由黄花儿柳(*Salix caprea*)、多种绣线菊、华西银腊梅、胡枝子等植物组成,在低山区,由于森林植被遭破坏相对严重,因此这些区域有较耐干旱的灌丛和草甸,如野皂荚(*Gleditsia microphylla*)、酸枣、荆条、黄背草、白草等植物组成的群落。此地带上针叶林面积不大,主要有油松林、华山松林、云杉林分布在海拔较高的地段,白皮松林和侧柏林分布在石灰岩基质的土壤上。在河漫滩、撂荒地上分布有喜温湿的草甸,如狗牙根草甸等。豫东平原和黄土丘陵台地等区域,其植被为小麦、玉米等农作物配置组合,以及

农林间作形式的草本农作物与木本植物组合的植被类型。豫北和豫西的低山丘陵台地上,因本省西部和北部山地的屏障作用,有一定面积的竹林分布。

北亚热带常绿、落叶阔叶林地带包括淮河干流以南的大别、桐柏山区及淮南平原、伏牛山南坡及南阳盆地。年均气温在15℃以上,年降水量800~1 300mm;地带性土壤为黄棕壤,在海拔较高处还有山地棕壤,淮南丘陵区分布有水稻土。受自然环境条件影响,本植被地带主要植被为含有常绿成分的落叶栎林和喜暖湿的常绿针叶林。因有伏牛山作为天然屏障,本省西部及西南部地区(伏牛山南坡及南阳盆地)受西伯利亚寒流的影响较弱,并由于南阳盆地朝向江汉平原,使得江汉平原的气候对伏牛山以南地区的影响加强,为本地带植物群的生长发育提供了优厚条件,主要植被以落叶阔叶林为主,如栓皮栎林、锐齿槲林等,针叶林以油松林、华山松林、马尾松林为主,栽培的亚热带经济林木也较多,如油桐(*Vernicia fordii*)、柑橘等,呈现出由暖温带过渡到亚热带的植被状况。桐柏、大别山区是本省水热条件最好的地区,植被明显地反映出北亚热带常绿、落叶阔叶林地带性规律,落叶阔叶林中含有一定数量的常绿树种。沿沟谷分布的杂木林中,群落的组成成分出现了樟科、茜草科、茶科、金缕梅科、木兰科等亚热带植物,有的形成了群落。茶(*Camellia sinensis*)、油茶和油桐在低山丘陵栽植较为普遍。针叶林主要为马尾松林、黄山松林、杉木林及少量水杉林、柳杉林。竹林也较普遍,如桂竹林和毛竹林等。林下灌木亚热带成分丰富,有的在无林地段能形成群落。

本省植被水平地带的经向分布受太平洋东南季风的影响,尤其是河南东南部,年降水量1 000~1 300mm,植被多有一些喜温湿的华东成分,针叶林为黄山松,阔叶林虽然仍以落叶林为主,但组成成分含有一些要求水热条件较高的白栎、青冈和樟科植物。本省西部西北部年降水量600~700mm,针叶林为油松林和华山松林;阔叶林中也缺乏华东区成分,而林下灌木及草本植物含有很多华西区成分。有的地方分布有常绿灌丛,如河南杜鹃灌丛。

Ⅱ 植被垂直地带性分布:河南省山地植被分布的垂直带谱明显,几个较大的山体都含有几个垂直带谱。最高的小秦岭含有6个垂直带,最低的大别山含有3个垂直带,如图2-1。

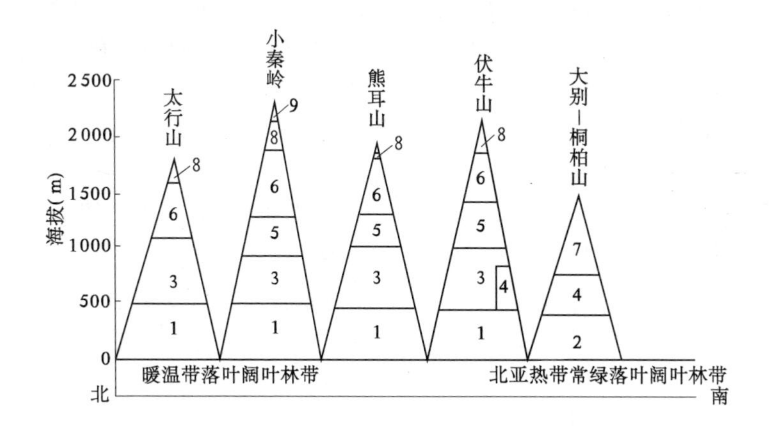

1 基带(农田或侧柏林带)　　2 基带(农田或马尾松林带,含油茶林)
3 栓皮栎林和油松林带　　4 栓皮栎和马尾松林带
5 短柄枹林带　　6 锐齿槲栎林带
7 黄山松林带　　8 华山松林带
9 亚高山灌丛草甸带

图2-1　河南省几个主要山体的植被垂直带谱(据《河南植被》1984)

太行山地植被垂直带谱:最高峰为鳌背山,海拔1 929.8m,可分4个垂直带谱。海拔600m以下为基带,有大量农田,分布有侧柏林,基带植被破坏严重,土壤瘠薄而干旱,分布有荆条、酸枣、白羊草灌草丛和黄背草草甸等;海拔600~1 000m的低、中山为栓皮栎林和油松林带;海拔1 000~1 800m的中山为锐齿槲栎林和华山松林带;海拔1 800m以上为华山松林、山顶灌丛和草甸带。

熊耳山山地植被垂直带谱:可分为5个垂直带。海拔500m以下为农田和侧柏林,其中含有淡竹林;海拔500~1 000m为栓皮栎林和油松林带;海拔1 000~1 400m为短柄枹林带;海拔1 400~1 800m为锐齿槲栎林带,有少量油松林和华山松林;海拔1 800m以上为华山松林带。

小秦岭山地植被垂直带谱:有6个垂直带。海拔600m以下为基带,包括农田、侧柏林和荆条、酸枣灌丛;海拔600~1 000m的低、中山为栓皮栎林和油松林带;海拔1 000~1 400m为短柄枹林带;海拔1 400~1 800m为锐齿槲栎林带,其中含少量华山松林;海拔1 800~2 200m的中山为华山松林、云杉林、冷杉林和粉红杜鹃矮曲林;海拔2 200m以上为亚高山灌丛草甸带,含有黄花儿柳灌丛带,绣线菊灌丛、华西银腊梅灌丛和山顶草甸等植被类型。

伏牛山地植被垂直带谱:处于亚热带常绿落叶阔叶林地带与暖温带落叶阔叶林地带的过渡带,植被分布的垂直地带性在南、北坡均有表现。但同一类型的植被,分布于南坡的其海拔略高于北坡。海拔500m以下为基带,北坡为农田、侧柏林、少量油桐林和竹林,南坡为农田、侧柏林和柞蚕坡,油桐林和竹林明显较北坡多;海拔500~1 100m,北坡为栓皮栎林和油松林带,南坡为栓皮栎林、油松林和马尾松林;海拔1 100~1 500m为短柄枹林带;海拔1 500~1 800m为锐齿槲栎林带,其中含有少量华山松林;海拔1 800m以上为华山松林,内含少量亚高山常绿灌丛和亚高山草甸。

大别—桐柏山植被垂直带谱:有3个垂直带。海拔400m以下为农田(含有水稻和小麦)和马尾松林、杉木林带,并有油茶林、油桐林、桂竹林和茶园;海拔400~800m为栓皮栎和马尾松林带,其中含有麻栎林、枫香林、杉木林和毛竹林;海拔800m以上为黄山松林带,内含栓皮栎林、杉木林、水杉林、柳杉林和毛竹林。

3.珍稀濒危植物及其保护

由于历史的原因,如砍伐森林、开荒垦殖、过度放牧、掠夺式的采收利用、病虫害、火灾,以及植物本身生长繁殖力衰退等原因,使许多植物种类日渐减少。为切实有效地保护我国的野生植物资源,维护生物多样性,并使保护管理工作有法可依,国务院 1996 年 9 月 30 日公布了《中华人民共和国野生植物保护条例》,并于 1997 年 1 月 1 日起实施。国家林业局和农业部根据该条例的规定,在广泛征求了国家和地方的有关部门、科学教育单位及 200 多位植物分类学专家的意见后,将那些数量极少、分布范围极窄的濒危种,具有重要经济、科研、文化价值的濒危种或稀有种,重要作物的野生种群和有遗传价值的近缘种,有重要经济价值、因过度开发利用、资源急剧减少、生存受到威胁或严重威胁的物种进行筛选和论证,制定了《国家重点保护野生植物名录》。名录按濒危、稀少程度和其价值,分为国家一级和国家二级保护野生植物,总数共计 419 种和 13 类,其中第一批公布的有 246 种和 8 类。根据第一批公布的《国家重点保护野生植物名录》,目前本省列为国家一级重点保护的有 8 种(其中栽培的 6 种),二级重点保护的有 31 种(其中栽培的 13 种),详见表 2 - 4。

随着对生态环境认识的逐步提高,植物保护管理工作越来越受到重视。多年来,各级政府在法制建设、机构建设、管理人员、自然保护区建设、科学研究和公众教育等方面做出了巨大努力。为了保护物种资源,防止植物种质资源灭绝流失,保持对植物资源的可持续利用,需要从以下几个方面加强植物保护工作。

(1)加强领导,落实归口管理。野生植物资源的保护与发展工作涉及多个部门,除调动有关资源利用单位的保护积极性和发挥自然保护区的功能外,还需要有统一的归口管理。树立主管机构统筹、协调、监督和支持保护工作的权威。通过各级林业、牧业、医药、外贸等部门制定规划,共同努力,协调保护与利用的矛盾,解决资源保护工作中出现的问题。

表 2－4　河南省国家重点保护野生植物及分布

序号	中　名	学　　名	保护级别	分布地点及数量
1	苏铁	*Cycas revoluta*	1	全省各地有栽培
2	华南苏铁	*Cycas rumphii*	1	本省公园有栽培
3	银杏	*Ginkgo biloba*	1	嵩县有半野生分布，约 300 余株
4	南方红豆杉	*Taxus mairei*	1	济源、灵宝，株数很少
5	红豆杉	*Taxus chinensis*	1	济源、卢氏、西峡、嵩县、栾川，共 70 株
6	水松	*Glyptostrbus pensilis*	1	信阳、商城、罗山、新县、鸡公山有片林，均为引种栽培
7	水杉	*Metasequoia glyptostroboides*	1	本省各地广泛栽培，鸡公山有栽培片林
8	珙桐	*Davidia involucrata*	1	郑州、信阳有栽培
9	金毛狗	*Cibotium barometz*	2	本省有栽培
10	秦岭冷杉	*Abies chensiensis*	2	灵宝、内乡，约有几十株
11	翠柏	*Calocedrus macrolepis*	2	郑州、洛阳、开封、新乡、信阳有栽培
12	福建柏	*Fokienia hodginsii*	2	本省有栽培
13	大果青杄	*Picea neoveitchii*	2	内乡，共 5 株
14	大别山五针松	*Picea fenzeliana var. dabeshanensis*	2	商城，共 5 株
15	金钱松	*Pseudolarix amabilis*	2	固始，约 152 株
16	巴山榧树	*Torreya fargesii*	2	商城县黄柏山
17	香榧	*Torreya grandis*	2	河南省林校有栽培
18	连香树	*Cercidiphyllum japonicum*	2	济源、西峡、内乡、鲁山、嵩县、卢氏、栾川等地，全省共11 635棵
19	香樟	*Cinnamomum camphora*	2	本省南部有栽培
20	普陀樟	*Cinnamomum japonicum*	2	大别山及伏牛山南部
21	闽楠	*Phoebe bournei*	2	西峡、南召、淅川、商城
22	楠木	*Phoebe zhennan*	2	新县，共 16 663 株
23	野大豆	*Glycine soja*	2	全省各地，较多
24	花榈木	*Ormosia henryi*	2	商城、新县、罗山

续表 2-4

序号	中　名	学　　名	保护级别	分布地点及数量
25	红豆树	*Ormosia hosiei*	2	商城金刚台和黄柏山，20～30株
26	鹅掌楸	*Liriodendron chiense*	2	郑州、洛阳、鸡公山、商城有栽培
27	厚朴	*Magnolia officinalis*	2	商城、商水、信阳市浉河区、西华有栽培，共112 392株
28	凹叶厚朴	*Magnolia officinalis-subsp. biloba*	2	信阳、商城、南召等地有栽培
29	水青树	*Tetracentron sinenses*	2	淅川县，共12株
30	毛红椿	*Toona ciliata*	2	信阳、郑州有栽培
31	莲	*Nelumbo nucifera*	2	全省各地
32	喜树	*Camptotheca acuminata*	2	新县及鸡公山有栽培
33	水曲柳	*Fraxinus mandshuria*	2	嵩县、洛宁、内乡、鲁山、西峡、栾川、卢氏、南召、灵宝等，有49 879株
34	香果树	*Emmenopterys henryi*	2	新县、南召、淅川、桐柏、西峡、光山、内乡、信阳、罗山、商城等，共约77 630株
35	黄檗	*Phellodendron amurense*	2	商城、辉县、西峡等地有栽培，量少
36	川黄檗	*Phellodendron chinense*	2	西峡、南召、淅川等地
37	秤锤树	*Sinojackia xylocarpa*	2	商城、黄柏山和新县黄毛尖，10～20株
38	榉树	*Zelkova schneiderana*	2	大别、桐柏山及伏牛山南部
39	中华结缕草	*Zoysia sinica*	2	

（2）广泛开展保护野生植物和珍稀濒危植物资源的宣传教育。物种保护需要全民的参与。宣传教育群众，提高自然保护意识，使保护植物资源的艰巨任务建立在广泛的群众基础之上，是保护好物种资源的关键。必须运用多种形式，坚持宣传植物资源与经济建设的关系，资源保护与合理利用的关系，宣传自然资源保护的法

律、法规和政策,提高群众的环境意识和法制观念,宣传自然保护科学知识,树立群众热爱自然和保护自然资源的自觉性,培养保护自然的良好风尚。只有广大群众动员起来共同采取保护措施,才能有效地保护好野生植物种质资源。

(3)建立珍稀濒危植物迁地保护和引种驯化基地。河南地处中原,具有南北植物引种的优越自然环境,无论从经济建设和科学研究方面,都需要建立一个植物园,以构成全国植物园的系统和植物引种驯化试验网络。河南植物园的建立将在拯救和保护全省珍稀濒危物种,广泛收集和挖掘野生植物种质资源,引种繁殖我国不同区系植物和国内外重要经济植物资源等方面起重要作用,并可直接为农、林、园艺、医药、环保等生产实践服务。植物园不仅是科学研究的基地,而且也是进行自然保护宣传教育、普及科学知识、参观游览、丰富人民文化生活的重要场所。

(4)加强自然保护区的建设和管理。河南省已批准建立了多个自然保护区,它们为全省的植物种质资源的保护提供了极其有利的条件,应该成为保护、发展和研究珍稀濒危植物的基地。但是自然保护区的建设与管理仍然存在不少亟待解决的问题,未能充分体现自然保护区的职能,也不能发挥其巨大的潜力和应有的效益。必须建立保护区的机构,解决经费来源,落实方针政策,使之真正起到保护自然、拯救物种及其生存环境的作用。自然保护区在发展经济价值高的珍稀药用植物、土特产植物等方面具有很大潜力,建立珍稀植物繁殖基地,开展多种经营,是保护区保护珍稀植物资源,为社会经济服务,增加经济收入的重要途径。

(5)加强植物资源的研究。生物科学是当代科学研究的前沿阵地之一,科学技术是保护和持续利用植物资源的基础,是一项具有战略意义的工作。从本省实际出发,需要开展以下几个方面的研究工作。①对珍稀植物进行种群消长规律、威胁性病虫害、天然更新或人工促进天然更新,恢复和扩大种群数量的研究。②运用植物形态学、胚胎学方法探讨加速珍稀濒危植物繁殖措施，进行物种繁殖生物学的研究。③面向经济建设，开展对经济价值高的珍稀濒危植物、特种药用植物、油料植物、食品工业用植物、抗逆性植物有效成分分析及利用，开展新植物资源试验研究，提高对植物资源利用的科技成分。④开展对引种珍稀濒危植物生长发育规律，生态适应性，遗传变异性，以及提高植物适应幅度和生产力栽培技术措施的研究。⑤对经济价值高、繁殖困难的珍稀濒危植物开展组织培养、单倍体育种等新技术的研究。⑥开展野生植物资源的有效管理、保护和持续利用的研究。⑦建立珍稀濒危植物监测网。在省林业厅设立监测中心，在相关的市如洛阳、南阳、三门峡、济源、信阳、焦作、平顶山等，设立监测站，在野生植物资源丰富地区和珍稀濒危植物主要栖息地的所在县的林业局或林场设立监测点，建立全省野生植物资源监测网，及时了解掌握野生植物资源的动态变化，这对于物种保护是非常必要的。

(二)动物资源

1. 调查研究简史

河南省陆生野生脊椎动物调查研究起步于 20 世纪二三十年代，集中于 60 ~ 80 年代。1949 年以前，只有少量的区系调查，如 1936 年常麟定对河南及安徽南部的鸟类进行的调查，发表《河南及安徽南部鸟类志略》(英文)，记有 19 种鸟类。傅桐生于 1935 年和 1936 年发表《河南爬行类志》、《嵩山松鼠志》和《河南两栖类志》。1937 年傅桐生根据自己多年的调查资料，整理出《河南鸟类名录》，共收列鸟类 269 种。1949 年以后，特别是 60 年代前半期，在以前工作的基础上，许多动物学工作者在全省开展了地区性的二级区划工作。1960 年前，河南省防疫站对省内啮齿类动物做了较多调查，汇编了《河南省部分地区鼠类区系初步调查报告》。60 年代初期开展了全省动物区系区划调查，发表了一系列成果材料，如

1961年周家兴发表《河南省哺乳动物区系分析》，论述了全省50种野生兽类的区系组成及分布，并于1962年发表《河南省动物区划界线问题》；1960～1961年周家兴等人经过调查和资料整理，相继发表《商城新县鸟类调查初步报告》、《河南哺乳动物名录》、《河南省两栖和爬行动物目录》，共记载河南省兽类6目16科49种，鸟类9目27科69种，爬行动物3目8科26种，两栖动物2目5科14种；1964年郭田岱等对鸡公山鸟类进行了初步调查，报道鸟类79种；同年瞿文元发表《河南蛇类区系》等。到80年代河南省开始对一些山系或地区的动物资源进行调查，如桐柏山鸟类资源调查、南阳地区鸟类资源调查、商丘地区鸟类资源调查等。1981年至1995年河南省相继建立18个自然保护区，河南省林业勘察设计院开展了各保护区动物资源调查和规划设计工作。1985年河南省林业勘察设计院等单位对小浪底水库库区陆生生物资源及环境进行了调查。1989年由中国野生动物保护协会资助，河南省开展了太行山猕猴（*Macaca mullatta*）资源调查和豫南大别山区白冠长尾雉（*Syrmaticus reevesii*）资源调查。1993年由国家濒危物种进出口管理办公室安排，河南省开展全省麝（*Moschs*）资源调查和郑州市观赏动物调查。1996年到2000年，开展了河南省陆生野生动物资源调查。经过调查，从1960年到1985年全省共发表野生脊椎动物新记录127种，其中鱼类30种，陆生脊椎动物97种；两栖动物新种1种，即1983年发表的商城肥鲵（*Pachyhynobius shangchengensis*）。之后至今，共发现兽类新记录1种，发表鸟类分布新记录7种，即1996年发表兽类新记录大足鼠（*Rattus nitidus*），1991年和1997年分别发表鸟类分布新记录白鹮（*Threskiornis acthiopicus*）和叉尾太阳鸟（*Aethopyga christinae*），1997～1998年的全省水鸟资源调查分别在淅川县和卢氏县发现红腰杓鹬（*Numenius madagascarien-*

sis)和秃鹳(*Leptoptilos javanicus*),2001 年发表鸟类新记录栗鸢(*Haliastur indus*),2002 年发表鸟类新记录蛇雕(*Spilornis cheela*)和白腹鹞(*Circus spilonotus*)。

2. 区系组成概貌

(1)种类组成:根据本省历史资料记载和 1996~2000 年的全省陆生野生动物资源调查,全省共记录陆生野生脊椎动物 522 种,其中两栖动物 20 种,占全国两栖动物种数的 10.2%;爬行动物 38 种,占全国爬行动物种数的 12.1%;鸟类 385 种,占全国鸟类种数的 32.2%;兽类 79 种,占全国兽类的 19.3%。无论就种的数量,科的数量,还是目的数量,全省均以鸟类占绝对优势,表 2-5 是河南省陆生野生脊椎动物各纲及纲以下分类阶元统计,表中鸟类目、科、种数量分别占全省陆生野生脊椎动物目、科、种数量的 56.7%、60%和 73.8%,表现了本省鸟类资源在种类组成方面相对比较丰富的特点。

表 2-5　河南省陆生野生脊椎动物分类阶元数量统计表

组别	目前记录数量					
	目数	占总目数(%)	科数	占总科数(%)	种数	占总种数(%)
合　计	30	100	90	100	522	100
两栖纲	2	6.7	7	7.8	20	3.8
爬行纲	3	10.0	8	8.9	38	7.3
鸟　纲	17	56.7	54	60.0	385	73.8
哺乳纲	8	26.6	21	23.3	79	15.1

1996~2000 年全省陆生野生动物资源调查发现(包括直接发现动物活体、死体、衍生物、活动痕迹等)陆生野生脊椎动物 353 种。其中两栖动物 2 目 6 科 15 种,爬行动物 3 目 7 科 27 种,鸟类

17 目 46 科 268 种,哺乳动物 8 目 18 科 43 种。另有 167 种陆生野生脊椎动物没有直接发现,其原因主要受调查周期、动物分布和活动规律、技术力量和资金投入等因素的影响,但并不说明这些种类在河南省已无分布。

1997 年冬季至 1998 年夏季全省水鸟资源调查共观察到水鸟 11 目 21 科 104 种(含雀形目 7 种),种类数占全省湿地鸟类历史记录种数的 80%。这次水鸟调查发现的水鸟各目、科种数与历史记录的种数对比详见表 2-6。

表 2-6　河南省水鸟各目、科历史记录和 1997 年冬～1998 年夏调查种类数对比

目　别	历史记录	本次发现	科别	历史记录	本次发现	科别	历史记录	本次发现
䴙䴘目	3	3	䴙䴘科	3	3	鸨　科	1	1
鹈形目	3	3	鹈鹕科	2	2	鸻　科	6	6
鹳形目	19	14	鸬鹚科	1	1	鹬　科	11	8
雁形目	30	27	鹭　科	16	10	反嘴鹬科	1	3
隼形目	19	12	鹳　科	2	3	燕鸻科	1	0
鹤形目	15	9	鹮　科	1	1	雉　科	1	0
鸻形目	19	17	鸭　科	30	27	鸥　科	7	6
鸡形目	1	0	鹰　科	14	10	雨燕科	1	2
鸥形目	7	6	隼　科	5	2	翠鸟科	3	4
雨燕目	1	2	鹤　科	6	2	戴胜科	1	0
佛法僧目	4	4	秧鸡科	8	6			

(2)区系成分:河南省陆生野生动物的地带性分布特点比较明显。据《中国动物地理区划》,本省属于华北区和华中区,其界限西

接秦岭,沿伏牛山主脉向东南,东至淮河干流,形成华北区与华中区分界的一条过渡地带。

在全省已记载的两栖动物有 20 种。其中国内的广布种有:大鲵(*Andrias davidianus*)、中华大蟾蜍(*Bufo gargarizans*)、中国林蛙(*Rana chensinensis*)、金钱蛙(*R. plancyi*)、黑斑蛙(*R. nigromaculata*)、无斑雨蛙(*Hyla arborea*);古北种有:花背蟾蜍(*Bufo raddei*)、北方狭口蛙(*Kaloula borealis*);东洋界成分有:日本林蛙(*Rana japonica*)、泽蛙(*R. limnocharis*)、花臭蛙(*R. schmackeri*)、隆肛蛙(*R. quadranus*)、中国雨蛙(*Hyla chinensis*)、沼蛙(*R. guentheri*)、虎纹蛙(*R. rugulosa*)、饰纹姬蛙(*Microhyla ormata*)、东方蝾螈(*Cynops orientalis*)、商城肥鲵等。

爬行动物 38 种,有 8 种广泛分布于我国南北各地,5 种为古北成分,25 种为东洋界成分。东洋界种类在本省的分布区域相对狭窄,如黄缘盒龟(*Cuora flavomarginata*)、钝尾两头蛇(*Calamaeia septentrionalis*)、紫灰锦蛇(*Elaphe porphyracea*)、灰腹绿锦蛇(*E. frenata*)、水赤链游蛇(*Natrix annularis*)、乌游蛇(*N. percarinata*)、小头蛇(*Oligodon chinensis*)、斜鳞蛇(中华亚种)(*Pseudoxenodon macrops*)、花尾斜鳞蛇(*P. nothus*)、黑头剑蛇(*Sibynophis chinensis*)、菜花烙铁头(*Trimeresurus jerdonii*) 等。本省爬行动物中,以蛇类占多数,共 27 种,占 71% 。

本省鸟类分布最广,资源也最丰富。根据历史记录及近几年来的新发现,全省共有 385 种。大别山及桐柏山的鸟类以东洋界种类占优势,如董寨鸟类自然保护区内 136 种繁殖鸟中,东洋种有 61 种,占繁殖鸟总数的 44.9%。伏牛山区除有东洋界种外,还有不少古北界种类,且古北界种稍多于东洋界种,如内乡宝天曼国家级自然保护区共有鸟类 116 种,古北界成分 45 种,东洋界成分 37 种,广布种 34 种。太行山区的鸟类种数不及豫南山区多 ,且古北界种占优势,如太行山猕猴国家自然保护区共有繁殖鸟 87 种,其中东洋种 25 种,约占繁殖鸟总数的 28.7%;古北种 35 种,约占繁殖鸟总数的 40.2%;广布种 27 种,约占 31.1%。豫东、豫北鸟类区系相对简单,北方型的喜鹊(*Pica pica*)、灰喜鹊(*Cyanopica cyana*)、秃鼻乌鸦(*Corvus frugilegus*)等占优势。黄河两岸宽阔滩地、黄河故道及其他湿地为冬候鸟或旅鸟的越冬地或停歇地,鸟类区系与豫东、豫北平原相似。

兽类在本省记录的种类共 79 种,分属于 8 目 21 科。其中全省广布种有 17 种;广大平原农作物区除野兔(*Lepus capensis*)、黄鼬(*Mustela eversmanni*)等广布种外,以鼠类众多为特征;大多数兽类都集中分布于山区,伏牛山区有兽类 67 种,大别、桐柏山区有 50 种,太行山区有 36 种。本省华北区系兽类有狍(*Capreolus capreolus*)、原麝(*Moschus berezowskii*)、斑羚(*Nemorhaedus goral*)、貉(*Nyctereutes procyonoides*)、狗獾(*Meles meles*)、岩松鼠(*Sciurotamias davidianus*)、普通刺猬(*Erinaceus europaeus*)、野猪(*Sus scrofa*)、黑线仓鼠(*Cricetulus barabensis*)、大仓鼠(*C. tritonde*)、东北鼢鼠(*Myospalaxn psilurus*)等,突出的华中区系代表兽类有大缺齿鼹(*Mogera robusfta*)、马铁菊头蝠(*Rhinolophus ferrum - equinum*)、花鼠(*Eutamias sibiricus*)、豪猪(*Hyutrix hodgsoni*)、豹(*Panthera pardus*)等。

(3)鸟类居留情况:全省记录鸟类 385 种,其中留鸟 98 种,占 25.5%;夏候鸟 88 种,占 22.9%;冬候鸟 46 种,占 11.9%;旅鸟 106 种, 占 27.5%;迷鸟 6 种,占 1.6%;另有 41 种鸟类的居留类型尚不十分清楚。本省不同区域的鸟类居留情况与全省相比有一定差异。如伏牛山区鸟类 213 种,其中留鸟 84 种、占 39.4%,夏候鸟 64 种、占 30.0%,冬候鸟 22 种、占 10.3%,旅鸟 43 种、占 20.2%;大别山区鸟类 233 种,其中留鸟 70 种、占 30%,夏候鸟 66 种、占 28.3%,冬候鸟 29 种、占 12.4%,旅鸟 62 种、占 26.6%;太行山区有鸟类 140 种,其中留鸟 29 种、占 20.7%,夏候鸟 32 种、占 22.9%,冬候鸟 23 种、占 16.4%,旅鸟 32 种、占 22.9%。

3.分布状况

全省野生动物资源分布在伏牛山的资源最为丰富,共有陆生野生脊椎动物320种,其中兽类6目19科47属62种,鸟类17目44科133属213种,爬行动物3目8科18属31种,两栖动物2目4科6属14种。其次为桐柏山区,共有陆生脊椎动物314种,其中兽类6目16科31属37种,鸟类17目44科233种,爬行动物3目7科32种,两栖动物2目5科12种。太行山区地处古北界的华北区,与伏牛山和大别—桐柏山区的野生动物资源相比,其物种丰富度有较大差距,此区共有陆生脊椎动物201种,其中兽类7目17科31属34种,鸟类17目39科100属140种,爬行动物3目8科19种,两栖动物2目4科8种。本省猕猴的分布较特殊,目前我国从热带到亚热带都有分布,然而现今温带猕猴分布区范围极小,仅剩下山西与河南交界的中条山和太行山区域有猕猴分布,这里已成为黄河以北惟一的猕猴分布区。另外,商城县是本省商城肥鲵的主要分布区,而且是该种动物的模式标本产地,商城肥鲵现为省重点保护野生动物,因此就该动物而言,此区具有极其重要的意义。

1997~1998年水鸟专项资源调查还显示,某些生态类群的分布有其自身的特点。如水鸟的分布 ,从科的水平上来看, 分布最为广泛的是鸭科(*Anatidae*)鸟类,全省18个省辖市均有发现(其中漯河等市发现有鸭科鸟,但未识别为何种类)。其次是鹭科(*Ardeidae*)水鸟,除漯河市和许昌市因各种原因没有发现外,其余各市均有发现。另外,䴙䴘科(*Podicipedidae*)、鸻科(*Charadriidae*)、鹬科(*Scolopcidae*)、翠鸟科(*Alcedinidae*)在全省分布也较广泛。虽然鹡鸰科(*Motacillidae*)和鹟科(*Muscicapidae*)湿地生活鸟类在全省湿地生境中的分布很常见,但这次调查表现得并不典型。分布区较少的科是:鹈鹕科(*Podicipedidae*)、鸨科(*Otidae*)、鹳科(*Ciconiidae*)等,仅洛阳、三门峡、南阳等少数市有发现。从本次调查可以看出,在科的水平上，以鸭科和鹭科分布最为广泛，鸨科、鹳科、鹤科（*Gruidae*）、鹮科（*Threskiornithidae*）、反嘴鹬科（*Recurvirostridae*）分布狭窄，在很大程度上是因为鸭科和鹭科的种类与数量均较多，而后者种类与数量均较少，也与后者的适宜栖息地减少有关。另外，从种的水平上看，分布区较大的有苍鹭（*Ardea cinerea*）、池鹭（*A. bacchus*）、小䴙䴘（*Podiceps ruficollis*）、绿头鸭（*Anas platyrhynchos*）、斑嘴鸭（*A. poecilorhyncha*）、赤麻鸭（*Tadorna ferruginea*）、普通秋沙鸭（*Aergus merganser*）、凤头麦鸡（*Vanellus vanellus*）、白腰草鹬（*Tringa ochropus*）、普通翠鸟（*Alcedo atthis*）、冠鱼狗（*Ceryle luhubris*）等。白琵鹭（*Platalea leucorodia*）、鹗（*Pandion haliaetus*）、大鸨（*Otis tarda*）、小鸨（*O. tarda*）等少数种类仅见于孟津黄河湿地保护区等个别湿地，白鹈鹕（*Pelecanus onocrotalus*）、斑嘴鹈鹕（*P. philippensis*）、白鹳（*Ciconia ciconia*）、黑鹳（*C. nigra*）、秃鹳等也仅分布于南召白河、淅川丹江口等少数湿地。黄嘴白鹭（*Egretta eulophotes*）主要集中分布在商城县鲇鱼山水库和三门峡库区保护区，大天鹅（*Cygnus cygnus*）虽然分布点较多，但大群分布却较少，本次调查时，百只以上的分布区也仅有三门峡库区一处，小天鹅（*C. columbianus*）只在孟津黄河湿地保护区发现一群，过去全省普遍分布的鸳鸯（*Aix galericulata*）只在平顶山的石漫滩水库、昭平台水库等处见到，草鹭（*Ardea purpurea*）、银鸥（*Larus argentatus*）、普通燕鸥（*Sterna hirundo*）等种类发现地点也较少，这在一定程度上反映了种类分布状况的变化。从这次调查结果看，全省18个省辖市水鸟分布种类最多的是南阳市，最少的是鹤壁市，见表2-7。

4.资源量

绝大多数陆生脊椎动物种类的数量，过去从未进行过具体的调查。历史有据可查的记录也是从两个方面对动物资源数据做粗略估计和分析，一是用相对数量，如多、中或少等定性的衡量资源量；另外用过去对陆生脊椎动物资源的利用量来间接衡量资源量，如收购的动物毛皮量，肉、角、羽毛等野生动物产品量。这些粗略估计和间接数据分析，在野生动物粗放经营时期尚能满足实际需要。要进一步提高管理水平，合理利用资源，有效保护珍稀濒危物种，切实履行濒危物种国际贸易公约的义务，必须对资源量做较准确的估计。为此本省按照国家林业局的安排，1996～2000年对全省部分陆生脊椎动物进行了调查。

表2－7　　河南省各市水鸟分布种数分目统计表

市　名	合计	䴙䴘目	鹈形目	鹳形目	雁形目	隼形目	鹤形目	鸻形目	鸥形目	雨燕目	佛法僧目	雀形目
信　阳	45	2	1	9	13		4	8	3	1	2	2
驻马店	23	1	1	5	12		1		3			
许　昌	4	1			2				1			
开　封	7			2	3	1	1					
南　阳	50	2	2	7	17	1	2	8	3	1	1	6
平顶山	29	2	1	5	12		1	3			2	3
周　口	6			4	1			1				
商　丘	21	2		4	8		3	3			1	
洛　阳	36	2	1	8	12	2	2	3	5			1
三门峡	48		3	9	17	10	2	1	2		3	1
漯　河	2			2								
濮　阳	3			2	1							
新　乡	10			3	4	1	1	1				
济　源	21	1	1	3	11		3		1		1	
鹤　壁	1	1										
安　阳	13	1		3	5		2		2			
焦　作	31	2		5	14	2	2		2		2	2
郑　州	15	2		3	5			1	2	1	1	

就调查结果分析,部分野生陆生脊椎动物的野外资源数量存在明显的季节差异,鸟类䴙䴘目中角䴙䴘(*Podiceps auritus*)、凤头䴙䴘(*P. cristatus*)、白鹈鹕、斑嘴鹈鹕、普通鸬鹚(*Phalacrocorax carbo*),鹳形目中苍鹭、草鹭、大白鹭(*Egretta alba*)、白鹳、黑鹳、白琵鹭,雁形目中绝大多数种类,鹤形目和鸻形目的所有种,在繁殖季节没有数量。调查的12种国家一级重点保护野生动物的野外每种平均数量为232只,44种国家二级重点保护野生动物(只含鸟兽)的野外每种平均数量为10 377只,31种河南省重点保护野生动物(只含鸟兽)的野外每种平均数量为19 648只。

对本省的某些生态类群同时进行专项调查,如水鸟调查。水鸟中一些类群虽然繁殖季节没有数量,但非繁殖季节却有大量分布,反映了水鸟资源的季节变化规律。据1997年12月至1998年9月河南省水鸟资源专项调查,全省水鸟调查共发现91 704只。鹭科鸟类最多,共57 525只,占总数的62.7%。其余个体数量达千只以上的科依次为鸭科24 587只,占个体总数的26.8%;䴙䴘科4 072只,占4.4%;鸥科1 303只,占1.4%;鹟科1 014只,占1.1%。按从多到少排列,前10种水鸟个体之和占水鸟总数的74.9%。以池鹭最多,达24 940只,占总数的27.2%。其余依次为:白鹭17 748只,夜鹭(*Nycticorax nycticorax*)4 771只,赤麻鸭4 606只,小䴙䴘3 832只,黄嘴白鹭2 629只,中白鹭(*Egretta intermedia*)2 563只,牛背鹭(*Bubulcus ibis*)2 350只,分别占个体总数的19.4%、5.2%、5.0%、4.2%、2.9%、2.8%、2.6%。从各市分布数量看,从多到少依次是:信阳市46 563只,占50.8%;郑州市11 869只,占12.9%;南阳市11 760只,占12.8%;平顶山市5 135只,占5.6%;三门峡市3 378只,占3.7%;驻马店市3 254只,占3.6%;焦作市2 892只,占3.2%;洛阳市2 513只,占2.7%;商丘市1 362

只，占 1.5%；其余 9 个市共有 2 978 只，占 3.2%。

5.珍稀濒危动物

全省珍稀濒危动物较多，国家和省重点保护动物种类数占全省动物总种数的 24.3%，兽类中国家和省重点保护种数占全省兽类总种数的 30.4%，鸟类占 25.5%，两栖类占 20%，爬行类占 2.6%。这些数据意味着本省约 4 种陆生脊椎动物中就有 1 种受到国家和省重点保护，反映了本省野生动物资源种类组成的不利因素。全省有国家一级重点保护野生脊椎动物 13 种，不包括朱鹮（*Nipponia nippon*）、虎（*Panthera tigris*）和麋鹿（*Elaphurs dauidianus*）。虎在本省属于历史上有分布，朱鹮和麋鹿在本省属于资料上有记录，梅花鹿在本省属非自然分布，但由于部分山区有野生的梅花鹿，因此将梅花鹿列入本省国家一级重点保护野生动物名录，虎、麋鹿和朱鹮未列入名录。全省有国家二级重点保护野生脊椎动物 79 种，其中两栖动物 2 种，鸟 64 种，哺乳动物 13 种。详见表 2－8。

表 2－8　河南省陆生脊椎动物种数与重点保护动物种数对比表

纲　别	全省种数	重点保护动物种数				
		总计	占该纲总种数（%）	国家一级	国家二级	省重点
合　计	522	127	24.3	13	79	35
两栖纲	20	4	20.0	0	2	2
爬行纲	38	1	2.6	0	0	1
鸟　纲	385	98	25.5	11	64	23
哺乳纲	79	24	30.4	2	13	9

全省陆生脊椎动物有相当比例的“单型属”（这里仅就河南省而言），如两栖纲中的巴鲵属（*Liua*）、肥鲵属（*Pachynobius*）、极北鲵

属(*Salamandrella*)、大鲵属(*Andrias*)、蝾螈属(*Cynops*)、狭口蛙属(*Kaloula*)、姬蛙属(*Micrihyla*)等在河南省均只有1个种。全省"单型科"(仅就河南省而言)有:两栖纲隐鳃鲵科(*Cryptobranchidae*)、蝾螈科(*Salamandridae*)、爬行纲鳖科(*Trionychidae*)、壁虎科(*Gekkonidae*)、鸟纲鸬鹚科(*Phalacrocoracidae*)、三趾鹑科(*Turnicidae*)、雉鸻科(*Jacanidae*)、彩鹬科(*Rostratuldae*)、燕鸻科(*Glareolidae*)、夜鹰科(*Caprimulgidae*)、蜂虎科(*Meropidae*)、佛法僧科(*Coraciidae*)、戴胜科(*Upupidae*)、八色鸫科(*Pittdae*)、黄鹂科(*Oriolidae*)、鹪鹩科(*Trglodytidae*)、攀雀科(*Remizidae*)、太阳鸟科(*Nectariniidae*),哺乳纲猴科(*Cercopithecidae*)、鲮鲤科(*Manidae*)、鼠兔科(*Ochotonidae*)、兔科(*Leporidae*)、豪猪科(*Hystricidae*)、猪科(*Suidae*)等,共24个科在河南省也只有1属1种。这些"单型属"和"单型科"所具有的省内种属惟一的特点,反映了本省陆生脊椎动物资源种类组成具有一定的脆弱性。

河南省分布的国家和省重点保护陆生野生脊椎动物,以及河南省分布的国家保护的有益的或者有重要经济、科学研究价值的陆生野生脊椎动物(简称国家三有保护动物或国家一般保护动物)名录如下:

(1)国家一级重点保护13种:白鹳、黑鹳、金雕(*Aquila chrysaetos*)、白肩雕(*A. heliaca*)、玉带海雕(*Haliaeetus leucoryphus*)、白尾海雕(*H. albicila*)、白头鹤(*Grus monacha*)、丹顶鹤(*G. japonensis*)、白鹤(*G. leucogeranus*)、大鸨、小鸨、豹(*Panthera pardus*)、梅花鹿。

(2)国家二级重点保护79种:大鲵、虎纹蛙、角䴙䴘、赤颈䴙䴘(*Podiceps grisegena*)、白鹈鹕、斑嘴鹈鹕、黄嘴白鹭、小苇鳽(*Ixobrychus minutus*)、白鹮、白琵鹭、白额雁(*Anser albifrons*)、大天鹅、小天鹅、鸳鸯、蜂鹰(*Pcrnis ptilorhyncus*)、鸢(*Milvus korschun*)、栗鸢(*Haliastur indus*)、苍鹰(*Accipiter gentillis*)、赤腹鹰(*A. soloensis*)、雀鹰(*A. nisus*)、松雀鹰(*A. virgatus*)、大鵟(*Buteo hemilasius*)、普通鵟

(*B. buteo*)、毛脚鵟(*B. lagopus*)、草原雕(*Aquila rapax*)、乌雕(*A. clanga*)、白腹山雕(*A. fasciata*)、蛇雕(*Spilornis cheela*)、秃鹫(*Aegypinus monachus*)、白尾鹞(*Circus cyaneus*)、鹊鹞(*C. melanoleucos*)、白头鹞(*C. aeruginosus*)、白腹鹞(*C. spilonotus*)、鹗、小隼(*Microhierax melanoleucos*)、猎隼(*Falco cherrug*)、游隼(*F. peregrinus*)、燕隼(*F. subbuteo*)、灰背隼(*F. columbarius*)、红脚隼(*F. vespertinus*)、黄爪隼(*F. naumanni*)、红隼(*F. tinnunculus*)、勺鸡(*Pucrasia macrolopha*)、白冠长尾雉、红腹锦鸡(*Chrysolopus pictus*)、灰鹤(*Grus grus*)、白枕鹤(*G. vipio*)、蓑羽鹤(*Anthropides virgo*)、小青脚鹬(*Tringa guttifer*)、斑尾鹃鸠(*Columba palumbus*)、小鸦鹃(*Centropus toulou*)、黄嘴角鸮(*Otus spilocephalus*)、红角鸮(*O. scops*)、领角鸮(*O. bakkamocena*)、雕鸮(*Bubu bubu*)、毛脚鱼鸮(*Ketupa flavipes*)、领鸺鹠(*Glaucidium brodiei*)、斑头鸺鹠(*G. cuculoides*)、鹰鸮(*Ninox scutulata*)、纵纹腹小鸮(*Athene noctua*)、灰林鸮(*Strix aluco*)、褐林鸮(*S. leptogrammica*)、长尾林鸮(*S. uralensis*)、长耳鸮(*Asio otus*)、短耳鸮(*A. flammeus*)、蓝翅八色鸫(*Pitta brachyura*)、猕猴、穿山甲(*Manis pentadactyla*)、豺(*Cuon alpinus*)、黄喉貂(*Martes flavigula*)、水獭(*Lutra lutra*)、大灵猫(*Viverra zibetha*)、小灵猫(*V. indica*)、金猫(*Felis temmincki*)、原麝、林麝(*Moschus berezowskii*)、河麂(*Hydropotes inermis*)、斑羚、鬣羚(*Capricornis sumatraensis*)。

(3)省重点保护35种:黑斑蛙(青蛙)、商城肥鲵、黄缘盒龟、凤头鸊鷉、苍鹭、草鹭、大白鹭、鸿雁(*Anser cygnoides*)、灰雁(*A. anser*)、铁嘴沙鸻(*Charadrius leschenaultii*)、红脚鹬(*Tringa totanus*)、丘鹬(*Scolopax rusticola*)、中杓鹬(*Numenius phaeopus*)、红翅凤头鹃(*Clamator coromandus*)、鹰鹃(*Cuculus sparverioides*)、八声杜鹃(*Cuculus merulinus*)、普通夜鹰(*Caprimulgus indicus*)、栗头蜂虎(*Merops viridis*)、三宝鸟(*Eurystomus orientalis*)、白胸翡翠(*Halcyon smyrnensis*)、姬啄木鸟(*Picumnus innominatus*)、黑枕黄鹂(*Oriolus chinensis*)、

红嘴山鸦(*Pyrrhocorax pyrrhocorax*)、寿带(*Terpsiphone paradisi*)、红嘴相思鸟(*Leiothrix lutea*)、画眉(*Garrulax canorus*)、黄喉貂(即青鼬,与国家重点保护野生动物名录重复)、赤狐(*Vulpes vulpes*)、貉(*Nyctetereutes proccyonoides*)、豹猫(*Felis bengalensis*)、小麂(*Muntiacus reevesii*)、狍(*Capreolus capreolus*)、小飞鼠(*Pteromys volans*)、复齿鼯鼠(*Trogopterus*)、豪猪(*Hystrix hodgsoni*)。

(4)国家三有保护或国家一般保护314种:施氏巴鲵(巴鲵)(*Liua shihi*)、商城肥鲵、极北鲵(*Salamandrella keyserlingii*)、东方蝾螈、中华大蟾蜍(中华蟾蜍)、花背蟾蜍、中国雨蛙(中国树蛙)、中国林蛙、沼蛙、日本林蛙、泽蛙、黑斑蛙、金线蛙、隆肛蛙、花臭蛙、北方狭口蛙、饰纹姬蛙、乌龟、黄缘盒龟、鳖(*Trionyx sinensis*)、草绿龙蜥(草绿攀蜥)(*Japalura flaviceps*)、丽纹龙蜥(丽绿攀蜥)(*J. splendida*)、无蹼壁虎(*Gekko swinhoni*)、蓝尾石龙子(*Euineces elegans*)、丽斑麻蜥(*Eremias argus*)、山地麻蜥(*E. brenchleyi*)、北草蜥(*Takydromus septentrioalis*)、钝尾两头蛇、黄脊游蛇(*Coluber spinalis*)、赤链蛇(*Dinodon rufozonatum*)、双斑锦蛇(*Elaphe bimaculata*)、王锦蛇(*E. carinata*)、白条锦蛇(*E. dione*)、灰腹绿锦蛇、玉斑锦蛇(*E. mandarina*)、紫灰锦蛇、红点锦蛇(*E. rufodorsata*)、黑眉锦蛇(*E. taeniura*)、颈棱蛇(*Macropisthodon rudis*)、小头蛇(中国小头蛇)(*Oligodon chinensis*)、斜鳞蛇、花尾斜鳞蛇、黑头剑蛇、乌梢蛇(*Zaocys dhumnades*)、竹叶青(竹叶青蛇)(*Trimeresurus stjnegeri*)、小䴙䴘、凤头䴙䴘、黑颈䴙䴘(*Podiceps caspicus*)、普通鸬鹚、苍鹭、草鹭、池鹭、绿鹭(*Butorides striatus*)、牛背鹭、大白鹭、白鹭、中白鹭、夜鹭、黑冠虎斑鳽(黑冠鳽)(*Gorsachius melanolophus*)、黄斑苇鳽(黄苇鳽)(*Ixobrychus sinensis*)、紫背苇鳽(*I. eurhythmus*)、栗苇鳽(*I. cinnamomeus*)、黑鳽(*Dupetor flavicollis*)、大麻鳽(*Botaurus stellaris*)、东方白鹳(*Ciconia boyciana*)、秃鹳、鸿雁、豆雁(*Anser fabalis*)、小白额雁(*A. erythropus*)、灰雁、赤麻鸭、翘鼻麻鸭(*Tadorna tador-*

na)、针尾鸭(*Anas acuta*)、绿翅鸭(*A. crecca*)、花脸鸭(*A. formosa*)、罗纹鸭(*A. falcata*)、绿头鸭、斑嘴鸭、赤膀鸭(*A. strepera*)、赤颈鸭(*A. penelope*)、白眉鸭(*A. querquedula*)、琵嘴鸭(*A. clypeata*)、红头潜鸭(*Aythya ferina*)、白眼潜鸭(*A. nyroca*)、青头潜鸭(*A. baeri*)、凤头潜鸭(*A. fuligula*)、斑背潜鸭(*A. marila*)、棉凫(*Nettapus coromandelianus*)、鹊鸭(*Bucephala clangula*)、斑头秋沙鸭(白秋沙鸭)(*Mergus albellus*)、红胸秋沙鸭(*Mergus serrator*)、普通秋沙鸭、石鸡(*Alectoris chukar*)、鹌鹑(*Coturnix coturnix*)、灰胸竹鸡(*Bambusicola thoracica*)、雉鸡(*Phasianus colchicus*)、普通秧鸡(*Rallus aquaticus*)、蓝胸秧鸡(*R. striatus*)、白喉斑秧鸡(*Rallina eurizonoides*)、小田鸡(*Porzana pusilla*)、红胸田鸡(*P. fusca*)、白胸苦恶鸟(*Amaurornis phoenicurus*)、董鸡(*Gallicrex cinerea*)、黑水鸡(*G. chloropus*)、白骨鸡(骨顶鸡)(*Fulica atra*)、水雉(*Hydrophasianus chirurgus*)、彩鹬(*Rostratula benghalensis*)、凤头麦鸡、灰头麦鸡(*Vanellus cinereus*)、灰斑鸻(*Pluvialis squatarola*)、金(斑)鸻(*P. dominica*)、剑鸻(*Charadrius hiaticula*)、金眶鸻(*C. dubius*)、环颈鸻(*C. alexandrinus*)、蒙古沙鸻(*C. mongolus*)、铁嘴沙鸻、红胸鸻(*C. asiaticus*)、中杓鹬(*Numenus phaeopus*)、白腰杓鹬(*N. arquata*)、黑尾塍鹬(*Limosa limosa*)、鹤鹬(*Tringa erythropus*)、红脚鹬、青脚鹬(*T. nebularia*)、白腰草鹬(*T. ochropus*)、林鹬(*T. glareola*)、矶鹬(*T. hypoleucos*)、针尾沙锥(*Capella stenura*)、大沙锥(*C. megala*)、扇尾沙锥(*C. gallinago*)、丘鹬、红胸滨鹬(红颈滨鹬)(*Calidris ruficollis*)、长趾滨鹬(*C. subminuta*)、弯嘴滨鹬(*C. ferruginea*)、鹮嘴鹬(*Ibidorhyncha struthersii*)、黑翅长脚鹬(*Himantopus himantopus*)、反嘴鹬(*Reurvirostra avosetta*)、普通燕鸻(*Glareola maldivarum*)、海鸥(*Larus canus*)、银鸥、红嘴鸥(*L. ridibundus*)、须浮鸥(*Chlidonias hybrida*)、白翅浮鸥(*C. leucoptera*)、鸥嘴噪鸥(*Gelochelidon nilotica*)、普通燕鸥、白额燕鸥(*Sterna albifrons*)、岩鸽(*Columba rupestris*)、原鸽(*C. livia*)、山斑

鸠(*Streptopelia orientalis*)、灰斑鸠(*S. decaocto*)、珠颈斑鸠(*S. chinensis*)、火斑鸠(*Oenopopelia tranquebarica*)、红翅凤头鹃、鹰鹃、四声杜鹃(*Cuculus micropterus*)、大杜鹃(*C. canorus*)、中杜鹃(*C. saturatus*)、小杜鹃(*C. poliocephalus*)、八声杜鹃、噪鹃(*Eudynamys scolopacea*)、普通夜鹰、白喉针尾雨燕(*Hirundapus caudacutus*)、楼燕(普通楼燕)(*Apus apus*)、白腰雨燕(*A. pacificus*)、普通翠鸟(*Alcedo atthis*)、蓝翡翠(*Halcyon pileata*)、栗头蜂虎(蓝喉蜂虎)、三宝鸟、戴胜(*Upupa epops*)、蚁䴕(*Jynx torquilla*)、姬啄木鸟(斑姬啄木鸟)、黑枕绿啄木鸟(灰头啄木鸟)(*Picus canus*)、大灰啄木鸟(*Mulleripicus pulverulentus*)、棕腹啄木鸟(*Dendrocopos hyperythrus*)、星头啄木鸟(*D. canicapillus*)、云雀(*Alauda arvensis*)、小云雀(*A. gulgula*)、灰沙燕(崖沙燕)(*Riparia riparia*)、家燕(*Hirundo riparia*)、金腰燕(*H. daurica*)、毛脚燕(*Delichon urbica*)、山鹡鸰(*Dendronanthus indicus*)、黄鹡鸰(*Motacilla flava*)、黄头鹡鸰(*M. citreola*)、灰鹡鸰(*M. cinerca*)、白鹡鸰(*M. alba*)、田鹨(*Anthus novaeseelandiae*)、树鹨(*A. hodgsoni*)、水鹨(*A. spinoletta*)、暗灰鹃鵙(*Coracina melaschistos*)、粉红山椒鸟(*Pericrocotus roseus*)、灰山椒鸟(*P. divaricatus*)、长尾山椒鸟(*P. ethologys*)、绿鹦嘴鹎(领雀嘴鹎)(*Spizixos semitorques*)、黄臀鹎(*Pycnonotus xanthorrhous*)、白头鹎(*P. sinensis*)、黑短脚鹎(*Hypsipetes madagtascariensis*)、太平鸟(*Bombycilla garrulus*)、小太平鸟(*B. japonica*)、虎纹伯劳(*Lanius tigrinus*)、牛头伯劳(*L. bucephalus*)、红尾伯劳(*L. cristatus*)、棕背伯劳(*L. schach*)、灰背伯劳(*L. tephronotus*)、灰伯劳(*L. excubitor*)、长尾灰伯劳(楔尾伯劳)(*L. sphenocercus*)、黑枕黄鹂(*Oriolus chinensis*)、黑卷尾(*Dicrurus macrocercus*)、灰卷尾(*D. leucophaeus*)、发冠卷尾(*D. hottentottus*)、北椋鸟(*Sturnus sturninus*)、丝光椋鸟(*S. sericeus*)、灰椋鸟(*S. cineraceus*)、八哥(*Acridotheres cristatellus*)、红嘴蓝鹊(*Cissa erythrorhyncha*)、灰喜鹊、喜鹊、秃鼻乌鸦、棕眉山岩鹨(*Prunella montanella*)、红点颏(红喉歌鸲)(*Luscinia calliope*)、蓝点颏(蓝喉歌鸲)(*L. svecica*)、蓝歌鸲(*L. cyane*)、红胁蓝尾鸲(*Tarsiger cyanurus*)、鹊鸲(*Copsychus saularis*)、北红尾鸲(*Phoeencurus auroreus*)、黑喉石即(*Saxicola torquata*)、白眉地鸫(*Zoothera sibirica*)、虎斑山鸫(虎斑地鸫)(*Z. dauma*)、灰背鸫(*Turdus hortulorum*)、乌灰鸫(*T. cardis*)、白腹鸫(*T. pallidus*)、斑鸫(*T. naumanni*)、宝兴歌鸫(*T. mupinensis*)、黑脸噪鹛(*Garrulax perspicillatus*)、黑领噪鹛(*G. pectoralis*)、山噪鹛(*G. davidi*)、画眉、白颊噪鹛(*G. sannio*)、橙翅噪鹛(*G. ellioti*)、红嘴相思鸟(*Leiothrix lutea*)、棕头鸦雀(棕翅缘鸦雀)(*Paradoxornis webbianus*)、山鹛(*Rhopophilus pekinensis*)、矛斑蝗莺(*Locustella lanceolata*)、苍眉蝗莺(*L. fasciolata*)、大苇莺(*Acrocephalus arundinaccus*)、黑眉苇莺(*A. bistrigiceps*)、棕腹柳莺(*Phylloscopus subaffinis*)、褐柳莺(*P. fuscatus*)、巨嘴柳莺(*P. schwarzi*)、黄眉柳莺(*P. inornatus*)、黄腰柳莺(*P. proregulus*)、极北柳莺(*P. borealis*)、暗绿柳莺(*P. trochiloides*)、冕柳莺(*P. coronatus*)、冠纹柳莺(*P. reguloides*)、戴菊(*Regulus regulus*)、白眉姬鹟(*Ficedula zanthopygia*)、鸲姬鹟(*F. mugimaki*)、红喉姬鹟(*F. parva*)、乌鹟(*Muscicapa sibirica*)、北灰鹟(*M. latirostris*)、寿带(*Terpsiphone paradisi*)、大山雀(*Parus major*)、黄腹山雀(*P. venustulus*)、煤山雀(*P. ater*)、黑冠山雀(*P. rubidiventris*)、沼泽山雀(*P. palustris*)、褐头山雀(*P. montanus*)、杂色山雀(*P. varius*)、银喉长尾山雀(*Aegithalos caudatus*)、红头长尾山雀(*A. concinnus*)、攀雀(*Remiz pendulinus*)、叉尾太阳鸟、暗绿绣眼鸟(*Zosterops japonica*)、红胁绣眼鸟(*Z. erythropleura*)、树麻雀(*Passer montanus*)、山麻雀(*P. rutilans*)、燕雀(*Frignilla montifringilla*)、金翅雀(*Carduelis sinica*)、黄雀(*C. spinus*)、红交嘴雀(*Loxia curvirostra*)、黑头蜡嘴雀(*Eophona personata*)、黑尾蜡嘴雀(*E. migratorta*)、锡嘴雀(*Coccothraustes coccothraustes*)、白头鹀(*Emberiza leucocephala*)、栗鹀(*E. rutila*)、黄胸

鹀(*E. aureola*)、黄喉鹀(*E. elegans*)、灰头鹀(*E. spodocephala*)、灰眉岩鹀(*E. cia*)、三道眉草鹀(*E. ctoides*)、赤胸鹀(栗耳鹀)(*E. fucata*)、田鹀(*E. rustica*)、小鹀(*E. pusilla*)、黄眉鹀(*E. chrysophrys*)、白眉鹀(*E. tristrami*)、苇鹀(*E. pallasi*)、凤头鹀(*Melophus lathami*)、普通刺猬、短刺猬(达乌尔猬)(*Hemiechinus dauuricus*)、狼(*Canis lupus*)、赤狐、貉、黄腹鼬(*Mustela kathiah*)、黄鼬、艾虎(艾鼬)(*M. eversmanni*)、狗獾、猪獾(*Arctonyx collaris*)、鼬獾(*Melogale moschata*)、果子狸(*Paguma larvata*)、豹猫(*Felis bengalensis*)、野猪、小麂、狍。

第二节　河南林业生态环境分区

一、自然分区

根据河南自然条件与自然资源,对全省进行合理的自然分区,目的是为了进一步认识本省各地自然综合体的相似性和差异性,了解各个自然综合体的结构、发展和分布规律,明确各地区不同的自然条件和自然资源对于生产与建设的有利方面及不利方面,把握利用和改造自然的可能性与方向性,为林业、农业、牧业等事业的建设提供科学的依据。

(一)分区的基本原则

自然地理分区,是确定自然综合体之间的相似性与差异性的一种方法。而自然综合体有规律的区域分异是客观存在的。因此,自然地理分区的原则,首先必须全面地、综合地分析所有自然因素,然后找出自然区域的特征及决定区域分异的主导因素。其次,自然区域的分异和自然综合体的特征,是在历史发展过程中形成的。因此,进行自然地理分区,必须深入探讨产生区域分异的原因与过程。其三,自然区域既然指的是一个区域,在地域上必须连成一片，应当体现完整的地域概念。

根据上述原则，将河南省划分为太行山地丘陵区、黄土台地丘陵区、豫西山地丘陵区、桐柏—大别山地丘陵区、南阳盆地区、淮河平原区、黄河平原区等 7 个自然地理区域。这大致可以反映河南自然界的地域分异规律，也可以基本说明河南省内自然条件的差异。

(二)各自然区域概述

1. 太行山地丘陵区

本区位于河南西北部，系太行山脉展布区。由一条向东南凸出的弧形山脉和东部的低山丘陵所组成。在构成上，太行山为一陆背斜。中生代时期随着山西高原上升而隆起成山；第三纪时又产生挠曲上升运动，并伴有强烈断裂，尤以林州大断裂为最大，第四纪开始以后，地壳仍然处于不稳定状态，常有地震发生。

太行山在河南境内，长达 200 余公里，属于陡坡中山，海拔一般在 1 000 ~ 1 500m，因受断层影响，山势异常陡峻，山坡呈梯级状陡壁，悬崖峭壁极为发育，横切山体的沟谷众多，谷深陡峻，谷底纵比降大，呈“V”形，深达 50 ~ 200m。山地的土层很薄，基岩裸露，适宜发展林业。部分缓坡和沟谷地方，土层较厚，可发展农业。本区的东部为低山丘陵，海拔一般 400 ~ 800m，低山坡度较陡（坡度 30° ~ 50°），但顶部平缓（坡度 5° ~ 10°），宜林牧不宜耕作；丘陵坡度较缓，宜于修筑梯田或发展林牧业。在中山或低山之间，分布一些断陷盆地，海拔 300m 左右，盆地内地面平坦，土层深厚，适宜发展农业。

本区由于地势较高，气温偏低，平均气温为 13℃左右，最热月平均气温为 27℃，最冷月平均气温 －2 ~ －3℃。最低极端温度为 －21℃，0℃以下的冷期达 100d 以上，是全省冷期最长地区之一。全年无霜期不足 200d，日均温度≥10℃的积温各地不一，西部山麓和谷地为 4 200 ~ 4 500℃，山顶 2 500 ~ 2 900℃，东部低山丘陵为 4 500℃，热量较少。年降水量 700mm 左右，年变率大，最多年降水量 1 000mm 以上,最少年降水量仅 200mm,降水季节分配不均,大部分集中于 7～8 月份,夏季降水占年降水量的 50%以上,而且多暴雨,易引起山洪暴发、山坡塌方,水土流失严重,干旱机遇较多。

流经本区的河流,较大的有沁河、丹河、淇河等。河谷深切,水量丰富,但季节变化显著。著名的人工河红旗渠,盘山绕岭,纵贯本区西北部,是重要的灌溉水源。地下水多为岩石裂隙水,以泉水形式出露,水量丰富,矿化度低,属于重碳酸钙镁型水,为饮用和灌溉提供了良好的水源。土壤主要为棕壤和褐土。棕壤多分布于海拔 800～1 000m 以上的山地,呈微酸性反应,有机质含量丰富。褐土主要分布于低山丘陵区,土层深厚,呈中性或微碱性反应。但植被稀少,水土流失严重,水源不足,常有旱灾发生。因此,本区应搞好水土保持工作,加强水利建设;植树造林,积极发展林业;因地制宜,合理利用,西部山区应以林牧为主,低山丘陵区则可以农业为主,山间盆地应以粮棉为主。

2. 黄土台地丘陵区

本区位于豫西山地丘陵和太行山地丘陵之间,西至省界,东到京广线,呈一东西狭长条带状分布,为西北黄土高原的一部分。在构造上,主要属于秦岭地轴的东部边缘,是在古生代以前早已隆起的稳定区。后经中生代和第三纪强烈的地壳运动,再度隆起上升,第四纪冰期以后,又有大量黄土堆积,形成了现代地形的基础。黄土堆积厚度不一,西部灵宝、三门峡等地厚 20～30m,而东部荥阳、巩义一带 40m 以上。

黄土地貌类型复杂,主要有黄土阶地、黄土塬、黄土丘陵等,海拔 500～800m。黄土阶地和黄土塬地势平坦开阔,有利于发展农业。在黄土丘陵地区,地形反差小者并不甚影响耕作,但在黄土沟壑发育地区,地面沟谷纵横交错,支离破碎,对交通与耕作都很不利。丘陵区中还有部分石质山地,岩石裸露,自然植被稀少,水土流失严重,所以宜林而不宜农。在沿河地带,如洛河的长水以下和伊河的田湖以下,河谷开阔,分布有宽阔的川地和冲积平原,其地势平坦,土层深厚,引水提水灌溉方便,历来是富庶的耕作区。

本区气候温和,属于半湿润区。年平均气温 14～15℃,最热月平均气温 27～28℃,最冷月平均气温 0℃左右,温差较大。热量资源丰富,日均温≥10℃积温为 4 600～4 700℃。西部灵宝、三门峡一带热量较差,为 4 400～4 500℃,无霜期 210d,年降水量 600mm 左右,最少年份只有 202mm,是本省少雨区之一;同时由于降水季节分配不均,全年雨量 60%以暴雨形式集中在 7～8 两个月,干旱时间较长,尤以初夏和秋季旱情更重。

本区河流属于黄河水系,除黄河纵贯东西外,其余均为其支流,重要的有宏农涧河、伊河和洛河。伊河与洛河水量丰富,在两岸平原上可供引水灌溉,对发展农业极为有利。其他地方地下水一般埋藏很深,不便开采。本区土壤主要有立黄土、白面土和红黏土等,属于褐土土类,均呈中性或微碱性反应。大部分土壤耕作历史悠久,有深厚的熟化层,质地疏松多孔,耕作性能好,生产潜力较大。但由于所处地形复杂,水土流失严重,水源缺乏,易遭干旱。

本区热量资源丰富,土壤自然肥力较高,适宜多种作物、果树和林木生长;土地面积较广,荒山荒地面积大,发展林牧业的潜力很大。但本区水土流失严重,干旱缺水突出,因此应加强水土保持工作,搞好水利建设,大力植树造林,合理利用土地,农、林、牧、副全面发展。

3. 豫西山地丘陵区

本区位于河南西部,黄土丘陵以南,南阳盆地以北,包括伏牛山南北两侧的广大山地丘陵区。在构造上,本区大部分属于秦岭地轴的东部。寒武纪以前即已隆起,中生代燕山运动和第三纪喜马拉雅运动时,本区发生强烈的褶皱与断裂,并伴有岩浆活动,造成现代山地、丘陵、盆地等多种地貌类型。本区山地包括崤山、小秦岭、熊耳山、外方山和伏牛山山脉等。各山脉在西部汇集,构成了雄伟的中山山地,海拔一般1 000~2 000m。向东和东南逐渐降低为低山和丘陵。中山山势陡峻,适耕地很少,但林地、荒山面积大,土特产种类多,林牧业生产潜力很大。低山的山势一般比较破碎和缓,海拔一般600~1 000m,可以发展林业和牧业。丘陵区地势更为低缓,海拔一般在500m以下,大部分地区可修筑梯田,发展种植业,一部分可发展林牧业。在豫西山地中,在一些河流两岸,分布有一些川地和山间盆地,地势平坦,土层深厚,是山区发展农业的基地。

本区气候复杂,各地差异很大,概括而言,年平均气温在12~14℃之间,最冷月平均气温-2~0℃,最热月份平均气温东部在26~27℃之间,西部在24~26℃之间,日均温≥10℃积温在3 600~4 400℃之间。海拔1 000m以上的地区,积温不足3 000℃,无霜期180~240d,年降水量一般在700~800mm;栾川、鲁山、南召等地降水较多,在800~900mm之间;卢氏一带较少,仅600mm上下。本区全年降水量有50%以上集中在夏季,其次为春秋季,冬季较少。夏季降水强度大,暴雨多,易于形成洪水灾害。

由于地形的影响,本区河流多由西部分别流向东北、东、东南和南等方向。属于黄河水系的主要有伊河、洛河和涧河;属于淮河水系的主要有颍河、汝河和沙河;属于汉水水系的有老灌河和白河。这些河流比降较大,水流湍急,蕴藏有丰富的水力资源。但雨季来临,山洪暴发,常常冲毁农田、道路,对农业生产威胁很大。本区地下水主要为基岩裂隙水,形成多种类型泉水,矿化度低,多属于重碳酸钙型水。沿河谷地和山间盆地主要为砂砾层中的潜水,水质好,水量丰富,有利于农田灌溉。

本区土壤有黄棕壤、棕壤和褐土等类型。黄棕壤分布于伏牛山脉南坡。由于雨水较多,淋溶作用强烈,呈微酸性,适宜于亚热带林木生长。棕壤主要分布于海拔较高的中山区,呈微酸性。由于植被覆盖度较大,有机质含量丰富,是发展林业的良好条件。褐土多分布于伏牛山北坡的低山、丘陵和河流阶地上，大部已开垦为农田，有深厚的熟化层，质地疏松，耕作性能好。但低山丘陵因植被遭到破坏，水土流失严重，水源缺乏，干旱威胁较大。

本区地形复杂，山高坡陡，对农业的发展有一定的限制。但是，土地面积广大，生物资源丰富，对于林牧业的发展却很适宜。为此，应根据本区的自然特点，以林牧业为主，发挥山区的优势，实行多种经营，全面发展经济。

4. 桐柏—大别山地丘陵区

本区位于淮河以南，南阳盆地以东，东面和南面至省界，包括桐柏山的大部、大别山的北部和南阳盆地东侧的丘陵地。区内大部分为低山丘陵，海拔 1 000m 以上的中山分布在南部边缘。由于流水侵蚀切割，地形比较破碎，地势低缓，尤其是低山丘陵区，大部分海拔 300 ~ 600m，山间谷地开阔，坡度平缓，引水方便。部分中山比较陡峻，除河谷和沟谷底部外，耕地很少，但植物资源丰富，有利于发展林牧业。

从地质构造上看，本区为淮阳地盾的一部分，是寒武纪前早经硬化的地带，经过长期侵蚀，曾经过准平原化。在中生代淮阳运动和燕山运动时期，本区发生褶皱与断层，影响非常剧烈，是本区的主要造山运动。第三纪喜马拉雅运动中，又受到很大影响。由于这一系列的晚期造山运动，使本区重新高起而成为现在地形的骨架。

本区处于北亚热带北部，气候温和，年平均气温 15℃以上，最冷月平均气温在 1 ~ 2℃之间，最热月平均气温 28℃，极端最低温度 - 20℃，无霜期 200 ~ 233d。日均温 ≥ 10℃ 积温为 4 800 ~ 4 900℃（固始、商城一带达 5 000℃），为全省热量丰富地区。年降水量 1 000 ~ 1 200mm，有 50%集中在夏季，水分充足。

本区河流多，有淮河及其支流浉河、潢河、竹竿河、白露河、史灌河等。山区河流河床坡降大，水流急，水能资源丰富。全区有大、中、小型水库数百座，塘、堰、坝星罗棋布，有利于发展淡水养殖业和兴建小型水电站。土壤潜在肥力较高，岗丘地区旱地土壤为黄褐土，山区为黄棕壤，沿河滩地为沙土、两合土，而冲畈田、旁田为水稻土。土壤有机质含量一般在1%左右，呈微酸性反应。

根据本区自然特点，在广大平畈和丘岗地区，应以水稻为主，结合发展油菜等作物发展粮食生产，不断扩大稻田面积；大搞植树造林，特别是营造亚热带经济林和用材林；大力发展畜牧、家禽和渔业；向农、林、牧、副、渔五业并举的综合方向发展。

5. 南阳盆地区

南阳盆地区位于本省西南部，为南襄盆地的一部分。盆地的西、北和东三面为伏牛山和桐柏山所环绕，中间为堆积平原。地势向南倾斜，比降1/3 000～1/5 000，海拔由200m降至80m。地质构造位置，处于秦岭地槽与淮阳地盾的分界上。白垩纪末期，四周山地隆起，南阳一带下陷而成为盆地。第三纪继续下陷，并接受山地所侵蚀物质的堆积。第四纪又有大量红色物质堆积，因此造成一片低平盆地。

本区属于北亚热带的北缘地带，地形背山向阳，气候温和，热量资源丰富。西、北两面大山屏障，冷空气不易入侵，作物越冬条件良好，低温寒害甚少。这里年平均气温在15℃以上，最冷月平均气温在1～2℃之间，最热月平均气温在28℃左右，无霜期220～230d。日均温≥10℃积温为4 700～4 800℃，尤其是西部积温可达5 000℃，年降水量900mm左右，有50%集中在夏季，并多暴雨，常常发生洪涝灾害。而春冬季节，雨水稀少，又往往出现干旱现象。

本区河流主要有唐河和白河，属于汉水水系。唐河和白河纵贯本区中部，在盆地地形的制约下，整个水系略成扇状。干、支流在山地内都很短，大部分流经平原，水量虽然不大，但水质良好，适宜于灌溉。平原地下水埋藏不深，一般3～5m，储量比较丰富。本区土壤主要为黄棕壤和砂姜黑土，质地黏重，结构不良，耕作性能差。有些地区,土体内下层有黏盘,造成上层滞水,使土壤发懈,称为“上浸”,对农业有较大影响。砂姜黑土的分布,大部分在低洼处,雨时容易积水,土体内部有砂姜黏土隔水层,排水不良,易形成上浸,是发展农业的有害因素。

本区气候条件优越,水源充足,土地生产潜力较大,是本省粮食作物和经济作物的重要产区。但是,由于年降水变率大,季节分配不均,常形成旱涝灾害。因此,本区应搞好农田水利和农田防护林建设,改良土壤,加强水土保持工作。

6. 淮河平原区

淮河平原区位于沙颍河以南,淮河干流以北,西接豫西山地,东至省界。地面平坦,海拔大都在 40～50m,新蔡、淮滨一线的东北部,海拔只有 33m 左右,是全省最低的地方。地势由西北向东南倾斜,平均坡降在 1/6 000～1/8 000。平原上地势多有起伏,尤以沿河地带为最大。整个平原西部稍高,有低缓岗地;东部偏低,多浅平洼地和湖积洼地。河道曲折,排水不畅,容易发生洪涝灾害,尤其是洪汝河两岸,是全省水灾最严重的地区。

淮河平原的形成时期较晚,为近期的淮河冲积—湖积平原。它虽然也是华北地台中凹陷部分,但下降速度较慢,冲积物堆积很薄,有时基岩露出地面,成为高起的孤丘。例如,西部遂平、确山一带,从震旦纪到寒武纪片岩类出露的地区,久经侵蚀,在地貌上已达老年期状态,而上面只有薄层黄土覆盖。

本区地处暖温带南部,属于半湿润气候。年平均气温为 14～15℃,最热月平均气温在 28℃左右,日均温≥10℃积温为 4 700～4 800℃,热量充足。年降水量 800～900mm,大部分集中于夏季,约占全年降水量的 60%,且多暴雨,易造成洪涝灾害,但春雨多于秋雨,春旱机会较少,有利于越冬作物生长和春播。

本区河流众多,多发源于桐柏、伏牛山区,属于淮河水系。主要支流有洪汝河、沙颍河等,由西北向东南流入淮河。河流分布密度较大，有利于引水灌溉。地下水比较丰富，除部分地区埋藏较深外，大部分地区均为浅水层，水质较好，适于发展井灌。本区土壤大部分地区为砂姜土，土质黏重，耕性较差，但有机质含量高，有利于发展农业。

本区地势平坦，土地肥力较高，水热条件较好，水资源比较丰富，农业生产水平较高，为本省粮、棉、油的重要产地。为了充分发挥本区生产潜力，合理利用农业自然资源，需要搞好农田水利基本建设，除涝防旱，改良土壤，加强农田防护林体系建设。

7. 黄河平原区

黄河平原区位于河南省东北部，西临豫西山地、黄土台地丘陵区和太行山地丘陵区，南到沙颍河，东面和北面至省界。黄河从平原中部穿过，由于泥沙沉积，河床一般高出两岸平地 3 ~ 7m，个别地段可达 10m 以上，成为地上悬河。在紧靠黄河大堤的 5 ~ 10m 地带，形成背河洼地。整个平原西部高，东部低，大致以郑州到兰考间的黄河河床为脊轴，地势又分别向东北和东南倾斜，海拔多为 50 ~ 100m，地表坡降一般 1/5 000 ~ 1/8 000。黄河平原地势平坦开阔，只是由于黄河历史决口泛滥和改道，才形成了低缓起伏，构成一些微地貌形态。另外，在不同的地段，还存在有面积不等的沙丘、沙地和丘间洼地，以及呈带状分布的黄河故道与古背河洼地。

从地质构造上看，黄河平原属于华北地台中凹陷低地的一部分。这部分从白垩纪末期起即开始下沉，西部山地则相对上升。第三纪中期，西部山地上升加快，本区则下降更甚。第四纪时，黄河三角洲逐渐形成。河南省内的黄河冲积平原即是该三角洲的上部。

本区属于半干旱半湿润气候。年平均气温在 13 ~ 14℃，最冷月平均气温在 -1 ~ -2℃，最热月平均气温在 27℃以上。日均温≥10℃积温为 4 500 ~ 4 700℃，热量资源充足。年降水量多在 600 ~ 700mm，主要集中在 7 ~ 9 月，占全年降水量的 70%左右。气温和雨量，都有由南向北递减的趋势。

本区水资源丰富,黄河水量充足,水质良好,是引水灌溉的主要水源。平原上的地下水,除部分地区水质较差外,大部分水质较好,且埋深较浅,水量丰富,易于开采,是良好的灌溉用水。平原上的土壤,是在黄河历史上多次泛滥的冲积物上形成的。成土母质砾石、沙和黏土在分布上纵横交错,上下彼此掩覆,在地表就形成了沙土、淤土、两合土等多种质地不同的土壤,由于受深层地下水的影响,多属黄潮土亚类。沙土质地疏松易耕,保水保肥性能差,肥力低,有机质含量一般在0.5%以下。两合土则沙黏度适中,团粒结构好,保水保肥,耐旱涝,适于种植各种作物。淤土土质黏重,耕性不良,通透性差,但土壤养分较丰富,潜在肥力较高,作物增产潜力大。此外,在低洼地区还有一定面积的盐碱土分布。

本区发展农业生产的有利条件很多,地势平坦,土层深厚、疏松,适于大规模机耕;气候温和,光照和热量充足,可满足多种作物需要;水源比较丰富,土地面积广大,生产潜力很大。但是,本区旱涝、风沙、盐碱等自然灾害较严重,对农业生产威胁较大。因此,本区应加强水利建设,改良土壤,巩固和完善农田防护林体系。

二、林业区划

林业区划是林业区域划分的简称,旨在查清林业资源的基础上,分别不同的林业生产条件、社会经济状况,确定林业发展方向和布局,提出建设规模和途径,科学地分类指导林业生产,逐步实现林业区域化、专业化经营,以便从林业资源的利用中永续地获得最大的生态效益和经济效益。

(一)区划的原则依据

河南省林业区划分属中国林业区划华北防护、用材林地区和南方用材、经济林地区的燕山太行山水源、用材林区,华北平原农田防护林区,秦巴山地水源、用材林区,大别山桐柏山山地水源、经济林区。结合河南省林业生产和森林资源分布情况,通过分析研究各地气候、地貌、土壤、生物特点和地域分异情况，区划的原则依据是：

(1)自然条件特征的类似性，即影响森林植被分布、组成、生长发育的水热因素和地貌条件的相似性；

(2)国民经济发展的需要和林业发展方向的一致性；

(3)林业区划与综合农业区划的协调性，即林业区划既要保持其区划体系的完整性，又要使区划的各分区在其发展方向上与综合农业区划的分区发展方向协调；

(4)营林措施的同一性，即同一区内造林、营林、利用等一系列主要措施基本相同。

根据上述原则，划分分区、亚区的主要指标为：①地貌；②气候条件；③地带性植被类型或代表性树种；④土壤类型。

依据上述原则和指标，将全省划分为豫北太行山防护、经济林区，豫西黄土丘陵防护林区，豫东黄、淮、海平原防护林区，豫西伏牛山北坡防护、用材林区，豫西伏牛山南坡用材、防护林区，南阳盆地农田防护、薪炭林区，豫南大别山、桐柏山用材、经济林区等 7 个分区，12 个亚区。

(二)分区概述

1. 豫北太行山防护、经济林区

本区位于河南省西北部，属太行山的南麓和东坡，西南与山西省相邻，北与河北省接壤。包括林州、鹤壁市鹤山区、鹤壁市山城区、鹤壁市郊区的全部、辉县的大部、安阳县、安阳市郊区、淇县、卫辉市、修武县、博爱县、沁阳县和焦作市解放区、焦作市中站区、焦作市马村区、焦作市山阳区、济源市的一部分，共 17 个县(市、区)，总面积 67.17 万 hm^2，占全省土地面积的 4.0%。本区是河南省山区森林覆盖率最低的地区，因多为陡峭瘠薄的土石山地，因而水土流失严重，发展方向应以林为主，认真抓好山区防护林建设，以营造水源涵养林为主，有条件的地方要大力发展核桃、柿树、花椒等经济林和刺槐、栎类等用材林，坡耕地逐步实施退耕还林。根据本区特点划分为两个亚区：

(1)太行山中山水源林区：包括林州、辉县、修武、博爱、沁阳、焦作市中站区、济源等7个县(市、区)的一部分，总面积19.08万 hm^2。本区由于山高坡陡，岩石裸露，森林覆盖率低以及地层漏水等原因，水土流失和缺水现象十分严重。因此，林业主攻方向应以水源涵养林为主，可在河川上源和主要河流两侧的集水区以及水库周围的第一层山脊建设水源涵养林；对立地条件优越的小地形，要积极发展用材林。建设途径：一是大力开展封山育林；二是积极进行人工造林，有效地扩大森林覆盖率；三是退耕还林，坡耕地要分批分期退耕还林。

(2)太行山低山丘陵经济林区：本区为太行山中山的外缘地带，涉及林州、鹤壁市鹤山区、鹤壁市山城区、鹤壁市郊区、辉县、卫辉、安阳县、安阳市郊区、淇县、修武、博爱、沁阳、焦作市解放区、焦作市中站区、焦作市马村区、焦作市山阳区、济源等17个县(市、区)，总面积48.09万 hm^2。本区林业主攻方向应以发展深根性耐干旱的核桃、柿树、板栗、黄连木、花椒等木本粮油为主的经济林；对水土冲刷严重、土壤过于干旱瘠薄的地区，应以侧柏为主伴生以栎类或灌木营造水土保持林；山间盆地和丘间凹地应发挥速生树种优势，大力营造杨类、刺槐、泡桐等用材林；有浇灌条件的地方要积极发展斑竹、淡竹等乡土竹种。

2. 豫西黄土丘陵防护林区

本区位于河南省西部，西与陕西省相接，南与伏牛山交错，北沿黄河至孟州界向西北与太行山相连，东接豫东平原。包括荥阳、郑州市上街区、偃师、孟津、伊川、新安、渑池、三门峡市湖滨区、义马、洛阳市老城区、洛阳市西工区、洛阳市瀍河回族区、洛阳市涧西区、洛阳市洛龙区、洛阳市吉利区的全部和郑州市邙山区、郑州市中原区、郑州市二七区、巩义、登封、汝州、宜阳、汝阳、嵩县、洛宁、陕县、灵宝、济源的一部分，计 28 个县(市、区)，总面积167.72 万 hm^2，占全省土地面积的 10.0%。本区是全省水土流失最严重的地区之一，区内 70%以上的土地发生面蚀、崩塌、陷穴等类型的侵蚀。因此，本区林业建设要立足改善生态环境，结合工程蓄水建立生物蓄水体系，大力营造水土保持林，因地制宜发展用材林、经济林、薪炭林，逐步提高森林覆盖率，调整林种比例。

建设途径和具体措施：一是要合理利用土地资源，宜农则农、宜林则林、宜牧则牧。坡耕地要逐步分批退耕还林，对现有天然林要停止商品性采伐，并采取有效措施严加管护。二是在黄土丘陵沟壑区，以生态经济沟治理模式为主，营造水土保持林体系。在浅山区，全面营造水土保持林。在江河源头、湖、库周围，以封山育林为主，营造水源涵养林和水土保护林。三是营造水土保持林要结合山、水、田、林、路的治理，统一进行规划设计，以小流域为单元，按照地貌部位、侵蚀类型，本着因害设防的原则，采取带、片、块相结合的形式进行营造。在梁峁及坡面可营造分水岭防护林、护坡林、水流调节林、地埂林带，在沟谷部分营造沟边林带、沟头防护林、沟底防冲林，对冲刷严重、红黏土裸露地表的地区，造林不易成活或活而不长，可养灌育草护坡。造林树种要乔灌结合、针阔结合、用材树种和经济树种结合，分立地条件选用油松、侧柏、刺槐、臭椿、柿树、枣树、核桃、桑树、泡桐、楸树、杨树、苹果等。四是宜林荒山荒地面积较大、分布集中的灵宝、洛宁、宜阳、嵩县、新安、渑池、汝州等县(市)，应根据当地需要和特点建立用材林基地，营造刺槐、栓皮栎、麻栎、油松等用材林，以期为工矿企业提供坑木用材；偃师、汝阳、汝州一带，不少农村严重缺柴，要积极营造薪炭林，解决好农村的能源问题。伊、洛、汝河盆地是本区农业生产条件优越的高产基地，因此，林业生产在不与农业争地的原则下，要利用非生产用地，营造护岸林、护路林、护滩林和小型农田防护林，搞好四旁植树。造林树种可选用泡桐、楸树、杨树、榆树、侧柏、苦楝、柳树等。五是要吸取过去造林成败经验,注意造林质量,提高经营水平。

3. 豫东黄、淮、海平原防护林区

本区包括台前、范县、南乐、清丰、濮阳县、濮阳市区、内黄、汤阴、滑县、浚县、长垣、封丘、原阳、延津、新乡县、新乡市郊区、获嘉、武陟、温县、孟州、中牟、郑州市管城回族区、郑州市金水区、新郑、兰考、开封县、开封市郊区、杞县、通许、尉氏、民权、睢县、宁陵、商丘市梁园区、商丘市睢阳区、虞城、夏邑、永城、柘城、长葛、许昌县、许昌市魏都区、鄢陵、襄城、扶沟、太康、西华、淮阳、鹿邑、周口市川汇区、郸城、商水、项城、沈丘、平顶山市卫东区、临颍、郾城、漯河市源汇区、舞阳、西平、上蔡、驻马店市驿城区、汝南、平舆、新蔡、正阳的全部,以及安阳县、安阳市郊区、淇县、卫辉、辉县、修武、焦作市解放区、焦作市马村区、焦作市山阳区、博爱、沁阳、济源、郑州市邙山区、郑州市中原区、郑州市二七区、禹州、郏县、宝丰、平顶山市新华区、平顶山市湛河区、叶县、舞钢、遂平、确山、息县、淮滨的一部分,共涉及 92 个县(市、区),土地面积 743.33 万 hm^2,占全省土地面积的 44.5%。本区属华北大平原的组成部分,地势平坦,起伏很小,但由于河道溃决泛滥,特别是黄河数千年来多次决口改道,加上长期的风力作用,使平原小地貌变得相当复杂,出现有大面积的沙丘群、波状沙地、丘间洼地,以及黄河故道遗迹——古河槽、古河滩、古背河洼地等。本区的发展方向应以农为主,林业生产要立足于以林保农,以林促农,为大农业生产创造一个优美的生态环境。为此,应根据因地制宜、因害设防的原则,在河道、故道、大堤营造防护林;在泛风沙耕地,要大力营造农田林网和农林间作,在风沙危害严重的沙丘区,要继续营造固沙林,重点抓好流动、半流动沙丘(地)的固沙造林和已毁林种地的防风固沙林的营造;四旁隙地,要积极植树造林,沙化、盐碱化严重的耕地逐步实施退耕还林。加强平原综合防护林体系建设,建立以欧美杨、三倍体毛白杨为主的速生丰产林、造纸工业原料林基地。同时积极推进县级平原绿化高级达标晋级活动,巩固平原绿化成果,促进沙区林业的发展。本区划分两个亚区:

(1)黄、淮、海冲积平原农田防护固沙林区:本区包括台前、范县、南乐、清丰、濮阳县、濮阳市区、内黄、汤阴、滑县、浚县、长垣、封丘、原阳、延津、新乡县、新乡市郊区、获嘉、武陟、温县、孟州、中牟、郑州市管城回族区、郑州市金水区、新郑、兰考、开封县、开封市郊区、杞县、通许、尉氏、民权、睢县、宁陵、商丘市梁园区、商丘市睢阳区、虞城、夏邑、永城、柘城、长葛、许昌市魏都区、扶沟、太康、西华、淮阳的全部和安阳县、安阳市郊区、淇县、卫辉、辉县、修武、焦作市解放区、焦作市马村区、焦作市山阳区、博爱、沁阳、济源、郑州市邙山区、郑州市中原区、郑州市二七区、禹州、郏县、许昌县、鄢陵、襄城、漯河市川汇区的一部分,共计66个县(市、区),总面积498.60万hm^2。本区是河南省泛风、泛沙、泛碱面积最大的地区,受干热风危害的夏作物面积约60万hm^2,因此,林业主攻方向应根据有害气象因子和不同立地条件类型确定林种和树种。在两合土区结合田、路、沟、渠营造农田防护林网(网格面积控制在20hm^2以下);在沙丘群和平沙荒地要继续营造固沙林;对大面积泛风、泛沙农田,除结合田、路、沟、渠营造防护林外,还要垂直有害风向设置骨干防护林带和林网(网格面积控制在13.3hm^2以下),抗御风沙和干热风的危害;对沙化严重的农田,要大搞农林间作,如条农间作、枣农间作等,也可发展葡萄、梨等经济林;在盐碱土区,要通过植树造林,改善农田小气候,减弱土壤的蒸发和积盐过程,发挥生物排水的功能;在四旁地区,因立地条件好,要发挥速生树种优势,充分利用非生产用地,提高平原森林覆盖率,美化环境,解决民用材。造林树种一定要适地适树,不能搞"一刀切,单一化",可分别不同立地条件选择三倍体毛白杨、沙兰杨、中林46杨、107杨、108杨、泡桐、刺槐、旱柳、苦楝、臭椿、杞柳、白蜡、侧柏、紫穗槐等,树种搭配要乔灌结合、针阔结合。

(2)淮北低洼易涝农田防护林区:本区包括鹿邑、郸城、商水、项城、沈丘、平顶山市卫东区、临颍、郾城、漯河市源汇区、舞阳、西平、上蔡、驻马店市驿城区、汝南、平舆、新蔡、正阳的全部和郏县、宝丰、平顶山市新华区、平顶山市湛河区、叶县、舞钢、遂平、确山、息县、淮滨、许昌县、鄢陵、襄城、漯河市川汇区的一部分,共计31个县(市、区),总面积244.73万hm^2。区内地势低平,海拔一般40~50m,新蔡、淮滨一线的东北部,是全省最低的地方,由于地势多浅平凹地和湖洼地,河道曲折,排水不畅,容易发生洪涝灾害。境内土壤类型除沿河为沙土、沙壤土外,大部分为砂姜黑土,质地黏重,潜在肥力较高。本区大部分地区林业生产基础较差,是河南省平原林业建设比较薄弱的地区。本区林业的主攻方向要结合农田基本建设,大搞农田林网,在河道两岸结合护岸固堤营造用材林和经济林,利用四旁隙地积极植树造林,美化环境,解决需材矛盾。造林树种要因地制宜慎重选择,低湿地区可选用水杉、池杉、枫杨、沙兰杨、中林46杨、107杨、108杨、紫穗槐、竹类等,地势较高处可选用刺槐等。

4. 豫西伏牛山北坡防护、用材林区

本区位于河南省黄土丘陵区以南,伏牛山主脉北侧,西与陕西省相接,东临豫东平原。包括卢氏、栾川、鲁山、新密、平顶山市石龙区的全部,灵宝、陕县、洛宁、嵩县、宜阳、汝阳、汝州、巩义、登封、禹州、郏县、宝丰、平顶山市新华区、平顶山市湛河区、叶县、舞钢的一部分,计21个县(市、区),总面积206.15万hm^2,占全省土地面积的12.4%。本区是河南省黄、淮流域重要河流的上游和源地,山场面积大,既是生产商品材的基地,又是保持生态平衡、补给河川水源的关键地区,因此应明确以林为主的生产方针,发挥山区优势,开展多种经营。根据境内水土流失和水利工程设施情况,林业建设必须以发展水源涵养林为主。对现有的天然林要停止商品性采伐,并采取有效措施严加管护;对宜林荒山荒地实行封山育林和飞播造林;坡耕地逐步实施退耕还林;在江河源头、河流两侧、水库周围以封山育林为主,营造水源涵养林;在深山区,对立地条件好的宜林地要积极营造用材林,扩大商品材基地;在浅山区,对立地条件好的宜林地,积极营造经济林。调整林种比例,提高森林覆盖率。根据本区情况,划分两个亚区:

(1)伏北中山水源林区:本区包括栾川、卢氏的全部和灵宝、陕县、洛宁、宜阳、汝阳、嵩县、鲁山的一部分,共计 9 个县(市),总面积 128.93 万 hm^2。该区是河南省天然林分布最多的地区,也是造林任务最大的地区。境内海拔多在 1 000m 以上,山峦重叠,地形复杂,坡度 30°以上陡坡占 40%以上,是河南省暴雨中心之一。因此,应把建立水源涵养林放在首要位置,坡耕地逐步实施退耕还林。对现有的天然林要停止商品性采伐,并采取有效措施严加管护,对人工林也要严格控制采伐,坡度在 36°以上的林木只能进行卫生伐、抚育伐。区内宜林荒山荒地,实行封山育林和飞播造林。残存有森林植被的地区要积极封山育林,加快绿化进度。

(2)伏北低山用材、经济林区:本区包括新密、平顶山市石龙区的全部,登封、巩义、禹州、郏县、宝丰、平顶山市新华区、平顶山市湛河区、汝州、鲁山、叶县、舞钢的一部分,共计 13 个县(市、区),总面积 77.22 万 hm^2。本区的平顶山、禹州、新密等是河南省重要的煤炭生产基地,但森林资源贫乏,坑木全部靠从外地调运,民用材也不能自给。因此,本区应充分利用宜林荒山资源,在立地条件较好荒山面积相对集中的地区营造用材林,树种可选用刺槐、麻栎等;靠近村庄附近的浅山丘陵,积极发展以核桃、柿树、花椒等为主的木本粮油经济林;冲刷严重的荒山脊部、边坡、沟壑应营造水土保持林或封山育林,拦蓄径流,为农业生产创造良好的生态环境。

5. 豫西伏牛山南坡用材、防护林区

本区位于河南省西南部,北沿伏牛山主脉,东南与南阳盆地相邻,西与西南分别与陕西省商南县,湖北省郧县、均县相接。包括西峡县的全部,淅川、南召两县的大部,内乡、镇平、方城等县的一部分,共6个县,总面积113.67万hm^2,占全省土地面积的6.8%。本区不仅山场面积大,而且水热条件好,历史上就是山峦重叠,林海苍茫的多林地区,有发展林业生产的基础和条件。因此,必须发挥山区优势,以林为主。应切实保护好现有森林资源,严禁乱砍滥伐,严格控制采伐,积极封山育林,坡耕地逐步退耕还林,加快造林更新步伐。在丹江水库库区周围、鸭河口库区周围营造水源涵养林和水土保持林。鉴于本区水、热、土条件优越,凡土层深厚、立地条件好的半阴坡、阴坡要积极发展用材林,浅山丘陵和适于发展油桐、生漆、山茱萸、柞蚕的地方要优先发展经济林,但经济林的一切经营活动以不破坏生态环境,有利于水土保持为前提。同时必须根据需要营造一定面积的薪炭林,以解决农村能源问题和巩固用材林、防护林的发展。根据本区特点,划分三个亚区:

(1)伏南中山用材、水源林区:本区包括西峡、内乡两个县的一部分,总面积31.02万hm^2。鉴于区内地广人稀,应实行封山育林,切实保持好现有的森林资源;坡度36°以上的宜林地要营造水源涵养林;坡度平缓的宜林地要因地制宜,选择当地优良树种营造用材林,同时在立地条件好的地方栽培落叶松。

(2)伏南西部低山丘陵水源、经济林区:本区包括淅川的大部,西峡、内乡两个县的一部分,总面积41.43万hm^2。本区为河南省热量资源最丰富的地区之一。为了充分利用山区自然资源,扩大群众经济收入,根据当地栽培的历史习惯,应大力发展油桐、乌桕、生漆、山茱萸、竹类等。淅川县引种柑橘已获得成功,可在适生区域发展;对现有油桐老残林要进行改造,逐步实现良种化,迅速提高产量和质量。内乡、淅川的浅山地带土层瘠薄,植被稀疏,水土流失严重。因此,应选择侧柏、栎类等树种,营造水土保持林和护库林,重点抓好丹江水库库区周围水源涵养林和水土保持林建设,根据缺柴情况，营造一定数量的薪炭林，以保证防护林和用材林的发展。

(3)伏南东部低山水保、经济林区：本区包括南召县的全部，方城、镇平、内乡三个县的一部分，总面积41.22万hm^2。本区在抓好柞坡建设的同时，必须注意搞好水土保持，营造水源涵养林、水土保持林，恢复植被，因地制宜发展用材林和其他经济林。重点抓好鸭河口水库周围水源涵养林和水土保持林建设。

6. 南阳盆地农田防护、薪炭林区

本区位于河南省西南部。南与湖北江汉平原相连，其余三面为伏牛山、桐柏山所围，是一个向南开口的扇形山间盆地。包括唐河、社旗、新野、南阳市宛城区、南阳市卧龙区、邓州的全部和镇平、内乡、淅川、方城、泌阳的一部分，共11个县(市、区)，总面积148.30万hm^2，占全省土地面积的8.9%。本区是亚热带北缘地区，背山向阳，热量资源丰富，区内种植业发达，是全省粮、经作物的重要产区，但旱涝灾害频繁，热干风危害严重。结合本区的自然条件和生产特点，林业主攻方向是：山前丘陵垄岗地段，坡耕地要分期分批退耕还林，大力营造薪炭林和水土保持林，兼造经济林和用材林；盆中平原、沿河两岸、道路两侧、库区周围、泛风地带应大力营造防护林，同时还要继续搞好四旁植树，提高森林覆盖率，以期发挥森林的多种功能，达到以林保农、以林促农，扭转“三料”奇缺的被动局面。

7. 豫南大别山、桐柏山用材、经济林区

本区位于河南省淮河干流以南，东与安徽、南与湖北交界，西与南阳盆地、北与淮北平原相接。包括桐柏、信阳市浉河区、信阳市平桥区、罗山、光山、潢川、商城、固始、新县的全部和泌阳、遂平、确山、息县、淮滨的一部分，共14个县(区)，总面积223.66万hm^2，占全省土地面积的13.4%。区内水热资源丰富，土地面积比较广阔，是河南省水稻集中的产区。根据本区自然资源的特点和社会经济历史条件,在广大平畈和垄岗地区,应以水稻为主,农、林、牧、副、渔相结合;山区应以林为主,使其成为河南省亚热带经济林和用材林基地。林业主攻方向是:在垄岗地区大力营造薪炭林,结合营造用材林;浅山区积极发展以板栗、油桐、茶为主的经济林;深山区要加快用材林基地建设;沿河两侧营造水源涵养林;对大面积的中、幼林要认真做好抚育间伐工作,积极改造低产林;抓好大别山、桐柏山浅山丘陵区、板桥水库区水源涵养、水土保持林等骨干工程,坡耕地逐步实施退耕还林。根据本区情况划分三个亚区:

(1)桐柏山低山丘陵水源、经济林区:本区包括桐柏县的全部和泌阳、确山、遂平的一部分,总面积 57.32 万 hm^2。区内地形复杂,河流交错、涧溪密布,淮河发源于区内桐柏县固庙的碑坊洞,薄山、宋家场、板桥三座水库也分布于区内,且为暴雨中心,故本区林业发展方向应以水源涵养林为主,积极营造经济林,在有条件的地方发展用材林。搞好封山育林,坡耕地分期分批退耕还林。

(2)山前垄岗薪炭、用材林区:本区包括潢川的全部和信阳市浉河区、信阳市平桥区、罗山、息县、光山、淮滨、固始、商城的一部分,共 9 个县(区),总面积 101.77 万 hm^2。该区森林资源贫乏,人口密集,农村能源缺乏。为此,本区应根据当地烧柴需要,积极发展薪炭林,此外要充分利用四旁隙地的优越条件,积极发展泡桐、刺槐、椿、楝、榆等乡土速生树种,解决当地民用材;对现有经济林要抓好经营管理,同时还应选择立地条件好的地段,扩大经济林的种植面积,开展多种经营。

(3)大别山低山用材、经济林区 :本区包括新县的全部和信阳市浉河区、信阳市平桥区、罗山、光山、商城、固始的一部分,共 7 个县(区),总面积 64.57 万 hm^2。该区林业生产条件优越,人均山林面积大,应坚持以林为主,农、林、牧并举;要以保护现有森林资源为主,造、管、改并举;林种安排应以用材林、水源涵养林为主;积极发展油桐、油茶、板栗、毛竹、茶等经济林,把该区建成河南省用材林、经济林基地。

第三节　河南林业生态环境的特点和存在的主要问题

一、河南林业生态环境特点

(一)气候的过渡性和季风型

河南地处中纬度地带,我国主要的气候界—秦岭—淮河线横穿省境中南部,使省内很大一部分地区具有明显的亚热带气候和暖温带气候的过渡性质。这种过渡不仅反映在诸如热量等指标的渐变性上,而且也反映在表征气候带特征的指标(如一般把年均温 ≥15℃看作是亚热带的指标之一)在不同年份可以在界线两侧交叉出现这种特点上。也就是说,气候的地域分异并不是以一条线来截然分开的,而是以一条相当宽阔的地带来逐步完成的。河南大别山北麓以北至沙颍河以南的广大地区就具有这种特征。在这些地区,亚热带气候或暖温带气候都不典型,也不稳定。因此,植物的适应幅度虽然较大,但对典型的亚热带植物限制因素较多。如茶、杉木等已有不少北引至确山、驻马店一带,但生长情况较差。信阳地区的亚热带经济林木也经常遭受寒害,造成相当大的损失。确山、驻马店一带盲目栽培苹果,因气候原因,果品品质差,不仅价格低,而且滞销,不少农民只好把苹果树砍掉,给当地造成了很大的经济损失。

河南属于我国的季风区,气候的季风型特点比较明显。特别在降水方面,反映出年内分配不匀、年际变率很大的特征。全省特别是淮河以北,夏季 3 个月的降水量占全年降水总量的 50% ~ 60%,有的地区高达 70%;冬季则仅占 3% ~ 10%,春秋降水少而不稳。而夏季的降水过于集中,又为洪涝灾害创造了基础条件。

此外，降水的年际变率在全国也是较高的。各地生产季节的降水变率多在 20% ~ 30%之间，尤以丘陵平原区为最高。从而造成频繁的水旱灾害。

（二）地貌类型的差异性和黄河的影响

河南地处我国第二级和第三级大地貌台阶的交界处，境内从中山到低山、平原俱全。其山地丘陵和平原的面积之比约为 4.5∶5.5。

地貌条件是中低级土地类型的基础，是对其他自然因素进行再分配的关键。各种自然条件在地表形态上的组合，由于地貌的不同，能形成比较悬殊的自然综合体。山区由于坡度和坡向的存在，咫尺之间地表的光热条件就有改变。降水的径流系数加大，冲刷强烈，在重力作用下的滑塌和泻溜经常发生，所以形成的平衡比较脆弱，自然环境不那么稳定。而平原地区的各种自然条件及其相互组合关系相对稳定得多。另外，山区由于其侵蚀剥蚀环境，风化残积物和土层一般很薄，下伏基岩风化不易。特别是伏牛山区和太行山地山高坡陡，变质岩和石灰岩广泛分布，坚硬致密，特别不易风化。西部黄土丘陵，由于黄土的固有特性，又特别容易发生水土流失。

河南的平原面积达 9.3 万 km^2，2/3 以上直接受黄河影响。这主要表现在：

（1）东部平原的中北部，完全是由黄河在漫长的历史时期不断泛滥、决口和改道而堆积起来的。其范围西起孟津，西北至卫河，西南抵郑州至漯河一线，南达周口、郸城、永城一带，向东、向北延伸出省界。黄河含沙量之大居世界之首，在其由山地流入平原之后，由于河道骤然增宽，纵比降急剧变缓，所含泥沙必然随着河道的频繁迁徙而到处沉积，黄河泛滥地区历时愈久，泥沙沉积愈深愈厚。巨厚的黄泛物质创造了良好的地下水贮存条件，为弥补气候、水文特点的不足提供了一定的基础。

(2)黄河对于豫东平原直到近期还是在不断发挥作用的因素。它的近期泛滥留下的沙丘、沙地和河床洼地等还都作为现实的土地类型存在,给许多方面带来不利影响。黄河的历次泛滥,不断破坏平原区的农业基础。1949年前的21年中,黄河在河南决口竟达107次,使黄淮海平原成为全国平原自然生产力低下的地区。

(3)黄河目前已成为一条"悬河"。这不仅破坏了平原区合理的水系结构,而且因大量的侧渗带来两岸背河洼地的土壤盐碱化,降低了平原区很大面积的资源价值。同时由于黄河的继续抬高,这一地区的盐碱化现象较难彻底治理。

(4)由于黄河河床的继续抬高(黄河河床高出堤外平地3~7m,有些地方在10m以上),黄河始终是河南自然资源和社会生产的巨大隐患,应予以高度重视。

(三)水资源的不稳定性和不平衡性

一个地区的水资源除了过境的水量以外,主要取决于降水,而水文特征主要取决于气候、地貌等条件的综合。由于前述的气候特征和地貌差异,因此河南的水资源有比较明显的时间上的不稳定性和空间上的不平衡性。

在地表水方面,全省多年平均天然径流量约353亿m^3,相对数量远比南方各省要小。且因季风气候影响,6~9月的径流量占全年总量的50%~70%,使得这一时期的水量不得不用排涝行洪的方式排出省外,但到枯水季节又干涸断流。这种年内的不稳定性与林木和农作物用水的长期性、均衡性不适应,所以径流资源的使用价值大大降低。在调蓄跟不上的时候,还会出现地表水可用而不可靠的弱点。同时,径流量的年际变化也非常大,最大与最小年径流量的比值,北部可达15~30倍,而且平均径流量越小的地方变率越大。这给灌溉效益的稳定和调蓄工程的建设带来非常大的困难。平原地区的水系,由于黄河在中间以悬河的形式突出于地表,使两岸河流无法就近汇入黄河干流,并形成分水岭,使这里的地表径流千里迢迢地分别向南北方向汇入淮河和海河,完全打乱了平原地区应有的比较均匀的水系或河网形式。这种格局不仅影响排水过程,容易发生洪涝,而且形成淮、海河强支弱干的水系结构,干流难以胜任汛期的洪涝压力。这种情况还加剧了可用的水资源在地域上的不平衡性。

河南的地下水资源在平原地区,特别是中北部,由于表层土壤质地较沙,坡降平缓,有良好的入渗和赋存条件,因此地下水资源较为丰富,相对弥补了地表径流贫乏的缺陷。但由于黄河泛滥形成的水文地质结构十分复杂,贫水的河间带有相当大的面积。

河南平原区的南部水资源较为丰富,中北部则地表水贫乏而地下水较为丰富。但因水资源最终来源于降水,而从降水数量看,中北部的地表和地下水源难以满足工农业的需要。山区则因山高坡陡、雨止水走、径流量虽大但要用之却不容易,又因地下水贫乏而极不均衡,所以山区的用水一向困难,人工造林的成活率和保存率都比较低。

二、河南林业生态环境存在的问题

(一)森林覆盖率低,人均占有森林资源少,森林资源地域分布不均,质量差

据 1998 年河南省森林资源连续清查,全省林业用地面积 378.64 万 hm^2,占全省土地总面积的 22.7%;有林地面积 209.01 万 hm^2,活立木蓄积量 13 167.55 万 m^3。全省森林覆盖率为 19.83%,其中有林地覆盖率 12.52%,灌木林覆盖率 3.46%,四旁树覆盖率 3.85%。有林地覆盖率相当于全国有林地覆盖率 16.55% 的 75.6%,相当于世界森林覆盖率 27% 的 46.4%,在全国排名 21 位,与周围省份相比,仅高于江苏(4.51%)和山西(11.72%),而低于

山东(12.58%)、安徽(22.95%)、湖北(25.98%)、陕西(28.74%)。全省林业用地面积、活立木总蓄积、有林地面积、林分面积、林分蓄积分别在全国排22位、18位、20位、21位、23位,属于少林省份。全省人均有林地面积0.022hm^2,相当于全国人均占有量0.128hm^2的17.2%,只有世界人均占有量0.6hm^2的3.7%;人均活立木蓄积1.403m^3,只有全国人均蓄积9.048m^3的15.5%,仅有世界人均占有量72m^3的1.9%。

全省森林资源主要分布在伏牛山区,其林业用地占全省的73.5%,有林地占71.8%,活立木蓄积占56.7%;立地条件较差的太行山区,其林业用地只占全省的10.6%,有林地占6.3%,活立木蓄积占9.3%;纯平原区虽然林业用地和有林地不多,但因四旁树多,活立木蓄积占24.7%。以市为单位按山系分,太行、伏牛、大别山区和纯平原的资源分布详见表2-9。

表2-9　　河南省森林资源按山系分布表

(单位:万hm^2、万m^3、%)

类别	省合计	太行山区(5市)	伏牛山区(7市)	大别山区(1市)	纯平原(5市)
林业用地面积	378.64	40.07	278.28	49.69	10.60
比　例	100.0	10.6	73.5	13.1	2.8
有林地面积	209.01	13.11	150.10	36.81	8.99
比　例	100.0	6.3	71.8	17.6	4.3
活立木蓄积	13 167.55	1 218.08	7 460.20	1 229.97	3 259.30
比　例	100.0	9.3	56.7	9.3	24.7

注　太行山区包括安阳、鹤壁、新乡、焦作、济源5市;伏牛山区包括洛阳、三门峡、平顶山、南阳、郑州、许昌、驻马店7市;大别山区包括信阳1市;纯平原包括濮阳、开封、商丘、周口、漯河5市。

在全省 18 个市中,森林资源主要分布在洛阳、三门峡、南阳、信阳 4 个市中,其有林地面积占全省的 76.8%。

全省幼、中龄面积 136.86 万 hm^2,占林分面积的 91.4%,林分低龄化现象严重。全省林分中,成、过熟林面积小,可采资源贫乏,其面积为 6.28 万 hm^2,占林分面积的 4.2%;蓄积量 455.81 万 m^3,占林分蓄积量的 8.7%。在用材林中,成、过熟林面积仅有 3.22 万 hm^2,占用材林面积的 3.2%;蓄积量 195.81 万 m^3,占 6.1%。森林资源质量不高,单位面积蓄积量较低。全省林分平均每公顷蓄积量为 34.13m^3,相当于全国平均水平 78.06m^3 的 43.7%;用材林平均每公顷蓄积量为 32.12m^3,相当于全国平均水平 72.05m^3 的 44.6%;人工林林分平均每公顷蓄积量为 28.40m^3,相当于全国平均水平 34.76m^3 的 81.7%。全省林分平均郁闭度为 0.5,接近于全国平均水平 0.54,郁闭度 0.2 ~ 0.4 的林分面积占林分总面积的 32.5%。这些指标均远远低于世界发达国家水平。

(二)造林保存率低,荒山面积大,水土流失和风沙危害加剧

据 1998 年河南省森林资源连续清查,全省 1993 ~ 1997 年的 5 年间共上报人工造林 87.19 万 hm^2,转变到有林地和未成林造林地的只有 13.39 万 hm^2,占 15.36%。1993 年的 7.58 万 hm^2 未成林造林地,只有 4.19 万 hm^2 转变到有林地,保存率只有 55.28%。可见河南省人工造林保存情况并不理想,人工造林地返荒现象严重。

全省尚有 90.86 万 hm^2 的宜林荒山需要绿化,有 67 万 hm^2 的坡耕地需要有计划、有步骤地退耕还林。按全省每年人工造林和飞播造林面积 20 万 hm^2 计算,造林任务仍然相当艰巨。主要表现在一方面人工造林保存率低,返荒现象严重;另一方面现在剩余的宜林荒山大多数分布在边远山区,山高坡陡,立地条件差,造林难度很大;另外,再加上每年采伐、不合理经营等还要新增一部分荒山荒地。

全省水土流失严重。全省现有水土流失面积 346.31 万 hm^2，约占全省山丘区总面积的 44.1%，每年新增水土流失面积 1.6 万 hm^2。全省每年土壤流失量达 1.2 亿 t，相当于损失掉 2.4 万 hm^2 的耕地。流失掉的土壤中氮、磷、钾养分含量折合成标准肥约 100 万 t，比全省山区每年施用的化肥总量还要多。豫西黄土丘陵区每年因沟蚀毁减耕地 3 万 hm^2。水土流失的加剧，又使河道、水库淤积越来越严重。黄河流域的伊河、洛河、沁河河床已较 20 世纪 50 年代抬高 1.8m 左右，淮河流域的沙河等河床已抬高 0.9～2.25m。众多的水库由于泥沙淤积，已丧失有效库容 40%左右，其中仅陆浑、白沙、薄山、昭平台 4 座大型水库近年来已淤积 1.1 亿 m^3，相当于失去一座大型水库。陕县的红旗水库总库容 150 万 m^3，建成后运行不到 3 年就全部淤平。

全省风沙危害加剧。20 世纪 50 年代全省有沙漠化土地 128.9 万 hm^2，其中流动沙地 34 万 hm^2，经过 50 年的植树造林，沙区的自然生态环境有了很大改善，大部分流动、半流动沙丘(地)被固定，大量沙荒被改造成为良田。90 年代，在市场经济的冲击下，一些领导和群众忘记了沙区的悲惨历史，受眼前经济利益的驱使，砍掉防风固沙林、农田林网，推平已经固定的沙丘等，搞所谓的“开发”，结果造成了风沙再起。中牟县仓寨乡 1992 年推平 600hm^2 固沙林地搞“万亩开发”，栽植的林网全部死亡，导致风蚀严重，原有的丘间良田全部沙化，路两侧的排水渠大都被流沙填平；造田当年种植的 40hm^2 苹果，3 年生树高仅有 70～90cm，新梢 10cm；1993 年种的荞麦基本绝收。开封县杏花营农场北、西两边 300 多公顷固定、半固定沙丘(地)，1994 年被“黄淮海开发项目”推平后，无林木覆盖，表土被风蚀 30cm，郑汴公路被流沙掩埋，农场墙外堆沙高 2.5m 并已进入院内。1993 年，开封县杏花营乡、仙人庄乡和杏花营农场进行大面积开发，路两侧开挖的几十公里河渠，大部分被风沙填平；杏花营铁路以北 8 000 多公顷花生，1994 年连种两次，仅种子一项就损失 15 万 kg 之多。开封县沙区乡(镇)202 个行政村中,因不合理开发利用,有 140 个村再次受风沙危害。全省流动、半流动沙丘(地)1988 年为 0.36 万 hm^2,1993 年增加到 2.9 万 hm^2,1995 年增加到 4.09 万 hm^2,1999 年达到 5.2 万 hm^2,11 年增加了 13 倍多。1995 ~ 1999 年 4 年间全省沙区有 2.47 万 hm^2 防风固沙林被毁林种田,使生态环境遭到严重破坏。

(三)平原地区农田林网稳定性较差

河南平原绿化从新中国成立到现在，在各级党委、政府的积极重视和正确领导下，经过 50 多年的不懈努力，经历了以营造防风固沙林为主的平原绿化开始阶段，“四旁”植树为主的平原绿化初期阶段，农田林网为主体的平原绿化高潮阶段，多林种、多类型相结合的平原绿化体系阶段，以科学规划、合理配置建立平原农区综合防护林体系和平原林业产业体系为标志，城乡绿化一体化发展的高级平原绿化阶段等共 5 个阶段，取得了令人瞩目的成就。到 1991 年 10 月，全省 94 个平原、半平原、部分平原县（市、区）全部达到部颁平原绿化标准，被全国绿化委员会、原林业部授予“全国平原绿化先进省”称号。平原林业的发展，给河南平原地区带来了巨大的生态效益、经济效益和社会效益。但是，平原绿化达标后，部分地区领导认为可以松一口气了，放松了对平原绿化的领导和管理，加之土地调整、树种结构单一、病虫害严重、林木进入更新期等原因，致使平原农田林网的林木破坏严重，平原绿化有一定程度的滑坡。为了巩固平原绿化成果，实现平原林业的可持续发展，省政府对全省达标后的平原绿化建设确立了“巩固、完善、提高、创新”的发展方针，并加大了监督检查力度。从 1991 年起每年抽出一定的县（市、区）对平原绿化情况进行复查，对平原绿化滑坡严重的县（市、区），由省政府进行通报批评或黄牌警告。据统计，从 1991 年到 2000 年先后复查了郸城、杞县、宁陵、遂平、鹿邑、虞城、襄城、禹州、汤阴、尉氏、上蔡、濮阳县、武陟、郾城、新郑、新乡县、长垣、封丘、南阳市宛城区、孟州、平顶山市新华区、邓州、清丰、兰考、夏邑、扶沟、舞阳、许昌县、内黄、浚县、开封县、平舆等共32个县(市、区),其中农田林网与农林间作(简称林网间作)控制率达部颁标准(≥85%)的只有宁陵、尉氏、新乡县、孟州、清丰、夏邑、舞阳、许昌县等8个县(市),其余24个县(市、区)不达标,不达标率高达75%。林网间作控制率在40%以下的有7个县(市、区),分别是邓州(8.7%)、郾城(15.3%)、平顶山市新华区(24.1%)、濮阳县(24.3%)、汤阴(26.5%)、平舆(33.6%)、上蔡(37.0%)。郸城、杞县、遂平、虞城、襄城、禹州、濮阳县、郾城、新郑、长垣、封丘、南阳市宛城区等12个县(市、区),经过两次复查达到了部颁标准;汤阴、武陟两个县经过3次复查达标;邓州市经过两次复查仍未达标,2000年复查,林网间作控制率仅为35%。据1998年全省森林资源连续清查,全省75个平原县(市、区)有农耕地614.93万 hm^2,其中适宜林网间作面积614.77万 hm^2,已实现林网间作面积326.19万 hm^2,林网间作控制率为53.1%。各市地也很不平衡,周口市合格林网间作控制率为86.85%,而洛阳市只有7.34%,鹤壁、南阳、平顶山、焦作、驻马店、漯河等市的合格林网间作控制率都在40%以下,分别为27.55%、28.18%、34.15%、35.81%、36.14%、37.55%。由此可以看出,全省平原绿化的滑坡现象还没有得到基本控制。据1998年全省森林资源连续清查,全省75个平原县(市、区)活立木蓄积5 872.52万 m^3,占全省活立木蓄积的44.60%。在活立木蓄积中,林分蓄积492.60万 m^3,占8.39%;疏林蓄积13.70万 m^3,占0.23%;散生木蓄积44.01万 m^3,占0.75%;四旁树蓄积5 322.21万 m^3,占90.63%。说明平原农田林网是河南省森林资源的重要组成部分,在全省森林资源中占有重要的位置。因此必须下大力气,扭转平原绿化滑坡的局面,保障全省林业持续快速健康地发展。

(四)自然灾害频繁,危害严重

河南省是全国三大自然灾害高发区之一。主要灾害类型有干旱、暴雨洪涝、干热风、地震、冰雹、霜冻、风沙、盐碱等。其中以干旱、暴雨洪涝、干热风最为严重。

1. 干旱灾害发生越来越频繁,危害严重

干旱历来是河南重要的自然灾害。在历史文献中,不乏“赤地千里,川竭井枯,百谷无成,野无寸草”的记载,这些记载真实反映了河南大旱年份的悲惨情景。据历史资料统计,自公元前2世纪至公元13世纪的1 500年中,河南计有旱年324年,大旱年112年,特大旱年5年,合计干旱年份441年,干旱发生频率为29.4%。据肖廷奎等人对河南历史资料的分析,在元、明、清三个朝代的654年中,共有旱年305年,大旱年52年,特大旱年38年,合计干旱年份395年,干旱年发生频率为60.4%。新中国成立以前的半个世纪中,曾出现了1920年、1929年、1936年、1941~1943年的特大旱年,其中尤以1942年的旱情最甚,河南大地哀鸿遍野,路有饿殍,树皮吃尽人相食。干旱波及全省50多个县,干旱面积约400万hm^2,饿死300多万人。新中国成立以来,全省大规模地开展了兴修水利、水土保持、植树造林等工作,使抗旱能力有了很大提高,但干旱的严重威胁依然存在。据统计,从1950~1999年的50年间,河南省共发生年成灾面积66.67万hm^2以上较大的干旱年份22年,分别是1959~1962年、1965年、1966年、1978年、1980~1982年、1985~1988年、1991~1997年、1999年,干旱年发生频繁为44%。从成灾面积看,50年代、60年代、70年代、80年代、90年代的年均成灾面积分别为23.24万hm^2、77.53万hm^2、47.64万hm^2、177.80万hm^2、193.60万hm^2。由此可以看出,80年代与90年代干旱较为严重,干旱发生的频率越来越高,成灾面积越来越大。河南省旱灾的成灾率明显高于全国,据统计,全国1956~1986年的年均旱灾成灾率为37%,而河南省为65.7%,比全国高28.7个百

分点。干旱给河南省农业生产造成了极大的危害。1959~1961年连续三年特大干旱,累计受旱面积达519.7万hm^2,使全省秋粮累计减产78.75亿kg。1960年全省非正常死亡2.2万人。在1978年大旱中,全省干旱天数在100d以上,其中豫北地区干旱期长200多天,秋粮因旱减产3成左右的有79.7万hm^2,旱情之严重为近百年所少见。1986~1988年为新中国成立以来最干旱的三年,尤以1986年最干旱。1986年秋粮产量比1983年减产46.45亿kg,秋粮单产每公顷仅2 070kg,全省受旱面积533.3万hm^2,成灾面积414.4万hm^2,200多万人、50万头牲畜饮用水困难。1991~1992年特大干旱期间,春降雨量与历史上最干旱的1942年同期相比还少35.4mm。受旱面积475.7万hm^2,致使83个县811个乡中的290万人和近百万头牲畜饮水困难,旱情严重程度超过1942年。2001年春季,河南省大部分地区80多天没有效降水,全省平均降水量仅21.3mm,较往年同期偏少81%。全省受旱面积366.7万hm^2,严重干旱200万hm^2,236万人、60万头牲畜饮用水困难。据统计,1959~1999年的50年中,河南每年平均干旱成灾面积达103.96万hm^2,可见干旱灾害之重。

2. 暴雨洪涝灾害发生频繁,危害严重

暴雨也是河南的一种重要的农业灾害。河南暴雨一般出现在6~9月,集中在7~8月。暴雨常引起洪涝灾害,使农作物减产并冲毁土地、堤坝和农田水利工程,给人民生命财产造成巨大损失。河南省是全国洪涝灾害发生频发省份。据资料记载,自公元前2世纪至公元13世纪的1 500年间,计有涝年294年,大涝年144年,特大涝年15年,雨涝年份合计453年,洪涝年发生频率为30.2%。在元、明、清三代的654年中,出现涝年302年,大涝年214年,特大涝年9年,雨涝年份合计525年,洪涝年发生频率高达80.3%。新中国成立前的半个世纪中,河南省曾出现过1911年和1931年两次特大洪水,其中1931年的特大洪水波及全省82个县,有13万人、33万头牲畜和333.3万 hm^2 耕地被洪水淹没。此外，1933年的黄河大洪水以及1938年的花园口决溢事件，也均给河南省带来了沉重的灾难。新中国成立后，虽然情况有所好转，但发生较大和特大洪涝灾害的频率仍然较高。据统计，从1950~1999年的50年间，河南省共发生年成灾面积66.67万 hm^2 以上较大的洪涝年份19年，分别是1953年、1954年、1956年、1957年、1963~1965年、1975年、1976年、1979年、1980年、1982~1985年、1989年、1991年、1996年、1998年。洪涝年发生频率为38%。从成灾面积看，50年代、60年代、70年代、80年代、90年代的年均成灾面积分别为81.77万 hm^2、96.10万 hm^2、51.97万 hm^2、97.56万 hm^2、70.45万 hm^2。河南省洪涝成灾率明显高于全国。据统计，全国1979~1986年的成灾率为53.8%，而河南省为76%，比全国高22.2个百分点。暴雨洪涝灾害给河南省的工农业生产和人民生命财产造成了巨大的损失。河南省水灾破坏性最大的一次是震惊中外的“75·8”特大暴雨和洪涝灾害。1975年8月上旬，河南省西南部的驻马店、南阳、许昌市出现了历史上罕见的特大暴雨，造成淮河上游的洪河、沙颍河水系和唐白河水系发生特大洪水。河水猛涨，漫溢决堤，并使板桥和石漫滩两座大型水库相继垮坝，高达10余米的洪水直冲下游，淹没耕地113.3万 hm^2，冲毁房屋560万间，并使8万多人和49万头牲畜死亡。京广铁路有102km被大水冲毁，运输中断48d。洪水还使两个滞洪区、两座中型水库及58座小型水库相继失事，使河堤决口2 000多处，漫决总长度810km。这次特大洪水仅对驻马店、许昌两地区就造成50亿元的直接经济损失；如果加上铁路中断造成工厂停产、减产的间接损失，则总损失可超过300亿元。1991年河南省淮河流域的雨涝灾害，受淹面积113.3万 hm^2，夏粮减产50%~60%，损失粮食15亿kg，受灾人口900多万，有3 000多个村庄被洪水围困，塌房9万多间，损房19.44万间，造成直接经济损失40多亿元。据统计，1950~1999年河南省每年平均洪涝成灾面积达 79.57 万 hm^2。由此可见,洪涝灾害一直是困扰河南经济发展的主要灾害。

3. 干热风危害较为严重

干热风俗称"火风"、"热风"。一般在春末夏初出现。此时正值小麦灌浆到乳熟阶段,对小麦生长发育危害极大。在干热风侵袭下,小麦植株青枯、早熟、千粒重降低,造成小麦大幅度减产。河南平原各地每年都有不同程度的干热风发生,以豫东、豫北平原最为严重,少者 10 年 2~5 次,多者 10 年 6~8 次。就全省来看,干热风发生几率由南向北、自西向东有逐渐递增之趋势。轻度干热风出现的几率较多,而重度干热风出现几率较少。重度干热风以沙河以北、京广线以东出现较多,平均 3~4 年一次。安阳、新乡、开封、商丘等市年平均干热风日数达 6~8d。据估算,小麦受干热风危害的地区,轻者要减产 5%~10%,严重年份可达 20%~30%。如 1979 年 5 月 24~30 日,河南省不少地区受重干热风危害,据河南省农科院对小麦品种郑州 761 千粒重的田间试验测定,千粒重比未受干热风危害的 1977 年降低 15.1g,一般大田也下降3~5g。当年许多县因干热风危害小麦减产 20%以上。农谚中有"麦怕四月(农历)风,风过一场空"的说法,充分说明干热风对小麦危害的严重性。

旱涝及干热风灾害也对河南省林业生产产生了一定的危害。频繁发生的严重干旱,严重影响了河南省造林的成活率和保存率,并且容易发生森林火灾和森林病虫害。如 1986 年仅鲁山县就发生森林火灾 30 起,1987 年 7 月中旬以后,泡桐大袋蛾大量滋生,全省受害泡桐近 1 亿株,部分地区杨树虫害也很严重。1984 年夏季多雨,使得周口、许昌淹死苗木 1.33 万 hm^2,周口市淹死泡桐3 000 万棵。干热风严重地区,侧柏、油松等苗木死亡率可达 50%以上,沙性土苗圃受干热风影响造成苗木枯死率更高。

预防旱、涝、干热风灾害的主要措施是大力植树造林、营造农田林网、提高森林覆盖率，同时要加强农田水利基本建设。

（五）环境污染严重

1. 水环境污染仍很突出

1999 年，省辖黄河、淮河、海河、长江 4 大水系 111 个监测断面中，仅有 27.02%的河段达到或优于地面水环境质量Ⅲ类标准，62.7%的监控断面水质劣于Ⅳ类，其中超过Ⅴ类断面的有 63 个。按污染综合指数评价，四大水系污染程度由重到轻依次是黄河水系、海河水系、淮河水系、长江水系。流经 18 个城市的 22 条河流中的 83.38%的监控断面水质超出Ⅳ类标准；城市中的湖泊和部分水库呈中度污染，富营养化程度加剧。郑州市的西流湖中段和尖岗水库中段、开封市的包公湖和龙亭湖、驻马店市的宿鸭湖水库、周口市的淮阳城湖等水质超过Ⅴ类标准；城市地下水和地面水饮用水源水质也受到不同程度的污染，郑州、新乡等城市的饮用水源不少时段已经不符合国家生活饮用水源水质标准要求，黑河、洪河、蟒河、永通河等重污染河流两岸部分村庄及项城市丁集镇等污染集中区域的浅层地下水已经明显变色变味。污染的方式由单纯的工业污染转为混合型，生活污水成为水污染的重要方式，全省生活污水所占比重已达 53.7%。

2. 城市污染仍十分严重

空气污染总体上仍以煤烟型污染为主，部分大中城市出现煤烟—机动车尾气混合型污染，全省多数城市空气环境处于较重的污染水平，50%左右城市空气环境质量劣于三级标准。1998 年河南省约 73.3%的城市总悬浮微粒、13.3%的城市二氧化硫、26.7%的城市氮氧化物超过国家二级标准，同时受高空风沙尘和季风区多主导风向的影响，给空气污染治理带来一定难度。洛阳、南阳、平顶山等市已经出现酸雨，其中，洛阳市的酸雨百分率已达 10.7%。在有关国家组织公布的十大污染城市中，河南省焦作、开封等名列其中。历年累计工业固体废物堆存量达 26 369 万 t，占地 2 150 万 m^2。全省城市垃圾处理厂建设滞后，垃圾围城现象比较普遍。每年约有 30%的垃圾未经处理，其余经过处理的也大都是简单填埋。另外，环境噪声扰民现象和电磁辐射污染有逐年升高趋势。

3. 农业生产污染日渐加剧

在农业生产活动中，农药、化肥、地膜的使用，畜禽养殖业的发展以及传统的灌溉方式，在发挥其积极作用的同时，也产生了大范围的环境问题。据统计，全省年化肥用量约 1 500 万 t，农药施用量约 5 万 t，平均每公顷 7.5kg。大量的和不科学的农药、化肥的使用，造成农用化学物质的流失浪费，流失率达 60% ~ 70%，它一方面造成水体污染；另一方面污染土壤，造成土地质量下降；另外，部分有毒物质进入农副产品（包括蔬菜、瓜果、畜禽及其制品），造成农副产品品质下降，并危害人体的健康。据调查，河南省农田、菜地，特别是商品粮基地县的土壤重金属和全盐量均有不同程度的检出和超标。河南省主要粮食品种水稻、小麦、玉米，主要蔬菜品种、禽类等，其重金属和残留农药也均有检出，有些指标超标严重，达到重污染程度。畜禽养殖业的发展（包括渔业发展），由于量大面广、规模小、布局不合理，也造成大范围的面源有机污染。据了解，河南省每年生猪出栏为 3 100 万头，牛 400 万头，还有大量的鸡鸭养殖，每年产生了大量的粪便。这些养殖场（户）大部分未按要求建设粪便处理设施，仅作简单处理就直接做肥料或排放，其产生的恶臭污染和水体污染已成为农村生活、生产不可忽视的环境问题。大量废弃农膜残留形成的“白色污染”也很普遍，目前使用地膜的土壤，地膜年平均残留率已高达 20%，造成土壤质量下降。传统的大水漫灌方式，不仅极大地浪费了宝贵的水资源，而且由于农灌退水而将过量施用的农药、化肥带入地面水体，形成严重的水源污染。每年大量的农田秸秆被焚烧，不仅损失了大量的氮、磷、有机质，而且烧毁林木，造成了大气环境污染。此外，乡镇企业生产排放的大量的废水、废气，矿产资源的盲目无序开采造成的水土流失及排放的大量的废水等，都造成了严重的环境污染和生态破坏。

（六）开发与保护失调

1. 毁林开垦、乱占林地、乱砍滥伐严重

1998年，为贯彻国务院下发的《关于保护森林资源制止毁林开垦和乱占林地的通知》，对全省森林资源进行了清理清查。清查结果，全省毁林开垦林地11.21万hm^2，集体林地占95.8%，国有林地占4.2%。重大毁林开垦林地422起，毁林面积1.01万hm^2，其中集体林占85.5%，国有林占14.5%。破坏森林资源的案件呈上升趋势，特别是破坏森林资源的大案要案增多。1999年全省林业刑事案件发生率比1998年上升了10.1%，其中重大案件发生率上升了35%。1999年9月，国土资源部、监察部和国家林业局联合对河南省乱占林地情况进行了检查，从反馈结果看，河南省征占林地审核率很低。据1999年清理清查，全省有0.53万hm^2国有林地被群众侵占或抢占。1998年河南省林业厅对西峡等12个县1997年度森林采伐限额执行情况进行了核查，12个县年采伐总量为231 178m^3，无证采伐量达到108 376m^3，占46.9%。

2. 培植香菇等食用菌对栎树资源造成毁灭性破坏

麻栎、栓皮栎等栎类树种是河南省森林资源最重要的树种，活立木蓄积量占全省的20.4%，林分面积和蓄积分别占全省林分面积、蓄积的47.8%、47.5%。栎类树种也是构成河南省天然林的主要树种，生长缓慢、人工造林困难，主要分布在河流源头和山高坡陡、土层脊薄的地方，具有重要的水源涵养和水土保持作用。近几年来，一些县（市）不顾本地的栎类资源状况，一个县一年发展8 000万～9 000万甚至上亿袋袋料香菇，给栎类资源造成了毁灭

性的破坏。有些县已经很难找到可做段木培养香菇的栎树，只好把几年生的小栎树破坏，磨成末进行所谓“袋料”栽菇，造成大量乱砍滥伐。据1998年全省森林资源清查，全省栎类消耗量达181.83万m^3，占林分消耗量的46.48%。全省栎树资源逐年减少，据1988年和1998年两期省级森林资源清查，全省10年间，栎类树种林分面积略有上升，总蓄积呈下降趋势。从树龄阶段分析，幼龄(1~20年)林分面积上升20.5%、蓄积上升17.5%；中龄以上林分面积由21.61万hm^2降到16.28万hm^2，下降18.0%，其中近、成、过熟林分资源基本枯竭。据调查，卢氏县11年间，栎类树种中龄(21~30年)以上林分面积减少1.65万hm^2，蓄积减少127.3万m^3，分别降低90.4%和90.1%；西峡县11年间，栎类树种中龄以上林分面积减少4.81万hm^2，蓄积减少276.5万m^3，分别降低80.5%和75.4%。1997年西峡县年木材消耗量高达370 547m^3，培植业用材占98.8%；在培植业用材中用于香菇培植的达到35万m^3，其他如卢氏、内乡、泌阳等县也存在类似情况。

3.森林资源消耗量上升，林分低龄消耗严重

据1998年全省森林资源清查，全省年均消耗量1 335.53万m^3，虽然比年均总生长量1 591.81万m^3小256.28万m^3，但比1993年清查的年均消耗量1 220.82万m^3增加114.71万m^3，其中林分蓄积年均消耗量391.22万m^3，比1993年清查增加120.08万m^3。在林分各龄组消耗量中，幼、中龄林消耗量351.28万m^3，占89.79%；近、成、过熟林消耗量39.94万m^3，占10.21%，说明林分低龄消耗相当严重。

(七)林业投资与需求矛盾突出

1990年以来，预算内林业投资总量逐年增加，“九五”期间，中央和省级下达预算内林业基本建设投资3.1亿元，为“八五”投资的4.2倍；财政专项资金4.3亿元，为“八五”投资的2.9倍；4项贴息贷款计划6.4亿元，比“八五”增长4.2倍；利用外资折合人民币

1.2亿元,为“八五”的1.7倍,年均投资3亿元。但与实际需要仍有较大差距,林业建设的主战场是经济欠发达的山区、沙区,但有限的投资不是严格按照生产计划下达的,而是过分考虑和照顾地区平衡,使投资重点不突出,不同程度地制约了林业工程建设的质量和进程。虽然全省用材林、经济林发展很快,但由于投资不足,管理、技术培训滞后等,出现部分经济林该投产的没投产,该丰产的没丰产,形成新的低产园。根据《河南省林业发展第十个五年计划》对“十五”期间全省林业投资需求测算,年均投入为29.92亿元,投资供求矛盾仍然十分突出。

(注:本章第一节由方保华编写,第二、三节由光增云编写)

主要参考文献

1 时子明. 河南自然条件与自然资源. 郑州:河南科学技术出版社,1983

2 魏克循. 河南土壤. 郑州:河南科学技术出版社,1979

3 魏克循. 河南土壤地理. 郑州:河南科学技术出版社,1995

4 河南省林业勘察设计院. 河南省立地分类与造林典型设计. 郑州:河南科学技术出版社,1988

5 河南森林编委会. 河南森林. 北京:中国林业出版社,2000

6 宋朝枢. 鸡公山自然保护区科学考察集. 北京:中国林业出版社,1994

7 宋朝枢. 宝天曼自然保护区科学考察集. 北京:中国林业出版社,1994

8 宋朝枢. 伏牛山自然保护区科学考察集. 北京:中国林业出版社,1994

9 宋朝枢,瞿文元. 董寨鸟类自然保护区科学考察集. 北京:中国林业出版社,1996

10 宋朝枢,瞿文元. 太行山猕猴自然保护区科学考察集. 北京:中国林业出版社,1996

11 河南省林业厅野生动植物保护处. 河南黄河湿地自然保护区科学考察集. 北京:中国环境科学出版社,2001

12 郑作新,等. 世界鸟类名称. 北京:科学出版社,1986

13 卢炯林,王磐基．河南省珍稀濒危保护植物．开封:河南大学出版社,1990
14 丁宝章,王遂义,等．河南植物志(1～3册)．郑州:河南人民出版社,1981～1987
15 李润田．河南农业的可持续发展．郑州:大象出版社,1999
16 河南省统计局．河南省统计年鉴．北京:中国统计出版社,1992～2000
17 李润田．河南自然灾害．郑州:河南教育出版社,1994
18 张震宇,等．河南自然灾害及对策．北京:气象出版社,1993
19 时振谦．河南可持续发展研讨．郑州:中原农民出版社,2000
20 河南省人民政府．河南省林业生态工程建设规划．河南林业,2000(1)
21 牛红星,等．河南省猛禽的调查．动物学杂志,2002(1)

第三章　森林的生态功能

近一个世纪以来,在人口、资源、环境和经济发展之间产生了一系列尖锐的矛盾,主要表现在人口爆炸、资源枯竭、粮食短缺、生物多样性减少、臭氧层破坏、气候变暖、土壤荒漠化等生态灾难方面,这已经严重影响到人类的生存和世界经济的发展。如何保护资源和环境,保护人类赖以生存的地球,实现社会、经济的可持续发展,已经成为世界的共识。森林作为地球陆地生态系统的主体,是实现自然生态系统和社会经济系统协调发展的重要纽带,以其在人口、资源、环境发展中的不可替代作用,引起全社会的普遍关注。以森林为经营对象的林业是生态系统建设的主要阵地,面对新世纪的来临和我国生态环境建设的艰巨任务,需要我们更全面、更科学地认识森林的功能和林业的地位及作用。

河南省地处暖温带和北亚热带的过渡带,地形地貌特征决定了平原和山地为主要特征,因而森林也可以分为山地森林和平原森林两大类型。关于森林的生态效应,河南省对山地森林和平原林业进行了长期的研究和探索,取得了许多研究成果。这些成果对生产起到了重要的指导作用,并逐渐形成了河南独特的林业经营形式。

第一节　森林的水文生态作用

森林和水是生态系统中最活跃和最有影响的两个因素。许多研究证明,森林在调节气候、涵养水源、保持水土、减洪滞洪、抗御旱涝灾害等方面具有独特的作用和巨大的生态效能。河南省在森林对降水、径流、蒸散、水源及水量平衡的研究方面都取得了大量的成果。

一、森林土壤的水文功能

森林土壤具有疏松、物理结构好、孔隙度高和较强透水性的特点。森林植被破坏后,凋落物减少,会影响到土壤微生物的活动和土壤的孔隙度等物理结构,从而影响到土壤渗透性和土壤的保土、保水能力。

(一)森林对土壤渗透的影响

土壤对水分的渗透性是森林水文特征的重要反映,土壤渗透能力主要决定于非毛管孔隙度,渗透性通常与非毛管孔隙度呈显著线性关系。土壤渗透的发生及渗透量决定于土壤水分饱和度与补给状况,不同的土壤类型和森林生态系统类型决定着土壤的渗透性能。森林破坏会降低根系的活动,加之凋落物层减少和土壤孔隙度降低,使土壤的渗水性能降低。研究表明,针叶林皆伐形成的草地的初渗率和稳渗率只相当于原始针叶林的 30% ~ 60%,大大地降低了森林土壤的渗透性能。森林砍伐后进行复植或耕作会增加土壤的渗透率,尤其上层土壤更是如此。森林破坏后,农耕土壤 0 ~ 30cm 土层渗透能力提高,但 30cm 以下土层渗透能力显著降低,这是由于表层的垦耕增加了土壤孔隙度,而底土层渗透性恶化,加之径流多,底土层补给水相应减少,深层渗透量减少所致。

森林土壤是涵养水源的主要场所,土壤蓄水量与土壤的厚度和土壤的孔隙状况密切相关,其中,土壤非毛管孔隙是土壤重力水移动的主要通道,与土壤蓄水能力更为密切,不同森林类型土壤的蓄水能力大相径庭。研究表明,阔叶林生态系统土壤孔隙度发育好,林地蓄水能力强,非毛管蓄水量在 100mm 以上;针叶林林地蓄水能力弱,非毛管蓄水量较低,多在 100mm 以下。森林植被破坏后，植物根系分布较浅，土壤孔隙，特别是非毛管孔隙明显减少，持水力下降，土壤蓄水量减少。森林植被破坏对土壤蓄水量降低的影响主要表现在 0～20cm 土层。

在同一森林群落内，土壤容重反映了不同层次之间的土壤结构和有机质含量的状况。由于表层土壤有机质含量高于下层土壤，尤其是林下枯落物丰富，有机质含量高，因此，其表层土壤的容重小于 $1g/cm^3$。在同类森林群落中，土壤总孔隙度大致随土层加深而逐渐减少。土壤毛管孔隙度随土层变化与总孔隙度变化较近似。说明森林植被能有效地改善土壤的结构，结构良好的森林群落能提高土壤的透气状况。土壤孔隙度的高低、孔隙度的大小及分布状况决定着土壤水分贮存的数量和水分的移动速度。

通过对各森林类型土壤水分的物理性质分析可知，森林具有改善土壤结构、促进团粒结构形成的作用，因此能增加土壤水分渗透的能力。河南农业大学通过对信阳南湾林场的 4 种森林类型调查表明（见表 3－1），以杉木林土壤水肥条件较好，土壤表层有机质含量较高，因而表层土壤孔隙度大，表层土壤的初渗速度明显高

表 3－1　　几种森林类型对土壤渗透速度的影响

森林类型	层次（cm）	渗透速度（mm/min）		渗流速度（mm/min）	渗透系数
		初渗	稳渗		
杉木林	0～10	21.6	13.6	15.7	4
	10～20	18.7	10.4	13.2	3
	20～30	12.1	8.1	10.1	3
松栎混交林	0～10	15.2	8.4	10.3	3
	10～20	14.7	6.5	9.5	3
麻栎林	0～10	12.3	4.4	7.5	2
	10～20	13.4	5.6	8.1	1
马尾松林	0～10	8.4	4.2	5.3	1
	10～20	12.5	5.7	7.6	1

于麻栎林和马尾松林,松栎混交林稍低于杉木林。根据土壤渗透性能和该地区降雨状况综合分析可知,多数降雨都能被森林土壤吸收,从而减少地表径流。土壤渗透速度在一定程度上反映了不同森林类型土壤的水分物理性质的差异。渗透率是随时间而衰减的函数,土壤渗透率最后趋于一个定值,即稳渗速度。

(二)森林枯落层的水文效应

土壤的表面覆盖着一层死地被物,其主要成分是苔藓及森林植物的凋落物,如枝条、茎、叶、花、果实、树皮和动植物的尸体等。枯落物对水土保持具有非常重要的作用,它不仅可以截留一部分降水,而且其覆盖在地表,减轻了雨滴对地表的直接溅击,阻延地表径流的产生和形成的时间,间接的作用是分解物为林木和微生物提供了养分,使根系生物量增加,提高土壤的抗剪性,改善了土体结构,增加了水稳性团聚体数量,从而起到水土保持的作用。不同的森林类型土壤和枯落层的持水能力是有差异的,从表 3-2 可知,这种差异与枯落物的数量、结构和分解速度有关。

表 3-2 不同森林类型枯落层的吸水能力比较

森林类型	面积 (hm^2)	土壤蓄水量		枯落层蓄水量		总蓄水量		枯落层自然含水量 (mm)	有效拦蓄量 (mm)
		(万 t)	(mm)	(万 t)	(mm)	(万 t)	(mm)		
杉木林	1 908.70	63.29	33.00	8.49	4.50	71.78	37.50	0.67	36.83
松栎混交林	37.10	1.07	29.00	0.08	2.10	1.15	31.10	0.26	30.84
麻栎林	55.80	1.93	35.00	0.09	1.60	2.04	37.10	0.15	36.95
马尾松林	1 984.90	57.02	28.70	1.61	0.80	58.63	29.50	0.15	29.35

注 土壤蓄水量 = $10^4(m^2)$ × 土层厚(m) × 非毛管孔隙度(%) × 容重(t/m^3)。

森林凋落物最大持水量是一个理论值,实际持水量还与降水量和森林的覆盖度有很大关系。森林砍伐会增加林内的光照和提高凋落层的温度,使凋落层分解加速,现存量降低,从而显著地降低凋落层的持水能力。

据对栓皮栎林测定(见表 3－3),栓皮栎枯落物在不同的浸水时段范围内,吸水速度并不相同,在 0～1h 内吸水速度最快,1～4h 内处于缓慢状态,4h 后吸水速度很小,在 0.02kg/(kg·h)以下,即枯落物吸水基本达到饱和状态。枯落物层次不同,吸水速度有规律变化,即 $A_0 < A_{01} < A_{02}$,也就是说已分解层吸水速度最快,半分解层次之,未分解层最小。不同层次的吸水持续时间长短也不相同,A_0 和 A_{01}层具有较长的吸水时间,A_{02}层吸水持续时间较短,在 4h 左右处于饱和状态。栓皮栎林不同层次的枯落物持水量和持水率也不相同,枯落物不同,分解层次持水率呈现规律性变化,A_{02}层最高,A_{01}层次之,A_0 层最低。这说明枯落物的分解速度影响枯落物的持水能力。

表 3－3　栓皮栎林枯落物吸水量

植被类型	枯落物层　次	现存量(t/hm^2)	最大持水率(%)	最大持水量(t/hm^2)	持水总量(t/hm^2)
栓皮栎林	A_0	2.47	306	7.55	13.40
	A_{01}	0.85	306	2.60	
	A_{02}	0.97	335	3.25	

注　A_0 未分解层,A_{01}半分解层,A_{02}已分解层。

可见,森林凋落物具有较强的持水能力,凋落层是巨大的水分蓄积库,能够提高森林的持水能力。凋落物对防止水土流失和涵养水源尤其重要,在水源林的管理中要特别注意保护好凋落物,同时还要促进林下灌草丛培育。

二、林冠截留降水

(一)林冠层使雨滴动能增强

雨滴动能决定降雨对地表土壤的冲蚀力。根据森林的降雨过程的研究，当林冠高超过 7m，降雨量超过 5mm 的情况下，林冠层就不能有效地降低降雨动能；当降雨量再增大，林内开始出现因枝叶汇集作用而产生的大雨滴，林内降雨动能亦随之增大，并超过同期林外雨的降雨动能。这就是暖温带森林等结构不良林分缺陷，特别是缺乏凋落物层内，均出现地表侵蚀的原因。同时说明，为保证森林的水土保持作用，必须保护林下的灌、草层，尤其是凋落物层，使雨滴不能直接冲击土壤，从而免除水蚀危害。

(二)林冠截留与降水量的关系

林冠截留是森林水文研究的热点之一。多年来国内外许多学者对此作了大量研究，现已清楚地划分为降雨过程中湿润林冠层的雨水蒸发和雨后林冠蓄水蒸发及树干蓄水蒸发。林冠截留量包括了林冠蓄水量和降雨过程中的水分蒸发，它是林冠截留降水功能的指标。因其不易测定，故可用公式反推。林冠截留量大小除受林分结构、树种、密度等的影响外，还受降雨量、雨强及雨前林冠湿润程度的影响。一般情况下，林冠截留量随林外雨量的增大而增大。这是因为最初的林冠降水，先截留在林冠表面，只有降雨量足够多时才会透过林冠降落到林下，故开始时林冠截留量随降雨量的增大而逐渐增大，但当截留率达到一定值后，降雨量再增加，截留量则几乎不再增加。目前，除获取大量有关林冠截留量和截留中的实测数据外，许多学者根据影响林冠截留的各种因子和林冠截留量的数量关系推导出降水截留的半经验和经验理论模型。大量的研究结果表明，林冠截留量与降水量存在极密切的正相关关系。据对河南西峡县栓皮栎林降水的观测(表 3-4)，降水量与截留量、透过水量关系表现为正相关关系，随着降水量的增加截留量也在增加。但是不同类型的森林，两者相关的线形是不同的，有的表现为极紧密的直线相关，有的则以幂函数关系。方差分析结果表明，不同森林类型之间林冠截留与降水的关系无显著差异。我国各类森林生态系统的林冠截留率的平均值为 17.16% ~

19.85%。森林砍伐引起森林覆盖度下降会导致林冠截留率降低。据统计,森林覆盖率每降低10%,林冠截留率平均降低3.0%左右。

表3-4　栓皮栎林冠截留与降水量的关系

测定时间(年·月)	降水量(mm)	截留		透过水		径流	
		(mm)	(%)	(mm)	(%)	(mm)	(%)
1998.6	99.6	23.24	23.23	71.47	71.76	4.98	4.91
1998.7	159.85	35.02	21.91	116.9	73.13	7.93	4.96
1998.8	254.15	59.09	23.25	182.92	71.97	12.14	4.78
1998.9	77.9	7.03	9.02	67.15	86.20	3.72	4.78
1998.10	5.9	1.14	19.32	4.48	75.93	0.28	4.82
1998.12	3	0.53	17.67	2.33	77.67	0.14	4.67
1999.4	32.5	5.41	16.65	25.5	78.46	1.59	4.89
合计	632.9	131.46	20.77	470.75	74.38	30.69	4.85

(三)林冠截留量与降水强度的关系

林冠截留量包括林冠吸附水量和降水过程中截留水的蒸发。林冠截留量的多少,主要取决于降水量和降水强度,并且和森林类型、林分组成、林龄、郁闭度等因素有关。根据引入的因子不同,可以定量地估计一次降水截留量的大小。

雨强对截留量的影响表现为降水强度大,截留量小(见表3-5)。这是因为雨强大,雨滴直径大,雨滴对树叶的冲击动能就大,从而影响截留量。另外,大雨常伴随着大风,当风吹树叶晃动时,被截于其上的雨水将合成为林内二次降水而下落,截留量便减小。降雨前林冠湿润程度对林冠截留量的影响表现为:林冠较干燥,则截留降水的能力就较强;反之,则较弱。

对栓皮栎林冠对降水的截留量研究表明(见表3-6),截留量随降水量的增加而增加。但其截留量不是无限的,而是逐步接近林冠的饱和截留量。据推测,郁闭度 0.58 的 18 年生栓皮栎林林冠的饱和截留量为 6.7mm 左右。林冠层的截留不仅和降水量有关,而且还和降水强度密切相关,如降水量 11.8mm,而降水强度为 15.7mm/h 时,截留量为 4.28mm,截留率为 36.27%;降水量 11.9mm,而降水强度为 23.8mm/h 时,截留量为 3.29mm,截留率为 27.65%。即在降水量相近条件下,林冠截留率与降水强度呈反比。

表 3-5　不同降雨强度下的透过雨量及林冠截留量　(单位:mm)

降雨量	5.2	5.3	5.9	4.7	4.3	4.4	4.7
雨　强	0.578	0.76	0.81	2.04	1.30	2.20	0.29
透过雨量	3.04	3.16	3.79	2.74	2.15	3.10	1.52
林冠截留量	2.16	2.14	2.11	1.9	2.15	1.30	3.18

注　表中雨强单位为 mm/h。

表 3-6　一次降水与林冠截留关系

林外一次降水量级(mm)	降水次数	林外降水量(mm)	林冠截留量(mm)	截留率(%)
1~5	9	3.05	1.09	35.74
5~10	6	7.19	2.18	30.37
10~15	5	12.9	3.64	28.23
15~20	1	19.5	5.23	26.8
20~25	1	22.85	5.68	24.86
25~30	3	28.27	6.65	23.44
35~40	1	34.9	6.50	18.62
55~60	1	55.4	6.7	12.09
60~65	1	62.8	6.7	10.67
70~75	1	74.4	6.7	9.01

(四)林冠截留量与树干茎流量

林冠截留和树干茎流是森林的重要水文生态功能,是森林蒸发散的组成部分。

树干茎流亦为林地土壤水分来源之一,其大小与降雨量有关。试验结果表明(见表 3-7),树干茎流在单次降雨中所占比例很小,且只有降雨大于 6mm 时绝大多数林木才会发生。经回归分析,树干茎流量与大气降雨量之间的关系为:

$$y = 0.0189x - 0.0494$$
$$R^2 = 0.9788 \qquad P \geqslant 6\text{mm}$$

表 3-7　不同降雨量下的树干茎流量　(单位:mm)

降雨量	1.3	2.0	2.5	3.3	5.3	5.9	6.7	7.5	7.9
树干茎流	0	0	0	0	0	0	0.07	0.11	0.15
茎流率(%)	0	0	0	0	0	0	1.04	1.47	1.90

(五)林内透过水量与降水量的关系

林内透过水量分为直接穿透水量和间接穿透水量。直接穿透水是指大气降水在穿过整个林冠到达地面的过程中,没有受到林冠枝叶的阻挡直接到达林地;间接穿透水是指大气降水在穿过整个林冠到达地面的过程中,至少受到林冠枝叶的一次阻隔。直接穿透水的化学成分和大气降水中的化学成分一样,其在林地的分布基本上决定于林冠的枝叶排列,而且和降水时的风向也有密切的关系。间接穿透水由于对枝叶的淋洗,增加了降水中的化学成分,其作用有两个方面:第一加速了林冠的养分归还,第二调节了大气降水。

三、森林与径流侵蚀力

暴雨径流对土壤的侵蚀力主要表现在三个方面:一是推离作

用,即当土壤颗粒的抵抗力小于径流的推力时,则使土粒随径流产生推移运动;二是悬移作用,水流在土粒的上下产生压力差具有向上的分速度时使土粒悬浮在水流中或产生跳跃;三是摩擦作用,不仅径流中的砂粒与地面摩擦可以带动地面的砂粒一起运动,而且径流本身对地面也存在极大的剪切力使地面发生剥蚀。

从径流对土壤侵蚀的机理和过程来看,径流侵蚀力的大小主要决定于径流的流量和流速。只要能有效地降低地表径流流速和流量,就能降低地表径流的侵蚀力和对泥沙的搬运能力。森林对地表径流和流量都有明显的降低作用。因为它对影响径流的糙度因子、径流深因子都有不同程度的影响,其中最重要的是增加了土壤蓄水量和地表糙度。森林防止土壤侵蚀的机理为:

(1)林冠及枯枝落叶层能拦截部分降水量,减少地表径流量,并且减弱雨滴对土壤表层的直接冲击,因而也就防止了地表土壤侵蚀,如面蚀、片蚀、细沟蚀等形式的出现。

(2)森林枯枝落叶层起着海绵和过滤泥沙的作用,对地表径流具有分散、滞缓、过滤和阻止土壤颗粒的流失,防止地表径流冲刷性侵蚀的作用,抑制各种面蚀及沟蚀的进一步发展。

(3)森林土壤具有良好的结构和较多的大孔隙,较高的水分渗透性,能够减少地表径流量及其流速。

(4)森林植物的根系,在土中网状般交织着,它固结土壤,防止滑落面的形成,加固斜坡和固定陡坡,极大地增强了土壤的抗剪强度,减少滑坡、泥石流和山洪的发生。

(5)森林地上部分及其根系为林地提供丰富的有机物,从而改善土壤结构,增强土壤抗侵蚀能力。

四、森林的蒸发散

蒸发散包括两个过程:蒸发是指林地土壤和植物枝、干、叶表面的水分蒸发,这是个物理过程。蒸腾是指森林中所有植物通过叶片气孔和皮孔散发出水分的生理过程。蒸发散是森林生态系统的水分循环中的主要输出项。由于在蒸发散过程中要消耗大量热能,因此,它又是森林生态系统热量平衡中主要的过程。这也是森林能调节局部温度和湿度的机理所在。

林分的蒸散耗水包括林冠截留蒸发、林木蒸腾、林地蒸发等,主要受蒸腾强度、叶量大小、蒸发面的水量状况及温湿度、土壤水分状况等的制约,是水量平衡要素中很难直接测定的因子。因此,常通过水量平衡公式:$E = P - R + \Delta W$ 确定其蒸散量的大小。根据平衡结果,森林的蒸散总量为同期降雨总量的70%。可见蒸散是整个系统中水分输出最重要的一项。由于林冠蒸发蒸腾及林地土壤蒸发等消耗了大量的水分,从而使径流量减少,降低了洪水发生的可能性;另外蒸散的大量水分也使林区及其周围的空气湿度相对较大,这对改善当地小气候环境、促进地方性降雨及调节林地径流均具有重要意义。

根据不同森林植被的变化或对比流域数据森林覆盖度对径流和蒸发散的影响数据分析,可知森林植被破坏引起森林覆盖度降低一般会导致径流量增加,蒸发散降低。这主要是由于森林砍伐后,降低了植冠层的蒸腾,使收入的水分增大,增加了产流量、河川径流,降低蒸发散。而在长江流域则出现相反的现象,森林砍伐导致流域产流量降低,蒸发散增加,蒸发散占降水量的比例增加。

森林生态系统结构复杂,对其蒸发、蒸散过程极难直接测定。通常采用水量平衡法、能量平衡法和水热结合法间接测算。对各主要森林类型的测算,它们的蒸发散与降水的比值多在40%～80%之间。

森林的蒸散量与叶面积密切相关,因此,通常森林群落的蒸散量与降水量的比值高于灌丛和草地。森林采伐后,庞大林冠消失,蒸散量亦随之下降。如松林蒸散量与降水的比值为84.1%,相邻采伐迹地灌丛、草地及杨柳幼林为71.4%,下降了12.7%。在高温地区,结构简单的森林群落其蒸散量远低于裸地。

五、森林对径流的影响

(一)森林减少地表径流的作用

降落到林地的雨水经过森林的各种作用之后,有一部分以径流的形式进入林区内的河流,构成水量平衡中的径流输出部分,它是林分水量平衡中水分输出的另一重要组成部分,同时也是河川水的直接补给源。林分中的输出径流可分为地表径流、壤中流及地下径流3种。森林阻滞地表径流的作用很明显,森林砍伐对径流量的影响是森林水文学长期以来关注的问题。我国从20世纪60年代开始也进行了大量的类似研究,也有一些学者对森林变化的影响进行了估计,但仍然与国际上的基本估计相去无几,不同地区森林植被变化对径流的影响幅度相差较大。这说明了森林植被变化的水文效应是一个非常复杂的问题,在不同地区只有进行具体分析才能把握森林的水文功能。

河南农业大学在西峡县研究了坡地农田、栓皮栎、灌木丛、板栗林等4种植被类型对降水径流的影响(见表3-8)。在观测期内4种植被类型的径流量和径流系数排序为:坡地农田>栓皮栎林>灌木丛>板栗林。径流量和径流系数的变化顺序与4种地类的植被盖度的大小排列顺序相反,即随着植被盖度的增加,地表径流减小。

(二)影响地表径流的相关因素分析

根据观测,降水间隔时间也是影响地表径流量的一个重要因素。以相临两次降水之间相隔的天数作为指标进行分析,降水量基本相同、降水时间间隔不同时,径流系数相差较大;降水间隔时间越长,地表径流系数越小。对同一地类来说,其原因是,降水间隔时间越长,其土壤的含水量越低,降水转化为土壤水的部分就越多,因而产生的地表径流可能就越少。降水间隔时间越小,土壤水分饱和，地表径流大，径流量和径流系数就越大。

表 3-8　不同植被类型减少径流的作用

降水量(mm)	降水强度(mm/h)	农田		灌木丛		栓皮栎林		板栗林	
		径流量(mm)	系数(%)	径流量(mm)	系数(%)	径流量(mm)	系数(%)	径流量(mm)	系数(%)
21.8	29.01	1.250 0	5.73	0.583 1	2.67	1.546 2	7.07	0	0
26.0	13.00	1.260 0	4.85	0.404 7	1.56	1.206 3	4.64	0.114 3	0.44
19.5	3.25	0.420 0	2.15	1.203 1	6.17	0.122 3	0.63	0	0
29.6	17.62	1.980 0	6.69	0.437 5	1.48	2.226 6	7.52	0	0
28.7	3.02	0.410 0	1.43	0.123 6	0.43	0.554 4	1.94	0.057 2	0.20
13.7	18.30	3.250 0	23.72	0.889 2	6.49	1.169 6	8.54	0.292 7	2.14
39.4	17.50	2.920 0	6.41	0.723 0	1.84	3.098 9	7.87	0.083 5	0
13.5	4.50	0.190 0	1.41	0.103 9	0.77	0.437 1	3.24	0	0
62.8	6.98	8.820 0	14.02	6.453 0	10.28	9.175 4	14.61	1.818 0	2.89
13.6	13.60	0.070 0	0.51	0.007 0	0.05	0.098 8	0.73	0	0
50.2	3.14	2.530 0	5.04	0.435 3	0.87	2.634 0	5.25	0	0
74.6	7.83	12.410 0	16.68	9.795 5	13.17	9.734 5	13.08	0.519 4	0.70
393.4		35.51	9.03	21.158 9	5.38	32.004 1	8.14	2.851	0.73

(三)地表径流量与降水强度的关系

当降水强度小于土壤水分下渗速度时，降水能全部转化为壤中流或下渗，随着降水时间的延长，土壤水蓄满之后，才产生地表径流。当出现短时大强度降水，且降水强度大于土壤水分下渗速度时，产生的地表径流为超渗产流。

据观测，4 种植被类型土壤的稳渗透速度均大于 9.01cm/h，产生地表径流的最小降水强度为 3.1cm/h，最大降水强度为 15.01cm/h。这说明在土壤持水未饱和的情况下，降水能全部被吸收而不产生地表径流；只有土壤持水达到饱和以后才会产生地表径流,且随降水强度的增大而增大;3次降水量基本相同,但降水强度不一样,径流系数就相差悬殊。地表径流量和降水量、降水强度、降水时间间隔、降水时间以及植被覆盖度有较密切关系。为了减少地表径流,人为可调控的措施就是合理利用各类植被,提高水土流失区的植被覆盖度。

第二节　森林的小气候效应与护农增产效应

自然与人类、经济与社会协调持续发展是21世纪人类共同发展的目标,森林作为生态系统的初级生产者,它不仅是人类赖以生存的物质和能量基础,而且具有调节气候、保持水土、防风固沙、涵养水源、美化环境等多种功能。为改善生态环境,发挥森林的防护功能,我国开展了大规模的营造生态防护林的行动。包括农田防护林、水土保持林、牧场防护林、沿岸防护林、防风固沙林等防护林体系工程。

河南省平原面积占全省面积的55.7%。平原林业是河南林业的重要类型,而广大的平原地区由于开发较早,人口密集,目前多为农田生态系统。在长期的实践中,经过不断的研究、完善和探索,逐步走出了一条平原林业经营的新途径,创造了令世人瞩目的农林复合经营的新模式。当前河南的广大农区,农林复合经营已成为平原林业的重要标志。其主要类型有农田防护林、农桐间作、果农间作、条农间作等。农田防护林工程是农林复合经营的一种重要类型。农田防护林生态工程就是为了改善气候、土壤、水文条件,防止自然灾害,特别是灾害性天气对农业生产的危害,创造有利于农作物生长发育的环境条件,以保障农业稳产高产。在农田中或沿农田边缘营造的带状或网状林分,是一种能够提供多种效益的人工林生态系统,具有生产性和保护性的双重特点,不仅为人们生活提供木料,而且重要的是具有护农增产等多种功能。农田防护林生态工程可以调整与改善多灾而脆弱的农田生态系统结构与功能,对维持和恢复生态系统持续而稳定的高生产力水平具有重要意义。在环境资源问题日趋严重的今天,农田防护林已为世界所重视。不少国家广泛开展了农田防护林生态工程建设工作,包括俄罗斯、美国、中国、加拿大、英国、法国、丹麦、瑞士、意大利等。

一、条农间作的生态作用

(一)改善农田生态环境效应

1. 对风速影响

条农间作的白蜡林带,在旺盛生长季节,形成上有白蜡杆、下有白蜡条的上下紧密、中间稀疏的结构,其透风系数达 0.3~0.7,具有明显的防风作用。一条垂直于主风的两行式条子(杆)林带,在旺盛生长季节,多形成上下紧密、中间稍空的疏透型结构,透风系数达 0.4~0.6。观测证明:在条带 $5H$ 范围内,平均降低风速 15%~20%,在 $10H$ 处,平均风速仅为空旷地风速的 80%左右。以后随着条行距离不断增大,风速则缓缓回升,至 $15H$ 处,降低风速的程度不足 5%。多带式条农间作区由于其条子林的相互作用,在 10~$15H$ 带距范围内,平均风速可降低 20%~30%。条农间作的行数不同,其防风效果也有差异,2 行式或 4 行式没有多大差别,1 行式的防风效果略差一些。

2. 气温

由于风速的减低,垂直和水平的交换作用相对减弱,这就必然引起农田小尺度其他因子的变化。观测证明:在条子林防护范围内,4 月份的日平均气温降低 0.3~0.5℃,而夏季条带间的日平均气温可降低 0.5~1.0℃;绝对最高气温出现在距林带 8~$7H$ 的近地层处。4 月份的 14 时平均气温较空旷地提高 1℃左右。据观测,在白蜡树林带的防护范围内,冬季和早春的日平均气温提高0.5~0.8℃,而夏季可降低0.5℃。灾害性大气条件:我们观测到在低温或干热风情况下,条林具有提高土壤温度(0.5℃)和降低绝对最高温度(1~1.5℃)的功能。这对提高作物的抗灾能力起了很大作用。

3. 蒸发

在条带距15*H*范围内,蒸发量平均减少10%,5*H*处减少13.2%,10*H*处减少9.2%。其效果虽然不如大型农田林网,但对改善当地农田小气候也起到了一定作用。特别是在干热风危害时,条带间的蒸发量可减少20%~25%。小麦植株蒸腾失水量比空旷对照点减少20%左右(5*H*处)。

根据中国林科院调查测算,在华北、中原地区,蒸发量每减少一成,则每公顷面积就可节约1 000m^3水。这对作物的生长发育有极重要的作用。观测证明(见表3-9),在白蜡树林带高15*H*范围内,蒸发量平均减少10%,5*H*处减少13.2%,10*H*处减少9.2%。

表3-9　白蜡条带间蒸发对比

项目	距林带距离(m)				空旷地
	10	20	40	平均	
蒸发量(mm)	13.0	13.3	13.6	13.3	14.9
占空旷地(%)	86.8	90.8	94.7	90.8	100.0
减少量(%)	13.2	9.2	5.3	9.2	

4. 土壤水分

由于条农间作地内风速减低,蒸发减少,因而土壤含水率提高。在整个小麦生长季节中,条农间作可使表层土壤(0~60cm)贮水率提高6.7%,有效含水率提高11.3%,土壤含水率提高5%。

另外，条农间作还可以保存积雪，增加土壤水分。

5. 空气湿度

空气湿度的变化和风速、气温有极密切的关系。观测证明：在条农间作条行 15H 范围内，条农间作地日平均空气相对湿度较空旷区提高 20%，绝对湿度提高 5mb。在干热风的天气条件下，空气相对湿度可以增加 50%以上，绝对湿度提高 5～8mb。

6. 太阳辐射

条农间作的日内总辐射量与空旷地相比较低，并且和林带的走向与带距有关。带距 30m 的南北走向的林带总辐射减少 5%，东西走向的减少 6.1%。条农间作可以增加太阳的散射辐射，这是由于林带的反射造成的。30m 行距的条农间作散射辐射较空旷地增加 3.7%。同时，由于条农间作可以减少反射辐射、有效辐射，可使净辐射增加 4.2%，增加了农田内的能量输入。

(二)提高农田生态系统生产力和促进物质、能量循环效应

由于条农间作生态系统把杆—条—农作物有机地结合起来，充分利用了光能和土壤资源，因此能够提高整个农田生态系统的生物量与生产力。如对整个条农生态系统而言(见表 3－10)，其生物现存量可达 30.985 1～65.402 8t/hm^2，生产力可达 20.652 9～30.751 1t/(hm^2·a)，这远高于一般农田和森林的生产力，说明条农间作有着巨大的生产潜力。

表 3－10　条农间作生态系统生产力构成　(单位 t/(hm^2·a))

林带距离(m)	白蜡条	小麦	玉米	花生	总计	
					小麦—玉米	小麦—花生
22	2.092 8	15.778 6	12.879 7	6.562 5	30.751 1	24.433 9
10	4.693 6	9.771 8	12.143 7	6.187 5	26.609 1	20.652 9
8	6.120 2	10.532 8	11.806 4	6.015 6	28.459 4	22.668 9
4	12.244 9	7.742 3	10.119 8	5.156 3	30.104 7	25.141 2

按国际通用的光合成化学式计算，平均合成1kg的干物质需要17 456kJ的能量。条农间作生态系统的光能利用率可达0.7%～1.1%，这也远高于一般农田。条农间作生态系统营养元素的循环率也高于单一种植的农作物，条农间作生态系统6种元素的循环率比单一农作物高20%，氮高12.5%，磷高32.75%，钾高37.36%，钠高23.4%，镁高26.8%，锰高8.6%，从而增加了营养元素的利用率。

（三）条农间作的生物效应

由于条农间作改善了农田生态系统的结构，形成了不同于单一种植农作物的新的生态环境。为小动物、昆虫、微生物提供了良好的生存环境和栖息场所。

条农间作特别有利于小动物的生存。据调查，20m长的两行式的条农间作地内有10余只青蛙栖息其间。间作的农田0～40cm土层内的节肢类动物每平方米较空旷地多25%。

条农间作也促进了昆虫种群的发展，特别是有利于食肉性昆虫天敌数量的增加。一般间作小麦田内每平方米瓢虫的数量较空旷区多17%，蜘蛛多14%，从而增强了控制害虫的能力。

条农间作为土壤微生物的生存提供了良好的条件，所以能增加土壤微生物的数量，提高土壤的活性，有利于增强土壤的肥力。条农间作范围内的每克土壤的微生物数量显著高于空旷地，土壤呼吸强度大于空旷区。

（四）增产效应

条农间作可以改善农田生态环境，提高土壤肥力。据调查，一条2行式、带距50m的条农间作结构，可使小麦产量提高10%左右。多年的观测证明，条农间作只要配置合理（带距不能过小），可使小麦增产7%～10%，油菜增产11%，大豆增产5%，花生增产4.7%，棉花、芝麻、谷子平产，玉米、高粱、红薯略有减产。

二、农田防护林改善小气候的效应

（一）防风效应

防护林带作为一个庞大的树木群体，是风前进方向上的一个较大障碍物。林带的防风作用是由于风通过林带后，气流动能受到极大的削弱。由于树干、树枝、树叶的摩擦作用将较大的涡旋分割成无数大小不等、方向相反的小涡旋，这些小的涡旋又互相碰撞和摩擦，又进一步消耗了气流的大量能量。此外，除去穿过林带的一部分气流受到消弱外，另一部分气流则从林冠上方越过林带迅速和穿过林带的气流互相碰撞、混合和摩擦，气流的动能再一次削弱。

1. 林带对气流结构的影响

当风遇到紧密结构的林带时，在林带的迎风面形成涡旋（风速小、压力大），后来的气流则全部翻越过林冠的上方，越过林冠上方的气流在背风面迅速下降形成一个强大的涡旋，促使越过林带的气流不断下降，产生垂直方向的涡动。这种状况是由于上下方的风速差、压力差和温度差的共同作用造成的。因此，在紧密结构林带的背风贴地表层形成一个比较稳定的气垫层。它促进空气的涡旋向上飘浮，和林带上方的水平气流相互混合、碰撞，并继续向前运动乃至破坏和消失。

当气流遇到透风结构的林带时，一小部分气流沿林冠上方越过林带；另一部分则从林带的下方穿过林带，使透风面的气流发生压缩作用，而在林带的背风面形成强大的涡旋。这种涡旋被林带下方穿过来的气流冲击到距离背风林缘较远的地方，背风面所形成的强大涡旋一般在树高 5 ~ 7 倍的地方。

当气流遇到疏透结构的林带时，在林带背风面，由林冠上方超过而下降的气流所形成的涡旋，不是产生在背风林缘处，而是在距林带树高 5 ~ 10 倍处产生涡旋作用。这是因为较均匀地穿越林带的气流直接妨碍着涡旋在背风林缘处的形成。所以,气流通过疏透结构林带时,遇到树干、树叶的拦阻和摩擦,使大股的气流变成无数大小不等、强度不一和方向相反的小股气流。

2. 林带对风速的影响

不同结构的林带对空气湍流性质和气流结构的影响是不同的,因而它们对降低害风风速和防护效果也是不同的。从大量的实际观测资料来看,多数人认为降低空旷地区风速的25%为林带的有效防风作用。这样,林带背风面的有效防护距离一般为林带高度的20~30倍,平均采用25倍;而迎风面的有效防护距离一般为林带高度(H)的5~10倍。实际上,农田防护林带的防护作用和防护距离与其结构、高度、断面类型有直接的关系。

紧密结构的林带对气流的影响使林带前后形成两个静高压的气枕,越过林带上方的气流成垂直方向急剧下降,因而在林带前后形成两个弱风区。紧密结构的林带其特点是整个林带上、中、下部密不透光,疏透度小于0.05,中等风速下的透风系数小于0.35。背风面1m高处的最小弱风区位于林带高度的1倍处,防护有效距离相当树高的15倍。一般在林带附近风速降低值最大,但是,它的防护距离较短。以降低害风风速25%为有效防护作用的话,那么在15H内即为有效防护距离。

透风结构的林带不同于紧密结构的林带。由于透风结构的林带下部有一个透风孔道,这种林带结构是以扩散器的形式而起作用的。从外形上看,上半部为林冠,下半部为树干。林冠层的疏透度为0.05~0.3,而下部的疏透度大于0.6。透风系数0.5~0.75。背风面1m高处最小弱风区位于林带高度6~10倍处。所以,透风结构的林带下部及其附近很容易产生风蚀现象,尤其当林带下部的通风孔比较大时,风蚀现象更加严重,在设计这种林带时应特别注意。但是,透风结构的林带在防护距离上比紧密结构的林带要大得多,在25H处害风的风速才恢复到80%。

(二)农田防护林带对温度的影响

1. 林带对气温的影响

农田防护林带具有改变气流结构和降低风速的作用,其结果必然会改变林带附近的热量收支各分量,从而引起温度的变化。一般地说,在晴朗的白天,由于太阳辐射使下垫面受热后,热空气膨胀而上升并与上层冷空气产生对流,而另一部分辐射差额热量被蒸发蒸腾和地中热通量所消耗。这时在有林带条件下,由于林带对短波辐射的影响,林带背阴面附近及带内地面得到太阳辐射的能量较小,故温度较低,而在向阳面由于反射辐射的作用,林缘附近的地面和空气温度常常高于旷野。同时,在林带作用范围内,由于近地表乱流交换的改变导致空气对流的变化,均可使林带作用范围内的气温与旷野产生差异。在夜间,地表冷却而温度降低,愈接近地面气温降低愈烈,特别是在晴朗的夜间很容易产生逆温。这时由于林带的放射散热,温度较周围要低,而林带内温度又比旷野的相对值高。

总体上看,在春季林带附近气温比旷野要高 0.2℃左右,且最高气温也高于旷野,这有利于作物萌动出苗或防止春寒。而夏季林带有降温作用,1m 高处气温比旷野低 0.4℃,20cm 高处比旷野低 1.8℃。9 月份和春季相似,冬季林带有增温作用。

2. 农田防护林带对土壤温度的影响

林网内地表温度的变化与近地层气温有相似的规律性。观测资料表明,林带对地表温度的影响要比对气温的影响较为显著。中午林带附近的地温较高,而早晨或夜晚林缘附近的地温虽然略高,但 5 倍($5H$)林带高度处地温较低,尤其是最低温度较为明显,其原因是在 $5H$ 处风速和乱流交换减弱得最大。

在风力微弱晴天的条件下,林带提高了林缘附近的最低温度。早晨 5 点,向阳面和背阴面均比旷野高 1~3℃,林带内比旷野高 5℃;林带提高了向阳面的地表温度,但降低了背阴面的最高地温即减小了背阴面及林带内的地温日振幅。

(三)农田防护林带的水文效应

1. 林带对蒸发蒸腾的影响

大量的观测资料表明,林网内部的蒸发要比旷野的小,故可减少林网内的土壤蒸发和作物蒸腾,改善农田的水分状况。一般在风速降低最大的林缘附近,蒸发减小最大,最大可达30%。其中,透风结构的林带,对蒸发的减少作用最佳,在25*H*范围内平均减少了18%;紧密结构林带减少蒸发为10%左右。此外,林带降低蒸发作用所能影响到的范围也决定于林带结构,在疏透度为0.5的林带至少可达20*H*,而在紧密结构林带的条件下,由于空气乱流的强烈干扰,这个范围就会受到较大限制。

林带对蒸发的影响中,风速起着主导作用,但是气温的影响也是相当大的。在空气湿度很小和气温较高的情况下,林缘附近因升温作用而助长的蒸发过程,往往可以抵消由于林缘附近因风速降低所引起的蒸发减弱作用。在这种情况下,尽管风速的变化仍是随林带距离而增大,但蒸发却没有多大差异。这说明林带对蒸发蒸腾的影响相当复杂,在不同自然条件下得到的结果差异很大,说明林带对蒸发的影响是多种因子综合作用的结果。

2. 林带对空气湿度的影响

在林带作用范围内,由于风速和乱流交换的减弱,使得林网内作物蒸腾和土壤蒸发的水分在近地层大气中逗留的时间要相应延长,因此,近地面的绝对湿度常常高于旷野。一般绝对湿度可增加水汽压50~100Pa,相对湿度可增加2%~3%。增加的程度与当地的气候条件有关,在比较湿润的情况下,林带对空气湿度的提高不很明显;在比较干旱的天气条件下,特别是在出现干热风时,林带提高近地层空气湿度的作用是非常明显的。

3. 林带对土壤湿度的影响

土壤湿度决定于降水和实际蒸发蒸腾,而林带可以使这两个因素改变。它既可以增加降水(特别是固体降水),也可减少实际的蒸发蒸腾,因而在林带保护范围内,土壤湿度可显著增加。在降雪丰厚的地方,固体降水的截留就显得十分重要;而在气候比较温和的地区,实际蒸发蒸腾量的减少便成为增加土壤湿度的决定性因素。但是在干旱的气候条件下,由于林带能使实际蒸发蒸腾量增加,因而受保护地带的土壤就有可能比旷野还干燥。此外,在距林带很近的距离内,因林带内树木根系从邻近土壤中吸收大量水分供于蒸腾作用,常常使这些地段的土壤湿度降低。背风面 $5H$ 处的土壤湿度比旷野可提高 2% ~ 3%。在生长期土壤湿度的差异不太明显,林带对提高土壤湿度、延缓返盐的作用是很明显的。

在不同的年份,林带对土壤湿度的影响不同。比较湿润的年份,林带对土壤水分的影响不大,在干旱的年份却非常明显。

4. 林带对降水和积雪的影响

林带影响降水的分布表现在林带上部林冠层阻截一部分降水,约有 10% ~ 20% 的降水为林带的林冠截留,大部分蒸发到大气中去,其余的则降落到林下或沿树干渗透到土壤中。当有风时,林带对降水的分布影响更为明显。在林带背风面常可形成一弱雨或无雨带,而向风面雨量较多。当降雪时,林带附近的积雪比旷野多而且均匀。林带除了影响大气的垂直降水外,还常常引起大量水平降水。在有雾的季节和地区,由于林带阻挡,常可阻留一部分雾水量,林带枝叶面积大,夜间辐射冷却,往往产生大量凝结水如露、霜、雾、树挂等,其数量比旷野大。

在多雪地区,强风常常将积雪吹到低洼地区,致使广阔农田上失去积雪的覆盖和融雪水的聚积。而在有林带保护的农田上就不会产生这种情况。

由于林带能够降低风速,因而就保护了农田上的积雪不会被强风吹走,并能均匀地分布在农田上。林带的结构不同,对积雪的分配也是不同的。在紧密结构林带的内部及其前后林缘处,由于风速最低,积雪堆积得也最厚,而其他地方反而得不到较多积雪覆盖。因此,在春季融雪时,势必造成林缘或林内水分过多,甚至形成积水,而农田上融雪则很少。这种情况对作物越冬和克服春旱都是很不利的。而透风结构和稀疏结构的林带则相应较好。

据大量的研究资料,在有林带保护的农田上,林网内的积雪一般比无林带的农田增加 10% ~ 20%,而土壤含水率可提高 5% ~ 6%,甚至可提高 10% ~ 30%。

5. 林带对地下水的影响

在干旱的灌溉农区,由于渠道渗漏和灌溉制度的不合理,因排水不良而造成地下水位逐年上升,最终导致土壤次生盐渍化。

在渠道的两侧营造防护林,既能改善小气候,也能起到生物排水作用。一棵树木好似一台抽水机,依靠它庞大的林冠和根系不断把地下水蒸发到空气中去,使地下水位降低。林木的这种排水作用不亚于排水渠。从这个角度上讲,灌溉地区的农田防护林对地下水位的降低和防止或减轻渠道两侧的土壤盐渍化有明显的作用。

另据研究材料表明,林带能将 5 ~ 6m 深的地下水吸收上来蒸发到空气中去,13 ~ 15 年生的林带,平均能降低地下水位 16mm,影响水平范围可达 150m。林带的生物排水作用,由于树种不同而异。不同的树种,其蒸腾量也是不同的。

所以,林带对地下水位的影响是由林带的蒸腾作用而决定的,正是由于林木能大量地将地下水蒸发到空气中去,才能使地下水有明显的降低。林带在不同季节对地下水位的影响,也随不同季节林木蒸腾作用的强弱而异。大量的研究结果表明,几乎整个生长季都能使地下水位不断地降低,而林带降低地下水位最盛的时期也正是林木在生长季生理活动最旺盛的时期。一般是春季排水作用较小,从夏季到秋季排水效果明显,地下水位降低较大,7 ~ 8 月为甚,初冬后,地下水位又略有回升。

作为林带对地下水位影响的日变程，也是随林木蒸腾作用日变程而变化的。一天里，林木蒸腾作用最强的时刻也正是地下水位降低速率最大的时刻。

总的来讲，林带的生物排水作用表现在水平和垂直两个方向上。距离林带愈近，降低地下水位的效果愈明显，而且地下水位的日变程的变幅也愈大。从大量的观测资料来看，林带对地下水位影响的变化趋势是基本一致的，但是在不同的地区，由于自然条件的不同，其观测结果常有很大的差异。林带的树种组成、搭配方式会影响林带的生物排水效果和范围。

（四）农田防护林带对农作物的增产效果

1. 距林带不同距离对单位面积穗数的影响

在林带的背风面和迎风面，距离林带不同的采样点，大麦的有效穗数都在 750 万/hm^2 以上，距离林带 5m 处都高于对照点（见表 3－11）。

表 3－11　　距林带不同距离对作物生长的影响

距离	穗数（万/hm^2）	穗长（cm）	粒数/穗数	结实率（%）	千粒重（g）	单穗重（g）	理论产量（kg/hm^2）
迎风面 5m	948	5.80	19.90	88.3	47.5	0.945	8 961
迎风面 8m	753	6.34	22.80	90.1	47.6	1.085	8 172
迎风面 32m(CK)	876	6.05	22.28	92.6	47.6	1.061	9 291
背风面 5m	921	5.84	21.88	91.5	49.3	1.079	9 934
背风面 8m	801	6.26	23.33	92.6	48.9	1.141	9 138
背风面 32m(CK)	750	5.62	20.30	90.7	49.5	1.005	7 538

2. 距离林带不同距离对穗粒结构的影响

（1）对穗长的影响。表 3－11 说明，距离林带 8m 的位置麦穗最长，林带迎风面 5m 位置的穗长比对照少 0.25cm，林带背风面 5m 穗长比对照多 0.22cm。经统计分析，林带迎风面的穗长之间差异不显著。

(2)对每穗实粒数的影响。林带迎风面的穗粒数 5m 处比对照少 2.38 粒,8m 处比对照多 0.52 粒;林带背风面 5m、8m 处每穗粒数,分别比对照多 1.58 粒和 3.03 粒。林带的迎风面和背风面,8m 处的每穗实粒数均最多。

(3)对结实率的影响。林带迎风面 5m、8m 处的结实率分别比对照低 4.3 个百分点和 2.5 个百分点,林带背风面 5m、8m 处的结实率分别比对照高 0.8 个百分点和 1.9 个百分点。

3. 距林带不同距离对千粒重的影响

林带迎风面距林缘不同距离的千粒重均在 47.5g 以上,距离林缘 5m 处的千粒重较对照低 0.1g,8m 处的千粒重和对照处相同,均为 47.6g;林带背风面距林缘 5m、8m 处的千粒重分别比对照低 0.2g、0.6g。

4. 距林带不同距离小麦的产量

大量的生产实践及科学研究表明,林带对农作物的增产效果是十分明显的,并且随着间作时间的延长,防护效益逐年增加,据在开封沙地观测农林牧复合生态系统农田防护林效益,证明在农田防护林保护下的农田生态系统,其生态环境得以极大的改善,作物生长发育稳定,产量随着地力的提高而逐步增加。在同等生产条件下,林网内的作物产量、抗灾能力、产量增幅均比低覆盖度的农田高,反映了农田综合防护林体系对系统稳定性和持续发展的贡献。大田农作物产量统计表明,一般林网系统内小麦产量年增产 4% ~ 8%,间作的花生增产 5% ~ 10%;在林带迎风面距林缘 5m、8m 处小麦产量分别比对照低 3.54%、12.0%,平均低 7.77%,理论产量少 732.81kg/hm^2,距林缘 8m 处的产量低于 5m 处的产量;林带背风面距林缘 5m、8m 处产量分别比对照高 26.5%、21.1%,平均比对照高 26.5%,理论产量多 1 999.5kg/hm^2。

由于各农田防护林区的气候条件、土壤类型及作物品种、耕作技术等方面的差异,各区林带、林网对农作物的生长发育都有明显的影响,对作物产量和产品质量都有明显的提高。试验结果表明,在 1～30H 范围内,平均产量比对照区增产 49.2%,而且增产的最佳范围是 5～15H。

三、农桐间作的生态作用

泡桐具有独特的生物学特性,能进入农田,与农作物间作,形成我国独具特色的华北平原农区农桐间作人工栽培群落,既能改善生态环境条件,保证农业稳产高产,又能在短期内提供大量的商品用材,增加经济收益。在农耕地上,特别在风沙危害比较严重的农耕地上,实行农桐间作,具有防风固沙,抗御干热风,防止早、晚霜冻等自然灾害和调节农田小气候的作用,从而促进农业稳产高产。同时,对农作物采取各种集约经营管理措施,也对泡桐生长有很大促进作用。

我国自 20 世纪 50 年代开始,首先在河南省黄泛平原地区进行农桐间作,继而在鲁西南、安徽淮北、江苏省徐淮地区及河北省南部等平原农区推广。河南、山东农桐间作占有领先地位。河南省的农桐间作以豫东为中心产区,经营历史最久,其中又以开封、商丘两地区最为集中,水平最高。泡桐已成为平原林业的主体。

(一)农桐间作的类型

通过河南省平原农桐间作类型的调查,现有被应用得普遍而又较合理的间作形式主要有三种:①以农为主间作型;②以桐为主间作型;③桐农并重间作型。

泡桐与农作物配置常见的形式有:泡桐 + 小麦 + 棉花、泡桐 + 小麦 + 大豆、泡桐 + 小麦 + 蔬菜、泡桐 + 小麦 + 大蒜、泡桐 + 瓜类 + 大蒜、泡桐 + 薄荷、泡桐 + 蔬菜、泡桐 + 大蒜。

(二)农桐间作对改善农田小气候的作用

泡桐进入农田后,改变了群落结构,由原来季节性生长变为永久性和季节性相结合,使树木和作物构成了一个有机的人工栽培群落,成为一种新的农林复合形式。由于群落结构的变化,引起了作物和树木生态因子的变化,打破了原来单一作物群落保持的光、热、水和营养物质的平衡。间作后,在新的基础上建立了更高水平的光、热、水和营养物质的平衡关系,有效地改善了农田小气候,为农作物创造了一个良好的环境条件。

1. 农桐间作对光照的影响

农桐间作后,由于泡桐比农作物高出 10 倍以上,且树冠也较大,必然会引起农桐间作地上光照条件的改变。在林冠下,光照强度明显减弱,直射光减少,散射光、折射光增多;在泡桐行间,由于植物的吸收、反射和遮阴,平均照度较全光照的无林地上减少 20%~30%。由于泡桐进入农田,改变了农田的光照条件,必然引起不同作物的一系列的反映,其反映程度因不同树龄、不同行向、不同枝下高、不同距离以及不同高度而有所不同,现分述如下。

1)不同行向对光照的影响

(1)东西行向型。东西行向的农桐间作,其光照再分配的特点是季节性变化显著,日变化范围较小,每年冬季前后,树冠投影在行北沿 14~15m 范围内;春分和秋分前后,树冠投影在行北沿 7m 范围内;夏至前后,中午树冠投影在行内略偏北。一年中,遮阴区主要在行北沿,东西行树冠投影日变化范围较小,5 月底到 6 月初变化幅度在 15m 左右,投影带宽度日变化不大。

(2)南北行向型。南北行向的农桐间作,是农桐间作最普遍的一种类型。

该类型的光照再分配特点是季节性变化不明显,季节的不同只是树冠投影重叠多少的差异,投影宽度距离变化不大。相反,其投影的日变化是明显的。早晨,投影带在西面,随着太阳的升高,投影区逐渐东移,中午投影基本和树行重合,下午投影转向行东。投影带的宽度随太阳的高度增加而减小。南北行向型树冠透光率,除受个体树冠影响外,还受树冠重叠的影响,透光量在9时前和15时后与透光率的方向相反,9时和15时之间基本一致。

距树行垂直距离不同的各点,遮阴时间和遮阴强度不同。距树行越远遮阴时间越短,遮阴强度越小;反之,遮阴时间长,强度大。距树行20m外,遮阴时间不到1h,光照减少只有30%左右;10m处遮阴超过2h,光照减少60%左右。遮阴时间和遮阴强度由远到近急剧增加,所以,辐射减少量由远到近也是急剧增加。上、下午太阳辐射强度和树冠透光率的差异,使行东沿和行西沿的辐射热减少量不同,行东沿辐射减少量大于行西沿。以垂直于树行宽的遮阴带计算,行东沿一天内受遮阴减少的辐射热为649kJ,行西沿为487.8kJ;行东沿比行西沿减少的辐射热多25%,行西沿比行东沿光照条件好。

群落上层有一定量的遮阴,对下层小麦和其他农作物生长有多大影响,这需要根据每一作物品种对光的需要量做具体分析,玉米光饱和点为10万lx,进行农桐间作显然要受到影响。水稻光饱和点为4万~5万lx,农桐间作也会受到影响。小麦光饱和点为2万~3万lx,光补偿点在8 000lx左右,实行农桐间作是比较适宜的。

据研究,4月中、下旬泡桐开花,透光率在88%~93%,对小麦影响很小。5月份泡桐抽枝放叶,透光率为30%~50%,但该期太阳光强平均(9~16时)57 000lx,小麦适宜光照为20 000lx,所透过的光仍能满足小麦的生长发育所需。

2)不同树龄对光照的影响

不同树龄其树冠是不同的,不同的树冠对光照影响差异也很明显。年龄不同,其树高、树冠大小、透光率等一系列因子都发生了变化。5年以前,泡桐生长缓慢,冠小叶疏,透光率高;5年后,泡桐进入速生期,树冠体积迅速扩大;到成熟期(15年左右),树冠投影大都达到百平方米以上。到泡桐自然成熟后,生长衰退,透光率又将增大。

3)一年中各个时期的光能利用情况

泡桐在一年中的各个时间透光率不同。从4月上旬枝叶开始生长,树冠透光率逐渐减小;到5月中旬以后,树冠透光率逐渐稳定在56%左右;11月落叶后,树冠透光率基本接近全光照。

在夏季生长后期,温度迅速升高,光照强度也迅速增大,太阳辐射达5万~6万lx。过强的日照往往使农作物的代谢机能减缓,引起“午休”现象,从而影响农作物有机质的合成和积累。如小麦适宜光照为2万~5万lx,间种泡桐可调节光照强度,有利于农作物生长。对秋季作物,受影响的也只是树冠下的有限面积,对于行间仍是有明显的增产作用。

2. 农桐间作对温度的影响

农桐间作区主要危害农作物的自然灾害有干热风、风沙、早晚霜等。农桐间作后,由于改变了农田气候,对这些自然灾害有一定的抗御作用,减轻了危害,其中尤以防止干热风和风沙效果最为明显。

干热风是黄淮海平原等地特有的灾害性天气,几乎大部分年份都有不同程度的危害,造成小麦千粒重下降(一般减产5%~10%)、棉花落桃、玉米与豆类减产,严重时会使小麦减产2~5成。干热风对作物的危害主要是温高、湿低、风干旱,造成植株体内水分平衡失调,叶绿素被破坏,影响光合产物的积累,导致早衰减产。

农桐间作后,在降低温度和风速、提高空气湿度三方面都有良好作用。所以,在抗御干热风危害方面作用较大。一般干热风和干旱危害严重的年份,农桐间作地的增产尤为明显。河南农业大学防护林研究组对200多个点的观测分析表明,在农桐间作地,风速降低4%~5%,夏季平均气温降低0.4~1.2℃,有时达2.3℃;相对湿度提高7%~10%,绝对湿度增大2~5mb,光照强度减弱,从而使蒸发量减低34%,土壤含水量提高7%~10%。由于风速削弱、温度降低和空气湿度增加，就大大减轻了干热风对小麦的危害，平均增产5%，最高达11%。农桐间作对温度的影响有两个方面：一是地上部分的气温；二是地下部分的气温。农桐间作后，由于泡桐树冠的吸收、反射及树冠的遮阴，光照减少，温度降低，加之泡桐的蒸腾要消耗大量热能，在泡桐生长的4~8月，白天的间作地比未间作地的气温低0.4~1.4℃。这种降温作用对高温干燥的晴天，如干热风天气较为明显。在4月中旬至6月上旬，间作地夜间气温较未间作地高0.5~1.7℃。造成这种情况，主要是由于两个时间的空气湿度和日照时间不同。

间作地与非间作地相比，温度的变化规律是：从4月中下旬泡桐花期开始，在作物的旺盛生长期内，间作区内白天的气温平均降低0.2~1.2℃，夜间增温0.1~0.4℃；到了深秋和初冬大气温度急剧下降，农桐间作区内较非间作区内气温高0.2~1.0℃；在树木休眠的冬天和早春，间作区内的气温也略有提高。农桐间作地的昼夜温差一般较对照地减少0.3~0.5℃，但相差不明显。

农桐间作的地温，在5~8月间，5~20cm深处，间作地较非间作地偏低0.6~2℃，这与气温的降低是一致的。落叶前的深秋时期，间作的气温和地温比对照地均有增加，间作地的地温高1~3℃。

由此可见，农桐间作对温度的影响是随着泡桐的年生长周期变化而不同，一般在泡桐休眠期的冬春主要表现为增温作用；对于突然升温和降温的灾害性天气情况或在降温比较迅速的深秋、初冬，农桐间作表现出明显的缓冲调节作用；而花期以后的春天或炎热的夏天，主要表现为有一定的降温作用。

3. 农桐间作对水分的影响

农桐间作对水分的影响也有两个方面：一是空气相对湿度；二是土壤水分和蒸发量。农桐间作后，一方面由于削弱了风速，使空气对流速度降低，间作地内土壤的蒸发量大大降低；另一方面由于泡桐吸收较深层的水分,通过枝叶蒸腾散发出来,因此,间作地的相对湿度较未间作地有很大提高。一般白天空气相对湿度平均增加 7% ~ 10%,夜间平均增加 8%。农桐间作地与未间作地内相比较,相对湿度变化有以下特点:

(1)在大气湿度比较干旱的 5 ~ 6 月份,增加的幅度大;而在空气湿度较高的雨季(7 月份),增加的幅度小;甚至在下雨前后、大雾或阴天等空气相对湿度很大的天气,间作地的空气相对湿度有低于未间作地的现象。

(2)白天比夜间增加的幅度大。农田中地面蒸发量的大小,直接受风速、温度、湿度的影响。由于间作地的风速降低,湿度增加,蒸发量必然明显减少。而蒸发量的减少对于保持土壤水分、降低土壤水的无效消耗、保证作物生长有足够的水分,降低农业成本均有重大意义。

农桐间作地一般减少蒸发量 34% 左右,等于每公顷地每天(24h)浇水 66t 左右。减少的多少与树的大小和密度有关。由于蒸发量减少,土壤水分必然有明显提高,一般耕作层土壤含水量可增加 7% ~ 10%。

4. 农桐间作对风速的影响

泡桐在一年中各个不同的生长期对风速的影响不同。在休眠期,泡桐树无叶,降低风速较少,但由于已形成大面积的人工栽培群落,仍然有明显的降低风速的作用。冬季由于间作地的风速降低,使间作地内的积雪增加。据河南省民权县调查,当日风速为 10m/s,间作区 7 年生泡桐,密度为 8m × 10m,胸径 25cm,平均积雪厚度为 15cm,而非间作区积雪厚度仅为 9cm。在泡桐花期和展叶期,其效果更为明显。花期,由于花序大,降低风速的作用显著增大;在长叶期,降低风速的作用更大。据测定,一般能降低风速 40% ~ 50%。

农桐间作防风和改善小气候的作用使作物、土壤呼吸所排出的二氧化碳不能很快被气流所转移，相对增加了贴地层二氧化碳的浓度，在适宜的光照条件下，对农作物光合作用的加强创造了有利条件。特别是玉米，其二氧化碳补偿点低，只要二氧化碳浓度达5～10mg/kg就可以进行光合作用。因此，玉米的带间增产率比小麦还要显著。

不同走向的泡桐行，由于主风方向与林带成不同的角度，东西行向平均可减弱为对照的46%，降低风速54%；南北行向平均可减弱为对照点的52%，降低风速48%。这是因为东西走向的林带与风向的夹角大而南北向的林带与风向夹角小的缘故。

5. 对早、晚霜的影响

霜冻多数是由于北方冷空气的入侵而引起的气温急剧降低，随后又是晴朗无风的天气，在夜间地面和地面物体散热而形成的。这样形成的霜冻强度大，范围广，多出现在早秋和晚春，形成早、晚霜，对作物危害极大。

作物受霜冻的危害，虽然与作物本身的抗霜冻能力有关，但与低温程度及持续的时间、霜冻前后温度下降的急剧程度有很大关系。温度低，持续时间长，温度升降急剧，对作物的危害大；反之，则危害小。桐农间作后，间作地8月份的夜间气温比未间作地高0.2～1.7℃，深秋和初冬，大气温度急剧下降，农桐间作区较未间作区的气温高0.5～1.0℃；在树林休眠的冬天和早春，间作区内的气温也稍有提高。地温在落叶前的深秋时期及早春，农桐间作地比未间作地均有增加，可达1～5℃；这不但提高了农田温度，也避免了突然升温或降温，表现为明显的缓和和调节作用。所以，农桐间作可使早霜推迟，晚霜提前，一年中使无霜期延长7d到半个月。

（三）农桐间作的护农增产作用

1. 农桐间作对夏作物的影响

在华北平原地区，夏作物主要是小麦。大量实践和科学试验结果证明，泡桐与小麦合理间作，小麦有明显增产作用，一般可增产1%~3%。

泡桐与小麦间作,改善了农田小气候,可以防风固沙,抗御干热风和防止霜冻等自然灾害,从而为农作物稳产高产创造了有利条件。另外,泡桐和小麦的生育期大体是错开的,两者在需光量方面不存在对抗性矛盾。泡桐与农作物根系在土壤中的分布特性,使两者能良好地互补。一般农作物的吸收根都集中在土壤表层,如小麦、谷子、玉米的根系大部分布在20cm的土层中,而泡桐的吸收根88%密集于40cm以下的非耕作层中,摄取深层土壤中的营养成分以及截留吸收耕作层内随雨水下渗转换为地下水径流而可能消失的养分。因此,桐、农在土壤中利用水分与养分基本上无对抗性矛盾。相反,在雨季,树冠能截留雨水,减少或避免径流冲刷土壤。又据测定,泡桐的叶、花、果含有丰富的氮、磷、钾。这些叶、花、果落入田间,经过腐烂,能给土壤增加大量的腐殖质,改良土壤结构,提高土壤肥力,为农作物提供大量养分。

2. 农桐间作对秋作物的影响

华北平原地区,秋作物种类繁多,有玉米、高粱、白薯、棉花、花生、芝麻、大豆、谷子等。这些秋作物和夏作物相比,在生长发育上有很大差别。所以,对环境条件的要求也有所不同。农桐间作后,有的矛盾较小,有的矛盾较大。对农作物表现出有增产作用或减产现象,这是由于秋作物生长期与泡桐旺盛生长期相重叠,一般秋作物需光量都比较高,使得在间作地树冠垂直投影范围内,有一定的明显的低产带。由于农田小气候的改变,对整个地块产生影响,对农作物表现出有的增产,有的减产。

泡桐与玉米间作有明显的增产作用。玉米在林冠下,由于树冠遮阴,株高变矮,果穗变小,缺粒增多,千粒重变小,从而产量下降。但不受泡桐遮阴的带间玉米,其产量与无林地比较有较大幅度的提高,使得冠下低产区和带间增产区极为明显,增减产幅度很大。但增减产相抵后,仍表现出整个地块是增产的,一般可增产

15%左右,千粒重增大 12.9g。其增产机制是:玉米在花期要求光照强度低,而这时自然光照很强,泡桐改变了光照强度,使之更适合玉米生长的要求。在每年 5~8 月份的雨季到来之前,华北地区气候干燥,玉米常呈不同程度的缺水萎蔫现象,间作地的小气候有利于玉米生长。

泡桐与谷子间作,由于谷子的光饱和点在最高时期约 3 万 lx 左右,所以冠下减产较玉米的略轻,一般可增产 20%左右。

泡桐与棉花间作,棉花产量与未间作地相比,干旱年份明显增产,在多雨年份往往减产,在一般年份基本平产。棉花落蕾是造成减产的一个关键性因素,而造成落蕾铃的原因主要是高温高湿条件下,突然遭受冷雨刺激而引起的。间作地有明显缓冲湿度突然变化的作用。如遇暴雨天气,由于泡桐降低风速和树冠阻挡作用,大大减少了对蕾铃的摧残。同时林带还可以加快棉花的发育阶段。所以,间作地的棉花铃数超过对照地。

泡桐与大豆间作,大豆一般是减产的,约减 11.25%,但在干旱年份较未间作地增产,在多雨年份往往减产。在华北平原地区,大豆生长的季节往往是多雨的季节,所以其产量表现减少,减产原因主要是树冠遮阴,影响光照强度所致。

3. 农桐间作对泡桐生长的影响

农桐间作经常对农作物采用水肥管理、松土锄草、精耕细作等农业技术措施,使泡桐生长迅速,比不间作的泡桐高和径生长量可提高 35.7%和 70%,材积生长相应提高两倍以上。

农桐间作在株行距相同的情况下,泡桐生长量一般与农作物产量呈正相关,即农作物产量高的地块,泡桐生长量也高。由于有效地改善了农田小气候,促进了农作物稳产高产,与此同时,也促进了泡桐的生长,因此两者得以相互促进。

第三节　森林的改良土壤效应

森林改良土壤的效应是指森林通过其代谢过程和选择吸收，改良土壤的理化性质的作用。在森林覆盖地区，森林的生物多样性水平较高，区域生态环境良好，水土流失轻微，森林生物的小循环作用使得森林土壤肥沃、生产力高，同时森林还对养分循环、水分循环有明显的改善作用。

森林通过其特有的枯枝落叶、根系和土壤生物群落对土壤物理性质、土壤养分起到良好的作用，具有较强的自我培肥功能，使森林生态系统中趋于更加复杂，土壤肥力得到提高，林木生长的环境条件得到不断改善，土壤的抗蚀性逐步增强。

一、抑制土壤返盐、改良盐碱地

（一）林木的生物排水作用

在生长季节，树木强大的蒸腾作用使其具有强烈的生物排水作用，从而影响地下水位和地下水的运动，对控制地下水位有明显的作用。这种作用可以有效地抑制土壤返盐，特别是在背河洼地的边缘以及水稻土和旱作农田的交错处。河南省林业科学研究所在原阳县的观测结果证明（见表 3 – 12），林带内地下水埋藏深度都高于对照，说明林带对地下水位的提升具有明显的抑制作用，即使在无叶的冬春季节也能发挥很好的作用。

（二）林网对春季土壤积盐的影响

春季土壤干旱，毛管水补给多，盐随水来，容易存积于土壤表面，影响作物生长。由于林带可有效地抑制蒸发，因此，可以防止春季土壤积盐。

表 3-12　　不同林带宽度对地下水埋深的影响　　(单位:m)

处理	9月5日	11月1日	1月1日	3月1日	平均
4行杨树林带	1.37	2.43	2.64	2.35	2.20a
6行杨树林带	1.87	2.88	2.71	2.47	2.48b
12行杨树林带	2.06	3.07	2.93	2.86	2.73c
无树对照	1.28	2.34	2.46	2.40	2.12a

(三)片林对土体脱盐的影响

由于片林的根系和枯枝落叶以及土壤微生物的作用,增强了土壤的孔隙度和团粒结构,使土壤渗透性增加,促进土壤的淋溶过程,加速土体脱盐。据调查(见表 3-13),旱柳对土壤脱盐作用明显,尤其是60cm以下的盐分,其作用超过了麦田。

表 3-13　6年生旱柳片林的滤盐作用(以全盐量作比较)　　(%)

土层(cm)	片　林	荒　地	麦　田
0~20	0.254	0.882	0.222
20~40	0.840	1.098	0.580
40~60	0.537	1.054	0.928
60~80	0.316	1.092	1.072
80~100	0.295	1.053	0.878
平均	0.448	1.036	0.736

二、提高土壤活性

土壤呼吸强度和土壤酶活性,可作为土壤中微生物数量和活性的指标。河南省林业科学研究所在博爱县的观测表明(见

表 3-14)，农田林网可以提高土壤活性。林网提高了土壤的呼吸强度，其内源呼吸在林网内 N1*H*、N5*H*、N9*H* 处分别比空旷地提高 50.89%、115.5%和 57.66%；土壤蛋白酶活性 N1*H* 处比林网外提高 43.93%，N5*H* 处提高 94.94%，N9*H* 处提高 24.66%；转化酶活性 N5*H* 处提高 53.05%，N9*H* 处提高 8.83%。这对于土壤中各种代谢活动是十分有利的。

表 3-14 林网内外土壤呼吸强度和酶活性

项目	内源呼吸[二氧化碳 mg/(20g 干土·24h)]	酶活性	
		蛋白酶活性[酪氨酸 mg/(g 干土·24h)]	转化酶活性[葡萄糖 mg/(g 干土·24h)]
N1*H*	0.917 6	5.124	34.27
N5*H*	1.384 7	6.970	72.30
N9*H*	1.015 2	4.398	51.41
空旷地	0.643 9	3.560	47.24

三、提高土壤肥力

由于复合农林业系统可以改善农田生态环境，提高土壤微生物的数量和活性，因此，会给土壤内部各种理化过程带来一定的影响，进而影响土壤肥力。河南农业大学在修武县小文案村进行的土壤分析表明，林网内农田的土壤有机质和全氮较林网外农田高，0~25cm 土层中有机质高 0.28%，全氮量高 0.039%。河南省林业科学研究所在博爱的观测也证明了，林网内比林网外土壤有机质提高 19.17%，全氮提高 8.30%，水解氮提高 21.15%，速效磷提高 16.28%，<0.01mm 的物理性黏粒提高 6.71%，pH 值降低 3.75%，只有速效钾略有降低(见表 3-15)。条农间作可以使土壤风蚀减少 9.5%，0~ 20cm 土壤有机质较空旷地增加了 0.3%~0.5%，全氮量增加了 0.028 5%~0.049 7%，小于 0.01mm 物理性黏粒增加

9.8%,速效磷也有明显增加。

表 3-15　林网内外土壤的理化性质

项目	有机质(%)	全氮(%)	水解氮(mg/kg)	速效磷(mg/kg)	速效钾(mg/kg)	物理性黏粒<0.01mm(%)	pH
林网内	1.561 6	0.090 0	126	50	185	36.6	8.0
空旷地	1.310 4	0.083 1	104	43	189	34.3	8.3

四、森林改良土壤养分效应

森林枯枝落叶等凋落物的积累和腐解,可以增加土壤有机质和各种矿物元素以及土壤微生物、动物的作用。植物根系的纵横穿插和选择吸收,对土壤结构的改善有良好的作用。树冠截留降水以及降水的淋溶,能调节土壤养分,在土壤—森林—大气中存在一种天然的养分循环关系。

(一)林内枯叶的分解

根据林网内枯叶的年腐解率测算。腐解率即枯叶的分解速率,一般用指数衰减数学模型来计算,即

$$\frac{X}{X_0} = c^{-Rt}$$

式中:X_0 表示枯叶的初始重量;X 表示 t 时的枯叶剩余重量;R 表示年腐解率。

根据计算,农田林网生态系统中毛白杨枯叶的平均年腐解率为 0.86,说明林网内水热条件较为优越,枯叶分解快,这样有利于农田生态系统的物质循环与能量流动。

从林内枯叶分解过程中营养元素的变化分析(见表 3-16),林内枯叶营养元素释放较快,特别是氮和磷。从几种元素的释放

速率的排序看,氮 > 磷 > 钾 > 镁 > 锰 > 钙。

表 3 - 16　毛白杨枯叶中营养元素的变化　(%)

项目	N	P	K	Ca	Mg	Mn	合计
放置 0d	0.990 7	0.100 4	0.475 2	1.043 8	0.298 6	0.007 3	2.196 0
放置 180d	0.083 3	0.009 0	0.087 3	0.329 2	0.090 6	0.002 3	0.601 7
残留量(%)	8.41	9.00	18.37	31.54	30.35	31.47	20.63

(二)农田防护林生态系统营养元素的循环

1. 营养元素的分布和存留量

毛白杨林网生态系统中不同植物营养元素的含量有较大差异,从表 3 - 17 中可知,以农作物含量最高。毛白杨不同器官营养物含量不同,以花中营养元素的含量最高,树干的最低。在该系统中,营养元素(每年被固定和作为收获物收获营养元素)的存留量为 1 297.663 6kg/hm^2,占 0.64% ;农作物 1 289.456 6kg/hm^2,占 99.36%。

表 3 - 17　农田林网不同组分营养元素的含量　(%)

组分	N	P	K	Ca	Mg	Mn	合计
活叶	2.120 1	0.229 1	0.508 4	1.378 9	0.370 1	0.011 4	4.618 0
落叶	0.990 7	0.100 4	0.475 2	1.043 8	0.298 6	0.007 3	2.916 0
花	2.455 9	0.257 4	0.949 7	0.531 2	0.203 4	0.005 9	4.503 5
枝	0.354 8	0.091 1	0.204 3	0.335 4	0.090 4	0.004 7	1.080 7
干	0.044 2	0.039 7	0.090 9	0.257 9	0.021 5	0.000 2	0.454 4
根	0.410 0	0.193 1	0.510 4	0.375 2	0.047 5	0.003 1	1.539 3
皮	1.370 3	0.085 4	0.694 7	0.451 4	0.275 1	0.001 4	2.878 3
小麦	2.617 4	0.531 6	1.224 7	1.040 7	0.080 7	0.004 2	5.499 3
玉米	3.193 6	0.430 9	0.949 4	1.380 1	0.029 8	0.002 1	5.985 9

2. 营养元素归还量

毛白杨林网生态系统营养元素的年归还量为233.965kg/hm^2。其6种元素中，以氮所占的比例最大，其次为钾、钙、磷、镁、锰(见表3-18)。

表3-18　农田林网生态系统营养元素的归还量　(单位：kg/hm^2)

组分	N	P	K	Ca	Mg	Mn	合计
活叶	5.100 0	0.517 0	2.446 3	5.373 5	1.537 2	0.037 8	15.011 8
枯枝	0.034 4	0.008 8	0.019 8	0.032 5	0.008 8	0.000 5	0.104 8
花序	0.697 5	0.101 5	0.269 7	0.150 9	0.057 8	0.001 7	1.279 1
虫粪虫体	0.045 3	0.002 1	0.006 0	0.038 1	0.012 5	0.000 2	0.104 2
小麦根茬	76.412 4	15.519 5	35.753 9	30.382 2	2.356 0	0.122 6	160.546 6
玉米根茬	25.865 0	3.489 9	7.691 6	11.177 4	0.241 4	0.017 0	48.482 3
淋洗	0.168 9	1.030 4	4.683 6	1.498 8	0.468 4	0.011 2	7.861 3
径流	0.043 6	0.009 8	0.267 9	0.140 5	0.112 4	0.000 5	0.574 7
小计	108.367 1	20.679 0	51.138 8	48.793 9	4.794 5	0.191 5	233.964 8

3. 营养元素吸收量

吸收量为归还量和存留量之和。从表3-19可知，毛白杨林网生态系统营养元素的年吸收量为1 531.626kg/hm^2。其中林木吸收量占总吸收量的2.17%；作物的吸收量则占总吸收量的97.83%。这说明，在农田防护林生态系统中，林木所吸收的养分仅占极少的一部分，不会因和作物争肥而影响作物的生长。在吸收的6种元素中，以氮的吸收量为最大，锰的最小。结果说明，毛白杨农田林网生态系统中营养元素的存留量占总吸收量的84.72%。这些营养物质大部分被移出系统外，一小部分被固定在林木中，归还给土壤的仅占15.28%。因此，必须通过施肥来补充这一差额，以维持农田林网生态系统的养分平衡。施肥量的依据是营养元素的存留量。

表 3-19 农田林网生态系统营养元素的吸收量 (单位:kg/hm^2)

组分	N	P	K	Ca	Mg	Mn	合计
毛白杨	8.084 6	2.401 4	9.680 4	10.271 3	2.660 3	0.064 9	33.162 9
作　物	754.323 6	127.198 1	287.868 3	313.101 3	15.119 3	0.849 1	1 498.459 7
小计	762.408 2	129.599 5	297.548 7	323.372 6	17.779 6	0.914 0	1 531.626

4. 营养元素的循环率

根据生态学原理,生态系统的营养元素通过吸收、存留、归还3部分形成生物循环,循环的速率用下式计算:

循环率=(归还量/吸收量)×100%

经计算(见表3-20),毛白杨农田防护林生态系统营养元素的平均循环率为15.28%。在6种元素中,循环率的排序为:镁>锰>钾>磷>钙>氮。复合系统的营养元素循环率,平均提高了9.53%,而氮、磷、钾、钙、镁、锰的循环率依次提高了4.79%、6.83%、7.03%、13.92%、56.98%和27.43%。

表 3-20 林网生态系统营养元素循环率

组分	N	P	K	Ca	Mg	Mn	平均
毛白杨	75.32	69.53	74.47	70.43	82.59	79.97	75.19
作　物	13.56	14.94	15.09	13.27	17.18	16.44	13.95
复合系统	14.21	15.96	17.19	15.09	26.97	20.95	15.28

五、森林防治沙漠化作用

在华北平原地区,风害和风沙危害是很严重的。本区平均风速一般在1~3m/s之间,大风日数1~2d,最多可达40d以上,最大风速在 20m/s 左右，极值风速可达 30m/s 以上。风向，冬季以偏北风为主，夏季则以偏南风为主，春秋是过渡季节，两种风向交替出现。在结构松散的沙质土壤地区，有风沙灾害，特别是冬春季节，由于降水量少，土壤干燥，风速较大，地面缺乏植被保护，沙暴出现日数较多。

土壤风蚀：河南省的沙地机械组成较细，粒径变动在 0.05～0.25mm 之间，极易为风所移动。根据观测：在疏松、干燥和裸露条件下，地表风速在 3m/s 时，沙粒即开始流动。风速增大到 5m/s，沙粒则按跳跃式移动。在土壤含水量为 2.6%的平沙地上，只要地表风速达 3.8m/s，经 1.5～2min 的吹袭可以使 2～3cm 厚的沙表层干燥，3min 后，干燥的沙粒则全部被吹跑。

在防护林的保护下，风速降低 20%～30%，土壤相对含水量增大 4%～10%，因此，风蚀相对减少。在冬春风季，条子林带间很少有大面积风蚀现象的发生。同时，由于风速减弱而造成的大面积均匀落沙，则对提高土壤肥力具明显作用。但在条林行间，由于枝条和荆条后的根桩挡风作用，则有为数不多的积沙现象，致使条带路高于田间。条农间作可以有效地减少土壤的风蚀，一般情况下减少 9%左右。土壤风蚀的减少，可以使表层土壤的有机质提高 0.3%～0.5%，全氮量提高 0.028 5%～0.049 7%，小于 0.01mm 的土粒增加 9.8%。

实行农桐间作后，可有效地防止大风和风沙危害。泡桐林带是风向移动的一个障碍物，风遇林带时，不但会受到林带的机械阻力，而且更重要的是林带会改变风的性质。风穿过林带后，由于与林带的内外摩擦，风速减低，减少了作物的风害，而且增加了空气的相对湿度，减少了地面蒸发，增加了土壤水分，减轻了风对土壤的侵蚀作用，防止了地面起沙。即使起沙，由于林带的阻截和削弱风速的作用，还可造成落沙，提高土壤肥力。

第四节 森林的净化环境效应

森林净化效应是指森林吸收和减少空气中有毒气体、灰尘及细菌和降低噪声的功能。由于污染的加剧,特别是城市空气中有毒物质的存在,使得人们对城市的空气质量十分关注。目前普遍的空气污染物是SO_2、烟尘和细菌等,而工业企业含有较多的其他有毒有害的污染,因此,利用森林降低和减少污染,加强以森林为主体框架的绿地系统,是保护和改善生态环境的一项重要手段。

森林净化大气对特别是在城市长期居住的人们十分重要,他们需要呼吸新鲜的空气,新鲜的空气包括氧气多、无尘、无毒、无菌等,森林净化大气效益应包括:①森林释放氧气;②森林的滞尘作用;③森林吸收有毒物体作用;④森林杀菌作用;⑤森林减弱噪声。

一、森林的减尘效应

森林对环境具有较大的改善作用,利用森林进行环境治理是生态工程的重要内容。通过对植物与环境二者之间关系的研究,充分体现了森林植被对环境的重大改善作用。

(一)植物滞尘量

植物的滞尘能力是指单位叶面积单位时间中滞留的粉尘量,植物叶片的滞尘量不是一个随时间无限增长的量,只是在一定时间范围内成线性回归,植物的滞尘不是无限上升的,也有其饱和量。降水和大风是影响植物叶片滞尘量的主要外界因素,二者都减少植物叶片灰尘的现存量,同时也提高了植物的总滞尘量。据河南农业大学监测,不同植物滞尘量差异较大,引起植物个体间滞尘能力差异的原因主要有两方面:一是不同个体叶表面特性的差异,叶面多皱、表面粗糙、叶面多绒毛或多油脂,这些特征都有利于阻挡、吸附和黏滞大气颗粒物,因此叶面粗糙、有绒毛或有分泌物的植物就有较强吸附粉尘的能力，而叶片光滑无绒毛滞尘能力就相对较弱；二是与树冠结构、枝叶密度、叶面倾角也有一定关系。

（二）不同植物单株年滞尘量

植物叶面截留粉尘是暂时的，随着粉尘量吸附量的逐渐增多，最终会因大风天气或降水而从植物叶面除去，同时结束上次粉尘的积累，开始下次对粉尘的截留。根据研究，当降雨量在 5mm 以上或大风日（风速 10m/s 以上），便会冲洗或刮掉叶片上的灰尘，因此，两次降水（或大风）的时间间隔就是一次滞尘的过程。不同植物的滞尘能力是不同的，从单位叶面积滞尘量分析，广玉兰叶面积大，大叶黄杨叶片挺坚，丁香、榆叶、梅叶面粗糙有绒毛，因此，能吸附较多粉尘；白蜡叶面较光滑，旱柳叶柄较细易被风吹动，因此，滞尘量较低。按滞尘能力大小划分，滞尘能力强的落叶乔木类有毛白杨、臭椿、悬铃木等；针叶类有雪松、广玉兰、女贞；滞尘能力较弱的乔木有国槐、旱柳等；灌木类滞尘能力较强的种类有丁香、大叶黄杨、紫薇。

（三）城市森林年滞尘量估算

河南农业大学对郑州市常见的城市绿化植物的滞尘量进行了测定，结果见表 3－21。从表中可知，单位绿地面积滞尘量，每公顷绿地年滞尘量超过 5 000kg 的植物有 3 种，即毛白杨、悬铃木和雪松，年滞尘量 1 000～5 000kg 的植物有 9 种；年滞尘量在 1 000kg 以下的植物有 6 种，主要是草本花卉类植物。相比较而言，乔木树种构成的绿地其滞尘量要高于草本植物十倍至几十倍；同时，乔木树种主要吸收人体呼吸带范围内的空气中的颗粒物，而草坪吸收的是低于人体呼吸带的灰尘，因此，城市森林的环境减尘效应最高。根据植物滞尘的测定数据，计算了郑州市城市绿地的年滞尘量，郑州市各类绿化植物年滞尘量以乔木树种滞尘量最大，约占总滞尘量的 87%；草坪植被滞尘量最小，仅为总滞尘量的 1%；说明乔木植物是滞尘的主体。同时也可了解到，尽管落叶乔木株数、绿量都大于常绿乔木，但滞尘量相比，常绿乔木高于落叶乔木，这是因为常绿乔木冬季不落叶，仍具有滞尘能力所致。为最大发挥植物的滞尘作用，一是尽可能选择乔木树种，建立乔灌草复合结构；二是在乔木树种中，尽量选择常绿树种，提高常落比。造成各区绿地植物滞尘量差异的主要原因是绿量的差异。

表 3－21　不同植物滞尘能力比较

类型	植物	年龄(a)	胸径(cm)	标准木叶面积(m^2/株)	单位叶面积滞尘能力[g/(m^2·a)]	植物年滞尘量[g/(株·a)]	密度(株/hm^2)	年滞尘量(kg/hm^2)
落叶乔木	毛白杨	15	22	315.68	40.95	12 926.46	500	6 463.23
	国槐	8	16	181.31	6.974	1 264.46	600	758.68
	臭椿	8	18	208.04	35.87	7 462.39	600	4 477.43
	白蜡	8	15	117.31	18.31	2 147.94	600	1 288.76
	旱柳	10	14	541.28	11.27	6 101.30	600	3 660.78
	泡桐	8	21	107.12	25.32	2 718.93	500	1 359.47
	悬铃木	15	25	247.37	43.63	10 792.01	500	5 396.00
	平均					6 201.93		
常绿乔木	雪松	12	16		34.26	13 729.49	500	6 864.75
	女贞	8	16	148.24	31.62	4 686.61	600	2 811.97
	广玉兰	8	14	105.34	41.71	4 393.73	600	2 636.24
灌木	月季	2		0.92	19.18	16.73	5 000	83.63
	大叶黄杨	4		6.09	25.09	152.79	5 000	763.95
	丁香	5		12.40	28.83	357.47	1 000	357.47
	紫薇	3		73.81	22.49	1 660.58	800	1 328.46
	榆叶梅	3		107.71	15.70	1 691.05	1 000	1 691.05
	紫荆	4		82.21	16.66	1 369.53	1 000	1 369.53
	平均					874.69		
草坪	早熟禾	1		8.74 (m^2/m^2)	1.04	9.09	10 000 (m^2/hm^2)	90.90
	麦冬	1		5.00 (m^2/m^2)	2.37	11.850	10 000 (m^2/hm^2)	118.50

按滞尘能力综合效应分类，滞尘效应较高的有：落叶乔木类的

毛白杨、悬铃木、泡桐、臭椿等;针叶类的雪松、女贞等;灌木类的紫薇、榆叶梅等。滞尘效应良好的乔木类植物有国槐、旱柳、白蜡等;灌木类的紫丁香、大叶黄杨、月季、紫荆等。草本植物的滞尘综合效益最差,属滞尘能力较差的类别。大多乔木树种综合指数较高,因此,表明乔木树种综合效益较高,是城市绿化的首选植物。就郑州市来说,上述结果可以作为城市绿化植物的选择依据。

二、城市绿化植物净化空气中二氧化硫的效应

植物各个部位都有一定的吸收能力,其中以叶子吸收最多。植物吸收硫的能力与植物本身的生物、生态学特性有关,也与植物的树形、高度、叶量、叶面积等密切相关。要精确计算城市绿地吸收二氧化硫的量是十分困难的,目前国内外的估算方法主要有三种:一是以污染区和非污染区植物含硫量的差值计算。它是通过测定清洁区和污染区植物体内硫元素的含量的差别而估算出植物吸收二氧化硫的能力,该方法比较符合实际情况,但缺陷是不能求出植物最大纳污量。二是由植物叶在一年内生长初期和末期叶部硫的积累量,推算植物对大气二氧化硫的吸收能力。该法也是只能近似求出植物对大气二氧化硫的吸收量。三是熏气法,通过植物本底值调查和伤害阈值的试验以及同化、转化量的测定,求出植物对二氧化硫的吸收量。该法的最大优点是比较精确,但由于伤害阈值是实验室人工控制条件做的,需要较高的试验条件,同时测试结果可能会与野外生长的植物有一定差异。

(一)植物吸硫量

根据河南农业大学对郑州市主要绿化植物含硫量测定，结果表明（见表 3 – 22、表 3 – 23），植物叶片含硫量有如下规律：常绿乔木 > 落叶乔木 > 常绿灌木。根据测定结果，并结合各种植物叶面积测定数据，得到各类植物叶片单位面积和单位株数吸硫量结果。

表 3－22 各类绿化植物叶片含硫量对比（单位：mg/g(干重)）

类型	污染区叶片含硫量	清洁区叶片含硫量	植物叶片吸硫量
常绿乔木	12.44	3.05	8.39
落叶乔木	9.51	2.71	6.88
常绿灌木	8.94	2.63	5.71

表 3－23 标准单株树木吸硫量计算

植物	单株叶面积 (m^2)	净吸硫量 (mg/g(干叶))	叶片积硫量 (g/m^2)	植物叶片吸硫量(g/株)
毛白杨	315.68	12.44	0.46	145.36
悬铃木	247.37	10.11	0.37	92.53
臭椿	208.04	15.76	0.58	121.31
国槐	181.30	3.74	0.14	25.08
女贞	147.53	8.68	0.32	47.21
白蜡	117.30	4.61	0.17	20.31
垂柳	541.28	3.76	0.14	75.30
榆树	279.41	9.48	0.35	98.13
泡桐	107.12	6.44	0.24	25.52
丁香	12.41	1.41	0.05	2.56
银杏	150.65	7.03	0.26	38.44
雪松		8.09		44.37
大叶黄杨	6.09	11.41	0.42	0.80
紫薇	73.82	2.06	0.08	5.62
榆叶梅	107.71	5.81	0.21	23.15
紫荆	87.21	3.83	0.14	12.35
月季	0.92	5.43	0.19	0.17

不同植物对二氧化硫吸收量有较大的差异。根据测定植物的数据分析，按单位叶面积吸硫量的大小划分为四个等级：吸硫能力

强、吸硫能力较强、吸硫能力中等、吸硫能力弱等。各种绿化植物的净化二氧化硫能力分类见表 3 – 24。

表 3 – 24　主要绿化植物净化二氧化硫能力分级表　(单位:g/m^2)

净化能力排序	吸硫能力强	吸硫能力较强	吸硫能力中等	吸硫能力弱
	>0.3	0.3~0.2	0.2~0.1	<0.1
1	臭椿	雪松	月季	紫薇
2	毛白杨	泡桐	白蜡	丁香
3	大叶黄杨	榆叶梅	旱柳	
4	悬铃木	银杏	国槐	
5	榆树		紫荆	
6	女贞			

(二)植被净化二氧化硫能力的估算

利用测定数据和郑州市城市绿化植物普查资料,对郑州市城市绿化植物的净化二氧化硫能力进行了估算,结果见表 3 – 25。从表中可知,郑州城市绿化植物对大气二氧化硫的年净化总量是 212.66t,其中叶片吸硫量为 79.75t,植物总吸硫量 106.33t;乔木树种占植物吸硫量的 56%,灌木占 38%,草坪仅占 6%,说明大气二氧化硫的植物净化主要是乔木和灌木。

表 3 – 25　郑州市城市植被年吸硫量估算

类型	绿量(m^2)	叶片吸硫总量(t)	枝干吸硫总量(t)	吸硫量合计(t)	净化 SO_2 总量(t)
乔木类	174 343 828	44.45	14.82	59.27	118.54
灌木类	38 873 628	30.67	10.22	40.89	81.78
草坪	45 681 699	4.63	1.54	6.17	12.34
合计	258 899 155	79.75	26.58	106.33	212.66

三、森林的杀菌作用

远古时代人们就已认识到植物的杀菌作用。在古代,人们常用树叶包裹食物;用植物汁液或浸提液作为外科手术的消毒剂,说明植物含有的某种物质可做杀菌防腐剂。人们对植物的杀菌作用已有了一定的认识。随着科学的发展,人们开始对植物的杀菌作用进行科学研究。1928年,国外的学者发现洋葱、大蒜等植物的新鲜碎糊所散发出的挥发性物质具有杀死葡萄球菌、链球菌及其他细菌的作用,1942年出版了《植物杀菌素》。我国学者测定繁华的都市区空气中含菌数每立方米超过3万个,其中许多细菌可导致多种疾病。研究表明,植物对于其生存环境中的细菌等病原微生物具有不同程度的杀灭和抑制作用。植物作为城市绿化的主体,其减少环境中的有害病原微生物的作用对改善城市生态环境、提高环境效益具有积极意义。

植物群落是植物群体的自然组合,能分泌出大量植物杀菌物质。据统计,全世界的森林每年要散发出大约1.77亿t的挥发性物质。试验证明,一株橘树在一天内能分泌出30g挥发性油类,这些物质能均匀地扩散到森林周围2km远的地方,杀灭随着尘埃飘浮在空气中的细菌。南京市环境保护所探索了绿化植物减少空气含菌量的效应。测定结果表明,植物群落的大小对空气含菌量影响很大。各类林地的空气含菌量都较空白地少,其中松树林中含菌量最少,柏树林、樟树林次之,喜树林、麻栎树及杂木林的杀菌作用最差。

植物群落不仅能杀死空气中的细菌,而且能杀死林地水源中的细菌。据测定,水流通过30~40m宽的林带后,1kg水中所含的细菌数比不经过林带的等量水中所含的细菌数减少50%,流经50m宽30年生杨树与桦树混交林带后,水中细菌含量比不经该林区的水流中的含菌量减少90%以上。水经过很狭窄的林区,也可使水中含菌量减少 95%。可见植物群落对净化水源的作用特别明显。

为了进一步了解常用园林植物杀菌作用的强度差异,河南农业大学就 27 种绿化植物对两种最常见的病原细菌,即金色葡萄球菌和铜绿假单孢杆菌的杀菌力进行了测定分析。结果表明,不同的植物杀菌作用差异很大。

按照杀菌能力将常见植物分为四类。

第一类植物,对杆菌和球菌的杀菌力均极强,其中包括油松、核桃、桑树、龙柏、银杏、腊梅、圆柏、芭蕉、侧柏、碧桃。既能杀死某些球菌,又能杀死某些杆菌。这类植物可以作为医院、居住区等绿化的首选植物材料。

第二类植物,对两菌种的杀菌力均较强,或对其中一个菌种的杀菌力强而对另一个菌种的杀菌力中等,常见的植物包括:乔木类的白皮松、桧柏、侧柏、洒金柏、女贞、雪松、紫叶李、栾树、泡桐、杜仲、槐树、臭椿、水杉、核桃、白蜡、毛白杨、桂花、二球悬铃木、月季;灌木类的紫穗槐、棣棠、金银木、紫丁香、黄栌、海桐;攀缘植物类的中国地锦、美国地锦以及球根花卉美人蕉等。

第三类植物,对球菌和杆菌的杀菌力中等,或对其中一种菌的杀菌力较强而对另一种菌的杀菌力中等者,包括常绿乔木类的华山松,落叶乔木类的构树、绒毛白蜡、银杏、绦柳、馒头柳、榆树、元宝枫、西府海棠;灌木类的北京丁香、丰花月季、海州常山、腊梅、石榴、紫薇、紫荆、金叶女贞、黄刺玫、木槿、大叶黄杨、小叶黄杨及草本植物鸢尾、地肤、山荞麦等。

第四类植物,对球菌和杆菌的杀菌力均弱,包括加拿大杨、垂柳、栓皮栎、重阳木、国槐、兰考泡桐、朴树、冬青卫矛、木瓜、紫叶李、洋白蜡、玫瑰、报春刺玫、太平花、萱草、樱花、玉兰、榆叶梅、鸡麻、野蔷薇、美蔷薇、山楂、迎春。

研究还表明,在某些情况下,绿地的减菌作用不甚明显,原因是,温暖季节绿地相对阴湿的小气候环境有利于细菌滋生繁殖,若绿地的卫生条件不良,则可能增加空气中的细菌含量。因此,为了充分发挥绿地减少空气含菌数的正面作用,首先,应合理安排园林植物种植结构,保持绿地一定的通风条件,避免产生有利于细菌滋生繁殖的阴湿小环境;其次,应加强绿地环境卫生状况的管理,改善容易滋生细菌的不良卫生状况。

第五节　城市森林改善小气候效应

森林群体具有多种自然功能。林木的枝叶覆被和生理活动对土壤结构、土壤性质、气流运动、空气成分、降水和地表水分的分配都可起到调节作用,这种影响有利于改善林区的自然环境条件,为其他生物系统提供较理想的空气、土壤、物种、养分、景观、水源、能源等条件。

森林通过光合作用,把太阳能转换为有机化学能,同时吸收二氧化碳和放出氧气。植物的生理代谢活动,能改变其环境光、热、水分状况,进而影响环境的温度、降水、局地气流、碳氧平衡和生物的生存环境。

一、城市树木不同覆盖度对太阳辐射的影响

太阳辐射是地球表面增温的主要能源。在裸露地上,太阳幅射一部分(20%左右)被反射回大气,大部分(80%左右)被地面及建筑物吸收,其热平衡式为:

$$I = R + I'$$

式中:I 为太阳辐射量;R 为下垫面反射;I' 为吸收的太阳辐射。

地面及建筑物吸收的太阳短波辐射,以长波辐射的形式等量地辐射到大气中去,增加地表层空气的温度。树冠形成了特殊的下垫面。当太阳辐射到达树冠后,一部分被反射回大气,小部分透

过树冠到达地面,大部分被树冠吸收。热平衡式为:

$$I = R + A + D$$

式中:A 为树冠吸收量;D 为透过树冠幅射量。

据对郑州市多年的测定(见表 3-26),表明郑州市树木覆盖程度不同对地面太阳辐射量的影响也不同。树冠可以有效地截留夏季太阳的辐射。在林阴道下或公园片林内,树冠对可见光辐射的截留率在 90%左右。光辐射量的减少,可以直接影响树冠下的温度,在夏季可提高人体舒适度。据医学研究证明:夏日的强光照对人的眼睛及皮肤有伤害;绿阴对人的神经系统有镇静作用,能产生舒适和愉快的情绪,防止直射光产生的色素沉着,还可防止荨麻疹、丘疹、水疱等过敏反应。

表 3-26　树木不同覆盖程度对太阳辐射强度(可见光)的影响

时间(h)	火车站广场	金水大道			公园片林		
	辐射强度 (J/(m²·min))	辐射强度 (J/(m²·min))	与广场比 (J/(m²·min))	减少率 (%)	辐射强度 (J/(m²·min))	与广场比 (J/(m²·min))	减少率 (%)
6	0.11	0.01	-0.10	91.00	0.01	-0.10	91.00
8	0.68	0.05	-0.63	92.60	0.04	-0.64	94.10
10	1.30	0.09	-1.21	93.10	0.09	-1.21	93.10
12	2.07	0.29	-1.78	86.00	0.26	-1.81	87.40
13	1.95	0.19	-1.76	90.30	0.19	-1.76	90.30
15	1.55	0.17	-1.38	89.00	0.16	-1.39	89.70
17	0.15	0.10	-0.05	33.33	0.08	-0.07	46.70
平均	1.12	0.13	-0.99	88.40	0.12	-1.00	89.30

二、城市森林对气温的影响

城市森林吸收的辐射能,除一小部分用于光合作用转化为化学能外,绝大部分辐射能用于树木的蒸腾作用(每蒸发 1g 水,消耗 2 461J 能量)。树冠下太阳辐射的减少,气温相应降低。城市中的行道树、散生树及片林等,夏日都可起到降温作用。

据测定(见表 3－27),绿化好的公园片林可降低气温 3℃左右,在中午前后高温时期,降温作用更为明显。在无树木的火车站广场和少树木的大路段,超过 33℃和 35℃的高温持续时间分别为 8h 和 4h,而公园片林和林阴大道下均未出现。这一效应,对保护人体健康很有意义,温度影响人体热平衡。气温达到 33℃以上时,人体的散热发生困难,只能以出汗的形式散热。汗液大量分泌,会引起人体水盐代谢障碍。当气温超过 35℃时,人体血液循环、胃液分泌、胰腺相隔腺活动都会受到障碍,肌肉活动能力下降,疲乏无力,甚至还可引起中暑死亡。

表 3－27　树木不同覆盖度对气温的影响　(单位:℃)

时间(h)	火车站广场	公园片林		金水大道(林阴道)		大同路(很少树木)	
	气温	气温	与广场比	气温	与广场比	气温	与广场比
6	25.6	22.1	－3.5	23.4	－2.2	25.2	－0.4
8	28.6	26.8	－1.8	26.9	－1.7	28.8	+0.2
10	33.5	30.7	－2.8	31.0	－2.5	33.1	－0.4
12	34.5	32.0	－2.5	32.7	－1.8	34.5	0
13	35.4	32.5	－2.9	32.9	－2.5	35.1	－0.3
15	35.3	32.2	－3.1	32.8	－2.5	35.1	－0.2
17	34.6	32.0	－2.6	32.3	－2.3	34.5	－0.1
19	32.5	30.0	－2.5	29.5	－3.0	32.4	－0.1
$\bar{x}$	32.5	29.8	－2.7	30.1	－2.4	32.3	－0.2
33℃持续时间(h)	8	0		0		8	
35℃持续时间(h)	3	0		0		3	

三、不同天气条件下不同树木覆盖度对气温的影响

天气条件的不同,一方面影响着太阳辐射到达下垫面的强度,

另一方面影响着地面热能的对流及扩散，使不同森林类型的调温效应不同。树木降温效应与风有关，与云量关系不大。据实际测定(见表 3－28)，在多云无风天气中树木降温效应最明显，公园片林平均降温 2.91℃，最高气温降低 3.3℃；晴天微风降温效应中等，晴天有风降温效应较差。风能将树木蒸发吸热降温由集中效应变为分散效应。

表 3－28　不同天气条件下树木覆盖度对温度变化的影响

天气	森林类型	日均温(℃)		最高气温(℃)		33℃高温持续时间(h)	35℃高温持续时间(h)
		气温	与车站广场比	气温	与车站广场比		
晴天微风	公园片林	29.79	－2.71	32.50	－2.90	0	0
	金水大道(林阴道)	30.19	－2.31	32.90	－2.50	0	0
	大同路(很少树木)	32.34	－0.16	35.10	－0.30	8	3
	火车站广场	32.5	—	35.40	—	8	3
多云无风	公园片林	26.68	－2.91	29.60	－3.30	0	0
	金水大道	27.03	－2.56	30.70	－2.20	0	0
	大同路	29.44	－0.15	33.30	＋0.40	3	0
	火车站广场	29.59	—	32.90	—	1	0
晴天有风	公园片林	26.88	－2.30	30.30	－2.90	0	0
	金水大道	27.14	－2.04	30.50	－2.70	0	0
	大同路	28.98	－0.20	33.00	－0.20	3	0
	火车站广场	29.18	—	33.20	—	3	0

四、不同行道树结构对气温的影响

行道树有开放式(路两边行道树冠不相连接)和封闭式(路两边行道树冠相接)两类。不同结构类型对太阳辐射到达路面的能量不同，其温度效应也不一致。据对开放式悬铃木行道树和封闭式悬铃木行道树的观测证明(见表 3－29)，无论在什么样天气条件下封闭式行道树降温效应均大于开放式。封闭式比开放式平均气温低 0.4 ~ 1.2℃，最高气温降低 0.9 ~ 1.3℃，相对湿度增加 2% ~ 9%。在以游览为主的道路旁，建成封闭式行道树结构为好。

表 3-29　不同行道树结构对气温的影响

天气	行道树结构	平均温度(℃)	最高温度(℃)	平均湿度(%)
晴天	开放式	28.63	32.90	63.00
	封闭式	27.65	31.60	65.00
	差　值	-0.98	-1.30	+2.00
晴天有风	开放式	28.18	31.50	58.25
	封闭式	27.76	30.60	62.50
	差　值	-0.42	-0.90	+4.25
阴天	开放式	24.95	26.90	65.13
	封闭式	23.71	25.60	74.00
	差　值	-1.24	-1.30	+8.87

五、不同树种对气温的影响

不同树种其叶面积指数不同，叶子消光系数不同，蒸腾强度不同，因而对光照的截留、降温效应和增湿效应也不同。根据对悬铃木、毛白杨和泡桐 3 个主要行道树种的测定表明，悬铃木行道树遮光、降温、增湿效果较好，毛白杨中等，泡桐较差。

悬铃木行道树遮光度最大，平均光照比毛白杨低 595lx，比泡桐低 1 018lx；中午比毛白杨低 1 400lx，比泡桐低 3 206lx，悬铃木平均气温比毛白杨低 0.17℃，比泡桐低 0.47℃；最高气温比毛白杨低 0.2℃，比泡桐低 0.5℃。悬铃木比毛白杨平均湿度增加 4%，比泡桐增加 5%；最大湿度比毛白杨增加 4%，比泡桐增加 6%。

六、行道树对路面温度的影响

行道树可以大量减少太阳辐射到达路面的能量，降低路面温度。根据对水泥路、柏油路和土路的测定表明，行道树下地面温度比裸露地面温度明显降低。无论是平均温度还是日最高温度，水泥路面温度最高，土路面温度最低，柏油路中等。

七、树木对建筑物表面温度的影响

城市有大量的建筑群，这些建筑物都是由砖、瓦、水泥、钢铁及玻璃等材料构成。建筑材料的比热都较小，吸收太阳辐射后很快升温，所以夏季白天建筑物的表面温度较高。

在树木庇护下，可以降低建筑物的温度。据对瓦房屋顶、砖墙和水泥墙表面温度的测定表明(表 3-30)，树木庇荫可以有效地

表 3-30　树木对建筑物表面温度的影响　(单位：℃)

时间(h)	瓦房顶			砖墙			水泥墙		
	光照下	树阴下	差值	光照下	树阴下	差值	光照下	树阴下	差值
6	17.1	17.9	+0.8	19.9	20.0	+0.1	19.8	20.5	+0.7
8	25.0	20.0	-5.0	22.5	21.7	-0.8	22.4	21.5	-0.9
10	34.7	24.1	-10.6	26.8	23.7	-3.1	26.7	23.3	-3.4
12	33.0	25.6	-7.4	30.0	26.1	-3.9	30.0	26.0	-4.0
13	34.1	26.1	-8.0	31.5	27.5	-4.0	31.5	26.6	-4.9
15	31.8	26.9	-4.9	31.1	28.0	-3.1	31.4	27.9	-3.5
17	28.3	26.4	-1.9	29.6	26.9	-2.6	29.3	26.5	-2.8
19	25.2	25.3	+0.1	26.7	24.8	-1.9	26.7	25.2	-1.5
平均	28.7	24.0	-4.7	27.2	24.8	-2.4	27.2	24.6	-2.6
变幅	17.6	9.0	-8.6	11.6	8.0	-3.6	11.7	7.4	-4.3

降低温度，树木对瓦房顶、砖墙及水泥墙都有降温效应。其中瓦房顶降温效应最大，水泥墙中等，砖墙较小。在日间，早上树木庇荫对建筑物起到保温作用；日出后，起到降温作用。这样，在树木庇护下，可以有效地减小日间温差的变幅。

根据树木对建筑物的温度影响，应在建筑物南面栽植些落叶大乔木（加拿大杨、毛白杨、水杉、意大利杨等），以起到对建筑物的调温作用。

第六节　森林生态效益计量与评价

森林主要的生态环境作用为：①改善小气候。通过减小林区近地层风速，降低地面气温，增大空气湿润程度，调节地面蒸散发能力、年总径流量。②增加枯季径流。森林土壤具有较强的蓄水保墒能力，增加地下水补给，提高枯水流量，使河川径流更趋平缓，有利于水资源的开发利用，提高水利工程的效益。③拦蓄暴雨滞消洪水。林区林冠和枯枝落叶层有强大的截留雨水和拦截水流的功能，对地表径流有强烈的阻滞作用；同时林地还可以改变坡面径流组成，使原来的快速坡面浸沉转变成慢速的壤中流和地下水，这一作用使洪水过程延续，洪峰降低，有利于下游防洪防汛。④水土保持效益。植被覆盖区地面径流量小，水流速度低，土壤结构良好，不易受雨水冲刷流失，从而使地面侵蚀强度下降到允许范围内，保护了地力，减轻河道泥沙淤积危害。森林同时还有改善区域景观、净化大气和提供动植物种库等功能。

我国学者把森林生态效益界定为：①森林涵养水源效益；②森林水土保持效益；③森林抑制风沙效益；④森林改善小气候效益；⑤森林吸收二氧化碳效益；⑥森林净化大气效益；⑦森林减轻水旱灾害效益；⑧森林消除噪声效益；⑨森林游憩资源效益；⑩森林野

生生物保护效益。

根据国外环境经济学和资源经济学的研究成果,生态效益经济计量方法主要有两类:一类是效果评价法;另一类是消耗评价法。效果评价法是根据森林综合效能的利用程度,如依据森林影响范围内农作物产量的提高、水资源的增加以及土壤流失量的减少等对森林生态效能做出经济评价。目前,森林的涵养水源效益、保持水土效益、保护农田效益的经济计量等都普遍地采用此类方法。消耗评价法是以劳动价值为基础,以森林中凝结的劳动价值量为依据评价森林生态效益的大小。这两类方法的主要区别在于前者是以森林效能产生的社会效果为依据进行计量,后者则是以森林本身所凝结的劳动价值量为依据进行计量的,不考虑森林效能对社会产生的实际作用和影响。前者应主要用于森林生态效能使用价值的评价,也就是我们这里所进行的生态效益的评价;后者应主要用于森林价值评价,包括森林生产价格的制定。

一、森林生态效益计量

(一)生态效益经济计量的基本步骤

1. 生态效益物理量的确定

一方面要确定林业影响的区域范围,另一方面要确定各种生态效益最佳的计量指标,最后计算该生态效益的物理量指标,其结论是放出氧气若干吨,增加水资源若干吨等。

2. 生态效益经济计量方法的选择和确定

根据所评价具体的生态效益特点,结合各种方法的使用要求,确定所需要的方法。首先,必须特别准确把握每种生态效能的作用范围,据此寻找最恰当、最能表现该效能数量的方法;其次,要注意方法的区别、差异,明确各方法的适用性与不适用性及其基本要求;其三,不同种生态效能及同一种生态效能的不同方面均可采用不同的方法进行计量。

3. 参数的有效选择

经济计量参数主要是指由生态效益物理量结果转换为经济计量结果的参数。参数选择首先要在限定方法内进行，即方法确定是参数选择的前提。如应用影子价格法，则关键在于影子价格的确定。影子价格确定时，要考虑把最能间接体现（替代）该生态效益作用成果的商品的价格作为该效益的影子价格。不同效益的影子价格是不同的。因此，参数选择是要特别注意具体性和实效性。

4. 进行经济计量

运用所选定的计量方法和转换参数进行经济计量，获得某一时点上该生态效益的经济计量值。

（二）评价的指标体系及计算方法

1. 涵养水源效益经济计量

森林通过树冠截留、树干截留、林下植被截留、枯落物持水和土壤贮水对大气降水进行再分配，从而减少地表径流，调节径流时空分布，相当于水库调节水量作用，称为涵养水源效益。其物理量计量为：

$$S = J + K + Q$$

式中：S 为森林涵养水源量，$t/(hm^2 \cdot a)$；J 为林冠截留量，$t/(hm^2 \cdot a)$；K 为枯落物持水量，$t/(hm^2 \cdot a)$；Q 为森林土壤细管孔隙的贮水量，$t/(hm^2 \cdot a)$。

2. 增加地表有效水量效益

森林土壤常被称为“海绵体”和“绿色水库”，有巨大的渗透能力和蓄水能力。在降水时，森林能吸收和渗透降水，减少了流入大海的无效水，增加了地表有效水的蓄积，以供工农业利用和生活利用，因此，森林涵养水源、增加有效水量效益有明显的经济价值。

3. 改善水质效益

降水在经过有林地时，首先经过枯枝落叶层的过滤，去除部分污染物和杂质；渗入土壤后，某些溶解成分可以被土壤吸收或通过粒子交换去除，同时又可使土壤或风化岩石中的某些物质溶解，增加水中的化学成分。森林还可降低径流水的温度和硬度，改善水质。水温升高不利于水生生物，也会改变水的化学性质。流经森林的水微生物含量极低，有研究表明，流经森林的水每升中含有大肠杆菌数仅为农田水的2%。

4. 调节径流效益

在雨季，森林吸收、渗透了降水，减少和滞后了降水进入江河，削减和滞后了洪峰，减少了洪水径流；在干枯期，森林逐渐放出涵养的水，增加江河的流量，缓解了旱情。因此，森林可涵养水源、调节径流、延长丰水期、缩短枯水期，从而提高农田灌溉及工业供水的能力。

5. 水土保持效益经济计量

(1)减少土地资源损失效益。土壤侵蚀可引起土地资源的损失。例如，水蚀可导致土壤因石质化、石板化而废弃，风蚀可导致土壤因沙漠化而废弃，因此森林保护土壤、减少土地资源损失有着巨大的经济价值。

(2)防止泥沙滞留和淤积效益。土壤侵蚀的泥沙在进入江河湖库流入大海的过程中，其中块大粒粗的滞留于山前、坡脚、沟口、洼地和河口。泥沙滞留妨碍了工农业生产，特别是农业生产；河流淤积减少了江湖河库的蓄水容量，缩短了水利工程设施的有效使用期。因此，森林保护土壤、防止泥沙滞留和淤积有利于工农业生产，有明显的经济价值。

(3)保护土壤肥力效益(减少肥料损失)。土壤侵蚀带走了大量表土，而表土中含有大量的营养物质，特别是速效氮、磷、钾和土壤有机质，也随着水流一起损失了。水蚀不仅带走了流失表土中的营养物质，而且带走了下层土壤中的部分可溶解物质。表土和下层土壤中的营养物质损失引起土壤肥力下降，因而人们不得不增加化肥的施量。因此，森林对保护土壤、减少营养元素流失具有明显的经济价值。

6. 吸收二氧化碳效益经济计量

(1)根据人工固定二氧化碳的成本来计算。森林固定二氧化碳的经济价值可以用工艺固定等量二氧化碳的成本来计算,其缺点是成本高昂。

(2)根据造林成本来计算。既然植树造林是为了固定大气中的二氧化碳,那么森林固定二氧化碳的经济价值就应该根据造林的费用来计算。例如,英国林业委员会在1990年核算其森林固定二氧化碳的经济价值时,以造林成本18~30英镑/hm^2,作为森林固定二氧化碳量的定价标准。

(3)根据碳税标准来计算。欧洲共同体、挪威、丹麦和瑞典等都曾向联合国提议对化石燃料征收碳税,以减缓温室效应,如瑞典政府提议的碳税收额为每公斤碳0.15美元。因此,有部分学者建议以碳税额作为森林固定二氧化碳经济价值的计算标准。很显然,碳税只是控制碳排放的一种手段,它应该小于二氧化碳本身引起的温室效益危害。

(4)根据变化的碳税标准来计算。测量并计算出化石燃料(征收碳税)转化为无碳燃料(不征收碳税)的资金花费,并以此金额作为税金。根据这种方法,1990年英国的Anderson测量并计算出每立方米木材固定二氧化碳的经济价值为43英镑/m^3。

7. 净化大气效益经济计量

森林净化大气不像森林吸收二氧化碳的效益那样十分明确。因为森林吸收二氧化碳是对整个陆地生物圈都有利的。而森林净化大气主要对人类,特别是对长期居住城市的人们显得重要。新鲜的空气包括氧气多、无尘、无毒、无菌。森林空气浴就是人们使用这种效益而产生的。从这个角度来看,森林净化大气效益应包括:

(1)森林可以释放氧气。

(2)森林有滞尘作用。森林能降低大气中的灰尘的数量。其作用主要表现在两个方面:一是森林能降低风速,使飘扬在大气中大粒灰尘在重力的作用下下沉;另一方面林木高大,有很大表面积,可吸附灰尘。

(3)森林有吸收有毒主体的作用。林木有吸附气态污染物质的作用,可以是林木表面吸附,也可以通过气孔吸收,聚集体内或转化为无毒物质。

(4)森林有杀菌作用。其作用体现在森林的消尘,减少细菌的载体;林木分泌物能杀菌。

有人认为森林释放氧气的作用不应该计算,因为它是伴随着森林吸收二氧化碳而必然释放的对人类有益的气体。这种必然性不是人们可转移的。这种说法是不对的,森林吸收二氧化碳和释放氧气具有不同的使用价值。从使用角度上看,二者是独立的,不存在森林生态效益的重复计量。其实,在森林的生态效益中,还有一些同释放氧气一样,存在着这种依从的相关性。我们在研究森林生态效益计量中,要避开它们之间的重复计量。

8. 改善小气候效益经济计量

生态林业工程改善小气候效益计量要观测有林带与无林带的农牧业产量的变化,从而求出其改善小气候效益。有如下公式:

$$V = M \times K_1 \times S \times K_2 \div K_3$$

式中:V 为年改善小气候效益;M 为林网面积;K_1 为林网面积与防护农田面积之比;S 为防护区域内农田单位面积纯收益,元/hm^2;K_2 为改善小气候效益系数,$K_2 = 10\%$;K_3 为物价上涨指数。

9. 游憩资源效益经济计量

国外森林游憩的评价已有 40 多年的历史,其典型的方法有:①美国的阿特奎逊法和前西德的普罗丹法。②生产性评估。从生产者的角度来说,森林游憩的价值至少为开发、经营和管理游憩区所耗费的成本,其典型方法有直接成本法和平均成本法。③消费性评估。从消费者的角度看,森林游憩的价值至少应该等于游客游憩时的花费,其典型方法有游憩费用法。④替代性评估。它以“其他经营活动”的收益作为森林游憩的价值,其典型方法有机会成本法和市场价值法。⑤间接性评估。它是根据游客支出的费用资料求出“游憩商品”的消费者剩余,并以消费者剩余作为森林游憩的价值,其典型方法有旅行费用法(TCM)。⑥直接性方法。直接询问游客或公众对“游憩商品”自愿支付(WTP)价格,其典型方法有条件价值法(CVM)。

10. 野生动物保护效益经济计量

森林野生生物包括森林中的各种野生动植物,如药材、食用菌、山野菜、鸟类、野兽等。上述就是森林野生生物的物质资源,而森林作为基因库,保护生物的多样性等是森林野生生物的环境资源。上述两者之和称为森林野生生物保护效益。

另外,森林野生生物保护效益要求森林具有一定面积,其中物质资源存在市场价值,环境资源存在使用价值,这是别的森林生态效益所不存在的。

目前,根据环境经济学和资源经济学的研究成果,森林野生生物保护效益的经济价值核算主要有4种方法:费用支出法、市场价值法、条件价值法和游行费用法。下面介绍前2种方法的原理。

费用支出法以人们对森林野生生物的支出费用来表示该效益的经济价值。例如,对于森林植物沙棘,我们可以根据消费者(包括个人、公司和工厂等)购买沙棘的费用支出来表示。

市场价值法,适合于没有市场交换但能找到市场交换的野生动植物物种的经济价值,如自然生长的野生动物(老虎和大熊猫等)。这些野生生物虽没有在市场交换,但可以用市场交换价格来表达其经济价值。市场价值法可用公式表达如下:

$$V = \sum P_i \Delta R_i$$

式中:V 为森林野生生物的经济价值;P_i 为第 i 种野生生物的市场

价格；ΔR_i 为第 i 种野生生物的数量。

二、综合效益评价

（一）综合效益评价的步骤

效益评价是多目标、多因子、多层次和多指标的综合评价。评价方法从过去以定性为主的评价，逐步发展为以定量为主的评价；从单因素、单目标评价到多因素、多功能、多指标的综合评价；从主观成分较多的经验性评价到利用数学方法对主观成分进行"滤波"处理，效益评价的方法日渐科学和客观。但是，在水土保持林效益评价中仍然存在一些问题。如在众多指标评价体系中，有些层次划分比较含混，有些项目的选择不具代表性，有些选择的项目互相交叉、重叠和包容，或不在同一层次上；在选择数个由一系列基础项目计算出的综合指标时，其复杂的测算工作难以在生产中推广应用；此外，采用不同的评价方法对同一林地在不同时段，或同一时间对不同地区的同种林分作效益评价，缺少纵向或横向可比性；因此，考虑到各林分的立地条件、主要作用和树种组成等方面的差异，以及评价的计算问题，效益评价应采用一些共有的、代表性强的指标。评价指标有层次和类型之分，准则根据具体问题而定。但无论采取哪一种评价方法，均应以科学、合理、简便和实用为前提。地理信息系统技术的发展及其在生物地学方面的应用，从定性、定量和定位三方面显示出水土保持林的综合效益，其评价方法和评估模型将成为效益评价的发展趋势。

（二）指标体系的建立

效益评价的首要工作是建立一套能客观、准确、全面并定量化反映效益的评价指标或指标体系。到目前为止，世界上还没有一个能被广泛接受的效益评价指标体系。要成功地提出一整套综合效益指标体系，必须选择定性与定量相结合的原则和方法。由专家组群研究指标体系的具体构成，依据水土保持林体系综合效益评价的目的,选取各项评价指标。评价指标应意义明确,能较好地反映水土保持林体系的特征,符合生态经济理论和系统分析原理。效益指标的确定应对应于其总效益与诸多分效益。

1. 评价指标筛选原则

(1)系统性。评价指标和标准不仅要反映森林的发生、发展规律,还要反映森林系统与环境、社会系统的整体性及相协调性。

(2)独立性。指各评价指标和相应标准应相互独立。

(3)可比性。指评价指标和标准应有明确的内涵和可度量性。

(4)真实性。指评价指标能反映事物的本质物征。

(5)实用性。指评价指标应操作简便,评价方法易于掌握。

2. 评价指标的筛选与权重确定方法

评价指标权重确定方法主要有 Delphi 法、AHP 法、AHP - Delphi法、把握度 - 梯度法和最大墒 - 最大方差法。首先请专家填写 3 种咨询表格。第一种咨询表请专家对每一待定指标按很重要、重要、一般、不重要 4 个等级填写;第二种表请专家直接综合该指标的权重;第三种由专家按递阶层次结构对每一个上级指标,按其所辖的下级指标两两比较其重要程度,用 5 等 9 级法得出判断矩阵。

一般可以由 4 级指标组成体系。A 级指标为总指标,称聚合指标(总效益指标);B 级指标为分类指标,又称性质指标(分效益指标);C 级指标为具体指标,又称体现指标(准效益指标);D 级指标为结构指标,又称效益构成指标(也即计算效益的基础指标)。

其次,分析指标体系中各项要素之间的相互作用和相互联系,提出它们在综合体系中的相对地位和相对影响,也就是所占的权重。近几年来,随着线性代数、模糊数学、集合论和电子计算机的应用,人们确定权重的方法正在从定性和主观判断向定量和客观判断的方向逐步发展。目前常用的方法有:专家评估法(特尔菲法)、频数统计分析法、等效益替代法、指标值法、因子分析法、相对系数法、模糊逆方程法和层次分析法等。

最后，在不同层次上，综合成具有横向维、竖向维和指标维的三类综合效益指标体系。

四川工业学院在对中国生态林业工程综合效益评价指标体系研究中，提出通过第四轮专家重要性表态，指标权重微调后发现，除各区特异指标外，各区 B 级、C 级指标的专家意见一致。为了便于指标的操作、实施，课题组采用会内会外法，以第四轮的咨询结论为基础，结合大部分专家的定性意见，对指际再次分析，使所保留指标能充分体现防护林的生态、经济和社会效益，因此形成了森林效益的综合评价指标体系（见图 3－1）：A 级 3 个、B 级 11 个、C 级 39 个，并给出了各级指标的权重。

为便于实际应用，将上述 39 项指标进行筛选，提出了林业综合效益评价指标的简化体系（见表 3－31），其中，A 级指标 2 项，B 级指标 8 项，C 级指标 14 项。该指标体系不需要长期的实地观测资料，仅从统计资料分析就可以计算森林的综合效益，具有一定的实用性。

3. 森林生态效益综合评价方法

评估模型建立的主要程序是：①应对林分进行详尽的可利用功能的调查，即了解森林利用的功能种类；②研究估测每种可利用功能可能达到利用的程度，是利用得很充分，还是只限于一般性利用，或是利用水平暂时还不理想；③给不同的利用程度确定量化比重，如设充分利用为 100%，一般利用为 50%，暂时还不理想为 20%；④设计林分利用功能的计算模型，即评估模型。建立评估模型，一方面可以进一步验证用指标比较方法进行评价的优越性；另一方面又可以对不宜于或难以用指标比较方法进行评价的方案进行优化处理。评估模型建立的关键性问题是：确定效益评价的统一尺度；确定在此尺度下的计量指标体系；将不同性质的效益内容用适当方法，在统一尺度中加以衡量。

效益	指标	区域	评价因子	编号	权重
生态效益(A1)0.56	森林生态系统稳定性维持指标(B1)0.32		森林覆被率	C1	0.22
			灌草总盖度	C2	0.11
			主要森林类型面积占区域面积百分比	C3	0.10
			森林生态系统多样性	C4	0.14
			森林生态系统生物生产力	C5	0.25
			森林乔木层生物量	C6	0.18
	森林改良小气候指标(B2)0.13		干燥度	C7	0.50
			平均风速改变率	C8	0.50
	森林水源涵养功能指标(B3)0.16		年径流系数	C9	0.32
			拦截暴雨径流率	C10	0.36
			林地蓄水容量	C11	0.32
	森林保土作用指标(B4)0.17		土壤侵蚀面积占区域面积百分比	C12	0.49
			土壤侵蚀模数	C13	0.26
			流域输沙模数	C14	0.25
	森林改良土壤作用指标(B5)0.11		土壤容重	C15	0.43
			土壤总孔隙率	C16	0.37
			土壤有机质含量	C17	0.20
	区域功能特异性指标(B6)0.11	三北	固沙面积变化率	C18	0.30
			灾害风降低率	C19	0.34
			尘沙减低率	C20	0.36
		长江太行	森林护坡(塬)效果	C18	0.40
			降雨径流转化率	C19	0.34
			重力侵蚀降低率	C20	0.26
		沿海	护堤效果	C18	0.34
			台风降低率	C19	0.30
			减轻海煞(盐碱)效果	C20	0.30
经济效益(A2)0.24	林业生产投入指标(B7)0.34		资金投入	C21	0.42
			劳动力投入	C22	0.28
			间接费用(地租与管护费等)	C23	0.30
	林业生产产出指标(B8)0.32		木材产值	C24	0.43
			林、副产品产值	C25	0.43
			薪炭产值	C26	0.14
	林业投资效益指标(B9)0.34		净现值(NPV)	C27	1.00
社会效益(A3)0.20	森林公益效益(B10)0.60		CO_2 固定量	C28	0.45
			农民人均(园林)增收	C29	0.35
			公众对林业及防护林价值认识	C30	0.20
	潜在的森林公益效益(B11)0.4		对公众身心健康影响	C31	0.40
			森林的游憩价值	C32	0.20
			林业在农村经济中的比例	C33	0.40

图 3-1　生态林业工程综合效益评价指标体系

表 3－31　　长江上游防护林综合效益评价体系

体系	A级指标		B级指标		C级指标	
	指标	权重	指标	权重	指标	权重 W
森林综合效益评价指标体系	生态效益 A1	75%	森林生态系统稳定性(B1)	22%	森林覆盖率(C1) 森林生态系统多样性(C2) 森林生态系统生物量(C3)	9% 5% 8%
			改良小气候(B2)	4%	干燥度(C4)	4%
			森林水源涵养功能(B3)	20%	蓄水效益系数(C5) 蓄水容(C6)	11% 9%
			森林保土作用(B4)	20%	土壤侵蚀面积占区域面积百分比(C7) 土壤侵蚀模数(C8)	12% 8%
			森林改良土壤作用(B5)	9%	土壤总孔隙率(C9) 土壤有机质含量(C10)	5% 4%
	社会经济效益 A2	25%	林业生产产出(B6)	14%	木材产值(C11) 薪材产值(C12)	10% 4%
			森林公益效益(B7)	11%	CO_2 固定量(C13)	11%
			生产投入(B8)		资产投入(C14)	

确定了效益评价指标体系和指标的权重，即可进行效益的评价计算。目前，提出综合效益评估模型的文献尚不多见，但一些用于评价森林综合效能的数学模型和方法，比较通行的方法有以下几种：

(1)模糊数学法。自 1965 年美国教授 L. A .zqdeh 提出模糊集合概念以来，模糊数学在定量评价中得到广泛的应用。应用较多的是模糊聚类分析和模糊综合评价。模糊聚类分析是一种多元分析，其主要步骤是：① 确定聚类样本(实测数据)与样本指标(标准)；② 样本指标化处理；③ 标定：建立相似关系矩阵；④ 把相似矩阵改造成模糊等价矩阵 $R*$，$R*$ 可由 R 经过 $n-1$ 次复合运算得到，$R* = R_{n-1} = R_0 \cdots R_{n-1} R$；⑤ 聚类选择不同阈值 λ 进行截取,形成一个动态聚类图。显然 λ 取值愈大,分类愈细。根据这一划分,将综合效益的较为贴近的合并为一类而获得评价结果。

(2)层次分析法。层次分析法是一种简易的决策方法,它是由匹兹堡大学的运筹学家 T. L. Saaty 于 1977 年提出的。其基本内容是:首先将评估对象层次化,即将系统中所有因素按其地位和作用不同建立起递阶层次结构,各层次可分别定为:目标层、系统分类层、分类层、因子层等;其次,确认各因素之间的隶属关系及相互影响,构成一个多层次的分析结构模型,对影响系统的因子作两两比较,根据它们之间的相对重要性,建立两两比较判断矩阵,通过求解检验等一系列过程,计算出构造矩阵与权重的积,把系统分析归结为最低层次元素对于最高层次元素的相对重要数值的确定或相对优劣次序的排列,使问题得到最终答案。

(3)灰色系统方法。灰色系统理论是我国邓聚龙教授于 1982 年独立创立的一门新理论。该理论用颜色的深浅来表征信息的完备程度,把内部特征已知的信息系统称为白色系统,把完全未知的信息称为黑色系统。在森林生态效益评价中,有限的时空监测数据所能提供的信息是不完全和非确知的,是一个灰色系统。灰色系统理论包括灰色预测、灰色聚类、灰色关联分析、灰色决策、灰色控制等。

模糊数学主要是解决“外延不明确”的问题。而灰色理论主要是解决“内涵不明确”的问题。由于系统一般都同时具备模糊性和灰色特征,因此,可用模糊数学与灰色理论解决。

(4)判别分析法。判别分析的基本原理是把已知样本分成几类,确定出第 i 类的判别函数 λ,然后计算出未知样本归属于各已知类型的概率值。

(5)人工神经网络法。人工神经网络是 20 世纪 80 年代获得迅速发展的一门非线性科学。它力图模拟人脑的一些基本特性,如自适应性、自组织性和容错性能等,应用于模式识别、系统辨识等领域,取得了很好的效果。“反向传播”(B—P)模型是典型的人工神经网络模型,也是近年来用得最多的网络之一,B—P 网络的学习过程由正向和反向传播过程组成。将其应用于森林效益的综合评价,也得到了可行和合理的结果。

主要参考文献

1 赵体顺,李树人,等 . 当代林业技术 . 郑州:黄河水利出版社,1996

2 樊巍,孟平,等 . 河南平原复合农林业研究 . 郑州:黄河水利出版社,2000

3 赵勇,李树人,等 . 豫西伏牛山区日本落叶松林水文效应研究 . 林业科学,1999,35(专刊 1):125 ~ 129

4 樊巍,赵勇,等 . 生态林业的理论与技术 . 北京:中国农业出版社,1995

5 赵勇,李树人,等 . 不同整地方式日本落叶松林对土壤水文效应及养分流失的影响.河南农业大学学报,1997,31(3):226 ~ 231

6 姜允芳,石铁矛 . 沈阳市居住生态绿地系统分析 . 沈阳建筑工程学学报,1999,15(2):125 ~ 128

7 符气浩,杨小波,吴庆书 . 城市绿化植物分析.林业科学,1996,32(1):35 ~ 43

8 丛日春,李吉跃 . 试论城市林业在我国城市发展中的地位.北京林业大学学报,1999,19(2):1 ~ 6

9 于志熙 . 城市生态学 . 北京:中国林业出版社,1992

10 赵勇,李树人 . 不同类型农桐间作热力效应与优化方式研究 . 河南农业大学学报,1995,29(4):362 ~ 377

11 赵勇,李树人 . 城市森林对热污染和人体舒适度影响的研究 . 河南农业大学学报,1995,29(1):11 ~ 19

12 李树人,赵勇 . 日本落叶松林冠对大气降水的调节作用.河南农业大学学报,1995,29(4):319 ~ 323

13 李树人,赵勇 . 豫西日本落叶松最适生态条件研究 . 河南农业大学学报,1995,29(3):205 ~ 210

14 赵勇,李树人 . 信阳南湾库区水源涵养林的森林水文效应研究 . 河南农

业大学学报,1995,29(2):121 ~ 127

15 赵勇,陈志林 . 平顶山矿区绿地对大气 SO_2 净化效应研究 . 河南农业大学学报,2002,36(1):59 ~ 62

16 赵勇,黄强 . 平顶山矿区大气污染与绿化状况相关性分析 . 河南农业大学学报,2001,35(4):343 ~ 346

17 Zhao Yong, Li Shuren. A Study on the soil water conservation effect of Larix Laernpferi(Sieb. Et Zucc) forest, proceedings 21th international soil conservation organization conference. Beijing: Tsinghua university press, 2002

18 Li Shuren, Zhao Yong. Studies on the optimum model of forest for soil and water conservation, proceedings 21th international soil conservation organization conference. Beijing: Tsinghua uniiversity press, 2002

19 赵勇,李树人,阎志平 . 城市绿地滞尘效应及评价方法研究 . 华中农业大学学报,2002,21(6):582 ~ 586

20 王祥荣 . 生态园林与城市环境保护 . 中国园林,1998,14(2):14 ~ 16

21 孔国辉,汪嘉熙,等 . 大气污染与植物 . 北京:中国林业出版社,1988

22 丛日春 . 城市林业的历史与发展方向 . 内蒙古林学院学报,1998(1):49 ~ 53

23 丛日春,李吉跃 . 试论城市林业在我国城市发展中的地位 . 北京林业大学学报,1997,19(2):1 ~ 6

24 冯采芹 . 绿化环境效应研究 . 北京:中国环境科学出版社,1992

25 杨景辉,等 . 大气污染对植物的影响及其环境质量的生物学基准 . 北京:中国环境科学出版社,1994

26 王敬明,等 . 林木与大气污染概论 . 北京:中国环境科学出版社,1989

27 郑州市地方史志编纂委员会 . 郑州市志(1)(3). 郑州:中州古籍出版社,1999

28 杨小波,等 . 城市生态学 . 北京:科学出版社,2000

29 陈自新,等 . 北京城市园林绿化生态效益研究 . 中国园林,1998,vol.14,No.56、NO.58

30 符气浩,杨小波,等 . 城市绿化的生态效益 . 北京:中国林业出版社,1996

31 符气浩,杨小波,等 . 海口市大气污染的特点与主要绿化植物对大气 SO_2 等污染物的净化效益研究 . 海南大学学报自然科学版,1995,13(3):

308～434
32 管东生,刘秋海,等.广州城市建成区绿地对大气二氧化硫的净化作用.中山大学学报,1999,38(2):109～113
33 陈自新,苏雪痕,等.北京城市园林绿化生态效益的研究(2～6).中国园林,1998,vol.14,No.56、57、58、59、60
34 张新献,等.北京城市居住区绿地的滞尘效益.北京林业大学学报,1997,19(4):12～17
35 陈炳超,等.提高城市森林生态效益的有效途径.广西林业科学,1999,28(1):24～28
36 王正非,朱劲伟,等.森林气象学.北京:中国林业出版社,1985
37 黄会一.木本植物对大气气态污染物吸收净化作用的研究.生态学报,1991,1(2):59～62
38 黄银晓,林舜华,等.北京主要绿化植物和土壤对大气中硫的积累特点及其指示、净化作用.植物学报,1990,32(5):380～389
39 姜允芳,石铁矛.沈阳市居住生态绿化地系统分析.沈阳建筑工程学院学报,1999,15(2):125～128
40 张西萍,李敏,罗钟梅.监测大气二氧化硫树种的筛选及应用.中国环境科学,1988,8(4):17～22
41 陈春焕,颜丽英.应用植物含硫量预测广州市大气中 SO_2 浓度.环境污染与防治,1987,9(1):10～14

第四章　河南50年林业生态环境建设的重要成就

新中国成立以来,河南省先后实施了一批林业生态建设工程,林业生态环境建设初步走上以全民绿化为基础、以重点林业生态工程为骨干、以生态环境脆弱区治理为突破口、突出现有森林资源和生物多样性保护的林业生态环境建设道路。

第一节　河南50年林业建设综述

河南是中华民族的发祥地之一,也是我国林业开发较早的地区之一。由于历史上战乱频繁,森林资源破坏严重。至新中国成立时,全省平原地区仅保存林木2.5亿株,林木覆盖率为1.5%;山区保存有林地面积约130万 hm^2,活立木蓄积量1 278万 m^3,森林覆盖率为7.81%,是一个缺林少绿的省份。

1949年5月河南省人民政府成立。同年7月,省政府发布《河南省林木保护暂行办法》,明确公、私有林管理权限,严禁滥伐和烧垦。1950年贯彻中央"普遍护林,重点造林,合理采伐利用木材"的方针,成立河南省林业局,开始勘察森林资源,培训林业干部,建立地、县林业机构,有计划地开展育苗造林、封山育林、护林防火等工作。1951年土地改革,把集中连片、面积较大的山林收归国有,不适宜国家经营的山林分配给农民所有。在此基础上建立国营林场,把植树造林作为林业生产的首要任务。实行“谁造林,谁管护,归谁所有”的政策,发动群众造林。首先在自然灾害严重的豫东沙区勘察规划设计,兴建大型防护林。20世纪50年代初共营造5条基干林带,总长520多公里,使开封、商丘、许昌、周口4个专区10县53.3万hm^2农田得到保护,受到中外林学界的高度赞扬。接着,河南省人民政府成立护林防火指挥部,开展普遍护林,封山育林;同时在水土流失严重的地方,以大中型水库上游为重点,营造水源涵养林,迅速恢复和扩大森林植被。随着农村社会主义改造的进展,1956年完成高级合作化时,全省林业用地基本实现了公有化,其中,国有占11%,集体所有占81.4%,个体所有占7.6%。同年进行山区生产规划,把林业生产建设列为改善自然环境、活跃山区经济的重要内容,全省开展“绿化祖国、绿化河南、绿化家乡”活动,出现了遍布各地的“少年林”、“青年林”、“三八妇女林”、“社会主义建设林”。1956~1957年造林17万多公顷,为1949年以后造林总面积的42%。同时,大力开展护林防火,年山林火灾面积比1953年前减少80%。

1958年“大跃进”开始后,河南省在“实行大地园林化”的号召下,增设国营林场,大办社队林场,动员各行各业开展植树造林运动,涌现出林县东冶村等许多绿化典型。同时,开始进行林业科学研究,兴办农村林业职业教育,开创林业化工生产。河南省农业科学院增设林业、园艺研究机构,南阳地区和西峡、洛宁、博爱等县分别成立林业科学研究所,开展造林、病虫害防治等项研究。南阳、洛阳、信阳等地设立林产化工厂,河南省林业厅在林县开办东冶林校;全省林业中学曾发展到116所,教师700余人,为农村社队培养技术骨干2万余人。在此期间,因缺乏经验,急于求成,出现高指标、瞎指挥和浮夸风,造林虚报成绩,成活保存率低;办厂办校多数有名无实;无偿地把社员林木收归集体,把队办林场收为社有、国有,挫伤了群众造林营林的积极性。大炼钢铁中,对林木实行大砍大伐,山区木材因运输不畅,不少成为“困山材”,平原地区成材树木砍伐殆尽。林木受到破坏后,山区水土流失加剧,平原风沙危害又起。20世纪60年代初,河南省在纠正“左”的错误中,认真贯彻“调整、巩固、充实、提高”的方针,对各级无偿平调的林木,一律退还或赔偿经济损失。重申“谁造谁有”的政策,颁发林权证,对林木所有权给予法律保护。林产化工厂和林业中学,经过整顿,把不合格的撤销,办得好的保留并充实提高。1962年,中共河南省委要求沙区各级党委把林业生产作为一项重大任务,做到以林保农,以农养林,农林密切结合;以营造防护林为主,积极发展用材林,适当发展经济林和薪炭林。从此,造林工作重点转向平原地区。兰考县委书记焦裕禄总结群众造林治沙经验,把科技人员在农桐间作方面的研究成果推广全县,领导群众治理沙丘1.5万个,植树742万株。1965年沙区十几个国营林场,已营造防护林带5 600条,防护农田20万 hm^2,集体防沙造林也涌现大批成功的样板。

文化大革命开始后,河南省林业厅业务基本停止。1960年全体干部下放农村劳动,仅留数人与农业部门合署管理林业。此后全省林地纠纷迭起,许多国营林场大片林地被社队侵占,林木遭受乱砍滥伐。只有集体造林有较大发展。1974年,在豫西11个县、豫南9个县,建立崤山坑木和信阳杉木两处用材林基地,并成立一大批社队办林场。1976年河南省农林局组织各县进行森林资源清查,全省森林覆盖率由1959年的9.6%提高到13.3%(包括灌木林,不含四旁树)。1979年,推行农业生产责任制,由于林业责任制尚未建立,有些地方虽实施林木分户管理,但没有明确责、权、利,一度出现乱砍滥伐,形成仅次于1958年的森林资源破坏局面。1980年底,全省森林覆盖率下降到10.7%。同年,各级政府贯彻执行国务院《关于坚决制止乱砍滥伐森林的紧急通知》,采取紧急措施,使滥伐森林之风得以收敛。

中共十一届三中全会以后,经过拨乱反正,河南省林业建设发生了深刻变化。从1981年起,先后清理了文化大革命以后的林权纠纷与毁林积案7万多起。普遍稳定山权林权,划定自留山、责任山,确定林业生产责任制,重新颁发林权证和林地使用证,为林业的健康发展铺平了道路。全省林业建设在“改革、开放、搞活”方针指导下,进一步解放思想,排除“左”的干扰,实行普遍护林,大力造林;国家、集体、个人一齐上,造、育、护密切配合,生产、加工、流通一起抓。国营林场经过整顿,取得了计划、财务、经营等自主权,1985年造林更新4 738hm^2,生产木材7万多立方米,开展多种经营综合利用项目230个,实现利润220万元,解决了发展资金不足问题。集体林区实行乡办场、村办场、林业户和联合体等多种承包方式,分给农民自留山74.5万hm^2,责任山131.1万hm^2,限期完成绿化,林木所有权和林地使用权长期不变,调动了各方面造林营林的积极性。1981~1987年,全省封山育林273万余公顷,平均每年完成39万hm^2,为1953年的3.2倍;造林近107万hm^2,平均每年营造15万hm^2,为1953年的3倍。

在巩固完善的基础上,全省平原绿化向多林种配合、三大效益兼顾的高层次发展。至1987年,农田林网面积(含农桐、农条间作)达到327万hm^2,绿化村镇21万个,绿化沟、河、渠、路10多万公里,共植树13亿多株。初步形成了点、片、网、带相结合的防护林体系,生态环境开始向良性循环发展,结束了历史上风沙弥漫、地瘠民贫的落后状况,一些地方呈现出林茂粮丰的新气象。1987年已有59个县达到国家规定的平原绿化标准,居全国第一位,引起国际林学界的瞩目。山区林业建设,立足于扩大森林植被,营造了一批用材林、经济林和防护林。1983年以前兴建的峭山坑木用材林基地、信阳杉木用材林基地、南阳用材林和薪炭林基地都已蔚然成林，并开始采伐利用；新规划的松、杉、毛白杨、楸树等速生丰产用材林基地，至1987年已完成造林9.8万 hm^2。为了扩大商品生产，活跃市场经济，各地都把发展经济林作为农村脱贫致富的重要措施之一。1984年新规划的油桐、油茶、核桃、板栗、山楂、漆树、山茱萸等经济林基地，政府重点给以扶持，至1987年完成6.7万 hm^2。随着山区森林面积的不断增加，以营造水土保持林为重点的小流域综合治理工程发展很快，出现了济源虎岭、汝阳大虎岭、鲁山大潺寺、信阳金牛山等许多治山治水的先进典型。飞机播种造林，1979年在栾川、卢氏等县试验成功后，各山区宜播地带普遍推广，至1987年共保存飞播油松幼林6.8万 hm^2，达到国家规定的良级标准，荣获河南省人民政府科技进步奖。

全省森林保护工作不断增强，共建立自然保护区16处，总面积9.1万 hm^2，占全省土地面积的0.54%。增设林区公、检、法机构，加强了护林防火与林木病虫害综合防治；使各种珍稀动物、植物和森林生态类型受到保护；林木乱砍滥伐得到有效控制，森林火灾次数显著下降，过火面积比1953年减少95.3%。

1987年，河南省林业系统全民所有制单位共有777个，其中，省、市(地)、县(市)林业行政管理机构150个，国营苗圃88个，国营林场87个，木材加工厂、林产品公司等企业单位97个，林业科学研究机构68个，中等林业技术学校3所，林业勘察设计、技术推广及其他事业机构284个。共有林业职工24 440人，其中，固定职工17 946人，合同制职工1 593人，其他职工4 901人。集体所有制林场6 406个，其中，乡办林场732个，村办林场5 672个，共有场员46 267人。林业专业户和联合体共10万余个。全省森林资源除历年消耗外，共保存天然林81.6万 hm^2，人工林75.5万 hm^2，四旁树木13.6亿株，加上灌木共折合森林面积90.06万 hm^2，总计247.16万 hm^2，林木总蓄积量9 151.5万 m^3，林木覆盖率达14.8%

(不含疏林),为1949年的2倍。全省用材林面积发展到74.95万 hm^2,其中,国有林占14%,集体和个体林占86%。用材林主要分布在深山区,其中深山区69%,浅山丘陵区24%,平原区7%;用材林蓄积量2 385.34万 m^3,其中幼、中龄林占85.5%,后备资源较多,成、过熟林占14.5%,可采资源较少。年生产原木155 642 m^3,锯材211 066 m^3,人造板38 655 m^3。全省经济林发展到33.5万 hm^2,其中,国营林占1.2%,集体、个体林占98.8%。经济林主要分布在浅山丘陵区,其中丘陵山区84%,平原区16%;年产毛竹9.6万根,乡土竹3 521万kg;年产干鲜果品9.74亿kg。其中,大枣近1.1亿kg,居全国第二位;山萸肉84万kg,占全国产量的50%以上。全省防护林(不含农田林网)发展到34.12万 hm^2,其中,国有林占11.7%,集体林占88.3%;河流、水库上游和水土流失严重地区占85.4%,黄泛区及风沙危害地区占14.6%。全省已建的豫东防护林、豫北防护林、黄河沿岸青年防护林、宛东防护林、太行山绿化工程等,均已发挥出巨大的防护效能。全省拥有母树林、种子园、采穗圃等良种繁殖基地22处,面积1 400 hm^2,每年可供优良种子1.1万kg,种条624万根,苗木250万株。主要造林树种的良种化进程日益加快,泡桐良种造林占70%,毛白杨优良类型造林已达50%以上。服务于林木改良而创建的孟县白榆种子园、获嘉白榆基因库、桐柏泡桐基因库、鸡公山杉木基因库、落羽杉种子园等,其规模和水平居国内领先地位。

特别值得一提的是,河南省平原绿化发展较快,在省政府一手抓平原绿化达标、一手抓完善提高的林业发展政策指引下,对全省94个平原、半平原县进行摸底排队,制定了分期分批达标计划,实行目标管理、单独考核,集中力量打攻坚战,至1990年,全省已有67个县(市、区)达到了部颁平原绿化标准,在全省广大平原地区初步形成了点、片、网、带相结合的综合农田防护林体系。

20 世纪 90 年代之后，河南省林业建设紧紧围绕“增资源、增效益、增活力”的目标，完善平原，主攻山区，加快造林绿化步伐，强化森林资源保护和管理，大力发展林业产业，全省林业建设呈现出快速发展的好形势。1990 年 3 月，省委、省政府批准实施《河南省十年造林绿化规划（1990 ~ 1999 年）》（以下简称《规划》），规划到 1999 年全省完成大面积造林 133 万多公顷。平原地区广泛开展了农田林网化建设。到 1991 年底，全省 94 个平原、半平原县全部实现了初级达标，被全国绿化委员会、林业部授予“全国平原绿化先进省”称号。1994 年，河南省委、省政府又提出了用两年时间完善提高平原绿化的目标，各地以完善林网为重点，大力调整林种、树种结构，开展了平原绿化“第二次创业”活动，不少地方的平原绿化水平有了进一步提高。山区以实施《规划》为重点，组织群众开展了造林绿化大会战，造林面积逐步加大。特别是 1996 年，省委、省政府确定为造林绿化决战年，一年完成人工造林合格面积 26.7 万 hm^2，创历史最高纪录。到 1998 年底，全省林业用地面积达到 379 万 hm^2，其中有林地 209 万 hm^2，活立木蓄积量 1.32 亿 m^3，林木覆盖率 19.83%。目前，全省共有 87 个国有林场和 88 个国有苗圃，总经营面积 37.3 万 hm^2。有 22 个森林生态、湿地系统和野生动物类型自然保护区，总面积 14.7 万 hm^2；有国家级森林公园 16 个，省级森林公园 15 个，总面积 7 万 hm^2。有省、市（地）、县三级林业科研机构 64 个，县级以上林业科技推广机构 147 个，乡级林业工作站2 101个。有木材检查站 100 个，林政资源管理人员 4 200 多人，森林消防队员达 14 万多人。建立各级森林病虫害防治检疫站 120 个，有专兼职检疫员 2 000 名。建立各级林业公安机关 185 个，公安干警 800 多名。全省林业系统干部职工总数达 29 000 多人，初步形成了林业行政管理、森林资源保护、林业执法和林业科技推广体系。林业产业蓬勃发展，人造板、林产化工、家具及装饰材料、森林食品等林产品加工系列初步形成,森林旅游和林产品市场体系建设有了良好的开端。

第二节　防风固沙林建设

一、河南省沙区概况及其危害

(一)沙区分布

河南省的沙地主要分布在豫东和豫北地区,属黄淮海平原。在河南省境内北起台前县,西到孟州市,南达周口市,东至夏邑县,地理坐标介于北纬33°20′~36°10′、东经112°50′~116°10′之间。地跨安阳、鹤壁、濮阳、焦作、新乡、郑州、开封、商丘、许昌和周口10个市,包括中牟县、新郑市、郑州市金水区、郑州市邙山区、郑州市管城区、兰考县、尉氏县、通许县、开封县、杞县、开封市郊区、内黄县、滑县、浚县、淇县、濮阳县、南乐县、清丰县、范县、台前县、濮阳市区、武陟县、温县、孟州市、延津县、封丘县、长垣县、原阳县、新乡县、卫辉市、辉县市、民权县、宁陵县、虞城县、睢县、夏邑县、商丘市睢阳区、鄢陵县、扶沟县、西华县、淮阳县、太康县、周口市。根据1995年普查:全省沙区总面积为405.2万 hm^2,其中沙化土地面积66.8万 hm^2,占区域面积的16.5%。

(二)自然概况

1.沙化土地的形成与演变

河南省沙区属华北大平原的组成部分,地势平坦,起伏很小,一般海拔40~80m,京广线以东为黄淮海冲积平原,以及迭置在黄河冲积扇上的沙丘、沙地等地貌。据史料记载,历史上黄河在河南境内多次改道、决口泛滥。由于黄河水含沙量很高,每次泛滥即留下大量的淤沙荒地,广袤数百里。黄河最近一次改道是1938年6月国民党在郑州花园口决堤,使黄河泛滥夺贾鲁河向东南迅流。

1947 年堵口复堤后，自郑州花园口东经中牟、尉氏、扶沟、太康、西华、淮阳等县入安徽，遗留下长约 540km 的沙荒，全省受灾 12 个县，湮没农田约 70 万 hm^2。东部一片肥沃的田野，变成了大面积沙荒、沙地。加上长期风力的再搬运作用，形成了大面积的沙丘群，堆状沙地和丘间洼地等。据统计，20 世纪 50 年代初全省共有沙荒面积 128.9 万 hm^2，其中豫东 79 万 hm^2（流动沙地 28 万 hm^2）；豫北 49.9 万 hm^2（流动沙地 4.7 万 hm^2）。

新中国成立后，经过 50 年的固沙造林和营造农田防护林，沙区内原有的流动沙丘和流动沙地绝大部分已改造成为固定、半固定沙丘（地），有些已成为良田。

2. 气候

本区气候属暖温带大陆性季节型气候，光热资源充足、年均气温 13 ~ 15℃，年蒸发量 1 800 ~ 2 000mm，年降水量 600 ~ 900mm，多集中在 7、8 两个月（约占全年降水量的 50% ~ 78%）。由于区内地势平坦，排水不畅，雨季常形成洪涝灾害；冬春又因雨雪较少，大风天气较多，易遭干旱；春末夏初干热风危害严重。区内农业生产受上述自然灾害的影响和风沙、盐碱的威胁，农业产量低而不稳。

3. 水文

河南省沙区河流分属三大水系，自北向南依次是海河水系、黄河水系、淮河水系。黄河水系流经河南省北中部，在省境内的主要支流均在郑州以西，涉及到沙区的主要支流为黄河北侧的沁河和蟒河。京广铁路以东较大的支流有天然文岩渠和金堤河，属于季节性的平原河道。淮河水系流经河南东部及东南部，豫东沙区均属于淮河流域。区内主要支流有浍河、涡河、贾鲁河、沱河、颍河等。海河水系位于河南北部，流经豫北沙区的主要河流是卫河。卫河向东北汇入南运河入海河，支流有安阳河、淇河等。三大水系水量比较丰富。沙化土地分布和形成与河流决口泛滥有关，特别是黄河及其支流。一般决口附近沙粒较大，由此向远沙粒逐渐变细，即所谓“紧沙慢淤静水碱”。

本区地下水较为丰富（含水层厚11～35m），且埋藏较浅（地下水位2～10m），开采方便，利于灌溉。有些地方还发现有深层地下水，水量丰富，水质良好。

4. 土壤

区内主要有风沙土、潮土、盐碱土等。京广线以东、沙颍河以北主要是风沙土和潮土。盐碱土多分布在黄河两岸背河洼地和黄河故道及卫河两岸各县。

5. 植被

本区自然植被早已破坏，除沙丘（地）、河滩、洼地有少量自然草本植被外，大部分地区均为人工植被所代替。在自然植被中以沙生植物、耐盐植物为主，水生植物次之；常有的灌木和草本植物有酸枣、荆条、芦苇、茅草等。人工植被以农作物和在沙地上营造的防风固沙林、农田林网及经济林为主，木本植物主要是杨树、旱柳、刺槐、泡桐、白榆、白蜡条、紫穗槐以及枣、苹果、梨、葡萄等经济树种。

（三）社会经济情况

据1998年底数据，河南省沙区涉及44个县（市、区），总土地面积413.54万hm^2，其中耕地250.81万hm^2，总人口2 819.43万人，其中农业人口2 457.55万人，人口密度为每平方公里682人。沙化土地分布范围370个乡（镇、林场），土地面积224.46万hm^2，占涉及县（市）总面积的54.3%，其中耕地面积122.43万hm^2；人口1 302.6万人，占涉及县（市）总人口的46.2%，其中农业人口1 233.76万人。

本区人口稠密，交通便利，是河南省重要的粮油基地，也是农、牧、副、渔全面发展的农业区。中共十一届三中全会以来，本区工农业生产有了较大的发展。据1998年统计资料，工农业总产值为1 359.27亿元，其中农业产值593.97亿元，占43.7%；工业产值

765.30亿元，占56.30%。在农业产值中，种植业产值395.89亿元，占66.65%；牧业产值165.57亿元，占26.36%；林业产值20.19亿元，占3.40%；其他产值21.26亿元，占3.58%。全年粮食总产量1 502 031万kg，人均占有533kg。农民年人均纯收入2 041元，其中人均林业收入82.2元。从上述农业产值分配情况可以看出：本区还是以种植业为主的经济结构，沙区以林为主、多种经营的优势还没有得到发挥。

（四）林业状况

1. 林业资源情况

根据统计资料，沙区44个县（市、区）林地面积263 598hm^2，占沙区县总面积的6.4%。在林地面积中，有林地190 278hm^2，占林地的72.2%；疏林地22 233hm^2，占林地的8.4%；灌木林地21 717 hm^2，占林地的8.2%；无立木林地25 760hm^2，占林地的9.8%；苗圃地3 610hm^2，占林地的1.4%。

2. 林业机构

沙区44个县（市、区），370个乡（镇、林场），林业机构齐全。现有国有林（园艺）场29个。沙区各县共有林业职工5 150人，其中技术人员2 180人，负责整个林业生产和沙化土地的治理工作。

（五）风沙危害

历史上河南省沙区长期遭受风沙、盐碱、旱、涝等多种自然灾害的侵袭，严重威胁着人民的生产、生活和生命财产的安全。据《中牟县志》记载，清代至民国期间，中牟县经常狂风四起，飞沙走石，白天点灯，吃饭关门。大风过后，遍地破砖碎瓦，惨不忍睹。该县邵岗乡党庄村因被风沙掩埋，曾三次被迫搬迁。陇海铁路中牟段，因路基较低，常被沙土埋没，于1975年向北迁移。1937年，兰考县野马村受风沙危害出外逃荒33户，死亡27人。民国时期，豫东黄泛区各县常常种不保收，平均每公顷产粮仅600kg，群众生活极度贫困，经常外出逃荒要饭。

1962年春,一场风沙,许多地方麦苗被连根拔起。焦裕禄同志生前工作过的兰考县受灾耕地1.6万hm^2,其中0.8万hm^2小麦颗粒无收。1979年以前,开封县大部分沙区仍然是吃粮靠统销、花钱靠救济、生产靠贷款的三"靠"对象。该县西姜寨乡仅1965年一年就吃国家统销粮150万kg,发救济款32万元。1969年春季,中牟县连续8天大风,风沙损坏小麦达100万hm^2,其中绝收0.71万hm^2。1994年,开封县杏花营的流沙将新开的公路边沟填平3次,播种花生4次才出幼苗,仅种子一项损失1 840kg。1998年一场风沙,将封丘林场种植的几公顷西瓜苗全部掩埋。风沙危害,给河南人民的生产和生活带来了沉重的灾难。

二、沙区治理

新中国成立后,河南省各级政府为彻底根治沙化土地,开展了大规模的治沙活动。经过50年不懈的努力,探索出小网格、引淤压沙和鱼藕混养等生物措施、工程措施及生物和工程措施相结合的治沙模式。目前,全省沙区已基本形成了点、片、网、带相结合的综合防护林体系,有效地控制了风沙危害,实现了生态、经济和社会三大效益的统一,当地农民的生产、生活条件得到了改善,温饱问题得到了解决,有些地方已经逐渐富裕起来。

(一)沙区治理的主要经验

1. 领导高度重视,政府加大投入

新中国成立后,全省各级党委政府都把防沙治沙工作列入重要议事日程。特别是近几年来,省委、省政府主要领导高度重视治沙工作。每年都在《河南日报》上联合发表署名文章,强调开展防沙治沙工作的重要意义。同时,他们还经常深入治沙一线,检查指导防沙治沙工作。省委副书记、副省长李成玉在《河南日报》上发表题为《加快防沙治沙步伐,改善河南生态环境》的文章,提出了防治荒漠化的五项具体措施,对全省的防治荒漠化工作起到了很大

的推动作用。省政府还专门在风沙化土地严重的延津县胙城乡办防沙治沙试点。开封市、周口市和中牟县、兰考县、商丘市睢阳区等地,把防沙治沙工作落实到各级领导,层层签订目标管理责任书,并把防沙治沙工作任务完成情况,列入各级党委、政府"一把手"的年度工作目标进行考核,作为提拔和晋级的重要依据。

1949 年 12 月,国家拿出 5 万 kg 小米作为造林经费,在风沙危害严重的兰考、民权等县营造防风固沙林 700hm^2。1950 ~ 1953 年,由河南省林业局组织豫东沙区群众,采取"以工代赈"的办法,营造 5 条长 520km 防护林带,造林面积达 10.93 万 hm^2,控制流沙 26 万多公顷。1962 年 3 月,河南省委召开了全省沙区工作会议,提出"植树防沙、打井抗旱"的号召,经过几年的治理,沙区防护林得到一定的恢复。1982 年,河南省政府又拨款 1 181 万元,用于完善豫东防护林带,新建豫北 2 条防护林带。到 1990 年,造林面积达 4.67 万 hm^2。1991 年全国兰州治沙会议召开之后,河南省加快了沙地治理的步伐,进一步加大对防沙治沙工作的宣传力度,不断提高沙区群众开展防沙治沙的积极性。10 年来,河南省完成沙地治理面积 21.67 万 hm^2,其中人工造林 15.2 万 hm^2,治沙造田和低产田改造 6.47 万 hm^2。

2. 建立基干林带,实行综合治理

河南省沙区群众在各级政府的领导下,本着"因地制宜、因害设防"的原则,在风沙严重的地区,连续建起 5 条长达 500 多公里的大型防风固沙林带。第一条自郑州花园口向东南,经中牟、开封、尉氏、扶沟、西华、周口至淮阳长 270km,为 1938 年黄河决堤泛道;第二条自兰考二坝寨向东,经民权、商丘、虞城至夏邑,长 101km,为清乾隆四十八年黄河泛道;第三条自兰考二坝寨向东北至县城,长 75.1km,为清乾隆四十八年以前黄河多次泛滥区;第四条自兰考县毛古寨向南,经民权、杞县至睢县榆厢铺,长 35km,为清嘉庆二十四年黄河泛道;第五条自民权睢州坝向东南至宁陵,长

40km,为清嘉庆三年至十八年黄河三次泛滥区。随后又建立了豫北防护林骨干工程,在风沙危害特别严重的地区,建立了22个国有林场,经营面积41.5万hm^2。20世纪80年代以来,随着国家黄淮海开发等大型项目的实施,沙区抓住机遇,实行沙、水、田、林、路综合治理,统一安排,取得了非常好的效果。兰考县从20世纪70年代开始大搞农桐间作,并迅速推广到全省,既起到了防风固沙的作用又促进了当地经济的发展。原阳县近几年大搞沙区综合治理,农田基本实现林网化,在沙区切实保护好刺槐固沙林,同时,打机井7 857眼,开挖干、支渠958条,新增灌溉面积4.7万多公顷,平沙造田3 500多公顷。1995年以来,周口市的太康、扶沟、淮阳、西华等县,通过营造农田林网和引黄灌淤,使1万多公顷沙化土地改良为非沙化土地。

3. 加大科技投入,提高造林质量

在防沙治沙工作中,河南各地始终把造林质量放在首位,坚持造林有规划,施工有方案,并且做到集中领导、集中时间、集中劳力和统一指挥、统一规划、统一苗木、统一检查验收。造林时坚持做到挖标准坑、栽合格苗、栽后浇透水、落实管护队伍、明确领导责任。同时,各地都加大了科学造林力度,把先进适用的林业科技成果,及时应用到治沙实践中。许多地方采用抗旱造林技术,提高了造林质量和造林成效。

4. 落实林业政策,鼓励群众参与

河南省各级政府及其林业部门都认真落实党和政府在不同时期制定的防沙治沙优惠政策,避免出现政策“棚架”,充分发挥政策效益。对沙区的成片造林,实行统一规划,树随地走,统一购苗,统一栽植,农户按自己地上的株数出资,收益全部归自己。有的一九分成。承包者享有林地经营权、树木所有权、产品处理权、中途转让权、子女继承权等。一般土地承包期30年不变,若土地承包到期,树木到采伐期的可采伐,不到采伐期的可随地有偿作价转让。

同时,按照全社会办林业、全民搞绿化的指导方针,动员和鼓励群众积极投入植树造林,掀起群众性治沙造林高潮。

5. 坚持依法治林,加强林木管护

为提高治沙成效,河南省沙区各市、县、区都依据《中华人民共和国森林法》和《中华人民共和国防沙治沙法》等法律法规,开展依法治沙,加强沙区植被保护。沙区各市、县、区首先进行护林爱林的宣传教育。市县发布护林布告,乡、村制定护林制度,村民订立护林公约。同时还重点进行林政、公安和管护机构的建设,建立了一支强有力的护林员队伍。沙区各乡(镇)还抽出一名副乡(镇)长负责组织领导护林员工作,每月开一次会,每季度开展一次检查评比,半年进行工作小结,年终进行总评,对评选出的先进工作者进行表彰奖励并提升工资。周口市各沙区对护林员还实行了管护承包责任制,定任务、定报酬、定奖惩,使责权利结合起来。有的地方还实行一公里一个护林员,一公里一间护林房,一公里一座护林碑。商丘市睢阳区有 2 300 多名护林员,给每个护林员配有手电筒、风雨衣、护林房等护林设施,充分调动了护林员的积极性,保证他们尽职尽责管护好林木。

(二)沙区治理的基本模式

河南省沙区广大群众,在长期的治沙实践中,探索并总结了10 种常见的治理模式。

1. 鱼藕混养

(1)鱼塘建造。在沙地上挖六七百平方米大小的坑,坑深1.2~1.5m。把石灰和土按 3:7 的比例拌匀,铺于坑的底部和四壁并踏实,在底部和四壁铺一层塑料薄膜(或铺一层砖),再用水泥和石子拌匀铺于坑底和四壁,厚度 3~4cm,待水泥干后即可使用,每个坑可使用 8~10 年。

(2)种藕、养鱼。用粗肥(鸡粪)5m^3、磷酸二氨、尿素等拌匀,铺于坑底部,厚度 30cm,然后灌入水,水距坑上沿 10cm。4 月初,每坑种藕250kg,下鱼苗2 000尾,按照养鱼技术正常喂养。9月下旬即可捕鱼,莲藕可开挖上市,也可在塘内保存至春节前再挖,每塘(包括建塘、种藕、养鱼)共需投资5 000元。

(3)效益预测。每个塘每年产藕3 000kg,每公斤1.6元,收入4 800元;每年产鱼600kg,每公斤鱼6元,收入3 600元,两项合计8 400元,扣除投入5 000元,当年净收入3 400元。

第二年以后,每年仅投入250kg种藕、2 000尾鱼苗和少量肥料,收入将会更多,一般纯收入可在5 000元以上。

2. 农枣间作

在沙地上栽种枣树,每公顷600株(4m×4m)左右(密植可达1 650株/hm^2)。每株2年生的枣树苗2元,需投资1 200元。当年栽植,当年挂果,3~4年形成产量,每公顷产干枣4 500~5 250kg,每公斤6元,每年每公顷可收入3万元左右。在枣树之间,间作花生、红薯、小麦、豆类等低秆作物,粮食产量基本不减。

3. 农条间作

在沙地上栽植白蜡条,1m宽一带,每带栽2行,每穴栽3根,每根条长20~30cm,带间距10m或20m。如培育条子,每公斤0.4元,每公顷产条1 500~2 250kg,收入600~900元;如培育白蜡杆,3~4年采伐,杆粗2.5~4cm,每根2~3元,每公顷产杆1 500根,收入3 000~4 500元。因间作区改善了小气候,粮食产量则更高。

4. 农桐间作

在沙地上栽植泡桐,株行距以5m×(50~60)m为宜,株行距之间还可种植粮食作物。

5. 栽植金银花

在沙地上,每公顷栽金银花5 250株,每株苗木1.5~2元,每公顷苗木投入7 875~10 500元。3年后形成产量,5~10年进入盛花期,每公顷产干花2 250kg,每公斤50元,收入11.25万元。

6. 金银花与石榴套种

把金银花和石榴套种，每公顷栽石榴 900 株，每株苗木投入 3.5～4元；每公顷需金银花苗木 2 250 株，需苗木投入 8 100 元。3 年后，石榴和金银花形成产量，每公顷产石榴 22 500kg。每公斤 4 元，收入 9 万元；收金银花 127.5kg，收入 6 450 元；两项共计 9.645 万元。

7. 营造防风固沙林

在流动、半流动的沙丘、沙地上，营造刺槐、杨树混交林，能起到很好的防治沙丘、沙地流动的效果。

8. 农田林网

一般平原农区的农田林网网格面积在 20hm^2 以内，稻作区农田林网网格面积在 26.7hm^2 以内，平原沙区农田林网的网格面积在 13.3hm^2 以内。在流动、半流动沙地上，农田林网的网格面积控制在 6.7hm^2，即所谓小网格。

9. 引黄灌淤

在条件许可的地方，提引黄河水进行淤灌，以淤压沙、压盐、压碱。每淤灌一次，可淤土 2～3cm，不但压住了沙，而且改良了土壤结构。

10. 翻淤压沙

在藏金沙地，表层是沙，下面是土壤，通过深翻土地，把沙压在下面，把下层的土壤翻到上面，既压住了沙，又改良了土壤结构。

（三）沙区治理的初步成效

1. 改善了生态环境

从全省沙区情况看，在防风固沙林的作用下，沙区风速可降低 30%～50%，空气湿度提高 10%～20%。蒸发减小 20%～25%，土壤含水量提高 30%。同时，空气湿度也得到调节，极端最高温度降低 0.5～4℃，极端最低温度提高 0.4～1.5℃。平均土壤含水量可提高 20%～35%，在平均深 20cm 的 1hm^2 面积上，土壤含水量达 460m^3，而对照点仅为 200m^3，为对照点的 2.3 倍。

据豫北黄河故道区的内黄县气象部门观测记载:故道区造林前平均每年大于8级以上的风日为13.7d,沙暴日数5.4d,干热风出现频率86%,干旱、霜冻、雹灾时有发生。1989年故道防护林营造起来以后,沙暴不再出现,干热风基本消除,大于8级以上的大风多年没有发生,无霜期年均延长10d,灾害天气明显减少。同时,水源涵养功能增强,丰富了地下水源,减少了水土流失,增加了土壤有机质的含量,增加了土壤肥力,提高了粮食产量。西华县在树龄13年的农枣间作地与空旷地观测对比,在农枣间作地全年平均降低风速47.1%,减少蒸发量13.5%,行间0~60cm处土壤含水量提高2.6%。土壤温度6月份平均降低1.85℃,1月份平均提高0.51℃,并且可使春天提前5天解冻。小麦平均每公顷产5 100 kg,比对照地平均增产11.3%。

由于风速的降低,风蚀程度减轻,每年出现的沙暴日数也大大减少,开封由1950年的19d减少到1979年的5d;郑州市1950年15d,而1979年则为1d;民权县1957年为18d,1979年为1d;兰考县1959年为14d,1979年为1d。

随着沙地的固定,农田小气候的改善和林木的改土作用,使得土壤肥力提高,耕地面积扩大,作物品种增加,产量大幅度提高等。民权在地表15cm内小于0.01mm的细沙粒由4%增大至13.8%。土壤耕作层内有机质则提高20%左右。如商丘、周口两地区,1950年,夏粮分别平均277.5kg/hm^{2}和720kg/hm^2(林木覆盖率1.5%),至1979年已达2 355kg/hm^{2}和3 420kg/hm^2,为1950年产量的3.6~4.7倍。根据本省各地、市、县的有关试验研究材料证明,在防风固沙林的防护下,小麦平均增产10%~30%,玉米增产10%~36%,旱稻增产20%左右,谷子增产20%,花生增产10%~20%,棉花增产20%,高粱增产10%,说明营造防风固沙林不仅稳定和提高农业生产,而且也增加了林副产品收益,提高了经济收入。扶沟县的林副业收入占农业总收入的26%。中牟县的立木蓄积量达 66.2 万 m^3,其中防风固沙林蓄积占 60%,到 1990 年防风固沙林立木蓄积可达 165 万 m^3,林木覆盖率达 34%,林业产值占农业总产值的比率由 2.6%上升到 8.6%。

总之,防风固沙林的营造给沙区人民群众的生产、生活带来了生机,生态条件发生了根本的变化。

2. 经济效益显著

沙区林业的发展,带来了可观的经济效益。西华县田口乡,过去是"风起飞沙扬,风停白茫茫;十种九不收,长年闹灾荒。"年平均每公顷产量不到 750kg,人均收入长期突不破百元,群众生活极为贫困。中共十一届三中全会以后,他们摸索总结出了农枣间作的防沙治沙模式,即株距 3m、行距 10m,既能增加群众收入,又能改善农业生态环境,使田口乡的面貌发生了巨大的变化。粮食产量大幅度提高,小麦每公顷产量由造林前的不足 750kg,到 1997 年达到 2 250 多公斤,农枣间作实现了"树上千元钱,树下千斤粮"。群众高兴地说:"上有摇钱树,下有聚宝盆。"同时,每年还向当地财政缴农业特产税,增加了当地财政收入。田口乡 3 260hm^2泛风沙耕地,2 666.7hm^2 农枣间作,已进入盛果期的达 660 多公顷,年产干枣约 150 万 kg,产值 1 200 万元,全乡农民人均大枣收入 460 多元。1996 年以来每年上交农业特产税 50 多万元。群众对农枣间作总结说:"一棵枣树够吃油,十棵枣树换头牛,百棵枣树可盖楼。"农枣间作已成为田口乡的经济支柱产业和"绿色银行"。

20 世纪 70 年代初,尉氏县开始大搞防风固沙林建设,经过 10 多年的艰苦努力,绿化沙岗、沙丘 800 多个,固沙造林 1.8 万 hm^2。到 1997 年,沙区 6 个乡粮食总产量达到 5 527.5 万 kg,平均单产 4 350kg/hm^2,比造林前的 1965 年增加 161%。开封县西姜寨乡,造林前是沙丘遍地,刮起大风飞沙满天,70 年代初期开始营造防风固沙林,封沙岗 300 多个,造林 0.2 万多公顷,目前林木覆被率达 39.9%,林业收入每年都稳定在 300 多万元,占全乡财政收入的

20%以上。地处豫北黄河故道的延津县东秦庄村,从80年代开始,在沙地上植树造林。目前林木覆盖率达到49.5%,每年收入都在30万元以上。地处豫东黄河故道的民权县顺河乡,1992年前有667hm^{2}低洼易涝荒地常年荒芜,1992年开始治理,栽树10万多株,锁住了风沙,使不能耕种的荒地种上了水稻、莲菜,还养了鱼。农民人均收入净增加2 580元。

3. 多种经营发展迅速

防风固沙林的建立,不仅改善了农业生产条件,促进了林业的可持续发展,而且也带动了当地多种经营的迅速发展,富裕了农民,稳定了社会。尉氏县营造1.2万hm^{2}刺槐防风固沙林,每年收集干刺槐叶3 500多万公斤,养羊10万头,养猪18万头,养家兔5万只,并且每年还利用落叶沤制肥料300多万立方米,年产薪柴2 500万kg。有了林木资源,还为开展多种经营、木材和果品加工业提供了原料来源。西华县建立了木材加工厂和果品加工厂25个,使大批农村闲散劳力得到安置,为沙区人民的脱贫致富和社会稳定提供了有利条件。

第三节　平原绿化建设

一、河南省平原地区基本情况

(一)自然概况

河南省平原地区包括豫东平原和南阳盆地两大部分。豫东平原,位于省内东半部,北面、东面到省界,南面、西面与丘陵山地接壤,也称黄淮海平原,按河南省地貌分区,属于东部堆积平原区,包括太行山、豫西山地山前洪积倾斜平原区,黄河冲积扇形平原区,大别山北麓波状平原区,淮北低平缓平原区5个地貌类型,其面积广阔、土质松散、堆积层深厚。南阳盆地,位于省内西南部,西、北、东三面环山,东北经方城缺口与豫东平原相通,南经襄樊与江汉平原相接,是全省最大的山间盆地,地貌分区上,属于南阳盆地堆积平原区,包括盆地边缘垄岗状倾斜平原区、盆地中南部平缓平原区两个地貌类型,大部分地区地势平坦、土层深厚,水源丰富。

平原地区土壤类型主要有潮土、砂姜黑土、风沙土,在黄河两岸与黄河故道两侧分布着盐土和碱土,在太行山前、伏牛山前平原区有褐土分布,大别山、桐柏山山前平原区有黄褐土分布,沿淮波状平原及河谷两侧有水稻土分布,南阳盆地在唐、白河沿岸分布有灰潮土,垄岗地区有黄褐土分布。

全省平原地区年平均气温一般在14℃左右,其中南阳盆地与淮河南部在15℃左右。无霜期在190~230d之间,南阳盆地及沙河以南地区平均在220d以上。全省年日照时数在2 000~2 600h,日照百分率为45%~55%,分布趋势为北部多于南部。

年降水量大致在600~1 200mm,自南向北递减。淮河以南可达1 000~1 200mm,黄淮之间为700~900mm,豫北地区600~700mm,南阳盆地750~850mm。降水量的季节分配不均,夏季降水量一般占全年降水量的45%~60%,黄河以北地区可达60%以上;7、8月份降水最多,并多暴雨;冬季降水量占全年的3%~10%,春季占15%~25%,秋季占20%左右。年蒸发量在1 300~2 300mm,由南向北蒸发量逐渐增加,一般地区蒸发量大于降水量,北、中部地区蒸发量大于降水量的2~3倍,淮南地区基本平衡。年平均相对湿度为59%~77%。受季风影响,绝对与相对湿度自东南向西北递减,淮河以南地区相对湿度最大可达77%,黄河以北地区为59%~70%。年湿润系数南部大于北部,山区大于平原,桐柏、驻马店、新蔡一带以南地区年湿润系数大于1.0,气候比较湿润;黄河沿岸及以北地区年湿润系数≤0.6,气候比较干燥。整个平原地区大致可分为三个类型:淮河沿岸属于湿润地带,黄河以南、淮河以北地区及南阳盆地属半湿润地带,黄河以北地区属于半干旱地带。

河南省平原地区分属黄河、淮河、长江、海河四大水系，过境河流众多，流域面积在100km^{2}以上的河流465条。黄河干流贯穿豫东平原，主要支流有伊河、洛河、沁河、丹河和蟒河、天然文岩渠、金堤河；淮河流域面积占平原地区总面积的60%左右，其主要支流有竹竿河、潢河、史灌河、白露河、洪河、南汝河、北汝河、颍河、沙河、涡河、贾鲁河等；南阳盆地属长江水系，汉水的主要支流有唐河、白河、丹江等；海河水系流域面积在河南省平原地区所占比重最小，主要有卫河及其支流安阳河、淇河、徒骇河、马颊河等。

河南省年降水量约为1 331亿m^3，多年平均地表水资源总量313亿m^3，径流系数为26.4%，平均径流深213mm。从径流的空间分布看，南部多于北部，山区多于平原。黄河冲积扇平原为全省最低径流区，黄河两岸径流深小于50mm；南阳盆地为全省径流次低区，多年径流深在200mm以下。径流年际变化较大，最大径流量与最小径流量比值，南部为6~8，北部为15~30；径流的年分配极不平衡，6~9月的径流量，淮河以南占总径流量的50%，南阳盆地和黄河两岸占70%左右，其他地区占60%~70%。

全省平原区浅层地下水资源量大致在120亿m^{3}左右。地下水埋深2~4m的占平原面积的59.8%，埋深在2m以内的占17.8%，埋深4~6m者占17.5%，埋深在6m以上的占4.9%。地下水位的高峰和低峰的出现与降水季节相吻合，7~9月份，地下水位抬升，10月开始回落，冬末春季干旱季节降到最低。地下水位的年际变化，主要受人为作用影响，黄河以北地区地下水超量开采，形成较大的漏斗区域，导致地下水位下降趋势严重。

全省年平均水资源总量为413亿m^3，人均占有量440m^3，每公顷平均占有量5 115m^3。黄河以北5市人均占有量只有280m^3，每公顷平均占有量4 140m^3，缺水问题较为突出；信阳、驻马店、南阳3市(地)人均水资源量为800m^3，每公顷平均占有量9 420m^3，相对丰富。

河南省地处南北气候过渡地带,不同地带的植物交错分布,兼有华北、华中、西北、华北区系的成分和特征,植物资源丰富,种类繁多,全省植被的纬度地带性分布规律较为明显,以伏牛山主脉至豫东南淮河干流为界线,北部地区为南暖温带阔叶林地带,南部地区为亚热带常绿阔叶林区域。平原地区,农业发展历史悠久,自然植被基本为人工栽培植物所代替。

(二)社会经济情况

全省平原地区涉及 94 个县(市、区),土地总面积 895.3 万 hm^2,占全省总面积的 53.6%,耕地面积 549.5 万 hm^2;总人口 6 852.7 万,占全省总人口的 73.6%。其中农业人口 5 917.1 万,乡村劳动力 3 168.09 万,人口密度 690 人/km^2。国内生产总值 2 619 亿元,占全省国内生产总值的 60.1%;人均国内生产总值 3 942.22元,地方财政收入 73.5 亿元,农林牧渔业总产值1 503.6亿元,占全省的 82.4%;农民人均纯收入 2 045.82 元;粮食产量 3 344.7万 t,占全省的 83.4%;水果产量 193 万 t,占全省的 61.7%。区内有国家级、省级贫困县 15 个,占全省贫困县数的 44%,包括濮阳县、范县、台前县、虞城县、宁陵县、睢县、永城市、确山县、上蔡县、平舆县、新蔡县、息县、淮滨县、潢川县、固始县,其中扶贫攻坚乡(镇)130 个。

(三)自然灾害状况

河南省平原地区的自然灾害,种类多、影响大、范围广、危害重,属于我国农业自然灾害最严重的区域之一。主要有以下几种。

1. 干旱

干旱是平原地区最普遍、最频繁的气象灾害,素有“十年九旱”之说。豫北地区属于全省干旱发生最频繁、最严重的地区,据近 50 年来的旱情统计,共发生 85 次,年平均达 1.8 次;豫东和豫中次之,南阳盆地又次之,豫南地区出现次数较少。按季节分布,春旱出现最频繁，占37%，旱期较长；初夏旱出现次居第二位，占29%；秋旱一般占14%。春旱北部多于南部，伏旱则南部多于北部。就干旱强度来讲，一般是伏旱最重，初夏旱次之。大旱主要出现在豫北，2.5～3年一遇，向南迅速减少，沙河以南一般无大旱；小旱频率较高，分布较广，沙河以北两年一遇。近50年来，旱灾面积大于67万hm^2的年份有22年，频率达45%。1949～1990年，干旱受灾面积平均每年为126万hm^2，其中成灾面积79万hm^2。90年代以来干旱不断加重，年平均干旱成灾面积超过220万hm^2。

2．洪涝

暴雨是河南省主要的灾害天气之一。暴雨造成山前平原受洪水威胁，低洼排水不良地区发生内涝。淮河两岸及永城市是省内暴雨发生的中心地带，平均每年发生3～4次，暴雨雨量在250mm以上；大部分平原地区平均每年发生2～3次，年平均暴雨雨量在200mm左右。暴雨一般出现在3～11月，以6～9月为多，集中在7、8月。暴雨强度一般在70～90mm/d之间，孟州、濮阳、长垣、民权、临颍、西华、上蔡、新蔡日平均强度高于90mm。当暴雨量在100mm左右即可形成内涝，150mm左右即可造成小河缺口、小型水利工程受损、农田大面积积水，200mm左右可造成河流沟渠泛滥，甚至洪水危害。一般分为春、初夏、夏和秋四个雨涝季节，以夏涝出现次数最多。1949～1990年，洪涝灾害受灾面积年平均为102万hm^2。1998年暴雨内涝灾害，造成农业直接损失22.1亿元，受灾面积283万hm^2，成灾面积177.1万hm^2。

3．风、沙

大风：太行山、伏牛山山前平原及豫东平原东部属河南省的主要大风区（≥8级），年平均出现大风≥5d的地区在鹿邑、周口、遂平、方城一线以北地区以及淮河两岸、南阳盆地；出现大风≥10d以上地区在兰考、杞县、长葛、平顶山、舞阳以北地区，鹤壁、原阳、郑州、平顶山、永城等地在20d以上。春季普遍多大风，天数较多，黄河以北地区出现天数最多；夏季黄河以北、淮南地区出现较多，其他地区出现较少；秋季大风较少；冬季黄河以北及豫东地区出现较多。

沙暴：在沙区，遇大风天气即可形成沙暴，沙暴区的分布与沙区分布基本一致。全省年平均沙暴日 2d。黄河两岸每年平均出现 3 个以上的沙暴日，中心地带是郑州至民权一线的沿黄地区。郑州市是全省出现沙暴日最多的地区，年平均在 7d 以上；开封、兰考为 6～7d；内黄一带每年平均在 6d 以上。沙暴具有较明显的季节性，春季较多，冬季和夏季次之，7、8 两月及秋季较少出现。

干热风：平原地区每年都有不同程度的干热风发生，其发生几率自南向北、自西向东逐渐递增，以东北部最为严重，年平均发生日数 6～8d，10 年 8～9 遇，淮河以南地区较少。重度干热风以沙河以北、京广线以东地区出现较多，平均 3～4 年 1 次，淮河北部、南阳盆地平均 5～6 年 1 次。干热风的危害以洼地、沙土地较严重，受危害地区，小麦一般减产 10%～30%，严重的可达 30%～50%。

除以上灾害外，平原地区还不同程度存在着冰雹、霜冻等自然灾害。各种灾害中，以干旱、洪涝灾害的危害最重，其造成的损失约占全部农业自然灾害报失的 70%左右，同时干旱、洪涝灾害也是诱发病虫害等生物灾害的主要因素之一，加剧了自然灾害的危害程度。

二、50 年来河南省平原绿化建设历程和取得的成就

（一）建设历程

河南省平原绿化建设发展过程大致可分为以下几个阶段。

1. 以营造防风固沙林为主的平原绿化开始阶段

新中国成立初期，豫东沙区被列为全国重点造林地区。在党和政府领导下，豫东人民在黄河故道沙荒地区营造了 5 条大型骨

干防护林带，全长520km，宽1～2.5km，总面积1 093万hm^2，使53万hm^2农田免遭风沙之害。

2. 以“四旁”植树为主的平原绿化初期阶段

20世纪60年代初期，在沙区造林取得决定性胜利的基础上，全省提出了大搞平原“四旁”绿化，掀起了“四旁”植树高潮。1962年8月，中共河南省委要求商丘、安阳、新乡、许昌、开封、郑州等地（市）、县尽快恢复和发展农田防护林。提出“以林保农，以农养林，农林密切结合”的方针。1963年2月中共河南省委、省人委提出“排涝治碱，植柳防沙，打井抗旱”12字方针。1964年2月中共河南省委、省人委决定，将全省70%的造林经费用于沙区，从山区国营林场抽调一批职工支援沙区林场，西华县县长王殿安带领该县人民进行平原植树，许昌地委书记王延太认真抓了全地区的平原林网化，鄢陵县委书记彭发勋带领全县人民大搞“四旁”绿化等，均成为平原绿化的先进典型。林业部、商业部于1969年10月在鄢陵县召开植树造林及增柴节煤现场会议后，全国掀起了平原绿化高潮。

3. 以农田林网为主体的平原绿化新阶段

20世纪60年代中期，全省平原地区逐步推广路、渠、田、林、电统一规划，综合治理，采用了以营造农田林网为主的平原绿化新模式。把植树造林作为改善农业生产条件的一项基础工程，与农田基本建设紧密结合起来，创造了具有我国特色的“田成方、林成网、窄林带、小网格”的新型农田防护林网，把农田防护林建设推进到了一个新阶段。1975年农林部在许昌和安徽阜阳召开北方18省（区）“四旁”植树和农田林网化现场会议，豫东农桐间作和农田林网化已出现几个公社连片以及跨县规模。1977年农林部又在许昌、商丘召开华北、中原地区平原绿化会议（即第一次全国平原绿化会议），冀、鲁、豫三省提出对口协作竞赛倡议。1978年10月在印度尼西亚雅加达第八次世界林业会议上，中国代表以《介绍河南商丘地区农桐间作》为题发言，受到各国的重视。1979年5月，联合国粮农组织派出由13个国家21人组成的林业为农业服务考察组，考察禹县的农桐间作、鄢陵县的农田林网等。考察组盛赞河南省平原绿化取得的成绩。7月，联合国粮农组织再派出亚太地区10个国家21人组成的群众造林考察组，到鄢陵、禹县、郑州市郊等地考察农田林网、"四旁"植树、农桐间作、城市绿化和平原绿化。1980年11月，联合国粮农组织派出以孟加拉国国家计委林业处长为首的考察组，对尉氏县的防风固沙林、禹县的农桐间作、博爱县的农田林网、郑州市的城市绿化等进行了考察。1981年1月全省推广新郑县的集中领导、集中精力、集中时间、统一行动的"三集中一统一"工作方法，再次在全省掀起平原绿化高潮。

4. 多林种、多类型相结合的平原农田防护林体系建设阶段

中共十一届三中全会以后，在实行以家庭联产承包经营为主的条件下，河南省及时制定了"统一规划，树随地走"的平原绿化政策，实行大区域统一规划，农桐间作和农田林网突破县、市的界限，形成"千万亩相连，点、片、网、带相结合"的综合农田防护林体系，全省平原绿化进入了高潮阶段。

1983年10月，林业部在郑州召开全国第五次平原绿化会议，肯定河南平原绿化的成绩，推广河南的经验。授予新郑、尉氏、博爱、兰考、鄢陵、扶沟、民权、禹县、西华、鹿邑、睢县、长葛等县"全国平原绿化先进县"称号。禹县县委书记贾海旺带领全县干部、群众于1983年春季育苗，夏季规划定点，秋冬栽植，一年完成农桐间作5.3万 hm^2；农田林网1.3万 hm^2，加上村镇造林，共栽树860多万株，完成了该县全部平原区的绿化造林。中共河南省委、省人民政府于1984年1月颁发嘉奖令，奖励禹县人民。商丘地委书记刘玉洁带领全区人民学禹县，并实行"统一规划、树随地走、苗木自筹、谁种谁有、经营自主"的政策，组织数百万农民统一行动，用一年多的时间，完成了全地区的农田林网化栽树任务，成为全国第一个完

成全地区农田林网化的典型,受到中央绿化委员会的嘉奖。1985年7月在墨西哥召开的第九届世界林业会议上,中国代表团向大会报告《中国的平原绿化》,重点介绍河南省平原绿化经验。大会执行主席在会议结束时说:“中国的经验对世界各国很有益处。”

1986年5月,林业部在商丘召开8省(市)平原绿化现场经验交流会,给河南省达到《全国平原县绿化标准》的商丘、周口2地区及民权等40个县颁发了合格证书和奖牌(全国获奖共3个地区(市)和145个县)。达标的平原县有:长葛、新郑、开封、尉氏、通许、杞县、兰考、鄢陵、舞阳、获嘉、原阳、封丘、孟县、武陟、内黄、新县、汝南、扶沟、西华、商水、太康、鹿邑、郸城、淮阳、沈丘、项城、周口市、永城、夏邑、虞城、民权、宁陵、睢县、商丘县、商丘市、柘城、许昌市郊;半平原县有:博爱、禹县、修武。

5. 以巩固完善农田防护体系为重点,向高级平原绿化迈进阶段

1987年国家开始在河南省实施平原绿化工程,不断加大投资力度,累计投资1.8亿元。对河南省平原地区林业生态建设起到了很大的推动作用。20世纪90年代以来,全省广大平原地区以完善农田林网为重点,通过对林种、树种结构的合理调整,点、片、网、带科学配置,建设高标准的农田防护林体系。到1991年底,全省94个平原、半平原和部分平原县全部达到了林业部颁发的《县级平原绿化标准》,被全国绿化委员会、林业部授予“全国平原绿化先进省”称号。目前,全省10多万公里铁路、干线公路和骨干河道两旁绿树成荫,豫东5条骨干防风林带巍巍壮观,两条总长424km的青年防护林带,使古老的黄河披上了绿装。

为巩固平原绿化成果,实现平原林业的可持续发展,对达标后的平原绿化建设,确立了“巩固、完善、提高、创新”的发展方针。1994年省委、省政府提出了用两年时间完善提高全省平原绿化的目标,各地以完善林网为重点,大力调整林种、树种结构,在全省开展了平原绿化“第二次创业活动”,不少地区的平原绿化水平有了进一步提高。省林业厅加大督促检查力度,从 1991 年起对平原绿化情况每年进行抽查,对平原绿化水平滑坡严重的县(市、区),由省政府进行通报批评或黄牌警告,对滑坡特别严重的县收回奖牌,1996 年,省林业厅制定了河南省县级平原绿化标准,被林业部转发全国。同年 10 月,省林业厅在民权县召开全省平原绿化规划会,学习全省县级平原绿化标准,提出了平原绿化的奋斗目标。通过几年的努力,取得了良好效果。据 1998 年河南省森林资源连续清查第三次复查结果,全省主要平原地区(不合 19 个半平原、部分平原县),有林地面积 203 400hm^2(其中林分面积 87 200hm^2,经济林面积116 200hm^2),占全省有林地面积的 9.81%,灌木林面积11 300 hm^2;活立木总蓄积 5 872.52 万 m^3,占全省活立木总蓄积量的 44.6%;“四旁”树检尺株数 39 470 万株,蓄积 5 322.21 万 m^3,分别占全省“四旁”树检尺株数、蓄积量的 70.7%、71.30%;森林覆盖率 8.40%,其中“四旁”树林木覆盖率 5.69%。

2000 年 5 月,省政府同意并印发了《河南省县级平原绿化高级标准》,并开始了河南省平原绿化二期工程建设。

(二)基本经验

1. 各级党政主要领导把平原绿化摆到了重要议事日程,真抓实干

平原绿化是一项复杂的系统工程,从统一规划、育苗、造林到管护,要做许多艰苦细致的工作,需要大量的人力、物力。因此,它决不是林业部门一家能办到的事,需要社会各方面的支持。农村实行联产承包经营责任制以后,经营者是千家万户,进行大规模的农田林网建设,是在各级党委、政府的高度重视和统一组织下进行的。商丘地委、行署在 1984 年冬季造林时,首先成立了由党、政、军主要领导参加的造林绿化指挥部,自上而下组成了各级强有力的指挥系统,在育苗、规划、造林三个战役中,实行各级领导分包任

务的岗位责任制。抽调15 000名干部组成工作队,深入造林第一线督促检查,确保造林任务的完成。在工作安排上采取一年准备,一年大干,一年扫尾;在一年中春抓育苗,夏抓规划,秋冬突击造林,常年抓好管护。商水县对全县统一规划,因地制宜安排林种树种,率先在全省实行了平原高级标准。息县县委、县政府主要领导,对绿化工作常抓不懈,真抓实干,取得了显著成绩。为实现平原绿化达标,息县县委、县政府多次召开县委常委会、县政府常务会和四大班子联席会,研究绿化规划和实施措施。县委书记、县长共同立下军令状,在全县党员、干部大会上公开宣布:全县完不成达标任务,主动向地委递交辞职报告。实现初级达标后,县委、县政府不放松造林工作,继续向高级绿化标准迈进,成为全省平原绿化先进县。

2. 落实林业政策,使农民从造林绿化中得到实惠,充分调动广大农民的积极性

在农村实行土地以家庭为单位承包经营的情况下,农民关心的是林木所有权问题。各地结合农村实际,制定了一系列受到农民欢迎的政策。农林间作原则上实行"统一规划,树随地走,苗木自筹,谁种谁有,允许继承,允许转让",收到很好的效果。随着平原绿化的发展,在农林间作中遇到了新问题。因农村土地承包户的人口在变动,土地经常进行调整,树权也要随着变动,在转让、作价过程中出现不少新的矛盾。对此,除沙区外,各级林业主管部门积极引导农民逐步向经营农田林网为主的方向发展,提倡农田林网统一经营,专业队管护,在承包农田时合理解决树木胁地的补偿问题。不少地方对绿化用苗包育包销,预先签订产销合同,实行产销挂钩,有效地调动了农民育苗的积极性。

3. 重视推广先进技术,不断提高科学造林、营林水平

多年来各级林业主管部门组织科研、教学、生产部门的广大科技工作者,就河南省平原绿化的作用、发展方向、最佳结构、永续利

用、林种选择、林种比例、林木良种繁育、育苗新技术等课题进行协作攻关,取得了一批成果。通过示范推广、举办各种类型的技术培训班,把技术传播到农民手中,有力地促进了平原绿化的发展,提高了绿化质量和经济效益。在林木良种繁育方面,河南省先后培育出几个泡桐和柏树的优良类型,引进和培育了一批经济林优良品种,建立了一大批新的林果基地。在育苗技术方面,泡桐高干壮苗培育技术、麦桐套种技术、地膜覆盖、温床催根、ABT 生根粉的应用等已大面积推广,使泡桐育苗由两年出圃提前为一年出圃,节约了土地和劳力。在造林技术方面,从带叶栽泡桐到带叶栽杨树,使幼苗在土壤封冻前生根,提高了成活率。

4. 多渠道集资,全社会办林业

发展平原绿化需要有一定的投资。在国家对平原林业投资很少的情况下,主要靠农民集资和各部门、各行业投资。1984 年商丘地区农民为造林绿化集资 3 000 多万元。在河道、铁路、公路沿线和煤矿周围造林,发挥绿化委员会的协调作用,由部门投资,群众投劳,收益比例分成。同时,结合黄淮海平原农业综合开发、扶贫开发、利用世界银行贷款发展丰产林,提供了一部分投资,支持了平原绿化。

5. 加强林木管护,实行以法治林

平原地区树木分散,人口稠密,管护难度大。因此,各地都一直把管护放在十分重要的位置,坚持造管并重,层层建立护林组织:县(市)发护林布告,乡(镇)建立护林制度,村订立护林公约,多数地方形成了爱林光荣、毁林可耻的社会风尚。周口等地护林与护路、护桥涵、护渠、护井结合起来,建立“五护员”制度,乡或村统一解决报酬,统一组织,明确职责,定期进行评比,奖罚兑现,到林木采伐时再从所管树木的收益中提取一定比例。由于解决了“五护员”的责、权、利问题,调动了“五护员”的积极性。总之,各地普遍采取行政措施、经济制裁和法制管理相结合的办法,加强了林木管护工作。在深入宣传贯彻《中华人民共和国森林法》的同时,不少县和国营林场都成立了林业法庭和林业派出所,及时查处毁林案件,依法惩处破坏林木的不法分子。

三、河南省平原绿化建设成就

(一)三大防护林建设

1. 豫东防护林建设

豫东防护林是中华人民共和国成立后兴建起来的大型防护林工程,横贯郑州、开封、商丘、许昌、周口5地(市)19个县(市),沿黄河故道重沙区设置防护林网,净造林面积2.67万hm^2,植树1亿多株,控制流沙26万多公顷,防护面积53万多公顷。

防护林兴建前,河南省林业局做了三项准备工作:一是组织力量全面勘察豫东沙荒的分布和面积,深入群众查访了解流沙活动规律及其对人民生产生活造成的危害,学习总结沙区农民治沙造林的办法和经验,为防护林建设提供依据;二是依据林垦部“重点造林”方针,本着因害设防、因地制宜的原则,进行防护林规划设计;三是培训技术干部,建立豫东沙荒造林管理处和一批国营林场,以国营林场为骨干,发动群众开展固沙造林。提出的口号是“变沙漠为绿洲,变沙荒为果园,变沙地为良田”。

1949年冬,睢杞林场首先在睢县、杞县开始造林。1950年,河南省农林厅林业局成立后,又在豫东沙荒面积较大的县设立8个国营林场,设豫东沙区林管处,在郑州、中牟、开封、考城、兰封、尉氏、民权、宁陵、虞城、西华、扶沟等县,全面开展造林工作。面积较大分布集中的公有沙荒,由林场营造国有林;私有沙荒,由林场统一规划设计,发动群众造林。各造林区均成立造林委员会领导造林运动,造林结束后转为护林委员会负责管护林木,对造林进度快、质量高、遵守纪律的,评选模范并给予物质奖励。至1950年底,共营造国有林1 705hm^2。杞县造林模范贾义德赴北京参加了全国工农兵劳动模范代表大会。1951 年造林采取公私合作方式，公有沙荒地由国家供苗、群众出劳力，成林后主材公家与私人三七分成，副材归群众。私荒造林，国家贷给苗木，每株作价 5 分，3 年后还清，林木归个人所有，共造林 4 349hm^2。1952 年以后，集体荒地造林，以群众合作方式为主，成林后苗木、劳力按二八分成；私荒合作造林，成林后按地 1 苗 2 劳 7 分成。1953 年，豫东防护林骨干工程基本完成，共造林 1.6 万余公顷，植树 5 600 万株。1956 年建成后，共造林 2.67 万 hm^2，植树近亿株。

营造防护林的规格，初期以营造片林为主。1950 年进行全面调查和总体规划设计后，在 5 大基干林带通过的范围内，依据地形、地势、土壤和地下水位的差异，营造林网、林带、片林等不同类型。

河南平原地区，冬季主风方向大致为北或东北。河南省林业局因害设防，设计造林树种有旱柳、刺槐、美杨、毛白杨、侧柏等；造林形式，采用河南大学林学系贾瑞生教授、罗鸣福讲师设计的“小网格防护林网”方案，即每个网格长 125m，宽 80m，面积 1hm^2，每边植 3～5 行，有林面积约占防护面积的1/10；长边与主风方向相垂直，纵、横方向每隔 3～5 个网格设副林道 1 条，道宽 5m；通林区最长边的中心设主林道 1 条，道宽 10m。各地设计规格大同小异，如民权县申甘林区，林带宽 7m，植树 5 行，每隔 2 个网格设林道 1 条；兰封县仪封林区，林带宽 5m，植树 4 行，每隔 5 个网格设林道 1 条。25 个网格为 1 中区，100 个网格为 1 大区，包括林道在内，1 大区总面积 113.7hm^2。

网格内的土地，本着“宜林则林、宜农则农、宜果则果”的原则逐步开发利用。国营林场以造林为主，集体土地以农耕为主。仪封园艺场、民权农场等，都是在防护林网内举办起来的。

1955 年河南省林业局调查，在豫东已建成的防护林内扩大耕地面积 1.3 万余公顷。民权劳改农场在林间垦种豆类 800hm^2，平均单产900kg;仪封机耕农场播种小麦133hm^2,平均单产750多公斤;开封土城乡20年没种过小麦,造林后种小麦213hm^2,平均单产825kg,最高达2 625kg。50年代末省林业厅和河南农学院组织科技人员,对豫东防护林的作用进行了调查研究。取得以下结果:

其一,林带对小气候的影响。林带的宽度、树种组成和修枝抚育的强度不同,形成了通风、稀疏、紧密三种结构,紧密结构林带内积沙严重,带间多形成槽状洼地,所以防风效果以稀疏结构林带最佳。

据1959年夏季在民权机耕农场测定,林带间的最高气温降低,最低气温增高,日平均气温比空旷地降低0.3~0.5℃,带间空气相对温度提高3个百分点;带间土壤水分得到改善,20cm深处土壤含水量为空旷地的2倍多,给农作物生长创造了有利条件。

其二,林带对农业产量的影响。据1957~1959年在民权机耕农场调查测定,空旷地生长的小麦平均植株高80cm,穗长5.7cm,种子千粒重30.5g;林带保护下种植的小麦平均植株高86.6cm,比空旷地高8.1%;平均穗长6.7cm,比空旷地长17.5%;千粒重31.2g,比空旷地重2.3%。小麦单位面积产量,林带保护下比空旷地平均增产44.9%。除在距林带树高1倍范围内农作物减产外,在距离林带树高5倍到20倍的范围内,则可增产70%以上。

在豫东防护林保护下建立起来的仪封园艺场、黄泛区农场、五二劳改农场等5个大型农场,以及公社办农场,共开垦耕地4万hm^2,每年增产粮食达5 000万kg。各场栽培果树面积800hm^2,1959年共生产苹果25万kg,葡萄105万kg。兰考、民权先后建立起以果品为原料的酿酒厂,加工业得到了相应的发展。在木材生产方面,6年生的林木每公顷蓄积量为6~19.5m^3,全林区6年以上的林木约8 667hm^2,蓄积量可达5.2万~16.9万m^3。

生产的发展使人民生活也发生了巨大变化。例如民权县双塔公社原来是风沙危害严重地区,1948年以前出外逃荒的679户,占总户数的20.2%,卖儿卖女的有34户。营造防护林以后,农民人均年收入由1950年的12元,到1959年增长到67元。银行储蓄户达2 330户,占总数的72%,存款金额35万多元。

豫东防护林建成后,苏联林业专家彼得洛夫曾于1957年9月到郑州、开封、民权林区参观,肯定了河南省造林的成功经验。许多国家的专家学者,也前来参观考察。

1958年以后,豫东防护林原有网格,逐步为防护用材林、经济林或新垦农田所取代;原有造林树种美杨、加杨已被淘汰,旱柳大为减少,新发展树种有泡桐、沙兰杨、72杨、69杨等。省林业厅勘察设计队本着查漏补缺的原则进行规划设计,并新设计一条黄河故堤基干林带,自开封向东经兰考、民权、宁陵、商丘到虞城,长200km,平均宽30m。1983年共青团河南省委发出号召,动员10万青少年一举完成造林任务。此外还设计固沙片林4 000余公顷,小型防护林带折实造林面积2 667hm²,种苗面积4 000hm²,均于1984~1985年完成,使豫东防护林得到补充和完善。

2. 豫北防护林建设

豫北防护林主要有两条:一条是周定王五年(公元前602年)改道后至五代末黄河行经的河道。自武陟县何营向东北,经原阳、新乡、延津、汲县、滑县、汤阴、内黄、清丰、南乐入河北省,长210多公里,宽7~40km;一条是历史上黄河多次决口泛滥形成的泛区,自封丘县大工、贯台向东北,经长垣、滑县、濮阳、范县至台前入山东省,长214km,宽2.5~25km。

中华人民共和国成立后,平原省人民政府领导沙区人民开始有计划地营造防风固沙林。1952年末平原省撤销后,安阳、濮阳、新乡3专区划归河南省,到1957年完成固沙造林1.3万余公顷,流沙基本固定。1958年"大办钢铁"中,树木被砍伐殆尽,1962~1965年得到恢复,文化大革命开始后再度遭受滥伐破坏。

1980年中共河南省委提出重建豫北黄河故道防护林。1981

年新乡地区林业局开始规划设计。1982年省林业勘察设计队制订豫北黄河故道防护林总体规划设计方案,以固定流沙为中心结合农田防护和“四旁”绿化,分别设计固沙片林、防护林带、农田林网、农林间作、村镇林和固堤护岸林,使片、网、带、点相结合,构成完整的防护林体系。

(1)片林设计。高度3m以上的大中型流动沙丘,营造刺槐纯林,株行距1m×1.5m,造林面积6 987hm²。大中型固定半固定沙丘,营造刺槐纯林,株行距1.5m×2m,造林面积11 267hm²。地下水位深于2m的高平沙地和小型沙丘,营造3行刺槐与1行沙兰杨(或其他速生杨)混交的片林,株行距1.5m×2m,其中片状分布的藏金地(1m深土层内含有厚20cm以上的黏土层),则改为刺槐与毛白杨混交林。

(2)小型防风林带设计。地下水位深不足2m的低平沙地和新开垦的耕地,每隔30m植杨或柳2行,株行距2m×2m;盐碱荒地每隔30m植旱柳2行,株行距2m×2m。林带间视土质好坏和盐碱程度,种植农作物或栽植条子(杞柳、紫穗槐)、牧草。

(3)农田防护林网设计。基本不能种植夏粮作物的重沙耕地,营造农田防护林网,主带距150~200m,副带距200~300m,每带植树2~4行,树种为毛白杨、沙兰杨或泡桐;一般风沙耕地,设计农林间作或大型林网,网格面积13.3~20hm²,树种为毛白杨、泡桐或沙兰杨。以上设计均与河、渠、路、村结合配置。

该项设计投资概算1 002万元,同年得到河南省计划委员会批准。资金使用由河南省林业厅统一掌握,沙荒造林所需种苗由国家投资,其余各项由社队集资。实施方法,从1983年起,省林业厅按工程造林要求向各县下达造林任务,各县根据年度造林任务作出施工设计,报送省林业厅审批后施工,省林业厅现场检查验收。

豫北黄河故道防护林的固沙造林任务,于1987年基本完成,历年验收结果成活率均在85%以上,林木生长良好。如滑县干柳树村 1983 年固沙造林在 100hm^2 以上,林木生长良好。到 1985 年平均树高 5.3m,最高达 7.1m,平均胸径 5.3cm,最大 12.7cm。造林后基本控制了风沙灾害。农区的林网林带和农林间作的植树造林工作尚在继续进行。

3. 宛东防护林建设

宛东防护林位于南阳盆地东部,北起方城,经社旗、南阳抵唐河、新野,共跨 5 个县,包括 2 个类型区:一是方城、社旗境内伏牛山、桐柏山之间的峡谷风口地带,面积约 17 万 hm^2,风力强劲;二是南阳、唐河、新野境内的平缓盆地,面积约 29 万 hm^2,风力稍弱。这里东北风自山口贯入,形成强大气流,直袭南阳盆地,旱、涝、风、雹、霜冻等自然灾害频繁发生,农业产量长期低而不稳。

20 世纪 50 年代末期,南阳地区曾在方城县境内营造防风林。以后林木屡遭毁坏,残存下来的林带仍有一定防护效益。1980 年出现干热风危害,有林带保护与无林带保护的耕地相比,小麦产量提高 25% ~ 30%。1983 年,南阳地区重新规划宛东防护林,共设计基干林带 22 条,长 314.3km,造林面积 549.11hm^2;主林带 234 条,长 2 786.6km,造林面积 924.2hm^2;副林带 222 条,长1 676.9km,造林面积 777.98hm^2。此外还设计片林 4 438.07hm^2。以上设计造林总面积为 6 689.36hm^2。选用造林树种主要有沙兰杨、72 杨、69 杨、侧柏、刺槐、国槐、楸树、紫穗槐、白蜡树等,共投资 85 万余元。从 1983 年起,宛东防护林列入省林业厅工程造林项目开始实施,截至 1987 年底,已投资 51 万元,完成造林面积 4 000hm^2,为设计任务的 59.8%,其中,基干林带 534hm^2,主林带 1 400hm^2,副林带 733hm^2,片林 1 333hm^2。

(二)农田林网

河南省的农田林网起始较早,主要是在豫东、豫北沙区。大规模地营造农田林网,是在新中国成立后。原阳县 1952 年在固沙林的基础上提出了兴建农田林网的设想,1953 年在风口地带初步试点,1954年在县北部、西部地区掀起营造农田林网高潮,冬季完成514.8hm^2。八里庄动员2 500人,13天植树20万株。1955年春初步制定出全县农田林网化规划设计,当年造林142.4hm^2。1956年省林业调查队派人与各县林业技术人员相结合,开展农田林网的规划设计。以机构区划为主,结合自然区划,主林带间距200m,副林带间距500m,每带植树3~5行,网格面积10hm^{2}左右,既考虑防护效果,也照顾以后的机耕方便,设计树种有柳、榆、国槐、毛白杨等。1956年冬到1958年,豫北、豫东沙区各县营造农田林网进展较快。

1963~1988年全省农田林网建设进入提高和迅速发展阶段。1966年镇平县老张营大队,实行沟、路、渠、林统一规划,营造农田林网367hm^2,以后又发展为山、水、田、林、路综合治理,把造林作为农田基本建设的重要措施之一,全省农田林网发展到4万hm^2。1967年修武县小文案大队进行路、林、排、灌全面规划,将全大队耕地270hm^{2}设计为方格林网,每格10~13hm^2,造林与修渠筑路配套施工,按照设计完成后,取得农林双丰收,改变了贫困面貌。1972年博爱县张茹集公社针对旱涝盐碱等特点,采取引水灌溉、排涝治碱、植树造林等多种措施改变贫困面貌。在河南农学院教师的指导帮助下,进行了田、林、路、排、灌、电、机统一规划设计。当年该县12个平原公社,学习张茹集公社综合治理经验,在全县平原2万多公顷耕地上,共规划网格1 861个,林带8 500条,河渠、行道林3 083km,到1975年基本完成农田林网的造林任务。与此同时,全省许多地、县都把农田林网化作为农田基本建设的重要内容之一来抓,襄城、长葛、郏县、郸城等县都营造了几个公社连片或县与县连片的农田林网。商水县以3 300多公顷低洼易涝的湖坡地改造为重点,做好规划设计,备足苗木,到1978年春季植树280多万株,一举完成8个公社的林网营造任务。同年,全省林网面积达到167万hm^2。1978~1980年在农村经济体制改革的新形势下,出现了土地承包与林网林带的矛盾,农田林网发展停滞,并遭到一些破坏,由原来 167 万 hm^2 减少到 100 万 hm^2。1981 年河南省农委主持在新郑县召开全省平原绿化现场会,推广该县经验:一是领导认识明确;二是把农田林网化作为农田基本建设的重要内容;三是集中领导统一规划;四是采取切实可行的林业责任制。禹县学习新郑经验后,1983 年全民动员,奋战一年,完成了平原绿化造林任务。1983 年 10 月林业部在郑州召开第五次全国平原绿化会议,表彰了新郑、尉氏、博爱、扶沟、民权、禹县、西华、兰考、鹿邑、睢县、长葛、郏县、郸城等县完成农田林网和农林间作任务的先进事迹。商丘地区学习新郑禹县经验,采取"党政领导包面积和资金筹集,林业科技人员包规划设计和技术"的双包责任制。1984 年完成农田林网 52 万 hm^2,植树 5 000 多万株,全区林网面积达到 69.2 万 hm^2,为耕地面积的 94%,成为全省第一个基本实现农田林网化的地区。1985 年 1 月 31 日中共河南省委、省人民政府向商丘地区党政军民颁发了嘉奖令。1975 年全省农田林网面积上升到 198.2 万 hm^2。在此基础上,打破单一模式,向多树种多模式方向发展。1987 年 59 个县基本实现农田林网化,总面积达 139.4 万 hm^2,成为平原农区大型生物工程的重要组成部分。

农田林网化改善了生态环境,增强了抵御自然灾害能力。为农业的稳定增产创造了条件。许多平原实现农田林网化以后,出现了林茂粮丰,经济繁荣的新气象。博爱县观测结果表明:农田林网区比无林区风速降低 33%,地面水分蒸发减少 29%,空气相对湿度提高 8%,有害最高气温降低 0.6℃,林网内有效光辐射量增加 6%,土壤微生物增加 29.17%。同样的水肥条件和耕作措施,林网区比无林区小麦增产 6.8%,玉米增产 13.1%。

(三)农林间作

中华人民共和国成立后,河南省的农林间作,在林木改良、栽培管理技术、病虫害防治等项研究的基础上,加以改进提高,实行统一规划,成为平原农区综合开发项目的组成部分。20世纪50年代,对农林间作实行普遍保护,并有计划地推广发展。1955年,省林业局组织干部帮助群众制定发展规划,依靠集体力量育苗、造林、经营管理。发展重点有宁陵、民权一带的农条间作,兰考的农桐间作,新郑、内黄的农枣间作,荥阳、博爱的农柿间作等。60年代初,全省农林间作在"以林保农,以农养林"的方针指导下发展到26.7万hm^2。兰考县的农桐间作大致有3种类型:一是以农为主间作型,每公顷植泡桐75~105株,株行距8m×16m或5m×20m;二是农桐并重间作型,每公顷植泡桐150~225株,株行距(4.5~6.5)m×10m;三是以泡桐为主间作型,每公顷植泡桐900株。

1965年,河南省林业科学研究所写了"农桐间作大有可为"的文章在《人民日报》发表。同年,省林园学会在兰考县举办学术讨论会,肯定农桐间作能取得农林双丰收的作用,并提出了发展意见。兰考县的农桐间作经验,首先在邻近各县推广,开展学习焦裕禄活动后,得到迅速发展。1966年,省林业厅向省人民政府建议,在全省发展农林间作200万hm^2。同时在西华、扶沟一带规划了一个新的农枣间作区。西华、扶沟等营造了大面积农桐、农枣间作林。1969年,兰考县农桐间作有了较大改进,把过去泡桐的均匀配置改为放宽行距,缩小株距的单行带状配置。以农为主间作型,行距30~50m,株距4~5m;农桐并重型,株行距5m×(20~30)m;以桐为主间作型,株行距5m×10m。同时注意合理施肥、及时排灌、选用良种、如强抚育管理,减少了树木的胁地现象,使农作物生长均匀,逐渐形成完备的间作制度。这时农桐间作发展较快,民权县达3万hm^2,商丘县达3.6万hm^2,宁陵、睢县都有数千公顷集中成片的间作,商丘地区农桐间作面积已超过40万hm^2。

20世纪80年代农林间作在全省平原地区普遍推行,朝着多树种多模式的方向发展。新发展的间作类型有民权县的葡萄与农间作,淮滨县淮河两岸的沙兰杨与农间作,息县的水稻池杉间作等。内黄、濮阳农枣间作区发展到3万hm^2,新郑、中牟农枣间作区发展到2万hm^2。农桐间作在平原地区各县推广更为普遍。1986年起,国家经济委员会、林业部将杞柳与农林间作列入“星火计划”,由河南省林业技术推广站与开封、周口、商丘等市、地区协作开发推广。1987年末,全省平原区农林间作面积达187.6万hm^2,间作林木总株数为27 589万株,其中农桐间作面积约170万hm^2,占农林间作面积的90%以上;其次为农枣间作、农柿间作、农与白蜡条(杆)间作、农与葡萄间作等。

农条间作,在平原区也较普遍,主要以白蜡条(杆)、紫穗槐、杞柳与农作物间作。宁陵县白蜡条与农作物间种,风速降低20%~30%,夏季田间气温降低0.5~1℃,冬季田间气温提高0.5℃,相对湿度提高20%,蒸发量减少13.2%,土壤含水量增加4%~10%,间作小麦增产10%。白蜡条(杆)经济收入较高,1983年全县产白蜡条1 250万kg,白蜡杆500万根,增加收入700万元。

第四节 山区林业生态建设

一、山区基本情况

河南省山区总面积7.4万km^2,占全省总土地面积的44.3%,涉及48个县(市、区)(见表4-1)。其中,山地面积约4.4万km^2,涉及25个县(市、区);丘陵3万km^2,涉及23个县(市、区)。山区面积广阔、地形复杂、物种丰富,既是林副产品的主要产区,又是维护生态平衡的关键载体,更是林业建设的重点地域。

(一)主要山脉

河南省主要山脉有:太行山脉、伏牛山脉、桐柏—大别山脉。

表4－1　　河南省山区县(市、区)统计

省辖市	深山区	浅山、丘陵区
郑州市		登封市、巩义市
洛阳市	嵩县、栾川县、洛宁县	新安县、孟津县、汝阳县、宜阳县、伊川县
安阳市	林州市	郊区
鹤壁市		郊区
新乡市	辉县市、卫辉市	北站区
焦作市	修武县	解放区、中站区、马村区、郊区
三门峡市	渑池县、陕县、灵宝市、卢氏县	义马市、湖滨区
平顶山市	鲁山县	汝州市、新华区、卫东区、舞钢市、西区
驻马店市	确山县、泌阳县	
南阳市	南召县、内乡县、淅川县、西峡县、桐柏县	方城县
信阳市	光山县、新县、罗山县、商城县、平桥区	浉河区
济源市	济源市	

1. 太行山脉

分布于河南省西北部边缘地带,整个山脉呈向东南突出的弧形带状,长约180km,北部最宽处可达50km,西部最窄处不到5km。山脉的主脊地带主要由寒武—奥陶纪石灰岩构成为中山类型,海拔多在1 500m以上。林州以西的太行中山系断块构造中山,山势异常陡峻,有南北延伸的多级嶂壁,呈直立状的悬崖峭壁,每级高数十米至百余米不等。山峰顶部较平坦,西侧山坡平缓,逐渐过渡为山西高原。济源以北的太行山地,山体峻峭,海拔多在1 600～

1 800m之间,个别山峰超过 1 800m,为河南省境内太行山脉的最高峰。沁阳以北一带的太行山地,地势较低,海拔多在 800m 以下,是晋、豫间的天然交通要道。在太行山主脊以东和以南,山势明显降低,广泛分布着低山及丘陵,其间有一些凹陷盆地和宽阔平缓的河流谷地,较大的盆地有林县(现为林州)盆地、临淇盆地、原康盆地、南村盆地等,纵横约 10 ~ 25km,地势平缓。

2. 伏牛山脉

伏牛山脉是秦岭东延到河南省的一条重要山脉,呈西北—东南走向,绵延 200 多公里,是黄河、淮河和长江三大水系的分水岭。北面与熊耳山、外方山交会,没有明显界限;南面与南阳盆地相接。山体规模巨大,主要由花岗岩构成,山势异常高峻挺拔。山脉西段群峰耸立,属海拔 2 000m 左右的中山类型,东段的山势逐渐降低变为低山和丘陵。伏牛山脉的主脊地带位于栾川以南,山脊狭窄陡峭,多呈锯齿状或锥状。北坡陡峻,多有悬崖峭壁出现;南坡稍缓。山脉两侧河流或沟谷下切强烈,形成一些窄深的峡谷或峰谷,有很多跌水和瀑布。

3. 桐柏—大别山脉

桐柏山和大别山分布在河南省南部边境地带,自西北向东南延伸。桐柏山脉主要由低山和丘陵组成,海拔 400 ~ 800m,只有个别山峰海拔超过 1 000m。鸿仪河—桐柏县城以南以低山为主,以北广泛分布着连绵起伏的丘陵。低山丘陵间有一些大小不等的盆地和宽阔的谷地,其中以桐柏—吴城盆地最大。大别山脉位于京广铁路以东的豫、鄂、皖三省交界地带,近东西向延伸。西段山脉脊高陡峻,有一系列陡峭的山峰,海拔均超过 1 000m。自山脉主脊向北地势逐渐降低,由低山、丘陵过渡为山前洪积倾斜平原。山脉北侧河流均向北或东北流去,沿河多形成宽阔的河流谷地。

(二)气候条件

1. 太阳总辐射

河南山区太阳总辐射量分布为北多南少,豫西山区4 600～4 900MJ/m^2,最高出现在5月或7月;豫南大别、桐柏山区在4 600MJ/m^2以下,最高值出现在7月或8月。

2. 气温

大别、桐柏山区年平均气温在15℃左右,全年日平均气温≥0℃的“温暖期”320d以上,其中日平均气温≥5℃的植物“生长期”达260d以上,日平均气温≥10℃的植物“生长活跃期”220d以上,积温4 700～5 000℃,无霜期多在220～240d,是全省积温最高的地区。豫西山地和豫北太行山地,年平均气温在12.1～12.7℃,其中日平均气温≥10℃的植物“生长活跃期”为187～197d,积温3 500～3 700℃,是全省热量资源最少的地区。

3. 降水

山区年平均降水量多于平原和丘陵,豫南山区在1 000mm以上,大别山区达1 200～1 500mm;豫北和豫西丘陵为600～700mm,豫西深山区在1 000mm以上。

4. 蒸发量

大别、桐柏山区年平均蒸发量为1 400～1 600mm,伏牛山区为1 400～2 000mm,太行山区为1 600～1 800mm。

(三)土壤条件

河南山地土壤大致可分为三个类型区:

(1)豫西北山地、丘陵区:该区包括伏牛山北坡,太行山东、南坡。山区主要为棕壤与褐土,浅山丘陵区为第四纪红色黏土裸露形成的红黏土,黄土丘陵则分布有大面积的立黄土、白面土。

(2)豫南山地、丘陵区:包括大别山、桐柏山区,山地分布大面积的黄棕壤与黄褐土,丘陵区分布有黄刚土、乌泥田、白散泥田。

(3)豫西南山地、丘陵区:即围绕南阳盆地西、北、东方向的山地和丘陵,包括伏牛山南坡、桐柏山西北部分。较高山地为棕壤,山地与丘陵分布黄褐土与黄棕壤。

(四)林木林地资源

1. 各类土地面积

据1998年森林资源连续清查第三次复查结果,河南省山区林业用地面积349.92万 hm^2,占全省总土地面积的20.95%,占全省林业用地总面积的92.41%。其中,有林地面积188.51万 hm^2,疏林地面积12.11万 hm^2,灌木林地面积56.65万 hm^2,未成林造林地面积5.49万 hm^2,苗圃地面积0.65万 hm^2,无林地面积86.51万 hm^2,具体情况见表4-2。

表4-2 山区林业用地面积统计 (单位:万 hm^2)

项目	合计	有林地	疏林地	灌木林地	未成林地	苗圃地	无林地
林业用地	349.92	188.51	12.11	56.65	5.49	0.65	86.51
%	100	53.87	3.46	16.19	1.57	0.19	24.72

2. 森林覆盖率

1998年全省山区森林覆盖率为33.13%。

3. 活立本蓄积

山区活立木蓄积量7 295.03万 m^3,占全省活立木总蓄积量13 167.55万 m^3 的55.40%,具体情况见表4-3。

表4-3 各类立木蓄积统计 (单位:万 m^3)

项目	合计	林分蓄积	疏林蓄积	散生木蓄积	四旁树蓄积
活立木蓄积	7 295.03	4 765.90	88.39	298.03	2 142.71
%	100	65.33	1.21	4.09	29.37

4. 新中国成立以来山区森林资源消长变化情况

总的看来,全省山区森林资源总体呈增长趋势。新中国成立至第五个五年计划实施初期，由于基本建设需求较大，加之林业政策不够稳定，山区林分面积、蓄积量一直低于新中国成立初期水平。从“五五”时期超过新中国成立初期水平，并开始稳步上升，到1998年，山区有林地面积达到188.51万hm^2，增加45.01%；山区活立木蓄积量达到7 295.03万m^3，增加470.82%；森林覆盖率达到28.13%，增加20.32个百分点（分别见表4－4、表4－5、表4－6）。

表4－4　河南省山区有林地面积变化情况统计（单位：万hm^2）

项目	新中国成立初期	1988年	1993年	1998年
有林地面积	130	138.27	156.72	188.51
前后相差值		8.27	18.45	31.79
年均差		0.21	3.69	6.36
年净增率(%)		0.16	2.50	4.06

表4－5　河南省山区活立木蓄积量变化情况统计（单位：万m^3）

项目	新中国成立初期	1980年	1988年	1993年	1998年
活立木蓄积量	1 278	4 559.1	5 661.32	6 529.01	7 295.03
期间差值		3 281.1	1 102.22	867.69	766.02
年均差		105.84	137.78	173.58	153.20
年净增率(%)		8.28	3.02	3.07	2.22

表4－6　河南省山区森林覆盖率变化情况统计

时期	新中国成立初期	1988年	1993年	1998年
森林覆盖率(%)	7.81	17.35	19.08	28.13

二、山区主要造林技术

（一）山区林业区划

依据全省林业区划，山区共划5个林业区和10个林业亚区。

1. 豫北太行山防护林、经济林区

太行山的南麓和东坡,总面积 67.2 万 hm^2。本区划分两个亚区:

(1) 太行山中山水源林区:总面积 19.1 万 hm^2,海拔多为 1 000 ~ 1 500m 之间,山高坡陡,岩石裸露,水土大量流失,加上地层漏水等原因,缺水现象十分严重。因此,必须以林为主,大力营造水源涵养林,积极开展多种经营,增加群众收入;同时选用适生的油松、华山松、栓皮栎、侧柏等乡土树种,加强管理,提高林木生长量。

(2)太行山低山丘陵经济林区:为太行山中山的外缘地带,总面积为 48.1 万 hm^2,海拔多为 400 ~ 800m 低山、丘陵地区,人畜活动频繁,原生植物屡遭破坏,水土冲刷严重。土壤过于干旱瘠薄的地区,以侧柏为主,营造栎类或灌木水土保持林;山间盆地和丘间洼地,应发展毛白杨、刺槐、泡桐等速生树种;有灌溉条件的地方,要发展斑竹、甜竹、淡竹等乡土竹种。

2. 豫西黄土丘陵防护林区

位于全省西部,总面积 167.72 万 hm^2。多属丘陵和浅山。土地发生侵蚀,沟道纵横,地形破碎,耕地面积日益缩小。发展方向,应以农、林、牧并重,加快林业建设步伐,大力营造水土保持林。因地制宜地发展用材林、经济林、薪炭林。

3. 豫西伏牛山北坡防护林、用材林、经济林区

位于全省黄土丘陵区以南,伏牛山主脉北侧,总面积 206.2 万 hm^2。划分 2 个亚区:

(1)伏北中山水源林区:总面积 126.9 万 hm^2,海拔高,山峦重叠,地形复杂,30°以上陡坡占 40% 以上,是黄河、淮河流域多支流的源地或上游,也是全省暴雨中心之一。因此,水源涵养林应放首位。该区由于地广人稀,造林任务艰巨,凡有条件的宜林地应进行飞播造林,加快造林进度。

(2)伏北低山用材林、经济林区:总面积77.22万hm^2,人口稠密,耕垦过度,森林植被破坏殆尽,丘陵岗地水土流失严重,水源缺乏,易遭干旱。较好荒山地区营造用材林;浅山丘陵可发展核桃等经济林;冲刷严重荒山造水土保持林或封山育草,为农业生产创造良好的生态环境。

4. 豫西伏牛山南坡用材林、防护林、经济林区

该区总面积113.67万hm^2,划分3个亚区:

(1)伏南中山用材林、水源林区:总面积31.02万hm^2,区内海拔均在800m以上,山峰林立,沟谷切割。土壤多棕壤,肥力较高。应大力发展油松、华山松、五角枫等用材林。

(2)伏南西部低山、丘陵水源林、经济林区:该亚区总面积41.43万hm^2,山势较缓,海拔多在200~700m,土壤为黄棕壤。应发展油桐、竹类以及柑橘等。

(3)伏南东部低山水源林、经济林区:总面积41.22万hm^2,区内海拔为200~1 000m的低山、丘陵,多数栎类柞坡。因林相稀疏,水土流失严重,经济效益太低,因此,应营造水土保持林,因地制宜发展用材林和其他经济林。

5. 豫南大别山、桐柏山用材林、经济林、薪炭林区

该区总面积223.66万hm^2。划分3个亚区:

(1)桐柏山低山丘陵水源用材林、经济林区:总面积57.32万hm^2,地形复杂,河流交错,为全省暴雨中心之一。林业发展以用材林、经济林为主,大力营造水源涵养林和水土保持林,严禁毁林开荒,滥砍、滥伐,适当营造薪炭林,积极发展油菜、茶树等经济林。

(2)山前垄岗薪炭林、用材林区:总面积101.77万hm^2,垄岗起伏,坡度平缓,人为活动频繁,水土流失严重,林地面积甚少,森林资源极为贫乏,严重影响农业生产的发展。应在“四旁”隙地积极栽植泡桐、刺槐、榆等乡土速生树种,解决民需用材,因地制宜发展杉木用材林,适当扩大经济林面积,积极开展多种经营。

(3)大别山低山用材林、经济林区：总面积64.57万hm^2,区内河谷纵横,地形复杂,多为剥蚀山地,土壤为黄棕壤和黄褐土,是全省亚热带用材林、经济林集中产区。该区应“以林为主,农林并举”,保护现有森林资源,结合发展油茶、板栗、毛竹、茶树等经济林,严禁乱伐、滥砍,迅速恢复和扩大森林植被,提高水源涵养能力。

(二)山区主要造林树种

河南省山区主要造林树种分生态、用材树种和经济树种两类,其中又分别有不同的树种,具体情况见表4－7。

表4－7 河南省山区主要造林树种统计

类别	树　　种
生态、用材树种	杉木、柳杉、落羽杉、水杉、白皮松、油松、华山松、马尾松、黄山松、湿地松、火炬松、日本落叶松、金钱松、侧柏、银杏、毛白杨、山杨、栎类、楸树、白榆、苦楝、香椿、刺槐、皂荚、榉树、槐树、核桃楸、椴树、枫杨、臭椿、水曲柳、五角枫、竹类
经济树种	油桐、乌桕、漆树、杜仲、柳树、桑树、望春玉兰、花椒、油茶、茶树、黄连木、核桃、板栗、枣树、酸枣

(三)山区整地常用的方法

(1)带状整地:有水平带、水平阶、水平沟、反坡梯田、抽槽等方式。

(2)块状整地:主要是穴状整地和鱼鳞坑整地。

(四)山区造林季节与方法

1. 造林季节

(1)春季造林。全省各地春季造林一般在2月中、下旬至3月上旬为宜。信阳、南阳地区春季造林要比安阳早10～15d。

(2)秋季造林。秋季造林多在秋末冬初,土壤结冻之前进行。

秋末苗木落叶前,地上部分光合作用所制造的养分正运送入根部进行贮藏。这时造林由于地温高,土壤湿度大,利于新根形成,造林成活率也高。这时因起苗造林而损伤的根系伤口容易愈合,新根易形成和生长,次春不需进行较长的根系恢复阶段,即可开始生长,且抵抗干旱能力也强。近年来,全省由于春旱严重,多在初冬季造林,效果较好。对于一些大、中粒种皮坚硬的种子,在鸟兽危害不严重的地区,可行秋季播种造林。

(3)雨季造林。雨季造林具有省工、省力、投资少、成活率高等优点。雨季造林时期是头伏末、二伏初,下第一次透雨后进行。适宜雨季造林的树种主要是松柏类等针叶树种。臭椿、刺槐、紫穗槐也可雨季直播造林。

2. 造林方法

山区造林主要采取以下两种方法:

(1)植苗造林:是用苗木作为造林材料进行造林的一种方法,是应用最广的一种造林方法。其苗木通常采用深根苗和带土苗两种。干旱山区造林配套技术主要有根系蘸浆、容器苗造林、ABT生根粉处理、地膜覆盖、加吸水剂或保水剂等。

(2)播种造林:也称直播造林,有块播、穴播、缝播、条插、撒播、飞播等。

三、山区造林成就

1. 人工造林

人工造林是河南山区最主要的造林方式。20世纪50年代初期,实行"谁造谁有、伙种伙有、村种村有"的群营造林政策,群众在造林实践中,创造出一些成功经验。1958年8月,全省共建立了社队林场1 424个,当年雨季造林8 066hm^2,幼林抚育19.33万hm^2。1960年11月,全省林业工作会议决定对社队林场进行整顿。1961年11月统计,保留社队集体林场2 900个。1973年以后,结合林业基地建设,许多县、乡采取“治一架山、造一片林、留一批人、办一个场”的办法,又新建了一大批集体林场。1974 年,已有社办林场 820 个,专业场员 2.6 万人;队办林场 2.5 万个,场员 22.6 万人。据 1984 年底统计,集体林场经营面积 44.4 万 hm^2,其中有林业用地 27 万 hm^2;有乡办林场 764 个,村办林场 8 750 个,承包户办林场 5 829 个。1985 年 7 月,全省林业专业户、重点户、联合体已发展到 17.29 万个,占全省总农户的 1.3%;经营总面积 42.5 万 hm^2,其中林业用地 41 万 hm^2。占全省林业用地面积的 10.7%。许多林业专业户成为当地植树造林的带头人。卢氏县文峪乡张富成于 1982 年承包了村办林场,总面积 106.7hm^2,其中宜林荒山 68hm^2,到 1985 年底,基本完成,家庭总收入达 5 000 多元。1984 年,作为林业专业户的代表,应邀参加了中华人民共和国建国 35 周年国庆观礼。方城县四时店乡黄土岭村程化沟村民小组组长何春安,1981 年承包集体林场的 53hm^2 山地,到 1985 年底共植树 5.92 万株,全家人均栽树 5 925 株,方城县命名他为“植树状元”,并被推选为县政协委员。

西峡县设置农民义务规划员实施林业区划、规划的做法,为实行承包责任制以后的山区群众造林闯出了一条新路子。该县自 1982 年开始,把各项林业建设当作一个有机的整体,按照资源调查—区划定向定性—规划定位定量—作业设计—分期实施一条龙的系统序列,组织协调服务,采取“三集中”(领导、时间、劳力),“四统一”(思想、方法、部署、标准)的办法,运用林业区划成果和总体设计,组织农民植树造林。到 1986 年 7 月,共培训农民义务规划员 1.28 万人。全县平均 8 ~ 10 户有一名林业规划员,建立了一支国家指导下的农民自我服务的林业规划实施队伍,帮助千家万户制定林业发展近期和长远规划。1986 年 5 月,林业部在西峡县召开了全国县级林业区划、规划实施工作现场会议,推广了西峡县的经验。1983 年河南省人民政府批转林业厅拟定的《关于建立和完善林业生产责任制的意见》,全省开展了“稳定山权、划定自留山、确定林业生产责任制”的三定工作,农村造林由单靠社队林场发展用材林转变为国家、集体、个人一齐上,用材林、防护林、经济林一齐抓。20世纪80年代推行国营、国社合作、集体、个人4种方式造林,每年造林面积均在13万 hm^2 以上。

据统计,1949~1987年,全省累计人工造林386万 hm^2,保存面积75.5万 hm^2。1990年,开始实施十年造林绿化规划,到1992年春,全省已完成山区人工造林45万 hm^2,其中成活率达到85%以上的合格面积28万 hm^2。根据省委、省政府“关于进一步深化改革、扩大开放,务使90年代全省经济再上一个新台阶的决定”和“努力使八五计划的主要经济指标提前一年实现,十年规划提前三年实现”的要求,河南省及时修订了规划,决定将十年造林绿化规划提前二年,十年经济林发展规划提前三年完成。“八五”期间,由于坚持了人工造林实绩核查和通报制度,全省人工造林面积平均核实率、合格率达到96.4%和83.98%,分别比“七五”时期提高了26.93和30.18个百分点;累计完成造林面积102万 hm^2,是规划任务的119.6%;全省森林资源实现了有林地面积、活立木蓄积量和林木覆盖率持续增长。1995年初,河南省绿化委员会召开了第十七次全体(扩大)会议,省政府通令嘉奖了基本绿化宜林荒山的信阳地区及8个县(市、区),通报批评了荒山造林任务完成差的10个县(市、区)并给予了黄牌警告,在全省引起了强烈震动,各级党委、政府对造林绿化工作的重要性、艰巨性和完成造林绿化目标任务的严肃性都有了新的认识。到1995年底,全省已有24个县(市、区)基本完成了规划的造林任务,特别在立地条件差、造林任务重的太行山区,造林绿化工作也取得了重大突破,涌现出淇县、鹤壁郊区、林州、修武等一批先进典型。

2. 封山育林

新中国成立以后,河南省在交通不便和劳力不足的山区,积极推广封山育林。1950～1952年，河南省共完成封山育林面积12.12万hm^2。1954年4月河南省农林厅在《积极开展封山封沙育林工作的通知》中指出：积极开展封山育林，必须贯彻“解决群众当前生活困难与长期建设相结合”的方针；凡水土冲刷严重和残林迹地、新造林地以及有育林条件尚未固定的沙丘，均应进行封禁。1956年10月河南省林业局发出《关于积极开展封山育林工作的通知》、《关于迅速完成封山育林工作的通知》和《为封山后再开山育林的通知》，当年封山17.48万hm^2。1957年11月河南省林业厅发出了《关于开山育林结合进行林木抚育的通知》。第一个五年计划期间，全省封山育林面积42.93万hm^2。连同三年恢复时期，共封山育林55.05万hm^2，占全省天然次生林面积的80%。许多地方封山育林，草木滋生，恢复成林。豫东沙区，在大规模营造防护林的同时，开展了封沙育草，经过三年时间，把流沙基本固定下来。到1957年，豫东沙区封沙育草育林面积达到3.95万hm^2。1965年5月，中共河南省委、省政府在《关于加速发展山区生产建设的指示》中指出：为了加快绿化速度，要普遍封山育林。省林业厅要求从1965年起，三五年内做好106.67万hm^2残林迹地和疏林地的封山育林。截至1967年9月全省封山育林面积达到13.33万hm^2。文化大革命开始以后，封山育林工作陷入低谷。

1979年以后，随着飞机播种造林工作的逐步展开，河南省重新开展了封山育林工作，封山育林的形式已由过去单一的以集体为主变成自留山、责任山、专业户、联合体、专业队等多种形式相结合，由单纯的封山育林变为飞播造林、封山育林、人工造林和管护相结合。

1950～1987年，河南省封山育林累计面积达396.96万hm^2（不含1968～1987年未统计数），次成林面积66.67万hm^2，林木蓄积量1 500万m^3，分别占全省有林地面积的42%和有林地蓄积量的37%（见表4－8）。

表4－8　　1950～2000年封山育林面积　　(单位:hm^2)

年度	封山育林面积	年度	封山育林面积
1950	1 367	1979	260 568
1951	29 386	1980	304 737
1952	90 467	1981	202 247
1953	40 707	1982	341 207
1954	18 695	1983	438 672
1955	54 012	1984	591 947
1956	174 826	1985	421 827
1957	141 084	1986	414 107
		1987	443 720

注　1958～1978年无数据,1990～1995年每年封山育林6.67万hm^2。

1990年,河南省实施了《十年造林绿化规划》,把封山育林作为三大造林方式之一。

河南省40多年的封山育林工作,成功的做法是制定好规划,选好封育地;因地制宜,灵活封育;以封为主,封育结合。1957年,济源县李八庄乡创造出了符合当地实际的封山育林措施。成为全省的先进典型。其主要做法是:"三封",即封残林迹地、封新造幼林、封水土流失严重的山坡;"三不封",即成林不封、杂灌木林不封、深山不封;"三禁止",即禁止林内烤火、禁止乱砍滥伐刨树根、禁止陡坡开荒;"三结合",即打柴、烧木炭结合修枝抚育,放牧结合护林、专职护林员与群众护林相结合。

3. 飞播造林

飞播造林,就是模拟林木天然下种更新,采用飞机撒播树种进行造林,具有速度快、成本低、活动范围广等优点。

河南省于1960～1961年在水土流失比较严重的太行山区的辉县和豫西黄土区的灵宝县进行了飞播造林试验,但由于缺乏经验,在树种选择、播期确定等关键技术上失误较大,致使试验失败,后因多种原因中断了17年。

中共十一届三中全会以后,为了进一步探索加快山区绿化的新途径,在借鉴外省区飞播成功经验的基础上,于1978年在伏牛山区进行了人工模拟飞播造林试验。1979年6月,在模拟试验的基础上,在伏牛山腹地的栾川、卢氏两县飞播油松9 670hm^2。获得了良好的试验效果,当年出苗率为38%。1981年又将试验区域扩大到伏牛山南坡的内乡、西峡、淅川等县,飞播油松13 340hm^2;1982年推进到太行山区的林县、辉县、汲县和桐柏山区的桐柏县以及大别山区的新县,均取得了良好的试验效果,多数播区的当年成苗率在40%~60%之间。同时在修武、济源、鲁山、确山以及开展飞播试验的县,继续进行多地点、多树种分春、夏、秋三季进行的人工撒播模拟试验。参试的树种有:油松、马尾松、华山松、侧柏、黑松、漆树、刺槐、臭椿等。

通过飞播试验,从中筛选出成效好的树种有油松、马尾松、侧柏、漆树等。黑松虽成苗较好,但在成林后因易遭虫害而很少飞播,其他树种因出苗容易保苗难而被淘汰。成功的飞播期是:伏牛山区飞播油松、侧柏宜在6月中、下旬,飞播马尾松宜于秋播;太行山区飞播油松、侧柏宜在6月底至7月中旬;桐柏、大别山区在秋初或春末飞播马尾松成效较好。

1982年,邓小平同志指示:“空军要参加支援农业、林业建设的专业飞行任务,要搞20年,为加速农牧业建设、绿化祖国山河作贡献。”并明确批示:“每年4 000万元,为数不大,完全纳入国家计划,地方做好规划和地面工作,保证质量。这个方针,坚持20年,可能得到较大实效。”从此,飞播造林列入国家计划,安排专项资金,进入了一个有计划快速发展的新阶段。从1983年起,中央财政开始对河南省飞播造林试验的经费补助,省财政也多次追加资金,有关市、县积极做好地面导航工作,并于1992年起按15元/hm^{2}分配了部分种子费,使飞播步伐进一步加快。

1979~2000年,河南飞播造林取得了显著的成效。

(1)加快了造林绿化步伐,建成了一定规模的飞播林基地。全省共在10个市(地)的33个县(市、区)飞播造林作业面积(扣除重播)521 273hm^2,成效面积247 907hm^2,其中成林面积186 290hm^2。另外,为了填空补缺,促使连片成林,在老播区及其附近补播补植52 733hm^2,人工直播造林97 400hm^2,保存合格面积69 587hm^2。全省已形成670hm^{2}以上相对集中连片的飞播林50处,6 700hm^{2}以上的11处。

地处伏牛山北坡飞播最早的栾川、卢氏等县,多数播区已经郁闭成林。栾川县20年来在全县的12个乡(镇)飞播造林55 573 hm^2,其中宜播面积44 602hm^2,已成林面积29 297hm^2,占全县有林地总面积的25%,使全县森林覆盖率提高了11.3%,三川、冷水、叫河3个乡由于飞播林面积的增加,使森林覆盖率分别净增了49.4%、27.0%、24.4%。位于伏牛山南坡的内乡、西峡、南召、淅川等县,通过飞播造林,使60 800hm^{2}的边远荒山披上了绿装。地势陡峻的太行山区的林州、辉县、卫辉、修武等县(市)依靠飞播啃下了人工造林困难的"硬骨头"。

从1986年开始,通过采取飞、封、造、管等综合措施,已分别在太行山区的林州、辉县、修武,伏牛山区的栾川、卢氏、内乡、南召、淅川等县(市)建成了第一批总面积104 087hm^{2}的飞播林基地,其中有林地面积已达71 100hm^2,受到了林业部的肯定和表扬。在全国飞播造林40周年纪念大会上,林业部副部长祝光耀再次提出,应积极推广河南省"飞封造管相结合,建设飞播林基地"、"飞播一片林,兴办一个场"、"基地办林场,林场管基地"的做法,努力巩固和提高飞播造林成效。

(2)显著改善了山区生态环境,加快了群众脱贫致富的步伐。飞播造林形成的林区,在涵养水源、保持水土、防风固沙、调节气候、改良土壤等方面,发挥了显著的生态效益,保障了水利设施效能的发挥,促进了农牧业的稳产高产。栾川县飞播林基地的建立,明显改变了县东西部森林资源分布不均的格局,使全县有林地面积增加了 23.3%,森林覆盖率提高了 11.3%,水土流失面积减少了 25%,全县的粮食产量增加了 20.3%。1990 年以来,栾川县通过对早期飞播幼林的抚育,已间伐出椽材 1 400m^3,薪材 3 250 万 kg,加工松针粉 15 万 kg,经济价值约 1.8 亿元。内乡县飞播林基地内 500 多条冲刷沟、50 多处经常塌方地段被林草覆盖,水土流失面积减少 75%,12 条干涸河道又流出清水。据对基地内 5 个村的调查统计,粮食产量由 1980 年的 3 990kg/hm^2 增加到现在的 6 375kg/hm^2,多年无法种植的水稻田,1990 年又开始种植,一些隐踪多年的鸟兽又在林区出现,到处呈现一派林茂粮丰、鸟语花香的美好景观。

(3)建立了省、市(地)、县三级飞播专业队伍。自 1980 年成立河南省飞播队以来,经过多年努力,重点飞播市、县都建立了飞播管理站,每个飞播市、县都有专人负责。目前,全省共有县级飞播管理站 7 个,乡级管理站 32 个。拥有飞播专业技术人员 110 余名,其中高级工程师 8 名,工程师 46 名,初级技术人员 60 余名。同时,还先后培训了 200 多名技术骨干,形成了一支业务素质高、能吃苦耐劳的飞播专业队伍。

(4)涌现出了一批先进模范,取得了丰硕的科研成果。全省先后有 5 个单位被林业部、财政部、国家计委、民航总局、空军等五部委授予全国飞播造林先进单位,17 人次被授予全国飞播造林先进个人。河南省林业厅 3 次表彰先进个人 108 人次,先进单位 18 个。1983 年河南省林业厅飞播造林工作队被河南省政府命名为"科技界先进集体"。

河南省飞播造林工作始终把依靠科技进步贯穿于整个过程,也是实践—研究—推广—提高的过程。根据各地的气候特点和自然条件,合理地进行了飞播类型区划分、播种期确定;开展了树种选择、播种量、种子保护、地面植被处理、幼林抚育、病虫害防治等课题的试验研究，均取得了突破性进展，及时解决了生产中的难题。同时，还先后引进了 R－8 复合剂、多效复合剂、ABT 生根粉和 GPS 卫星定位导航等新产品、新技术，并进行了试验和推广，推动了河南省飞播造林技术的不断提高和发展。20 年来，全省飞播造林获科技进步奖 11 项，其中部省级 3 项，市(地)级 6 项，县级 2 项；组织出版论文专辑 2 期，在省级以上刊物发表学术论文 60 余篇。

四、山区重点林业生态工程

为加快生态环境建设特别是山区植树造林步伐，新中国成立以来，尤其是中共十一届三中全会以来，国家根据不同地域生态治理的实际需要，相继实施了一大批林业生态工程，涉及到山区造林的主要有：太行山绿化工程、长江中上游防护林工程、淮河上游防护林工程、退耕还林工程和天然林保护工程等。

(一)太行山绿化工程

1. 工程规划

1984～1986 年，根据林业部《太行山绿化造林规划》和《太行山县级绿化规划设计原则要求》，河南省首先编制出 15 个县(市、区)的县级绿化规划设计，然后，在此基础上编制了《河南省太行山绿化规划方案》。规划区域涉及 5 个市 15 个县(市、区)，总土地面积 96.98 万 hm^2。占全省土地总面积的 5.81%，占整个太行山系总面积的 7.96%。规划的主要内容如下：

(1)总体目标：①1986～2000 年新增绿化面积 32.7 万 hm^2，其中，造林 21.97 万 hm^2，封山育林 8.92 万 hm^2，人工种草和封山育草 1.8 万 hm^2；②完成四旁植树 5 672.5 万株，到 2000 年，本区四旁树达 9 957.2 万株，折合林地 6.64 万 hm^2(以 100 株折合 0.07hm^2 林地计)；③到 2000 年森林覆盖率达 48.3%(其中，农田林网和四旁树覆盖率 6.8%)，草地覆盖率达 1.9%；林草两项合计覆盖率

50.2%。

(2)林种规划:在造林总面积30.89万hm^2中,防护林17.43万hm^2,占56.4%;用材林6.74万hm^2,占21.8%;经济林6.5万hm^2,占21%;特用林466hm^2,占0.15%;薪炭林1 866hm^2,占0.6%。

(3)造林方式规划:在造林总面积30.89万hm^2中,人工造林21.37万hm^2,占69.2%;飞播造林0.6万hm^2,占1.9%;封山育林8.93万hm^2,占28.9%。

(4)投资概算:共需投资15 729.5万元,其中:造林投资13 916.2万元,占88.5%;育草377.6万元,占2.4%;其他1 435.7万元,占9.1%。

1993年,为了进一步贯彻落实全国太行山绿化工作会议精神,河南省组织有关人员对1986年编制的太行山绿化规划进行了调整修订,制订了河南省太行山绿化规划调整方案。调整内容如下:

1993~1997年造林育林任务21.83万hm^2,其中用材林5.95万hm^2,防护林9.87万hm^2,经济林5.77万hm^2,薪炭林1 466hm^2,特用林933hm^2。建设分两个阶段进行:第一阶段(1993~1995年)造林任务为13.321万hm^2;第二阶段(1996~1997年)造林任务为8.51万hm^2。到1997年规划任务完成后,将基本消灭宜林荒山,绿化面积将达到42.67万hm^2,绿化率为100%,其中有林地40.4万hm^2,森林覆盖率为48.1%。

2. 实施情况

河南省太行山绿化一期工程的实施可以划分为两个阶段。第一阶段:1986~1993年。河南省太行山绿化规划设计于1986年8月完成。从1987年开始,原林业部先后在河南省的林州、辉县、济源等9个县(市、区)开展试点工作。第二阶段:1994年至今。1994年太行山绿化工程正式启动,河南省的林州、鹤壁市郊区、淇县、辉县、卫辉、修武、济源等7个县(市、区)被国家列为重点示范县;

1998年沁阳市又被列为重点示范县,共计8个重点示范县,其他7个县(市、区)为一般工程县。1999年,由于国家天然林资源保护工程和退耕还林试点示范工程的启动,河南省济源市纳入黄河上中游天然林资源保护工程和退耕还林试点示范工程建设范围,安阳县被纳入太行山绿化工程建设重点示范县。

从1986年至1998年,国家下达河南省太行山绿化重点工程造林任务15.39万 hm^2(其中林业部基建任务6.86万 hm^2,中央农发任务8.13万 hm^2,财政债券任务0.4万 hm^2)。其中,第一阶段(1986~1993年)下达造林任务2.56万 hm^2,均为人工植苗;第二阶段(1994~1998年)下达造林任务12.83万 hm^2,按下达任务发生分为林业部基建任务4.3万 hm^2、中央农发任务8.13万 hm^2、财政债券任务0.4万 hm^2,按造林方式可分为人工植苗7.19万 hm^2、封山育林5.65万 hm^2。

13年来,河南省太行山山区完成人工造林合格面积24.77万 hm^2、飞播造林面积8.91万 hm^2。其中防护林18.46万 hm^2,用材林6.73万 hm^2,经济林7.91万 hm^2,薪炭林0.26万 hm^2,特用林0.33万 hm^2。另外,封山育林累计面积达43.88万 hm^2。8个重点示范县共完成工程造林面积11.01万 hm^2,其中,按造林方式分:人工植苗6.1万 hm^2,飞播造林0.13万 hm^2,封山育林4.78万 hm^2;按林种分:防护林8.06万 hm^2,用材林1.81万 hm^2,经济林1.23万 hm^2。

3. 主要建设成效

一是增加了森林资源。经过13年的持续奋斗,已完成造林面积33.33万多公顷,工程区内实现了“三增长一调整一提高”。“三增长”是指有林地面积由1986年的6.63万 hm^2 增加到1998年的10.17万 hm^2,活立木蓄积由206万 m^3 增加到675.759万 m^3,森林覆盖率(包括灌木林地和四旁树覆盖率)由12.8%增加到26.52%;“一调整”是指林分结构得到调整,即幼、中龄林的面积和蓄积所占比重分别由96.7%、81.8%减少到85.7%、62.1%,而近成熟林的面积和蓄积所占比重分别由 3.3%、18.2% 提高到 14.3%、37.9%;“一提高”指林分质量得到提高,即单位面积林分蓄积由 13.05m^3/hm^2 提高到 28.65m^3/hm^2。

二是改善了当地生态环境。1986～1998 年,营造水源涵养林和水土保持林 10.17 万 hm^2,控制水土流失面积 2.02 万 km^2,预计每年可减少输入海河、黄河的泥沙量约 3 000 万 t。太行山区水土流失面积由 7 256km^2 减少到 3 500km^2,土壤侵蚀模数由 1 500 $t/(km^2 \cdot a)$减少到 800$t/(km^2 \cdot a)$,每年减少土壤流失量 808 万 t。据北京市气象部门观测,市区降尘量比 20 世纪 80 年代降低了 41.4%,空气中的总悬浮颗粒物降低 22.3%,烟雾日减少 50.3%。山西安泽、平陆等县的观测,无霜期延长 7～12d,大风日数减少了 18～20d,平均风速降低了 1.8m/s,年降水量增加了 77～80.1mm。

三是提高了人民生活水平。生态环境的明显改善,有力地促进了经济发展。据 1997 年统计,河南省太行山区的国内生产总产值达 825.8 亿元,农林牧渔业总产值达 294.6 亿元,林业总产值达 6.3 亿元,粮食总产量达 789.14 万 t,水果总产量达 48.5 万 t,农民人均纯收入达 2 115.8 元,较工程实施前有了大幅度的提高。

四是探索出一条符合太行山实际的路子。各级主要领导任期绿化目标责任制与技术服务责任制相结合,群众投工投劳与国家资助相结合,造林绿化与群众脱贫相结合,建设生态经济型防护林,并通过逐级签订年度生产责任状和领导办点,将任期绿化目标责任制具体化,落实到项目上,落实到山头地块。在主要领导亲自参加劳动的表率作用下,形成了一级带着一级干,一级做给一级看,全党全民绿太行的局面。

五是找到了一套适用的技术办法。高标准的径流技术整地、就地培育大容器苗、生物制剂浸根,石片或地膜、草皮、秸秆覆盖等适用技术的综合配套应用于生产全过程,克服了土石山区土层薄、干旱等不利因素,提高了太行山造林的成活率,产生了良好的效果。

（二）长江中下游防护林工程

1. 规划情况

1991年，南阳市西峡、淅川、内乡、南召、镇平、方城6个县被正式批准纳入全国200个长江防护林工程建设达标竞赛县。规划工程建设总规模37.61万hm^2，其中人工造林27.51万hm^2，低效林改造2.38万hm^2，封山育林7.72万hm^2。工程建设总投资13 545.86万元，其中，中央投资4 484.24万元，占33.1%；地方投资4 515.29万元，占33.3%；群众投工折资4 546.33万元，占33.6%。

2. 工程建设情况

从1990年开始，南阳市就不等不靠，自力更生，实施大规模的长江防护林工程建设。国家项目的正式启动，明显加快了该工程的建设步伐。10年来，全省共完成长江防护林工程建设总规模25.94万hm^2，占国家下达计划16.87万hm^2的153.8%。其中重点工程完成19.27万hm^2，占国家下达计划13.4万hm^2的143.8%；植苗造林完成13.2万hm^2，占国家下达计划10万hm^2的132%。完成工程建设总投资2 912.58万元，其中，中央投资1 679.08万元（含债券），地方配套1 233.5万元（省配325.7万元，南阳市配282.7万元，县配625.1万元）。工程区群众投劳699.8万人次，投工11 223.5万个，利用多渠道集资8 850万元。

3. 建设成效

（1）加快了造林绿化步伐，生态效益显著。据已建成的“河南省长江防护林西峡灌沟效益监测核心站”观测结果，该区水土流失面积由1990年的6 960km^2，减少到现在的4 605.5km^2，减少33.8%；泥沙流失量由2 002.7万t减少到现在的1 346.6万t，减少32.7%。据统计，全省6个工程县10年间新增有林地面积14.33万hm^2，森林覆盖率由1990年的28.2%提高到1999年的39.9%，净增11.7个百分点。按照与河南省政府签订的“山区造林目标责任书”,1994 年西峡县 1996 年淅川、南召、镇平、方城 4 县分别提前一年完成造林绿化规划任务;1996 年内乡县按期完成了造林绿化规划任务,先后被省政府授予“全省荒山造林绿化先进县”荣誉称号。西峡县、南召县还先后被全省绿化委员会、原林业部授予“全国造林绿化百佳县”、“全国长江防护林工程建设先进单位”称号。造林绿化步伐的加快,森林覆盖率的提高,大大改善了区域生态环境。西峡县森林覆盖率由过去的 48.5% 提高到 61.7%,1 000 多眼因森林植被破坏而干涸的泉水现在已恢复旺流。同样的大暴雨,1976 年 7 月 16 日,南召县冲毁农田 0.13 万多公顷,冲倒房屋 3 156 间,数十人被洪水冲走,而 1995 年秋季最大降雨量达 210mm,在林木庇护下,未发生一起泥石流。内乡县森林覆盖率由治理前的 37.3% 提高到 45%,水土流失面积由治理前的 1 500km^{2}减少到 1 100km^2,土壤侵蚀模数由治理前的每年每平方公里 1 620t 下降到 1 230t,土壤侵蚀量由治理前的 250 万 t 下降到 130t。

(2)促进了林业产业发展,经济效益显著。全省 6 个工程县林业年产值由 1990 年的 15 552 万元提高到 1998 年 98 380 万元,净增 5.3 倍。农民人均纯收入由 1990 年的 357.6 元提高到 1 648.5 元,净增 3.6 倍,其中 30% ~ 60% 来自林果业收入。国家级贫困县南召县自实施长江防护林工程建设以来,已初步建成苹果基地 1.2 万 hm^2,年产量达 5 000 万 kg,仅这一项年产值,农民人均增收 200 元。淅川县上集乡贾沟村 1990 年发展柑橘 20hm^2,1995 年通过高接换头全部换成特早熟品种,1998 年收柑橘 90 万 kg,年增收 60 万 kg,人均增收 600 元。上集乡铁庙村、老坟沟村 1996 年通过工程治山种植板栗 333.33hm^2,1998 年间种小辣椒 166.67hm^2,总产值达 950 万元,人均收入 793.4 元。

(3)绿化美化了环境,社会效益显著。森林植被的增加,大大改善了区域生态环境,林区野生动物数量明显增加,山兔满山跑。雉鸡遍地飞;四时花香,万壑鸟鸣。近年来,工程区先后建立国家级森林公园1个，省级森林公园3个，国家级自然保护区1个，省级自然保护区2个，新开发了天蟾山、九龙沟、天仙洞等20余处风景旅游区，年森林旅游收入由过去的不足200万元猛增到3 000万元以上。区域环境的绿化美化，还促进了工程区的精神文明建设和对外开放工作。少生孩子多栽树、爱林护鸟等新风尚初步形成，林区社会治安秩序逐步好转，前来考察项目投资的外商纷至沓来。

(4)促进了区域林业发展，示范带动作用显著。1998年与1990年相比，工程区内活立木蓄积量增加908万m^3，达到2 508万m^3，林业年产值净增4.76倍，达到14.4亿元。1996年，南阳市提前一年完成了十年造林绿化规划任务，被河南省委、省政府授予"全省荒山造林绿化先进市"光荣称号。1998年初，南阳市被全国绿化委员会命名为"全国造林绿化十佳城市"；1999年初，又被建设部授予"全国园林城市建设先进单位"称号；2000年，被国家林业局授予"全国林业生态建设先进市"称号。平原绿化步伐不断加快，林网控制率由过去34.1%提高到53.4%，有效地遏止了滑坡局面。

(三)淮河上游生态工程建设

1. 工程规划

为加速淮河流域造林绿化步伐和生态环境的治理，1992年1月，《河南省淮河流域防护林体系建设工程总体规划》编制完成；1995年11月，河南省淮河流域防护林体系工程建设试点工作正式启动。

工程区范围包括信阳、周口、商丘、开封、许昌、漯河、平顶山、郑州、驻马店、洛阳、南阳等11个市66个县。总面积888.3万hm^2，森林覆盖率16.22%。该区包括大别山桐柏山区和伏牛山东部丘陵区两个亚区。

(1)大别山桐柏山水源涵养林和水土保持林区。大别山桐柏山区地处淮河干支流水源头，暴雨多，河流流程短，森林植被较少，极易引起山洪暴发,泥石俱下,严重危及该区水利设施和人民生命财产的安全。本区林业用地 74.17 万 hm^2,占全区总面积的 33.28%。其中,有林地 41.7 万 hm^2,宜林地 21.1 万 hm^2,疏林地 8.04 万 hm^2,森林覆盖率 18.7%。区内水土流失严重,流失面积达 61.49 万 hm^2,占全区面积的 27.59%。因此,本区林业建设重点是营造水源涵养林和水土保持林为主体的防护林体系,以提高森林涵养水源和防止水土流失的能力,实现减灾、防灾和繁荣山区经济的目的。规划造林 12 万 hm^2,封山育林 10 万 hm^2。

(2)伏牛山东部丘陵区。本区是淮河主要支流颍河的源头,森林覆盖率低,雨水集中,致使夏旱、山洪、泥石流等自然灾害常年发生,特别是严重的水土流失使河床抬高,削弱了河流的泄洪能力,严重威胁到中下游工农业生产和人民生活。本区林业用地 63.57 万 hm^2,占全区总面积的 28.53%,其中,有林地 32.95 万 hm^2,疏林地 3.19 万 hm^2,宜林地 23.1 万 hm^2,森林覆盖率为 14.46%,水土流失面积达 41.2 万 hm^2,流失面积占该区面积的 20.9%。因此,本区工程建设的主要目的是控制水土流失,涵养水源,分散、滞缓地表径流;建设重点是水土保持林、水源涵养林。规划造林 12 万 hm^2,封山育林 4 万 hm^2。

(3)淮北平原农田堤岸防护林区。本区是华北平原的重要组成部分,地势平坦,有林业用地 11.1 万 hm^2,占全区面积的 2.3%。其中,有林地 8.37 万 hm^2,宜林地 0.79 万 hm^2,森林覆盖率 1.73%。该区主要灾害有雨涝、干旱、干热风,其中的洪涝和干旱尤为严重,北部靠黄河南岸一些地区,历史上为黄泛区及黄河故道区,风沙危害相当严重。因此,该区林业发展以淮河干流和一、二级支流堤岸林为骨干的农田防护林为主,并结合路、渠、荒滩等进行综合治理,完善农田林网和防风固沙林,以提高防护林体系的总体效益。

2. 实施情况

工程实施 6 年来,共完成造林任务 4 万 hm^2,区域内初步建立了比较完备的林业生态体系基本框架，山区完成了基本消灭宜林荒山的艰巨任务，使森林的保持水土、涵养水源、改善生态环境、减轻自然灾害能力逐年增强；平原绿化水平不断提高，区域内 49 个平原县继“八五”初期达到原林业部颁发的平原绿化初级标准后，息县又达到高级标准，其他县也进一步加快平原绿化步伐，完善和新建了农田林网，一个点、片、网、带相结合的农田防护林体系已经形成，农业生态环境得到初步改善。目前仅信阳市就有林地面积 43.67 万 hm^2，活立木蓄积量达到 1 100 万 m^3，林木覆盖率达到 29.4%。

(四)退耕还林还草工程

为了加快我国西部地区生态环境建设，1999 年，国家在长江上游和黄河中上游部分省(市)开始了退耕还林还草工程试点。2000 年 3 月，国家林业局、计委、财政部印发了《关于开展 2000 年长江上游、黄河上中游滩地退耕还林(草)试点示范工作的通知》，将试点范围扩大到云南、四川、贵州、重庆、湖北、陕西、甘肃、青海、宁夏、内蒙古、山西、河南、新疆 13 个省(市、区)，下达退耕任务 34.33 万 hm^2，还林任务 77.49 万 hm^2(其中退耕地人工造林 34.32 万 hm^2，宜林荒山荒地人工造林 43.17 万 hm^2)。

1. 工程计划任务

按照国家三部委的要求，河南省陕县、新安县和济源市列为退耕还林试点示范县，后经有关部门认可，又增加了灵宝市。2000 年，全省试点县退耕任务 1.33 万 hm^2，还林任务 3 万 hm^2(退耕地造林 1.33 万 hm^2，宜林荒山荒地造林 1.67 万 hm^2)。其中济源、新安、陕县各退耕 0.4 万 hm^2，还林 1.1 万 hm^2，灵宝退耕 0.13 万 hm^2，还林 0.3 万 hm^2。

2. 相关政策及要求

(1)坡度要求：凡在 6°以上的坡耕地均属于退耕范围。

(2)林种比例：生态林与经济林之比为 8:2，水土流失严重，坡度在25°以上的坡耕地(含梯田)及河流源头、库区周围、石质山地、山脉顶脊和黄土沟壑区等一切生态地位重要地区必须营造生态林。

(3)粮款补助:每公顷退耕地每年补助粮食(原粮)1 500kg,现金300元,先按经济林5年、生态林8年的年限进行补助,到期后,再根据农民实际收入情况,确定再补的年限及标准。

(4)税收政策:对应缴纳农业税的退耕地,自退耕之年起,不再征收农业税。试点县农业税收入减收部分,由中央财政以转移支付的方式给予适当补助。

3. 实施情况

(1)四个试点县(市)2000年共完成退耕1.35万hm²,占任务的101.5%;还林3.07万hm²,占任务的102.4%。其中生态林2.52万hm²,经济林0.55万hm²,比例为4.58∶1(详见表4-9)。

(2)试点县大田育苗0.087万hm²,容器育苗3 200万袋。全省规划良种基地15处,其中新建7处,改扩建8处;采种基地17处,其中新建14处,改扩建3处;改扩建国有苗圃31个;建设了相应的加工、贮藏、检测等配套设施。

(3)工程区退耕还林还草的3 652万元资金和2 000万kg粮食全部到位。其中,退耕还林生活现金补助的400万元有90%兑现到退耕农户;种苗补助资金的2 250万元有83%拨付到退耕农户或项目实施乡(镇);种苗基础设施建设资金的925万元有73%拨付到项目实施单位;科技支撑、前期工作费等77万元全部拨付到实施单位;粮食补助2 000万kg有55%兑现到退耕农户。

试点成功后,该工程将在全省范围内大规模实施,必将对全省生态环境建设和经济、社会的可持续发展起到巨大的推动作用。

表 4－9　　河南省 2000 年退耕还林还草试点工程任务完成情况　　（单位：万 hm^2）

县（区、市）	完成退耕地造林种草面积									完成宜林荒山荒地造林种草面积								
	本年度计划任务	累计完成	按林种分		按类型分		按成活率分		平均成活率（%）	本年度计划任务	累计完成	按林种分		按造林种草方式分	按类型分	按成活率分		平均成活率（%）
			经济林（草）	生态林（草）	乔木	灌木	合格以上面积	41%至合格面积				经济林（草）	生态林（草）	人工造林	乔木	合格以上面积	41%至合格面积	
合计	1.333	1.353	0.493	0.860	1.326	0.027	1.333	0.020	87.8	1.667	1.720	0.060	1.660	1.720	1.720	1.667	0.053	85.3
新安县	0.400	0.406	0.067	0.340	0.393	0.013	0.400	0.007	85.0	0.500	0.513		0.513	0.513	0.513	0.500	0.013	85.0
陕县	0.400	0.400	0.133	0.267	0.400		0.400		90.0	0.500	0.540	0.060	0.480	0.540	0.540	0.500	0.040	86.0
济源市	0.400	0.413	0.246	0.167	0.400	0.013	0.400	0.013	85.0	0.500	0.500		0.500	0.500	0.500	0.500		85.0
灵宝市	0.133	0.133	0.047	0.086	0.133		0.133		85.0	0.167	0.167		0.167	0.167	0.167	0.167		85.0

(五)天然林保护工程

1. 工程规划

(1)建设目标。到2010年,工程区现有的88.69万hm^2森林资源得到切实保护;全面停止天然林商品性采伐,人工林暂停采伐;通过采取封、飞、造等多种措施,11.47万hm^2宜林荒山荒地林草植被得到有效恢复,新增森林面积15.75万hm^2,森林覆盖率提高6.2个百分点;水土流失面积逐渐扩大的趋势得到有效控制,使黄河中游流域的生态环境得到较大改善。初步实现工程区人口、经济、资源和环境的协调发展,向山川秀美的宏伟目标迈进。

(2)工程范围。工程实施范围包括黄河一级支流洛河、伊河的源头及两侧,大中型水库(如小浪底水库、三门峡水库、陆浑水库)集水面、主要山脉顶脊部以及其他易破坏、难恢复的生态地段。涉及黄河流域三门峡市的湖滨区、卢氏县、灵宝市、陕县、渑池县、义马市,洛阳市的嵩县、栾川县、新安县、洛宁县、宜阳县、孟津、伊川、洛阳郊区和济源市,共三个省辖市的15个县(市、区)及26个国有林场等。

(3)工程进度安排。工程建设期:2000~2010年。分两个阶段实施,第一阶段工程为2000~2005年,第二阶段2006~2010年。

(4)森林分类区划结果与总体布局。工程区林业用地面积131.939万hm^2,共区划界定生态保护区面积111.713万hm^2,占工程区林业用地面积的84.67%;商品林经营区面积20.227万hm^2,占工程区林业用地面积的15.33%。在生态保护区中,区划界定重点生态保护区103.546万hm^2,占工程区林业用地面积的78.48%,占生态保护区面积的92.69%;一般生态保护区面积8.167万hm^2,占工程区林业用地面积的6.19%,占生态保护区面积的7.31%(详见表4-10、表4-11、表4-12)。

表4－10　　天然林保护工程区森林分类区划统计　　(单位:万 hm²)

单位	林业用地	生态保护区				商品林经营区	
		重点生态保护		一般生态保护区			
	面积	面积	占林业用地(%)	面积	占林业用地(%)	面积	占林业用地(%)
合计	131.939	103.546	78.48	8.167	6.19	20.226	15.33
洛阳	64.742	50.457	77.93	5.092	7.87	9.193	14.20
三门峡	57.927	45.027	77.73	3.075	5.31	9.826	16.96
济源	9.270	8.063	86.98			1.207	13.02

表4－11　　森林分类区划按权属统计　　(单位:万 hm²)

权属		合计	生态保护区			商品林经营区
			小计	重点生态保护区	一般生态保护区	
合计	面积	131.939	111.713	103.546	8.167	20.227
	(%)	100	84.67	78.48	6.19	15.33
有林地	面积	16.075	15.359	14.481	0.877	0.716
	(%)	100	95.55	90.09	5.46	4.45
疏林地	面积	108.861	92.839	86.055	6.783	16.023
	(%)	100	85.28	79.05	6.23	14.72
灌木林地	面积	7.003	3.515	3.009	0.506	3.488
	(%)	100	50.2	42.97	7.23	49.80

表 4-12 森林分类区按地类统计 （单位：万 hm²）

地类		合计	生态保护区			商品林经营区
			小计	重点生态保护区	一般生态保护区	
合计	面积	131.939	111.713	103.546	8.167	20.227
	（%）	100	84.67	78.48	6.19	15.33
有林地	面积	61.773	49.605	47.880	1.725	12.169
	（%）	100	80.3	77.51	2.79	19.7
疏林地	面积	5.877	5.413	5.075	0.337	0.465
	（%）	100	92.09	86.35	5.74	7.91
灌木林地	面积	22.935	22.696	21.605	1.091	0.239
	（%）	100	98.96	94.2	4.76	1.04
未成林造林地	面积	3.985	2.718	2.116	0.602	1.267
	（%）	100	68.21	53.10	15.11	31.79
苗圃地	面积	0.067	0.022	0.021	0.001	0.045
	（%）	100	33.0	31.0	2.0	67.0
宜林荒山荒地	面积	37.303	31.259	26.849	4.411	6.043
	（%）	100	83.8	71.98	11.82	16.2

2. 工程实施情况

(1)全面停止了天然林商品性采伐。2000 年，工程区各县

(市、区)采取一系列有效措施,坚决停止天然林商品性采伐、人工林暂停采伐,取缔工程区内大中型木材交易市场21个,关闭小型木材加工厂(点)584个。

(2)逐步建立健全落实森林资源管护网络。初步建成了以县天然林保护办公室、县森林公安分局为第一级,乡林站、护林防火检查站为第二级,责任区护林员为第三级的三级管护网络。工程区各县(市、区)共设站、卡273个,划分管护责任区1 648个,选聘专、兼职护林人员4 049人。

(3)积极稳妥分流安置富余职工。工程区各实施单位遵循自愿、公正、公平和稳妥的原则,按照个人申请、单位研究、张榜公布、群众监督的程序,根据每个职工的工龄、在本单位的工作年限、档案工资等具体情况,分别制订了符合本单位实际的一次性安置方案,经当地政府审核后,逐级上报河南省林业厅和财政厅审批。2000年度工程区共一次性安置下岗职工964人,国有林业企事业单位共分流安置富余人员743人。其中:转向营造林建设78人,森林管护96人,种苗生产191人,发展旅游业和多种经营134人,下岗待业244人。

(4)完成公益林建设任务。工程区完成1.113万hm^2封山育林和1.44万hm^2飞播(直播)造林任务。

第五节　自然保护区和森林公园建设

一、自然保护区建设

(一)自然保护区建设的必要性

保护野生动植物的根本性措施就是建立自然保护区。建立自然保护区,不仅可以保护濒危物种及其栖息地,而且还可以使其他种类的野生动植物得到很好的保护。

森林是陆地生态系统中最典型、最多样和最重要的生态系统，是多种动植物生存和繁衍的栖息地，因此成为陆地上最丰富的生物资源库和基因资源库。生物多样性是指生物的多样化、变异性及生态复杂性，它是对包括地球上所有植物、动物、微生物物种、各个物种所拥有的基因和各种生物与环境相互作用形成的生态系统，以及它们的生态过程的多样性和复杂性的综合概括。与陆地上其他的生态系统类型相比，森林在不同层次的生物多样性都是最高的。不仅如此，森林的生物多样性还通过水分和养分的循环与交换过程，影响着海洋生态系统中生物多样性的格局和过程。

生物多样性的价值是人们保护生物多样性的重要动机之一。生物多样性除具有其固有的价值外，还对人类社会具有多种直接或间接的价值。例如它可为人类提供食物、燃料、纤维、药物等直接的服务，还通过影响地球营养元素循环、调节气候、净化空气等间接改善人类的生产和生活环境，对人类社会和地球生命系统的正常运转，起着不可替代的重要作用。

随着人口、粮食、能源、资源与环境危机的不断出现，人类不得不重新考虑人与自然的关系，不得不对我们现有的生产生活方式重新加以调整。随着人类经济活动的加剧，世界的生物多样性都受到了不同程度的破坏和威胁。如果对这种情况再不加以遏制，人类的生存与经济的进一步持续发展将受到严重的影响。

地球上的生物多样性是地球几十亿年生命进化的结果，每个物种的产生都经历了漫长的地质历史过程，同样，它们的自然灭绝也要经历一个循序渐进的过程。然而，人类活动的不断加剧，使地球上许多物种正在以惊人的速度消失。人类活动在推动社会进步的同时，也严重地破坏了地球上物种自然灭绝与产生的比率，使物种产生的条件遭到了严重破坏，同时又大大加剧了物种的灭绝。地球上的物种正面临着前所未有的被灭绝的危机，有许多物种在人类还未给它们命名之前，就会携带着它们所特有的基因资源从我们面前永远消失。因此,如何科学地保护与合理地利用地球上的生物多样性,不仅关系到自己的利益,而且也关系到子孙后代的长远利益,关系到整个人类社会长久生存与持续发展。

(二)自然保护区的建设与管理

河南省从1980年建立第一个自然保护区——内乡宝天曼自然保护区以来,已建立森林、湿地和野生动植物类型自然保护区13个。全省已形成自然保护区类型比较齐全、保护网络比较完善的野生动植物资源保护体系。这些自然保护区起到了涵养水源、保持水土、调节气候、防风固沙、改善环境的重要作用,为河南省生态环境建设发挥了重要作用。董寨鸟类自然保护区建于1982年,其前身是国有董寨林场。成立之初的董寨林场,松毛虫等害虫极大地危害着森林资源。为了治虫,林场采取了喷施农药等化学方法,虽然费时、费钱、费力,而且造成大面积化学污染,但却无法从根本上解决林区害虫年年成灾的问题。20世纪60年代中期,林场开始了益鸟招引试验。1965～1967年间,他们先后悬挂人工鸟巢箱6 600余个,防虫面积达3 334hm^2。目前,保护区已栖集鸟类233种,数量达到20万只,保护着周围近5万hm^{2}的森林资源免受虫灾危害,每年为当地节约防治经费几十万元。

截至2001年,河南省选择有代表性的自然生态系统、珍稀濒危野生动植物种的天然集中分布区,先后建立19个森林、野生动物和湿地自然保护区,其中国家级自然保护区5个,省级自然保护区8个,总面积18.68万hm^2,占全省总面积的1.14%。按照林业部颁布的《自然保护区工程总体设计标准》,这些自然保护区的工程总体设计规划全部完成,并经国内有关专家审定通过。以森林生态系统为主要保护对象的自然保护区12个,面积7.83万hm^2;以野生动物为主要保护对象的自然保护区4个,面积6.66万hm^2;湿地类型的自然保护区3个,面积4.19万hm^2。有5个自然保护区位于桐柏、大别山区,基本包括河南省亚热带森林生态类型;有

7个自然保护区位于伏牛山区，主要保护对象代表了北亚热带向暖温带过渡地带的自然生态类型；沿黄河及黄河故道3个湿地自然保护区，主要保护冬候鸟或旅鸟及其停歇地或越冬地；太行山区有4个自然保护区和禁猎区，主要以保护猕猴及其栖息环境为目的。国家级自然保护区内乡宝天曼，伏牛山、太行山猕猴和罗山董寨鸟类自然保护区被列入世界自然基金(WWF)优先保护及其具有国家和全球重要意义的区域，10个自然保护区均被收入《中国生物多样性保护行动计划》和《国家优先保护生态系统名录》(详见表4-13、表4-14)。

表4-13 河南省国家级自然保护区基本情况(2001年年底前统计)

序号	自然保护区名称	级别	主要保护对象	面积(hm^2)	行政区域	批建时间	行政隶属
1	信阳鸡公山国家级自然保护区	国家级	过渡带森林生态系统及珍稀动植物	2 917	信阳市	1982.6	林业
2	内乡宝天曼国家级自然保护区	国家级	过渡带森林生态系统及珍稀动植物	5 413	内乡县	1980.4	林业
3	伏牛山国家级自然保护区	国家级	过渡带森林生态系统及珍稀动植物	56 000	洛阳、平顶山、南阳	1997.11	林业
4	太行山猕猴国家级自然保护区	国家级	金钱豹、猕猴等珍稀动植物	56 600	济源、焦作、新乡	1998.8	林业
5	罗山董寨鸟类国家级自然保护区	国家级	鸟类野生动植物	10 000	罗山县	1982.6	林业

全省自然保护区基本建设以太行山、伏牛山、大别山、桐柏山和黄河、淮河为就地保护的主体。自然保护区总体设计全部经国内有关专家审定通过。目前已完成建筑面积1万m^2左右，总投资近2 000万元，一些批建较早的保护区已基本完成管理处(局) 保

表4-14　河南省省级自然保护区基本情况(2001年年底前统计)

序号	自然保护区名称	级别	主要保护对象	面积(hm^2)	行政区域	批建时间	行政隶属
1	灵宝小秦岭禁猎禁伐区	省级	森林生态系统及珍稀野生动植物	4 080	灵宝市	1982.6	林业
2	商城金岗台省级自然保护区	省级	过渡带森林生态系统及珍稀动植物	2 972	商城县	1982.6	林业
3	桐柏太白顶省级自然保护区	省级	淮源水源涵养林及森林生态系统	4 924	桐柏县	1982.6	林业
4	新县连康山省级自然保护区	省级	森林及野生动植物	2 000	新县	1982.6	林业
5	开封柳园口湿地省级自然保护区	省级	湿地及野生动植物	16 184	开封市	1994.6	林业
6	三门峡库区湿地省级自然保护区	省级	天鹅、鹤等珍稀鸟类及其生态环境	19 544	三门峡市	1995.1	林业
7	孟津黄河湿地省级自然保护区	省级	湿地及珍稀鸟类	6 206	孟津县	1995.8	林业
8	洛阳吉利区黄河湿地省级自然保护区	省级	湿地及珍稀水鸟	4 000	洛阳市吉利区	1999.9	林业

护站、保护点基建任务,保护、科研、防火、通讯、旅游服务设施有效改善,保护手段得到加强。初步形成了珍稀濒危动植物繁育救护基地的雏形,如宝天曼、鸡公山的珍稀植物繁殖基地,董寨鸟类(白冠长尾雉)繁殖基地,太行山猕猴种源基因库,西峡猕猴桃繁育开发利用基地,以及杜仲、银杏繁育开发利用基地等。目前,保护区野生生物的种类和数量明显增加。如信阳南湾水库的鸟岛云集了10万只鸟;罗山董寨鸟类自然保护区鸟类多达216种,数量达到20余万只,国家重点保护的白冠长尾雉由建区前的1 000只左右

增加到 3 000 多只;太行山区猕猴由建区前 800 多只增加到 2 000 多只;内乡宝天曼国家级自然保护区的森林覆盖率由建区前的 80%提高到 95.8%。金钱豹的数量也明显增加,近几年在多数自然保护区经常发现它的踪迹。

(三)自然保护区各论

1. 信阳鸡公山国家级自然保护区

(1)自然资源。该保护区属国家级自然保护区,位于信阳市,面积有 2 917hm^2,1988 年 1 月建立,主要保护对象为过渡带森林生态系统及珍稀动植物。鸡公山自然保护区以其优越的地理位置,得天独厚的水热光土自然条件,蕴藏着丰富的生物资源和生物多样性。区内地带性植被属中国北亚热带东部偏湿性常绿落叶阔叶林,主要组成树种是青冈栎、麻栎、马尾松等;天然灌丛与草甸不多,常零星分布在山顶和山脊;人工植被有一定面积,主要有杉木林、马尾松林、黄山松林等;经济林面积较小,种类较单一,主要是板栗园、茶园、油桐等。由于天然植被受到人为破坏,在进行人工恢复后,天然植被发生了较大的变化,均为天然次生植被,呈现为天然植被与人工栽培植被相互交错。植物共有 2 061 种,其中国家重点保护植物有 20 种,如香果树、青檀、野大豆等。属于河南特有种类有 10 多种,如鸡公山山梅花、鸡公山茶秆竹等。区内森林植被繁茂,适宜多种野生动物繁衍生息。区内鸟类有 170 种,占河南鸟类总数的 56.6%,冠鹎和黑短脚鹎为河南省新纪录;兽类 45 种,占河南兽类的 61%,属国家重点保护的野生动物有 27 种,如金钱豹、白鹳、白冠长尾雉、斑羚、金雕等。鸡公山自然保护区内山势雄伟,瀑布飞泻,泉水四溢,山花遍野,森林苍翠,鸟语花香,动植物特有种和珍稀濒危物种较丰富,物种的密集度很高,生物多样性丰富程度,特别是森林生态系统多样性、物种多样性在河南以及邻近地区首屈一指。保护区对长江支流和淮河支流的两大水系流域水量的补给和调节,起着重要的作用;对维持豫南、鄂北地区的生态平衡起关键性作用，是“豫南绿色明珠”、“生物宝库”。

(2)资源保护研究。1918年林业老前辈韩安在保护自然资源的同时，着手开展林木引种试验，先后从北美成功地引入落羽杉、池杉、日本赤松等20余种优良树种，该保护区还是我国落羽杉、池杉的最早引种基地之一，目前已推广到江南十几个省(区)，成为农田林网和城镇绿化的重要树种。1950年后，随着林业造林事业的发展，前鸡公山林场先后开展了马尾松、麻栎等主要造林树种的生物学特性、栽培技术、主要林木物候观测、自然灾害对林木的影响，次生林改造、栓皮采剥技术、雪松扦插等方面的试验研究；引入的柳杉、水杉、水松、黄山松等优良用材树种，已在豫南推广，生长良好。20世纪70年代，原鸡公山林场从营造速生丰产林出发，将林木良种繁育技术研究列为科研活动的主要内容，先后从北美引入了湿地松、火炬松，并和中国林业科学研究院合作开展了湿地松、火炬松种源试验，选出了适合豫南地区生长的湿地松、火炬松优良种源，开展了杉木、速生柏、晚松、展松的种源试验。1982年以来，先后有北京林业大学、河南大学、河南农业大学等单位的专家对这里的动物、植物、地质土壤等做了不同程度的研究、资源调查，取得了一些基本资料，为鸡公山自然保护区的经营管理提供了依据。

2. 内乡宝天曼国家级自然保护区

(1)自然资源。该保护区属国家级自然保护区，位于内乡县，面积有9 304hm^2，1988年1月建立，主要保护对象为过渡带森林生态系统及珍稀动植物。该区地处北亚热带向南暖温带过渡区域，植被类型以栎类、杨类、化香、野核桃等组成的落叶阔叶林及油松、华山松、铁杉等组成的针叶林为主，共有11个植被型、66个群系。本区列为国家重点保护的珍稀濒危植物有29种，约占全省现有国家重点保护植物总种数的88%，其中大果青杆、银鹊树在河南其他地方尚未发现。这里山深林密，森林覆盖率高达89%，树种组成以栎类和杂阔叶树种占绝对优势，且以成熟林为主，基本保护了天然次生林状态，林相完好，是河南省森林资源保存最完整的地区。这里人烟稀少，交通不便，也给野生动物栖息繁衍创造了良好的环境条件，野生动物种类相当丰富，其中鸟类有 116 种，橙翅噪鹛、白颊噪鹛、灰眉岩、方尾翁鸟是河南鸟类的新纪录；兽类 48 种，有国家重点保护的野生动物金钱豹、豺、水獭、河麝斑羚等；两栖动物 11 种，其中蛙科种类最多；爬行动物 26 种，其中蛇类最多。

(2)资源保护研究。宝天曼自然保护区于 1985 年对其动植物资源进行了综合的考察和研究，在此基础上，开展了动植物的专题调查。保护区立足于资源优势，开展了“宝天曼蝶类研究”、“宝天曼珍稀植物资源综合调查研究”、“内乡宝天曼国家级自然保护区蜘蛛资源调查研究”等，其中“河南蝶类研究”科研项目获得了省科技进步三等奖。针对本区山茱萸资源丰富和病虫害严重的问题，保护区开展了“山茱萸优质细核素的试验研究”，累计为周围县乡创造经济效益 20 万元，还开展了“山茱萸生活史和防治研究”，摸清山茱萸蛀蛾的生态习性和活动规律，每年防治面积超过6 600 hm^2，有效防止了病虫害的发生与蔓延。

3. 伏牛山国家级自然保护区

伏牛山位于河南省西部，是河南省地势最高、分布面积最大的著名山脉，也是河南省森林面积最大、覆盖率最高、蓄积量最大、动植物种类最丰富的山区，同时又是我国长江、黄河、淮河三大水系的分水岭和淮河的水源地区，因此，伏牛山不仅对河南省，而且对黄淮平原地区起着重要的作用。它还是我国暖温带和亚热带的分界线。伏牛山自然保护区位于伏牛山区的主体部分，大致在海拔 600m 以上的山体范围。主要保护对象为过渡带森林生态系统及珍稀动植物。伏牛山地已建立了 6 个森林生态系统综合保护区，分布在伏牛山南北坡各 3 个。分布在南坡的有内乡宝天曼、南召宝天曼和西峡老界岭保护区，分布在北坡的有栾川老君山、嵩县龙池曼和鲁山石人山保护区。这 6 个森林类型的保护区总面积达

40 021.7hm^2,占河南省自然保护区总面积的40%。为了更有效地保护伏牛山自然环境和生物多样性,贯彻国际“生物多样性公约”精神,落实《中国生物多样性保护行动计划》,1997年11月,已将6个森林类型保护区合并,并将4个国有林场也划入在内,使其成为完整的自然景观,具有区域性连成一片和具有地带性与国际意义的保护区,总面积有56 000hm^2,是华北与华中过渡带的最大面积的保护区,合并扩大后改名为伏牛山自然保护区。

由于伏牛山区成陆历史悠久,地形复杂,环境条件优越,使这里保存着古老动植物种类,存在着大片原始性森林,是人为活动很少的地段,其中近熟林和过熟林面积占80%。古木参天,老藤缠绕,结构复杂,生态环境未遭破坏与污染,保水蓄水能力强,林地潮湿,苔藓满布,体现着原始古老的天然性。伏牛山保护区的中山地带是北亚热带和暖温带地区天然阔叶林保存较完整的地段,是华北、华中与西南植物的镶嵌地带,森林类型多,属暖温带落叶阔叶林向北亚热带常绿阔叶林的过渡型。同时,它也是中国动物区划中古北界与东洋界分界线,无论是水平地带性或垂直地带性的植被和物种,在这里与大的地理环境和具体的生态环境都相适应,反映出明显的规律性和典型性。伏牛山植物群落分为7个植被型组,13个植被型,123个群系,在主要群系内划出群丛,森林植被类型主要有针叶林、阔叶林、针叶阔叶混交林、常绿落叶阔叶林、落叶阔叶林、常绿半常绿阔叶林、山顶矮曲灌丛、草甸等。植被类型的多样性是生态系统完整性的具体表现。保护区范围这个大的自然生态系统中,其核心组成是森林生态系统,保护区内森林植被保存相当完好,而且,生产力高,结构复杂,发育进化完善,能量流动与物质循环活跃,形成一个十分庞大、相对稳定,处于主导地位的自然中心生态系统,不仅可以调节气候,净化大气和水体,涵养水源,防止水土流失,保持和美化自然环境,而且还保藏、庇护、孕育、繁衍大量动植物和微生物,是一个蕴藏着大量物种资源的“基因库”

和物种遗传的“繁育场”。伏牛山物种丰富多样，保护的珍稀动植物不仅多，而且有一些稀有群落和众多的新物种。已被列为国家重点保护的珍稀濒危植物有31种，如连香树、香果树、杜仲、山白绎、水青树、天木目姜子、刺五加等。珍稀群落有香果树群落、领春木群落、水曲柳群落等，已被列为国家重点保护野生动物的有48种，如黑鹳、金雕、白尾海雕、红隼、白冠长尾雉、水獭、林麝等，有些是河南分布新纪录。

4. 太行山猕猴国家级自然保护区

该保护区是在济源太行山猕猴自然保护区、太行山禁猎禁伐区和沁阳白松岭自然保护区的基础上联合扩建而成的，位于济源、焦作、新乡市，面积有56 600hm^2，1998年8月建立。它是太行山甚至华北地区面积最大的野生动物类型自然保护区。尤其是太行山猕猴自然保护区是目前世界猕猴类群分布的最北界，具有极高的科研价值。植被类型多样，区系成分独具过渡性、生态系统结构复杂、地质古老、地形多变、自然综合性复杂等特色，被列入《中国生物多样性保护行动计划》具有国际和国家意义的保护区。要保护对象为金钱豹、猕猴等珍稀动植物。该区地处太行山南端，处于华北陆台山西地区与秦岭地盾之间，地质历史悠久，具有太古界、元古界老地层，同时又有古生界、中生界和新生界地层，是河南省地质图中典型的“标准地层剖面”。地层出露的完整性，悠久的成陆历史，使这里地形复杂，环境条件优越，保存古老孑遗的动植物种类较多，呈现出原始古老的自然特性。保护区是我国暖温带和温带地区天然阔叶林保存较完整的地段，是华北、华中与西北植物镶嵌地带，森林类型多样，属温带落叶阔叶林区地带性植被的典型性和向暖温带常绿落叶混交林的过渡型，以落叶栎类林为代表和半常绿栎类林为辅的阔叶林地带。由于山地不高，南北共有种过渡型成分较多，无论是水平地带性或垂直地带性的植被和物种，在这里与大的地理环境和具体的生态环境都相适应。一些物种在这里成为分布限界，如猕猴是其分布的最北界；连香树、山白树、领春木、异叶榕、南方红豆杉等，延申至本区已是分布的最北缘。呈现出南北过渡带的典型性。保护区植被类型多样，植物属落分为6个植被型、83个群系，森林植被类型主要有针叶林、针阔叶林、半常绿阔叶林、灌丛及草灌丛以及草甸、沼泽和水生植被。这个以栎类为主组成的森林环境是有利于猕猴的生存的。在保护区中，有184种植物是猕猴的食物源，为猕猴取食创造了天然条件。保护区内共有高等植物1 759种、7亚种、140变种及4栽培变种。在保护区野生动物中，兽类34种，占河南兽类总种数的47%；鸟类140种，占河南总种数的46%，两栖类8种，占河南总种数的42%；爬行类19种，占河南总种数的5.6%。虽然随着纬度的增加生物种类会逐渐减少，但太行山猕猴自然保护区与一些低纬度保护区相比，植物种类相对较丰富。在物种多样性基础上，保护区还蕴藏着一些珍贵动植物、稀有种群和众多新物种。已被列为国家重点保护的野生动物有30种，如金钱豹、斑羚、林麝、猕猴、水獭、金雕、白鹳、黑鹳、大天鹅、鸢等；列为国家重点保护的珍稀植物有13种，如连香树、山白树、太行花、狭叶瓶尔小草、青檀、紫斑牡丹、野大豆等。这里还是河南特有植物种的原产地，如太行花、太行榆、太行铁线莲、太行菊、太行梨、毛叶朴等。

近二三十年，环境的恶化和人口的迅速发展，带来了癌症、艾滋病等威胁人类健康的严重问题，促使各国投入大量的人力和物力开展有关研究，而在医学和实验生物学方面，由于猕猴等非灵长类动物与人类在遗传基因上有着很高的同源性，在分类上与人同属灵长目，它们在生理机能、生化代谢等方面表现了许多与人类的相似性，因此被广泛作为医学和实验生物学研究领域中的实验动物。为了切实有效地保护灵长类资源，使其免于灭绝，世界卫生组织和生态系统保护集团早在1981年就发表了关于使用非人灵长类用于生物医学研究的政策声明，强调要保护灵长目现有种类的多样性，并保证所有物种有代表性的、自我延续的种群在其自然栖息地中的生存。目前我国从热带到亚热带、温带都有猕猴分布，这在各猕猴分布国家是绝无仅有的。然而我国现今温带猕猴分布区范围极小，仅剩下山西与河南交界的中条山和太行山区域有分布，并且由于受到严重的破坏，其生态系统已非常脆弱，这些地区的猕猴灭绝速度比起热带和南亚热带地区的更快，例如，河北兴隆猕猴仅经过 40 年的时间就灭绝了。兴隆猕猴的灭绝使我国的猕猴分布北界南移到太行山和中条山南端，使这里成为黄河以北惟一的猕猴分布区，如果这里的猕猴再灭绝，那么猕猴分布北界就要再南移到陕西南部的大巴山范围，而这里已是北亚热带地区了，那样我国温带地区的猕猴将不复存在。因此，保护太行山区这些猕猴资源已成为历史赋予我们的责任。

5. 罗山董寨鸟类国家级自然保护区

(1)自然资源。董寨鸟类国家级自然保护区，位于信阳市罗山县，面积有 46 800hm^2，1982 年 6 月建立，主要保护对象为鸟类、野生动植物。该保护区是以保护白冠长尾雉为主的鸟类保护区，是我国惟一的保护白冠长尾雉森林动物类型的保护区，物种的密集度很高，生物多样性程度，特别是森林生态系统多样性、物种多样性，在河南以及大别山地是独特少有的，是具有较强的观赏价值和感染力以及潜在的保护价值和科学价值的保护区。本保护区植物群落分为 7 个植被型组，122 个群系和 200 个群丛。森林植被类型主要有针叶林、阔叶林、针阔叶混交林、竹林、灌丛、草甸等，此外还有沼泽和水生植被。保护区内已确定的鸟类有 233 种，占河南省鸟类总数的 77.7%，占全国鸟类总数的 19.7%。在同一经度或同一纬度的保护区中，该保护区是鸟类最多的一个，也是河南省现有保护区中鸟类最多的一个。区内兽类有 37 种，占全省兽类总数的 51.4%；两栖类 12 种，占全省两栖类总数的 63.2%；爬行类 32 种，占全省爬行类总数的 86.5%。该保护区珍稀动植物种类不仅多，而且有一些稀有物种和新物种,如大别豹珠新种。河南省鸟类新纪录有15个,河南省兽类新纪录有1种(大足鼠),已被列为国家重点保护动物的有41种,其中鸟类有36种。已被列为国家重点保护植物有19种。在中国地势的三大阶梯中,大别山正处在第二阶梯向第三阶梯的过渡地带。大别山为东西走向,是我国自然地理区划的暖温带与北亚热带的过渡带,具有典型性和代表性。由于其地理位置独特,以北为黄淮海大平原,以南为江汉丘陵平原,又是我国的长江和淮河两大水系的分水岭,还是一些支流的发源地和水库的上游,因此,该保护区是重要的水源涵养林区,对根治淮河水患,保障下游灌溉和工业用水发挥着巨大作用。

(2)资源保护研究。董寨鸟类自然保护区对区内鸟类的保护和研究工作起步较早,20世纪60年代就开展了鸟类资源的普查工作;70年代进行了招引益鸟防治马尾松毛虫、油松毛虫、赤松毛虫的研究,食虫鸟类调查及其生态观察;80年代除对上述工作继续观察研究外,重点对集中分布于保护区内的珍稀鸟类——白冠长尾雉,进行了数量、分布调查与生态观察,开展了人工驯养与繁殖研究,建立了一定规模的繁殖种群。

二、国有林场及森林公园建设

(一)国有林场

1. 国有林场现状

河南省共有88个国有林场,其中:山区64个,平原、沙区24个。据1999年二类资源调查统计,经营总面积39.726万hm^2,林业用地面积36.632 1万hm^2,森林面积27.577 7万hm^2(其中天然林9.38万hm^2)、疏林地面积5 352hm^2、灌木林面积29 298hm^2,未成林造林地5 354hm^2、苗圃地757hm^2、宜林荒山荒地39 577hm^2,农地15 346hm^2,活立木总蓄积1 451万m^3。全省国有林场基本情况见表4－15。

表 4－15 河南省国有林场一览

序号	名 称	建场时间（年）	面积（hm^2）	行政区域	职工总数（人）	隶属	备 注
1	南湾实验林场	1953	354	信阳市	419	市林业局	辖南湾国家森林公园2 800hm^2
2	董寨林场	1955	4 438	罗山县	243	县林业局	董寨国家级自然保护区
3	新县林场	1955	10 262	新县	769	县政府	辖连康山自然保护区2 000hm^2
4	天目山林场	1958	3 600	信阳市平桥区	116	区林业局	
5	金岗台林场	1958	2 972	商城县	108	县林业局	金岗台自然保护区4 200hm^2
6	黄柏山林场	1956	3 757	商城县	264	县政府	
7	王竹园林场	1960	622	息县	97	县林业局	
8	固始林场	1960	1 547	固始县	134	县林业局	
9	鸡公山林场	1954	2 855	信阳县	214	市林业局	鸡公山国家级自然保护区3 000hm^2
10	黄石庵林场	1956	11 673	西峡县	464	县政府	其中伏牛山国家级自然保护区3 090hm^2
11	黑烟镇林场	1956	9 736	西峡县	233	县政府	其中伏牛山国家级自然保护区10 020hm^2
12	木寨林场	1952	5 616	西峡县	150	县政府	辖寺山国家森林公园753hm^2
13	万沟林场	1956	10 853	内乡县	140	县政府	宝天曼国家级自然保护区5 412hm^2
14	湍河林场	1960	980	内乡县	73	县林业局	
15	陈庄林场	1951	4 924	桐柏县	115	县林业局	太白顶省级自然保护区4 924hm^2
16	毛集林场	1960	10 957	桐柏县	121	县林业局	

续表 4－15

序号	名　称	建场时间（年）	面积（hm^2）	行政区域	职工总数（人）	隶属	备　　注
17	荆关林场	1956	2 737	淅川县	103	县政府	上寺森林公园
18	乔端林场	1953	8 533	南召县	140	县政府	其中伏牛山国家级自然保护区 2 943hm^2
19	五岳庙林场	1959	524	镇平县	75	县政府	辖菩提寺森林公园 133hm^2
20	大寺林场	1956	2 335	方城县	121	县政府	
21	社旗林场	1973	1 491	社旗县	70	县政府	
22	薄山林场	1954	6 160	确山县	200	市政府	薄山国家森林公园 6 066hm^2
23	乐山林场	1957	6 790	确山县	165	县林业局	乐山国家森林公园 6 800hm^2
24	马道林场	1959	6 010	泌阳县	100	县政府	铜山森林公园
25	板桥林场	1956	10 012	泌阳县	240	县政府	白云山森林公园
26	石漫滩林场	1956	5 466	舞钢市	150	市政府	石漫滩国家森林公园 460hm^2
27	鲁山林场	1953	10 130	鲁山县	165	县林业局	其中伏牛山国家级自然保护区 1 333hm^2
28	襄城林场	1962	2 072	襄城县	46	县林业局	紫云山森林公园
29	郏县林场	1958	1 790	郏县	44	县林业局	
30	风穴寺林场	1962	769	汝州市	31	市林业局	风穴寺国家级森林公园 766.7hm^2
31	叶县林场	1957	2 460	叶县	57	县林业局	
32	西华林场	1963	1 469	西华县	216	县政府	

续表 4－15

序号	名　称	建场时间（年）	面积（hm^2）	行政区域	职工总数（人）	隶属	备　　注
33	扶沟林场	1963	2 880	扶沟县	110	县林业局	
34	民权林场	1950	4 116	商丘市	550	市林业局	
35	宁陵林场	1956	1 533	宁陵县	130	县政府	
36	商丘林场	1959	600	商丘县	132	县政府	
37	榆厢林场	1949	271	睢县	48	县政府	
38	代寨林场	1970	406	民权县	80	县政府	
39	虞城林场	1959	1 070	虞城县	146	县政府	
40	永城林场	1952	309	永城县	57	县政府	
41	禹州林场	1957	4 560	禹州市		市政府	
42	通许林场	1962	2 120	通许县	287	县林业局	
43	尉氏林场	1950	4 104	尉氏县	206	县政府	
44	开封市林场	1963	546	开封市	102	市林业局	开封市国家森林公园
45	开封县林场	1960	166	开封县	79	县林业局	
46	西寨林场	1949	1 537	杞县	260	市直属	
47	杞县林场	1963	733	杞县		县林业局	
48	登封林场	1950	11 581	登封市	200	市政府	嵩山国家森林公园 12 000hm^2

续表 4－15

序号	名　称	建场时间(年)	面积(hm^2)	行政区域	职工总数(人)	隶属	备　　注
49	巩义林场	1956	3 440	巩义市	47	市林业局	嵩北森林公园 493hm^2
50	中牟林场	1950	11 302	中牟县	359	县政府	中牟森林公园 1 400hm^2
51	郑州市林场	1951	431	郑州市	260	市林业局	郑州市国家森林公园 313hm^2
52	吕村林场	1954	10 574	洛宁县	132	县林业局	
53	上戈林场	1958	6 798	洛宁县	47	县林业局	
54	全宝山林场	1956	4 105	洛宁县	47	县林业局	
55	三官庙林场	1956	6 812	洛宁县	41	县林业局	
56	故县林场	1953	5 578	洛宁县	31	县林业局	
57	方村竹林场	1960	45	洛宁县	14	县林业局	竹林 30hm^2
58	五马寺林场	1958	7 579	嵩县	193	县政府	白云山国家森林公园 2 720hm^2,其中伏牛山国家级自然保护区 8 161hm^2
59	王莽寨林场	1958	2 658	嵩县	96	县林业局	
60	胃村林场	1956	3 114	嵩县	77	县林业局	
61	老君山林场	1956	2 640	栾川县	58	县政府	其中伏牛山国家级自然保护区 2 330hm^2
62	龙峪湾林场	1956	3 870	栾川县	245	县政府	辖龙峪湾国家森林公园 1 833hm^2
63	大坪林场	1958	3 974	栾川县	79	县政府	

续表 4-15

序号	名　称	建场时间（年）	面积（hm^2）	行政区域	职工总数（人）	隶属	备　注
64	山张林场	1959	1 464	偃师市	38	市林业局	
65	郁山林场	1960	2 091	新安县	35	县林业局	
66	大虎岭林场	1959	3 975	汝阳县	53	县政府	
67	宜阳林场	1957	10 592	宜阳县	105	县林业局	花果山国家森林公园 4 000hm^2
68	淇河林场	1950	5 206	卢氏县	254	县林业局	
69	东湾林场	1956	10 104	卢氏县	93	县林业局	
70	河西林场	1963	15 127	灵宝市	390	市政府	小秦岭自然保护区（省级）
71	川口林场	1955	10 400	灵宝市	101	市林业局	
72	窑店林场	1956	7 860	陕县	85	县林业局	
73	仁村林场	1956	2 637	渑池县	44	县林业局	
74	延津林场	1952	1 942	延津县	200	县政府	辖河南延津黄河故道森林公园 4 198hm^2
75	原阳林场	1961	1 046	原阳县	297	县林业局	
76	辉县林场	1950	5 886	辉县市	9	市林业局	辖白云寺国家森林公园 2 593hm^2
77	愚公林场	1952	1 561	济源市	71	市林业局	
78	蟒河林场	1959	5 610	济源市	93	市林业局	济源猕猴国家自然保护区
79	邵原林场	1959	1 763	济源市	73	市林业局	

续表 4－15

序号	名　称	建场时间(年)	面积(hm^2)	行政区域	职工总数(人)	隶属	备　　注
80	修武林场	1963	2 086	修武县	35	县林业局	云台山国家森林公园 360hm²
81	焦作市林场	1954	1 433	焦作市	92	市林业局	辖焦作森林公园 933hm²
82	博爱林场	1957	2 450	博爱县	52	县林业局	
83	大沟河林场	1963	2 791	济源市	60	市林业局	
84	孟州林场	1964	1 210	孟州市	85	市林业局	
85	黄楝树林场	1956	3 074	济源市	40	市林业局	其中济源猕猴国家级自然保护区 1 535hm²
86	范县林场	1959	80	范县	14	陆集乡	
87	滑县林场	1959	1 321	滑县	100	县林业局	龙虎森林公园 360hm²
88	兰考林场						

2. 国有林场的发展历程

中华人民共和国成立后，党和国家十分重视林业。1950 年即恢复了旧中国遗留下来的登封会善寺和洛阳龙门两个国营林场，接收了两个资本家兴办而抛弃了的睢县榆厢铺和郑州北郊老白司林场，上述林场面积不足 1 000hm²。

1949～1952 年，国民经济恢复时期，根据防风固沙、防护农田的方针，首先在风沙危害严重的黄河故道沙区建立了国营林场，主要依靠群众，根据谁造林、谁管护、谁分红的原则，在收益上实行主材归国家、副材国三群七分成的办法。由于造林密切结合群众利益，顺利完成了豫东沙区骨干防护林的营造工作。造得快，成本低,国营造林 0.68 万 hm^2,投资 136 万元。

1953～1957 年,第一个五年计划时期,林业工作重点逐渐向山区转移,实行普遍护林护山和大力造林、育林的方针。深山的护林、育林工作由河西、老君山、小沟河、龙峪湾等 24 个森林经营所管理,浅山区配合治淮、治黄工程进行造林,在南湾、薄山、板桥、石漫滩等水库边缘和伊、洛河上游,设立了大批国营林场,营造水源涵养林,造林树种以马尾松、刺槐、油松、栎类为主。

1958～1962 年,为适应大跃进形势,提出大砍大栽,林场数量急剧增多,但工作质量下降,只求“快、多”,不求“好、省”。此期投资2 905万元,造林 6.4 万 hm^2,但保存有限。后期由于自然灾害,林场职工生活困难,河南省提出了“保人保场”的要求,林区农业生产任务过重,影响着国营林场的发展。

1963～1966 年,国营林场实行“以林为主,林副结合,综合经营,永续利用”的方针,进行一系列调整,确定用材林要占 85%以上,实行中央、省、地、县分级管理,中央每年给林场拨款 800 万元,造林 1.3 万～1.6 万 hm^2,林场生产秩序稳定,造林质量良好,国营造林有新的发展。

1966～1977 年,文化大革命开始,国营林场层层下放,机构变换,生产秩序混乱,但大部分林场职工仍坚持林业生产劳动,一方面造林,一方面转向抚育间伐和综合利用,营造一部分丰产林。

1978～1995 年,随着国民经济的发展,林场贯彻改革、开放、搞活的总方针,积极改善经营管理,改革管理体制,广大职工认真执行“以林为主,多种经营,长短结合,以短养长”的经营方针,在“松绑、放松”的原则下,林场经营自主权增大,经济活力得到增强,促进了林场的巩固和发展。

1996 年后,国有林场坚持“以林为本,合理开发,综合经营,全面发展”的办场方针,认真贯彻执行《林业部关于国有林场深化改革加快发展若干问题的决定》精神,适应社会主义市场经济的需要,进一步深化人事、劳动用工、收入分配制度改革,不断培育新的经济增长点。贫困国有林场脱贫工作开始实施,国有林场在生态环境建设中的地位和作用开始引起社会的重视。

3. 国有林场建设成就以及在全省生态环境建设中的地位与作用

几十年来,经过建场、发展、调整、合并的曲折历程,国有林场保持了经营范围稳固,职工队伍稳定,技术力量充足,形成了完善的资源保护、林业生产、经营、管理体系,成为林业建设的重要组成部分,为全省生态环境建设和经济发展作出了巨大贡献。

(1)森林资源持续增长。截至2000年,全省国有林场累积改造低产林7万余公顷,人工造林34万余公顷、保存面积18万余公顷,抚育中幼林153万余公顷;森林覆盖率从20世纪50年代的26.9%提高到83.5%。据1998年森林资源连续清查统计,国有林场林业用地面积占全省面积的8.69%,有林地占全省面积的9.72%,活立木蓄积占全省面积的9.82%,林分蓄积占全省的20.38%;林分每公顷平均蓄积量58.25m^3,明显高于34.13m^3/hm^2的全省平均水平。累计生产木材320万m^3,积累非资源性固定资产1.4亿元,向国家缴纳税费2亿多元,现存活立木经济价值近40亿元,是国家总投入的10余倍。

(2)国有林场在全省生态环境建设中发挥着骨干和主体作用。国有林场主要分布在山脉的中上部、河流的源头、库区的周围和平原沙区、滩区等生态脆弱地区以及郑州、开封、焦作、商丘、信阳等重要城市周围,处于生态环境建设的最前沿,在涵养水源、保持水土、治理风沙、减缓自然灾害损失、保护城市环境、促进社会可持续发展等方面有着不可替代的作用。豫东、豫北平原地区的国有林场作为防护林体系的骨干,在防御风沙、改善农业生产条件方面发挥着决定性的作用,使大量沙荒、盐碱薄地变成了稳产、丰产田;南湾、薄山、板桥、马道等林场良好的森林资源,对保证水库安全、提高水源质量、减少泥沙淤积、延长水库使用寿命发挥着直接作用；2000年，洛阳、三门峡、济源3市的25个国有林场被列入黄河上中游天然林保护工程实施范围，其有林地面积10.4万hm^2，占工程区的16.8%；天然林面积7.7万hm^2，占工程区的27.4%。

(3)国有林场在保护生物物种多样性方面发挥着无可替代的作用。从20世纪80年代开始，经国务院、河南省政府批准建立的4处国家级、9处省级森林、野生动物、湿地类型的自然保护区，其核心区绝大部分在国有林场范围，涉及24个场、面积15万hm^2。今后，国有林场仍然是河南省新建各类自然保护区的基础和主要区域。

(4)国有林场也是全省旅游资源的重要组成部分。国有林场良好的森林资源在保护着众多人文景观、文物古迹、自然遗产的同时，本身也构成了丰富的旅游资源。河南省著名的嵩山、鸡公山、南湾、石人山、白云山、云台山、龙峪湾、王屋山等旅游区都分布在国有林场范围内。随着人民生活水平的不断提高和旅游市场的日渐成熟，国有林场作为森林旅游发展的基础，发展潜力巨大，市场前景广阔。

4. 当前国有林场发展面临的主要问题

进入20世纪90年代后，随着国家对生态环境建设的不断重视，林业发展进入由传统林业向现代林业转变的重要历史时期，国有林场地处全省生态环境的最前沿，其社会定位和经营目标也必然发生重大调整，大部分国有林场将肩负起改善生态环境、促进社会发展的重任，以减少木材生产和停止天然林商品性采伐为标志，国有林场进入转轨调整阶段。在新的管理体制未建立、配套政策未出台、补偿资金不到位的情况下，国有林场的发展遇到了前所未有的问题与困难，形势严峻，主要表现在以下几个方面：

(1)现行的管理体制与其地位、作用不相适应，严重制约着国有林场的建设与发展。新中国成立初期到20世纪70年代，对国有林场实行事业费全额供给，年度生产、基本建设和财务计划由省统一安排，统一拨付资金，这是全省国有林场资源增长和经济发展最快的时期。进入80年代以后，对国有林场普遍实行了事业单位企业化管理的体制，国有林场被作为一般的企业对待，自主经营，自负盈亏，事业费投入大削减，变成了象征性的财政补贴，大部分林场主要依靠木材生产维持经济运转，木材生产大幅度调减后，直接影响到职工的稳定和林场的生存。

(2)投入严重不足，经济危困日趋严重。1984年财政体制改革后，取消了由省掌握的国有林场每年400万元的造林、幼抚专项经费，切块到市(地)管理，实际运行过程中，这部分资金很少用于林场建设。目前，除省财政每年投入几十万元的改变生产条件款和省计划内少量的造林基建款外，全省国有林场基本无其他专项投资来源，严重影响了国有林场的正常林业生产，新造林速度、低产林改造力度越来越小，大量的中、幼林抚育无法进行，多种经营发展困难重重，更谈不上生产条件和基础设施的改善。

(3)国有林场经济结构单一。受地理位置、资源、投入、人才素质等多方面的限制，从总体上看，国有林场二、三产业项目发展缓慢，已建项目创收能力差，亏损情况严重。

(4)侵犯国有林场权益的问题仍然十分突出，影响着国有林场的健康发展。部分地方政府片面追求眼前利益，忽视国有林场创造的生态和社会效益，林场得不到应有的重视和支持，造成侵犯国有林场合法权益问题长期得不到有效制止和解决。平原地区随着人口的增加和林地条件的改善，林场周边群众以种种借口侵(抢)占国有林场林地的案件时有发生，严重影响了国有林场的正常生产和经营活动，林场职工人身安全也难以保障，部分场领导疲于协调处理各种纠纷争议案件，根本没有精力考虑林场的发展问题，处于被动挨打的局面。

(5)国有林场税、费及各项摊派过重。国有林场不仅被当作一般企业对待，而且还要承受比一般企业更重的税费负担。对国有林场的各种摊派也屡禁不止。

目前，国有林场普遍经济困难，1/3 的林场收不抵支，个别林场职工生活费用难以保障，债台高筑，其他林场也仅能维持生计。大部分国有林场基础设施建设严重落后，经济发展明显低于当地经济发展水平，生活和生产条件的改善甚至落后于周边群众。特别是一些以发挥生态效益为主的生态公益型林场，步履维艰，部分林场出现了生存危机。

5. 国有林场改革发展方向

国有林场在河南省生态环境和林业建设中占据着重要位置，国有林场的发展既要依靠国家政策和外部环境的改善，也必须从根本上转变思想观念，加大内部改革创新力度，加快产业结构调整步伐，增强经济实力和活力。

(1)各级政府要进一步加强对国有林场的领导，加大管理建设力度，认真贯彻落实《河南省人民政府关于加强国有林场管理和建设工作的通知》等有关政策、文件精神，帮助国有林场解决改革和发展中的实际问题，积极维护国有林场的合法权益，增加投入，落实好事业经费和建设投资，将国有林场的交通、通讯、用电、用水等基础设施建设纳入规划，减轻国有林场的负担，加大扶持力度。

(2)国有林场要适应新形势需要，自觉服从全省生态环境和林业建设大局，积极推进森林分类经营改革，按照“以林为本，合理开发，综合经营，全面发展”的办场方针，根据各自的自然、社会、经济条件及资源状况，因地制宜地确定发展方向，逐步形成一、二、三产业协调发展的经济新格局。

(3)建立新型的管理和经营机制。健全和完善各种形式的承包经营责任制；改革人、财、物、计划、资源等管理办法，全面推行劳动用工合同制、干部聘任制和以按劳分配为主体、效率优先、兼顾公平的收入分配制度；强化内部管理，制定与各个管理环节相配套、操作性强的内部管理制度；优化人员结构，推行竞争上岗，按照公平、竞争的原则，实行双向选择，对企业富余人员要通过岗位培训，兴办二、三产业，发展职工家庭自营经济等形式给予妥善安置；积极推行社会保障制度，把职工的养老、医疗等社会保障纳入社会统筹，解除林场和职工的后顾之忧。

(4)调整优化产业和产品结构，培育新的经济增长点。强化市场经济意识和竞争观念，及时掌握市场信息，面向市场办林场，对潜力大、市场稳定的项目，提高经营水平，形成特色，占稳市场，走规模化、基地化、专业化、系列化发展的道路。结合国家产业政策的调整，在保护好现有森林资源的前提下，调整林场产业结构和经营方向。当前要把森林旅游开发放在优先位置，与其他项目相比，森林旅游优势突出，经营风险小，回报高，效益显著。

(5)在坚持以公有制经济为主体的同时，积极探索产权制度改革的实现形式，积极引导个体、私营、股份制等多种经济成分的发展，创造、支持和鼓励职工发展自营经济。

(二)森林公园、森林旅游建设

1. 森林公园、森林旅游建设背景和意义

以丰富的森林资源为基础，与各种地文资源、水文资源、生物资源、天象资源及人文等资源自然有机结合而形成的森林风景资源，是自然生态体系的重要组成部分，是大自然留给人类的宝贵遗产。随着人类现代文明的发展和生态意识的提高，一股崇尚自然、回归自然的热潮正在全球兴起，走进森林、休闲旅游正成为人们追求的新时尚，以森林旅游为主体的生态旅游，正以迅速崛起的姿态，越来越代表着现代旅游的发展趋势而受到世界各国的高度重视。有关专家预测，在21世纪最初的20年里，森林旅游将以2位数的百分比增长，全球旅游人数中的一半要走进森林。在保护的前提下，合理开发森林风景资源，塑造绿色文明，向人们展示祖国山河的秀丽风光和丰厚的文化积淀，促进人与自然的协调与和谐，是丰富人民物质文化生活的需要,是现代社会发展的必然趋势。改革开放以来,我国旅游业发展进入蓬勃发展时期,已成为国民经济各产业中发展速度最快的产业之一。全国林业系统顺应时代潮流,积极参与旅游业发展,以自身得天独厚的森林风景为依托,把建设森林公园发展森林旅游作为加强森林资源保护、扩大对外开放、调整产业结构、拉动林业经济增长的重要措施来抓,经过多年的艰苦努力,基本形成了包括各种不同类型的森林自然景观在内、与众多历史遗迹和人文景观相辉映,具有鲜明特色的森林景观资源保护与开发管理体系。不仅有效保护了多样化的森林景观和自然文化遗产,有力地促进了生态环境建设和自然保护事业的发展,而且直接推动了林业产业结构合理调整,成为促进区域经济发展的强劲动力,实现了森林资源利用方式的重大转变,在很大程度上摆脱了长期困扰林业发展的消极保护与单一利用模式,走出了一条不以消耗森林资源为代价,充分发挥森林的社会、经济和生态三大效益,促进林业全面可持续发展的新路子。森林旅游业正逐步成为林业产业中最具活力、最有希望的新的经济增长点。

2. 森林公园、森林旅游建设现状

河南省的森林公园建设、森林旅游发展始于20世纪80年代。1986年,经林业部批准,以国有登封林场为基础,部、省联合建立了河南省第一个国家森林公园——嵩山国家森林公园。之后,河南省又在西峡木寨、汝州风穴寺、舞钢石漫滩、确山薄山、开封市、灵宝河西、宜阳、修武、嵩县五马寺、栾川龙峪湾、信阳南湾、郑州市、延津、淅川荆关、镇平五岳庙、辉县白云寺、确山乐山等国有林场和林州市集体林区建立了17处国家森林公园。1992年后又陆续批建了22处省级森林公园,建设范围由国有林场逐步扩展到集体林区。1997年后,信阳鸡公山、栾川老君山、内乡宝天曼、济源猕猴等国家自然保护区,也陆续建设了森林生态旅游区。到2000年底,全省共批建森林公园39处,其中国家级17处,省级22处,总面积19万 hm^2(见表4－16);森林生态旅游区6处。在管理体制上,实行国有林场与森林公园"一套班子,两块牌子",集体林区以林业部门管理为主,初步形成了全省森林旅游开发、建设、管理体系。旅游服务设施初具规模,通过多渠道筹集建设资金2.5亿元,用于景区道路、供电、供水、通讯等基础设施和宾馆、饭店等服务接待设施建设。服务接待能力稳步提高,白云山、龙峪湾、石漫滩、南湾等国家森林公园,鸡公山、老君山、石人山、宝天曼等自然保护区,已成为全省著名旅游景区;森林旅游的经济、社会效益明显,2000年,共接待游客208万人次,直接旅游收入1 460.4万元,带动当地社会旅游收入近2亿元。一部分国有林场通过森林旅游开发,扭转了经济危困的局面,为国有林场摆脱贫困、加快发展,积累了成熟的经验,探索出了一条好路子。森林旅游的发展,已引起了地方党委、政府和社会各界的关注和支持,长期存在表现突出的旅游开发中严重侵犯国有林场、自然保护区合法权益的问题开始得到扭转,各级各部门对森林旅游的支持、扶持力度不断加大,外部环境逐步改善,全省森林旅游进入了健康、快速发展轨道。

表4－16　河南省森林公园一览

序号	公园名称	面积(hm^2)	建园时间	级别	建园单位	详细地址
1	嵩山国家森林公园	11 533.33	1986.10	国家级	登封市林场	登封市区迎仙阁
2	寺山国家森林公园	5 600	1992.09	国家级	西峡木寨林场	西峡县丁河镇东岗村
3	风穴寺国家森林公园	766.67	1992.09	国家级	风穴寺林场	汝州市骑岭乡黄庄村
4	石漫滩国家森林公园	5 333.33	1992.09	国家级	石漫滩林场	舞钢市区
5	薄山国家森林公园	6 066.67	1992.09	国家级	薄山林场	确山县任店镇胡寨村

续表 4－16

序号	公园名称	面积（hm^2）	建园时间	级别	建园单位	详细地址
6	开封市国家森林公园	553.33	1992.09	国家级	开封市林场	开封市西北
7	亚武山国家森林公园	15 133.33	1992.11	国家级	河西林场	灵宝市区
8	花果山国家森林公园	4 200	1993.05	国家级	宜阳林场	宜阳县城
9	云台山国家森林公园	359.3	1993.05	国家级	修武林场	修武县西村乡偏马村
10	白云山国家森林公园	8 133.33	1993.05	国家级	五马寺林场	嵩县车村乡火神庙村
11	龙峪湾国家森林公园	1 833.33	1994.12	国家级	龙峪湾林场	栾川县庙子乡庙子村
12	王龙洞国家森林公园	2 527	1995.11	国家级	林州市泽下乡	林州市泽下乡
13	南湾国家森林公园	2 810	1996.09	国家级	南湾林场	信阳市浉河区南湾街
14	郑州市森林公园	313.33	1992.04	国家级	郑州市林场	郑州市北郊
15	白云寺森林公园	2 593.33	1992.04	国家级	辉县市林场	辉县市薄壁镇白云寺村
16	乐山森林公园	6 800	1992.11	国家级	乐山林场	确山县朱古洞乡北泉村
17	甘山国家森林公园	3 800	1999.01	国家级	窑店林场	陕县张村镇窑店村
18	黄河故道森林公园	4 198	1993.10	省级	延津林场	延津县东屯乡

续表 4－16

序号	公园名称	面积（hm^2）	建园时间	级别	建园单位	详细地址
19	上寺森林公园	420.3	1993.11	省级	荆关林场	淅川县荆关镇
20	菩提寺森林公园	133.33	1993.11	省级	五岳庙林场	镇平县五岳庙乡
21	白云山森林公园	10 000	1993.11	省级	板桥林场	泌阳县板桥镇
22	龙虎森林公园	362.8	1995.07	省级	滑县林场	滑县城关镇枣庄村
23	丹霞山森林公园	933.33	1995.07	省级	南召县群营林	
24	焦作森林公园	937	1996.01	省级	焦作市林场	焦作市郊
25	云梦山森林公园	3 000	1996.03	省级	淇县群营林	淇县云梦山
26	嵩北森林公园	492.6	1996.05	省级	巩义林场	巩义市夹津口镇
27	禹州森林植物园	66.67	1996.12	省级	禹州林场	禹州市禹台办事处三星村
28	濮阳黄埔森林公园	1 197.88	1997.11	省级	濮阳林业局	濮阳市郊
29	泌阳铜山森林公园	7 309	1997.11	省级	马道林场	泌阳县马谷田镇
30	玉皇尖森林公园	2 982	1998.05	省级	淇河林场	卢氏县狮子坪乡
31	青龙山森林公园	2 317	1998.06	省级	林场与群营林	巩义大峪沟镇民权村

续表 4－16

序号	公园名称	面积 (hm^2)	建园时间	级别	建园单位	详细地址
32	金兰山森林公园	3 333.33	1998.12	省级	新县林场	新县城关向阳路172号
33	中牟森林公园	5 458.3	1993.05	省级	中牟林场	郑州市中牟县城
34	全宝山森林公园	958	1999.11	省级	全宝山林场	洛宁县兴华乡兴华村
35	小浪底库区森林公园	41 967	1999.11	省级	郁山林场与群营	新安县李村乡喻郁山村
36	大寺森林公园	433.1	2000.07	省级	方城大寺林场	方城县二郎庙乡
37	紫云山森林公园	1 587.5	2000.07	省级	襄县林场	许昌市国有襄县林场
38	金顶山森林公园	2 400	2000.12	省级	蚁蜂镇林场	确山县蚁蜂镇林场
39	独山森林公园	400	2000.12	省级	独山园艺场	南阳市卧龙区独山园艺场

第五章　新世纪河南林业生态建设的战略任务

第一节　林业生态环境建设的远景、指导思想及原则

一、林业生态环境建设的远景

根据河南省自然条件和社会经济发展的需要，通过保护、改善、建造森林生态系统，发展森林资源，提高森林覆盖率，保护野生动植物资源，维护生物多样性，使河南省宜林荒山荒地和铁路、干线、公路基本上实现造林绿化，森林资源分布比较合理，重点地区水土流失得到有效控制和根治，流动、半流动沙丘全部被固定，平原地区建成高标准、多功能、高效益综合农田防护林体系，奠定持续发展的基础。

二、林业生态环境建设的指导思想

以改善生态环境、提高人民生活质量、实现可持续发展、再造山川秀美的中州大地为总目标，遵循自然规律和经济规律，以培育和保护森林资源为重点，以科技为先导，坚持林业生态环境建设与国土整治、产业开发和区域经济发展相结合，加快工程建设，实施

分类经营,突出质量效益,提高整体水平,建立完备的林业生态体系和发达的林业产业体系。

三、林业生态环境建设的原则

(一)统一规划,合理布局,突出重点,兼顾一般

林业生态工程是国土整治和环境建设的重要组成部分,必须从各地经济与社会总体发展状况和自然环境特点出发,结合当地自然条件、经济条件及森林资源状况,统一规划各项林业生态工程,使之与原有资源形成一个完整的生态系统。同时针对工程区存在的突出问题,区别轻重缓急,在以防护林为主的前提下,适当发展用材林、经济林和薪炭林,多林种结合,做到乔、灌、草搭配,片、网、带齐上,飞、封、造并举,有重点、有步骤地按工程区域内不同类型的特点,建造一批区域性防护林体系。

(二)以防为主,综合治理

切实保护好现有森林资源,特别是江河上游及主要支流现有森林和典型森林生态系统。正确处理防、治、用的关系,大力实施天保工程和退耕还林、还草工程,防止一边治理、一边破坏。充分认识农、林、水三者的关系,将治山与治水、兴修水利与林业建设、农业发展与振兴林业作为一个整体,坚持生物防治与工程措施相结合,治源与治流相结合,建成多层次、多模式的农林牧水相结合的复合生态经济体系。

(三)科技进步的原则

积极推进科技创新,走科技兴林之路,有计划、有步骤地在工程建设中推广配套实用技术成果,重视示范区建设;建立科技支撑体系,实行工程造林,集约经营,强化质量意识,落实质量管理制度,把提高质量贯穿于工程建设的全过程。

(四)政府主导与发挥市场作用相结合的原则

要注意利用国内国际两个市场,争取更多地吸收和引进国外

的资金、技术、人才和管理经验,通过多种形式和渠道利用国外资源。要重视发挥政府、企业和公众的作用,贯彻“谁造、谁有、谁收益”,“长期不变,允许继承,允许折价转让”等有关政策,积极发展国家、集体、联户合作、农户个人和集体入股等多层次、多形式的林业经营模式。

(五)国土整治与综合利用相结合

工程建设是以生态环境治理的需要和林业生产的客观要求为目的的,因此工程要立足长远。但工程建设必须结合工程区林业基础薄弱、人民群众生活水平不高的实际,与当地经济发展、人民脱贫致富结合起来,处理好眼前利益和长远利益、保护资源和开发利用的关系,把资源优势转化为经济优势,既起到防护效果又增加群众的经济收入,让群众既有长远利益可盼,又有近期利益可图,引导群众从“要我治”转变到“我要治”的轨道上来,使防护林体系建设达到总体最优。

第二节　林业生态建设的战略布局

一、调整林业生态区域布局

按照全国林业建设分区的基本方案和《河南省林业生态工程建设规划》,将全省林业生产建设在地域上划分为六个区域。

第一个区域——山区。包括太行山、伏牛山、桐柏山、大别山和黄土丘陵沟壑区。通过实施天然林保护工程、太行山绿化二期工程和退耕还林(草)工程,建设以水土保持林、水源涵养林为主体的生态屏障。其主攻方向是:全面停止区域内的天然林商品性采伐,加快自然保护区建设;实施陡坡地退耕还林,坚持人工造林、飞播造林、封山育林相结合,乔、灌、草相结合,恢复和增加植被;在塬、梁、峁和丘陵、沟坡上营造水土保持林;经济林要稳定苹果面积,加强低产园改造,重点抓好既有经济效益又有生态效益的核桃、柿子、板栗、枣、银杏、仁用杏、花椒、油桐、漆树、杜仲、山茱萸、辛荑等生产基地建设。

第二个区域——沙区。豫北黄河故道和豫东风沙区是河南省风沙危害最严重的地区。要进一步实施以发展林草植被为核心的防沙治沙工程,尽快遏制沙化扩展的趋势。其主攻方向:一是全面保护好现有林草植被,严禁乱砍滥伐、乱采滥挖和乱垦滥牧,避免造成新的土地沙化;二是在流动、半流动沙地,大力营造防风固沙林,迅速固定流沙,遏制沙地流动;三是对已改良成为良田的,要在巩固的基础上,实行林粮间作。经济林要重点发展枣、石榴、葡萄、金银花等。

第三个区域——平原区。这是河南省的粮、棉、油生产基地。要建设以平原农田综合防护林体系和以商品林基地为主体的持续、高效平原林业,构筑平原农区抗御自然灾害的林业生态屏障,确保农业稳产、高产。其主攻方向是:重点抓好尚未形成林网、未间作的农田防护林的营建和完善提高,以营造高标准农田林网为主,构造多林种、多树种、多层次持续、高效的农田防护林体系。在立地条件适合的地方,大力营造速生丰产林和梨、石榴、杏、桃、樱桃、无花果等名、特、优、稀经济林。

第四个区域——河流、湖、库区周围。主要包括黄河、淮河等河流干流及支流和宿鸭湖、丹江、三门峡、小浪底、陆浑、薄山、石漫滩、南湾等大中型水库库区。其主攻方向是:建设以黄河生态防护林体系为主的横贯全省的绿色长廊;开展长江中下游及淮河流域生态防护林体系建设,大力营造河流、湖泊、水库护岸林、防浪林、水源涵养林、水土保持林,以提高森林在保持水土、涵养水源、防治水害等方面的作用和功能,减少输入黄河、淮河和大型水库的泥沙量,保障黄河小浪底水库等大型水利设施长期发挥效能。

第五个区域——城郊区。包括各省辖市和县(市、区)、乡(镇)

所在地的城镇郊区及周边地带。其主攻方向是:以省辖市和县级城市为重点,以改善城市生态环境,提高城市居民生活质量为主要目标,以环城防护林带、道路绿化和风景片林为主要内容,建设高标准、高效能环城生态防护林网络,实现生态防护、绿化、美化协调统一。该区域经济林生产要重点发展时令小杂果,扩大设施栽培规模,增加反季节果品产量,提高果品质量,适应城市消费需要。

第六个区域——通道区。包括公路、铁路和主要渠道两旁。其主攻方向是:以国道、省道和南水北调中线工程为重点,以营造护路、护渠林带,完善路边林网,绿化迎面山坡,实现绿化、美化为目标,建立高标准的通道防护林体系。在绿化树种选择上要实行乔、灌、草相结合,用材树种与经济树种相结合。

二、优化林业生态结构,实施分类经营

按照国家关于实施森林分类经营的要求和《河南省林业生态工程建设规划》,结合河南省的地形、气候、植被、土壤等自然条件和林业发展特点,将全省现有林业用地划分为生态公益林和商品林经营区两类。将生态公益林区进一步划分为重点生态公益林区和一般生态公益林区,实行分类经营。

(一)重点生态公益林区

将流程在500km以上的江河发源地的汇水区和干流及一级、二级支流两岸山地、坡度在36°以上的石质山区、黄土丘陵沟壑区、大中型水库等库区周围、生物多样性丰富地区、湿地、风沙区等生态环境脆弱地区划为重点生态保护区,实行森林基本禁伐,并严加管护。全省划定重点生态公益林区面积151万hm^2,占全省林用地总面积的39.9%。

(二)一般生态公益林区

将生态地位一般,植被恢复能力较强的地区作为一般生态公益林区。该区主要包括6°~35°的丘陵山地,流程在500km以下的

河流及干、支流两侧,全省2 274座小型水库库区周围和18个市的部分县(市、区)中生态地位一般的林业用地。全省划定一般生态公益林区面积131.37万hm^2,占全省林业用地总面积的34.7%。

(三)商品林经营区

主要是交通方便、自然条件优越、立地条件好、地势较平缓(5°以下)的岗地和山脚坡地,以及不易造成水土流失的平原地区,主要包括黄淮海平原(不含黄河故道风沙区)和南阳盆地。全省划定商品林经营区面积96.27万hm^2,占全省林业用地总面积的25.4%。

第三节 林业生态建设的战略任务

一、森林资源现状

据1998年河南省森林资源连续清查,河南总土地面积16.7万km^2,林业用地面积376.64万hm^2。活立木蓄积量13 167.55万m^3,四旁树总株数114 620万株,森林覆盖率为19.83%。

(一)各类土地面积

在河南省16.7万km^2土地面积中,林业用地面积378.64万hm^2,占22.67%;非林业用地面积1 291.36万hm^2,占77.33%。在林业用地面积中,有林地面积209.01万hm^2,疏林地面积13.40万hm^2,灌木林地面积57.78万hm^2,未成林造林地面积6.46万hm^2,苗圃地面积1.13万hm^2,无林地面积90.86万hm^2。在有林地面积中,林分面积149.77万hm^2,经济林面积57.30万hm^2,竹林面积1.94万hm^2。在无林地面积中,宜林荒山面积83.28万hm^2,采伐迹地面积2.9万hm^2,宜林沙荒地面积4.68万hm^2。全省森林覆盖率为19.83%,其中有林地占12.52%,灌木林占3.46%,四旁树折算3.85%。

(二)活立木蓄积

河南活立木蓄积量13 167.55万m^3。其中林分蓄积5 258.50万m^3,疏林蓄积量102.09万m^3,散生木蓄积量342.04万m^3,四旁用材树蓄积量7 464.92万m^3。

(三)林分资源

河南林分面积149.77万hm^2,蓄积5 258.50万m^3。林分按林种划分:用材林面积100.39万hm^2,蓄积3 224.84万m^3;防护林面积36.80万hm^2,蓄积1 758.44万m^3;特用林面积3.87万hm^2,蓄积260.98万m^3;薪炭林面积8.71万hm^2,蓄积14.24万m^3。林分按龄组划分:幼龄林面积103.93万hm^2,蓄积2 433.26万m^3;中龄林面积32.93万hm^2,蓄积1 886.09万m^3;近熟林面积6.63万hm^2,蓄积483.34万m^3;成熟林面积4.51万hm^2,蓄积266.88万m^3,过熟林面积1.77万hm^2,蓄积188.93万m^3。

(四)天然林资源

河南省99.31万hm^2天然有林地面积中,天然林分面积95.92万hm^2,天然林分蓄积3 606.32万m^3;天然经济林面积2.90万hm^2;天然竹林面积0.49万hm^2。

天然疏林地面积7.26万hm^2,天然疏林地蓄积47.06万m^3。

(五)人工林(含飞播林)资源

河南省已成林人工林面积109.70万hm^2。其中:人工林分面积53.85万hm^2,人工林分蓄积1 652.18万m^3;人工经济林面积54.40万hm^2;人工竹林面积1.45万hm^2。

河南省人工疏林地面积6.14万hm^2,人工疏林蓄积55.03万m^3。

河南省未成林造林地面积6.46万hm^2。

(六)用材林资源

河南省用材林面积100.39万hm^2,蓄积3 224.84万m^3,主要以中幼龄林为主,其面积和蓄积分别占用材林面积、蓄积的

92.76%和86.20%,近、成、过熟林面积和蓄积只占用材林面积、蓄积的7.24%和13.80%。用材林结构不合理,可采资源贫乏。

(七)四旁树资源

河南省四旁树总株数114 620万株,用材树总蓄积量7 464.92万m^3。其中,村镇树59 563万株,用材树蓄积量4 842.48万m^3;林网树22 348万株,用材树蓄积量1 440.29万m^3;间作树15 952万株,用材树蓄积量519.89万m^3;零星树16 757万株,用材树蓄积量662.26万m^3。

(八)经济林资源

河南省经济林总面积57.30万hm^2。其中:果树林面积34.09万hm^2,食用油料林面积2.90万hm^2,饮料林面积2.90万hm^2,调香料林面积0.32万hm^2,药材林面积2.58万hm^2,工业原料林面积4.35万hm^2,其他经济林面积10.16万hm^2。

(九)各市(地)森林资源现状

全省林业用地面积在46.67万hm^2以上的市有4个,分别为:南阳(96.59万hm^2)、洛阳(72.06万hm^2)、三门峡(60.20万hm^2)、信阳(48.87万hm^2),占全省林业用地面积的73.35%;有林地面积在23.33万hm^2以上的市有4个,分别为南阳(63.66万hm^2)、信阳(36.79万hm^2)、洛阳(35.83万hm^2)、三门峡(24.21万hm^2),占全省有林地面积的76.79%;无林地面积在16.67万hm^2以上的市有3个,分别为南阳(21.30万hm^2)、三门峡(20.66万hm^2)、洛阳(17.59万hm^2),占全省无林地面积的65.55%;活立木蓄积量在1 000万m^3以上的市(地)有5个,分别为南阳(2 501.68万m^3)、洛阳(1 877.02万m^3)、信阳(1 229.97万m^3)、商丘(1 222.79万m^3)、周口(1 101.75万m^3),占全省活立木蓄积量的60.25%。

(十)各流域森林资源现状

全省森林资源按四大流域分布,分别为长江流域、黄河流域、淮河流域和海河流域。长江流域林业用地面积为100.71万hm^2,

占全省林业用地面积的26.60%。其中:有林地面积68.59万hm^2,无林地面积18.71万hm^2;活立木蓄积量3 585.44万m^3,占全省活立木蓄积量的27.23%;森林覆盖率25.22%。黄河流域林业用地面积为123.79万hm^2,占全省林业用地面积的32.70%。其中:有林地面积50.84万hm^2,无林地面积40.68万hm^2;活立木蓄积量3 645.3万m^3,占全省活立木蓄积量的27.68%;森林覆盖率14.04%。淮河流域林业用地面积为126.86万hm^2,占全省林业用地面积的33.50%。其中:有林地面积81.67万hm^2,无林地面积24.85万hm^2;活立木蓄积量5 518.82万m^3,占全省活立木蓄积量的41.91%;森林覆盖率9.25%。海河流域林业用地面积为27.28万hm^2,占全省林业用地面积的7.20%。其中:有林地面积7.91万hm^2,无林地面积6.61万hm^2;活立木蓄积量417.99万m^3,占全省林业用地面积的3.18%;森林覆盖率5.17%。

(十一)各山系森林资源现状

全省森林资源按太行山、伏牛山、大别山和纯平原4类分布,太行山系包括安阳、鹤壁、新乡、焦作和济源等5个市,林业用地面积40.7万hm^2,占全省林业用地面积的10.64%。其中:有林地面积13.13万hm^2,无林地面积10.84万hm^2;活立木蓄积量1 218.08万m^3,占全省活立木蓄积量的9.25%;森林覆盖率14.31%。伏牛山系包括郑州、洛阳、平顶山、许昌、三门峡、南阳和驻马店等7个市(地),林业用地面积278.82万hm^2,占全省林业用地面积的73.64%。其中:有林地面积150.08万hm^2,无林地面积75.31万hm^2;活立木蓄积量7 460.2万m^3,占全省活立木蓄积量的56.66%;森林覆盖率24.23%。大别山系包括信阳市,林业用地面积48.87万hm^2,占全省林业用地面积的12.91%。其中:有林地面积36.79万hm^2,无林地面积3.53万hm^2;活立木蓄积量1 229.97万m^3,占全省活立木蓄积量的9.34%;森林覆盖率24.56%。纯平原包括开封、濮阳、漯河、商丘和周口等5个市(地),林业用地面积

10.68 万 hm^2，占全省林业用地面积的 2.81%。其中：有林地面积 9.02 万 hm^2，无林地面积 1.18 万 hm^2；活立木蓄积量 3 259.3 万 m^3，占全省活立木蓄积量的 24.75%；森林覆盖率 10.17%。

全省森林资源少且分布不均，使河南省森林生态系统十分脆弱，对自然灾害的防御能力差。在全省 18 个市中，森林资源主要分布在洛阳、三门峡、南阳、信阳等 4 个市，其中有林地面积占全省的 76.79%，且森林资源中幼、中龄林面积大，急待抚育；成、过熟林少，可采资源贫乏；森林质量不高，生产力低。全省现有无林地面积 90.86 万 hm^2，其中荒山 83.28 万 hm^2。虽经 10 年造林绿化，但由于人为和气候等因素的影响，人工造林返荒现象严重，全省生态建设造林绿化任务仍很艰巨。

二、新时期林业生态建设的战略任务

按照新时期国家林业局的部署，林业生态建设走大工程带动的跨越式发展之路。为从根本上改变河南省林业面貌，加速河南省林业由传统林业向现代林业转变，加速生态建设，再造山川秀美的中州大地，新时期河南省林业生态建设必须完成如下几项跨越式发展的战略任务。

2001～2005 年，全省新增有林地面积 34.80 万 hm^2；森林覆盖率提高到 22%；活立木蓄积量增加到 1.5 亿 m^3；60 个平原县（市、区）农田林网控制率达到 85%；5.3 万 hm^2 流动半流动沙丘（地）基本上造林固定；退耕还林 10.4 万 hm^2（16°以上的坡耕地）；自然保护区面积占全省国土面积的比例提高到 2%；治理水土流失面积 94 万 hm^2；城市绿化覆盖率达到 30%；铁路和干线公路绿化率达到 70%。

2006～2030 年，全省新增有林地面积 73.33 万 hm^2；森林覆盖率提高到 30%；活立木蓄积量增加到 3.5 亿 m^3；治理水土流失面积 180.00 万 hm^2；改造低产林 73.33 万 hm^2；宜林荒山荒地和铁路、干线公路基本上实现造林绿化。森林资源分布比较合理，重点地区水土流失得到有效控制，流动、半流动沙丘全部被固定，平原地区建成高标准、多功能、高效益综合农田防护林体系，在全省建立起比较完备的林业生态体系和比较发达的林业产业体系，基本形成与国民经济和社会可持续发展相适应的林业生态环境、林产品有效供给体系。

到2050年，全省森林覆盖率提高到35%；宜林荒山荒地全部被绿化，水土流失区全部被治理，林种、树种结构合理；建成适应国民经济和社会可持续发展的良性生态环境，实现山川秀美，环境绿化美化的目标。

三、新时期河南省重点林业生态工程建设

（一）天然林保护工程

1.工程区概况

工程区位于黄河中游、河南省西北部，地理坐标介于北纬33°33′~35°17′，东经110°21′~112°45′之间。地形地貌复杂：一是伏牛山北侧褶皱构造地貌区，二是黄土地貌区，三是太行山断块构造地貌区。植被属于暖温带落叶阔叶林地带，豫西、豫西北山地丘陵、台地落叶阔叶林植被区。气候复杂，各地差异很大，年降水量一般在600~700mm，全年降水量有50%以上集中在夏季。森林土壤主要有棕壤和褐土两个土类，也有少量潮土和黄褐土。林业用地131.94万hm^2，森林覆盖率24.21%，活立木蓄积量2 638.3万m^3。其中，天然林面积29.23万hm^2，活立木蓄积量1 006.97万m^3。

2.工程建设的重要意义

(1)保护天然林资源。工程区现有天然林资源29.23万hm^2，约占全省天然林资源的30%。这些资源集中分布在河南省黄河主要支流的源头、大型水库周围和重点山区的核心地带，是三门

峡、小浪底等水利枢纽工程的蓄水库，是黄淮平原和江汉平原的天然屏障。该区是河南省最大的木材生产基地，一直承担着全省商品材供应量的一半以上。在投入不足、条件艰苦的年代，为国民经济建设和人民生活水平提高、促进山区经济发展与维护社会稳定作出了重要贡献。但长期以来该区生存与发展依赖消耗天然林资源，导致天然林资源过度消耗，天然林林分过度择伐严重，林分稀疏、郁闭度较低，林分质量差，森林生态功能大大削弱。据 1998 年森林资源连续清查，全省国有天然林林分单位面积蓄积量较 1993 年显著减少，每公顷蓄积量由 1993 年的 72.3m^3 减至 62.25m^3。实施天然林保护工程，可以有效地保护现有天然林资源，使之得到休养生息。

(2)改善生态环境。由于天然林资源的不合理开采，质量下降，导致森林在保持水土、涵养水源、调节气候、减灾防灾等方面的能力大大削弱。黄河上中游地区生态环境恶化，水土流失加剧，使黄河不断发生断流现象，1996 年断流时间长达 136d；1995 年和 1997 年黄河断流全长超过 680km，是历史上断流距离最长的两年。目前，每年因上游水土流失而进入黄河的泥沙量就达 16 亿 t，导致河床不断淤积抬高，水患不断加重，给国民经济和人民生产生活带来巨大危害。治理水土流失，已经成为一项刻不容缓的任务。天然林保护工程的实施，不仅可以改善工程区的生态环境，而且可以有效地控制水土流失。

(3)保护生物多样性。森林是陆地生态的主体，是陆地生物多样性的主要栖息地，在生物多样性的维持与保护中具有不可替代的作用。工程区生物多样性较为丰富，但随着人口的增加，森林资源的减少，林地质量的下降，使该区野生动植物物种数量远不及新中国成立初期的水平，许多动、植物物种濒临灭绝。实施天然林保护工程，恢复和保护生物多样性赖以生存的环境，促进次生林向地带性天然原始林的演替，无疑对生物多样性保护具有非常重要的意义。

3.工程主要目标

通过实施天然林保护工程,大力营造生态公益林,到2010年,工程区现有的88.69万hm^2森林资源将得到切实保护,全面停止天然林商品性采伐,人工林暂停采伐;对现有林地、灌木林地和未成林造林地进行全面管理,封山育林4.28万hm^2,飞播造林11.47万hm^2;安置国有森林工业企业富余人员4 451人;自然保护区核心区移民2 219人。采取封育、飞播、造林等多种措施,11.47万hm^2宜林荒山荒地林草植被将得到有效恢复,新增森林面积15.75万hm^2,森林覆盖率提高6.2个百分点。水土流失面积逐渐扩大的趋势将得到有效控制,黄河中游流域的生态环境得到较大改善。初步实现工程区人口、经济、资源和环境的协调发展。

4.工程范围

工程范围包括黄河一级支流洛河、伊河的源头及两侧,大中型水库(如小浪底水库、三门峡水库、陆浑水库)集水面,主要山脉顶脊部及其他易破坏、难恢复的生态地段。涉及黄河流域三门峡市的湖滨区、卢氏县、灵宝市、陕县、渑池县、义马市,洛阳市的嵩县、栾川县、新安县、洛宁县、宜阳县、孟津县、伊川县、洛阳市郊区和济源市共15个县(区、市)及26个国有林场等。

5.工程进度

工程建设期10年,即从2000年到2010年。公益林建设面积达15.75万hm^2。其中,封山育林4.28万hm^2,飞播造林11.47万hm^2。分两个阶段实施,第一阶段为2000~2005年,造林8.58万hm^2。其中,封山育林2.33万hm^2,飞播造林6.25万hm^2。第二阶段为2006~2010年,造林7.17万hm^2。其中,封山育林1.96万hm^2,飞播造林5.21万hm^2。

6.工程布局

(1)现有天然林资源总体布局。工程区林业用地面积131.96万

hm^2,区划界定生态保护区 111.72 万 hm^2,商品林经营区 20.24 万 hm^2。在生态保护区中,区划界定重点生态保护区 103.55 万 hm^2,一般生态保护区 8.17 万 hm^2。详见表 5-1。

表 5-1 天保工程总体布局表 (单位:万 hm^2)

	林业用地	生态保护区				商品林经营区	
		重点生态保护区		一般生态保护区			
	面积	面积	占林业用地(%)	面积	占林业用地(%)	面积	占林业用地(%)
合计	131.96	103.55	78.48	8.17	6.19	20.24	15.33
洛阳	64.74	50.46	77.93	5.09	7.87	9.19	14.20
三门峡	57.95	45.03	77.73	3.08	5.31	9.84	16.96
济源	9.27	8.06	86.98			1.21	13.02

(2)公益林布局。根据工程区的气候条件,地貌类型特征,将工程区划分为三个类型区,即伏牛山北坡山地区、黄土丘陵沟壑区、太行山区。结合各区的立地条件和树种的生物学特性,确定适宜的造林方式、林种及主要造林树种。

结合工程区实际情况,确定公益林建设面积 15.75 万 hm^2。其中,封山育林 4.28 万 hm^2,飞播造林 11.47 万 hm^2。

伏牛山北坡山地区。该区位于河南省黄土丘陵区以南,伏牛山主脉北侧,包括卢氏、栾川的全部,灵宝、陕县、洛宁、嵩县、宜阳的一部分。该区山高坡陡,相对高差大,是工程区天然林的主要分布区,也是黄河支流伊河、洛河、涧河的源头和上游区,生态位置重要,年降水量在 600~800mm。造林方式应以封山育林和飞播(人工撒播)造林为主,乔、灌、草结合。林种以防护林为主,适当营造部分速生丰产林、经济林和薪炭林。主要适宜树种油松、侧柏、栎类、杨类、核桃、柿树等。

黄土丘陵沟壑区。该区位于河南省西部，包括孟津、伊川、新安、渑池、三门峡市湖滨区、洛阳市郊区、义马市全部和宜阳、陕县、嵩县、洛宁、灵宝、济源的一部分。年降水量600mm左右，春旱是制约这里造林的主要因素。该区沟壑纵横，地形破碎，多暴雨，是工程区水土流失最严重的地区，年均侵蚀模数4 500t/km^2，局部达7 000～8 000t/km^2。区域内有三门峡、小浪底等大中型水利枢纽工程，生态地位极为重要。根据该区的气候条件和立地条件，造林方式以封山育林、飞播造林为主，适当安排人工造林。林种以防护林为主，适度发展薪炭林和经济林。主要适宜树种：油松、侧柏、栎类、杨类、刺槐、枣、柿、梨等。

太行山区。该区包括济源市大部。地貌从中山区向南过渡到低山丘陵区，山地切割深邃，多悬崖峭壁，沟岭交错，地形复杂，立地条件差，植被稀少。年降水量700mm。该区域植被恢复方式是在严格保护现有林草植被的同时，采取封山育林和飞播（人工撒播）造林的方式，增加森林覆盖率。林种为防护林。主要适宜树种：油松、侧柏、栎类、刺槐、枣、山楂、花椒等。

（二）退耕还林工程

1.概况

工程区位于河南省西部、西北、西南、南部，黄河中游、长江中游、淮河上游、海河上游。地貌类型大体有四种：伏牛山的山区丘陵区、黄土台地和黄土沟壑丘陵区、太行山区以及大别山、桐柏山区。工程区总土地面积1 041.18万hm^2，耕地面积403.61万hm^2。其中，坡耕地87.97万hm^2，占21.8%。在坡耕地中，25°坡以上有耕地9.59万hm^2，16°～25°坡有耕地24.17万hm^2，6°～15°坡有耕地54.21万hm^2，各类坡改梯田面积35.49万hm^2。1999年工程区总人口4 300.6万人，其中，农业人口3 644.63万人，非农业人口655.97万人。全区农村劳动力共2 129.04万人，其中，经营坡耕地的劳动力为497.61万人。1999年工程区国内生产总值达

1 711.25 亿元，其中林业生产总值为 67.07 亿元。农民年人均纯收入2 055 元。工程区 1999 年粮食总产 2 364 818 万 kg。根据 1998 年河南省一类森林资源清查结果，工程区现有林业用地 355.85 万 hm^2。其中，有林地 194.31 万 hm^2，疏林地 12.81 万 hm^2，灌木林地 53.33 万 hm^2，新造林地 10.12 万 hm^2，苗圃地 0.95 万 hm^2，无林地 84.33 万 hm^2。在 84.34 万 hm^2 无林地中，宜林荒山荒地为 83.47 万 hm^2。

2.工程实施的重要意义

河南省是一个拥有 9 000 多万人口的农业大省，庞大的人口基数及其持续的增长态势将使全省长期面临人口、资源、环境与经济发展的巨大压力和尖锐矛盾。当前，河南省面临的水土流失、水资源短缺、水质污染、物种减少等突出的生态环境问题和频繁的水、旱、风、沙等自然灾害，严重制约着经济的发展。据调查，全省水土流失面积 600 多万公顷，占全省土地总面积的 36%；山区丘陵区每年流失土壤 12 000 多万吨。伊河、洛河、沁河等河流的河床比 1956 年普遍淤高 1.8m，长江、淮河等流域的支流也存在上述问题。

此外，全省尚有 93.33 万 hm^2 的宜林荒山荒地，310 万 hm^2 的严重水土流失区，66.8 万 hm^2 的荒漠化土地，5.33 万 hm^2 的流动、半流动沙丘地需要造林和治理；森林面积的减少，林地质量的下降，使许多动、植物物种濒临灭绝。为从根本上遏制生态环境恶化，保护生物多样性，充分发挥森林对生态环境的支撑作用，切实保护和发展森林资源，必须通过调整森林资源经营方向，使经济及资源平衡服从于生态环境改善，服从于水土保持、水源涵养需要，使其成为河南省生态体系的基本框架。在黄河、长江、淮河、海河等流域 76 个山区、半山区县(市、区)加大森林资源保护的力度，大力开展营造林建设；加强多资源综合开发利用，调整和优化经济结构；进一步发挥重点地区森林的生态屏障作用，为实现全省国民经济和社会可持续发展作出重要贡献。

3.工程的主要目标

到2010年，全省重点山区、半山区县的257.76万hm^2森林资源将得到切实保护，83.49万hm^2宜林荒山荒地林草植被将得到有效恢复，87.97万hm^2坡耕地将有计划、有步骤地实施退耕还林(草)，12.81万hm^2疏林地将得到封育。通过采取封山、飞播、造林等多种措施，新增森林面积将达到184.27万hm^2，森林覆盖率提高到42.45%，水土流失得到基本控制，全省的生态环境得到较大改善。初步实现工程区人口、经济、资源和环境的协调发展，向山川秀美的宏伟目标迈进。

4.工程范围

根据河南省水系和现有林资源分布特点，以及易受破坏的生态脆弱地区保护和改善生态环境的迫切需要，按照《河南省林业"九五"计划和2010年工程纲要》，拟将省境内的黄河中游地区、长江流域丹江上游地区、淮河上游地区、海河流域太行山地区作为工程实施重点。实施范围包括上述流域的一级支流洛河、伊河、白河、沙河、汝河、卫河等河流的源头及两侧，大中型水库(如小浪底水库、三门峡水库、陆浑水库、丹江水库、南湾水库)集水面，主要山脉顶脊部及其他易破坏、难恢复的生态地段。涉及郑州、三门峡、洛阳、平顶山、安阳、鹤壁、新乡、焦作、许昌、驻马店、南阳、信阳和济源市，共13个市、72个县(区、市)。

5.工程进度

工程建设期为2001~2010年，分两个阶段实施。第一阶段为2001~2005年，第二阶段为2006~2010年。安排退耕还林86.63万hm^2，其中2001~2005年34.42万hm^2，2006~2010年52.21万hm^2。宜林荒山荒地造林83.45万hm^2，2001~2005年安排33.36万hm^2，2006~2010年安排50.09万hm^2。

6.布局

(1)退耕还林(草)。根据工程区坡耕地现状及水土流失状况，安排退耕还林 86.64 万 hm^2，其中，黄河中游天然林保护工程区 29.72 万 hm^2，其他区域 56.92 万 hm^2。

根据工程区坡耕地的分布状况，安排生态林 51.12 万 hm^2，占 59.01%；经济林 35.51 万 hm^2，占 40.99%。

(2)人工造林工程建设。工程区宜林荒山荒地总面积 83.49 万 hm^2。根据工程区的实际情况，拟对工程区 61.35 万 hm^2 宜林荒山荒地进行人工造林。其中，黄河中游天然林保护工程区 25.77 万 hm^2(其中，生态林为 18.04 万 hm^2，占 70%；经济林为 7.73 万 hm^2，占 30%)，其他区域年安排 35.58 万 hm^2(其中，生态林 24.91 万 hm^2，占 70%；经济林 10.67 万 hm^2，占 30%)。

(3)飞播造林工程。飞播造林具有速度快、成效好等优点。拟在海拔 800m 以上、人烟稀少、宜林荒山荒地面积集中连片的地方，进行飞播造林，总规模 22.13 万 hm^2，全部为生态林。

(4)封山育林工程。为保持生物多样性，降低营林成本，尽快恢复现有植被的生态功能，拟对工程区现有疏林地进行封山育林。总规模 8.53 万 hm^2，均安排在 2001～2005 年。在封山育林区，采取补植补造措施，尽快恢复森林植被。

(三)平原农田防护林工程

1.工程建设的重要意义

(1)实施平原绿化工程，是彻底改善平原地区的自然环境，实现农业可持续发展的根本途径。

河南省是一个农业大省，是我国重要的粮棉油生产基地之一。据 1997 年统计，河南省粮食产量占全国的 7.9%，棉花产量占全国的 17.2%，油料产量占全国的 12.8%，在全国的位次，粮食与油料居第一位，棉花居第二位。平原地区集中了全省耕地的 80.4%，粮食产量占全省的 82.4%，其农业生产在全省国民经济和社会发展中具有十分重要的地位。随着市场经济的建立和完善,以及长期面临的人口压力和不断增长的社会需求,农业生产的基础和支撑作用日益增强。系统的研究表明,有防护林保护的农田,粮食产量可提高 10% ~ 20%。高标准平原绿化试点县鹿邑县在 1992 年以后,粮食产量持续增长,由 1992 年的 4.58 亿 kg 增长到 1996 年的 6.18 亿 kg。随着土地的退化、土壤肥力下降,水资源短缺、大气污染、水污染等环境问题的日益加剧,农业生产面临着巨大压力,客观上要求农业必须实现由粗放型经营向资源节约型经营与综合利用相结合的转变。因此,对农田防护林的建设提出了更高的要求。目前,全省平原绿化建设中存在着结构单一、功能不全、地区间发展不平衡、周期性滑坡等问题,影响了防护效益的发挥,迫切需要对现有农田防护林进行改造、更新、完善,形成功能齐全、稳定性强的农村复合生态系统,使平原地区生态环境和农业生产走上良性循环之路。

(2)建立完善的综合性农田防护林体系,是提高平原地区抗御自然灾害能力、减轻灾害危害的有效措施。

由于所处的地理环境和气候特点,河南省是我国自然灾害发生种类多、频度大、范围广、危害重的地区之一。以干旱、洪涝为主的自然灾害给农业生产带来的直接经济损失每年平均高达数十亿元,自 20 世纪 90 年代以来,灾害次数、危害程度呈日趋加重之势;河南省平原地区尚有 65 万 hm^2 的沙漠化土地,近几年来,部分地区盲目毁林造田,导致风沙再起,危害加重。农田防护林在抗御干旱,防风固沙,防御低温寒害、干热风、霜冻,巩固堤防、路基方面发挥着巨大作用,能有效地减缓自然灾害的危害程度。

(3)实施平原绿化工程,是加快林业产业化进程,调整农村产业结构,促进农村经济发展的需要。

平原绿化在发挥巨大的生态功能的同时,还能提供大量的木材、果品等林副产品,是平原地区农民经济收入的一项重要来源。

由于投入有限,难以形成规模效益,林产品加工利用滞后,经济林品种落后、退化,低产园比重较大,林业作为支柱产业的格局尚未形成。当前,我国在农村经济发展中,正在以实现农民增收为目标,进行农村产业结构和经济结构的调整,实施平原绿化工程,对于推进林业产业化进程,充分发挥林业的经济效益,形成农村经济新的增长点有着积极的意义。

(4)实现平原绿化工程,是改善城市环境质量,提高人民群众生活质量,改善投资环境的迫切需要。

河南省的主要城市,大部分在平原地区,郑州、洛阳、安阳、开封是我国著名的历史古都,黄河流域是中华民族的发祥地,五千年的历史留下了许多重要的历史遗存,拥有众多的旅游资源。由于受风沙危害严重,以及随着工农业发展带来的大气污染日益加剧,大部分城市及旅游区环境质量较差,据1998年河南省环境状况公报,郑州、安阳、洛阳、焦作等城市,主要指标值均超过了国家二级标准,洛阳及南阳市已出现酸雨,严重影响着人民群众的生活,影响着河南省的对外开放,迫切需要在城市的周围地区构建强大的生态屏障,来优化改善环境。

2.建设目标

到2005年,完成现有未林网化、未间作农地的农田林网、农林间作建设,合格林网、间作控制率达85%以上;城镇林木覆盖率有较大程度的增加,50个平原县达到平原绿化高级标准。

到2010年,高标准林网、间作控制率达95%以上,荒沙、荒滩、荒地全部绿化,形成城乡园林一体化的新格局,建立起结构比较合理、功能比较齐全的综合农田防护林体系,94个县全部达到平原绿化高级标准,平原地区林木覆盖率达到13%以上。

3.建设范围

建设范围为全省94个平原、半平原和部分平原县(市、区),涉及郑州、开封、洛阳、平顶山、安阳、鹤壁、新乡、焦作、濮阳、许昌、漯河、商丘、周口、驻马店、南阳、信阳等16个市(地)。

4.进度安排

工程期限为10年,2001年开始,2010年完成。分两个阶段实施,第一阶段为2001~2005年,第二阶段为2006~2010年。

根据各地平原建设现状,确定营造林总规模为48.69万hm^2(折算林地面积),其中新建林网、间作14.48万hm^2,占总规模的29.75%;改良林网、间作6.81万hm^2,占13.99%;护路林2.03万hm^2,占4.18%;护岸林1.88万hm^2,占3.85%;城镇绿化1.98万hm^2,占4.07%;生态村建设11.87万hm^2,占24.38%;荒沙荒滩荒地绿化9.64万hm^2,占19.78%。

进度安排:第一阶段(2001~2005年)完成总任务的60%,即29.22万hm^2;第二阶段(2006~2010年)完成总量的40%,计19.47万hm^2。

5.建设布局

(1)高标准农田林网、农林间作建设:建设区域为工程区内所有适宜林网、间作的农地,流域面积在100km^2以下的河流、灌溉水渠、县道以下道路的两侧。一般地区农田网格面积为15~20hm^2,沙区为8~15hm^2,林带设置要与沟、路、渠相结合,合理配置;村与村、乡与乡、县与县之间要统筹工程、相互衔接。

工程区农用地总面积690.71万hm^2,适宜林网、间作面积670.23万hm^2,占农用地总面积的97.03%。根据1999年县级森林资源清查结果:现有完整林网农地面积335.18万hm^2,农林间作农地34.13万hm^2,不完整林网农地168.75万hm^2,未林网、间作农地132.17万hm^2,完整林网、间作控制率55.1%。

新建农田林网、农林间作,包括现有未林网、未间作农地,不完整林网农地。不完整林网农地中,对断档地段、灾害破坏严重地段建设新林带;对网格面积过大、新工程建设的路渠、1995年以后造林的林带为1行者,增建新林带。

工程新建高标准农田林网农地209.91万hm^2(其中现有未林网农地108.66万hm^2,不完整林网农地101.25万hm^2),新建农林间作农地23.51万hm^2。新建林网、间作折算林地面积14.48万hm^2。

改良提高农田林网、农林间作,包括对现有完整林网、农林间作地结合更新、树种调整,按高标准建设新的林带,对断档、灾害破坏地段进行补充完善。工程改良提高农田林网农地100.55万hm^2、农林间作农地10.24万hm^2,两项合计折算林地面积6.81万hm^2。

(2)通道绿化。包括工程区内所有铁路、国道、省道、县道防护区域,流域面积在100km^2以上河流堤岸防护区域的绿化。

工程区内现有国家铁路1 120km,地方铁路1 111km,已建高速公路465km,在建高速公路300km,国道2 386km,省、县道13 115.5km,总计里程189 497.5km,已绿化里程占总里程的45%。按照河南省绿色通道工程绿化标准,国家铁路每侧植树5~10行,标准地方铁路、高速公路、国道及省道中的一级路段每侧植树4~8行,国道、省道的二级路段和县道的一级路段每侧植树3~6行,其他路段每侧植树2~4行。工程新建、补充完善护路林里程1.02万km,折算林地面积2.03万hm^2。

工程区内流域面积在100km^2以上的河流,建有堤防长度1 400余公里,工程新建、补充完善护岸林里程9 380km,折算林地面积1.88万hm^2。

(3)城镇、村庄绿化。工程区内县级市市区、县城、建制镇、农村居民点。占地面积110.56万hm^2。目前工程区内县级市市区、县城、建制镇占地面积11.65万hm^2,林木覆盖率平均水平在8%左右,按照《河南省县级平原绿化高级标准》,城镇绿化覆盖率应在25%以上。工程建设任务折算林地面积为1.98万hm^2。

工程区内农村居民点占地面积98.91万hm^2,目前林木覆盖率平均水平在28%左右,按照《河南省县级平原绿化高级标准》,村庄的林木覆盖率在40%以上,工程建设任务折算林地面积为11.87万 hm^2。

(4)荒沙、荒滩、荒地绿化。荒沙、荒滩、荒地绿化包括防护林、用材林、经济林等。沙区的流动、半固定沙丘(地),退耕还林地,以建设防风固沙林为主,适当发展经济林;其他区域的荒滩、荒地以建设用材林为主,根据土地资源状况,适当发展速生丰产林。

工程区内现有无林地及退耕还林地(沙区)9.64万 hm^2,工程新建防风固沙林2.84万 hm^2(其中流动沙丘、沙地造林0.48万 hm^2,半固定沙丘、沙地造林2.36万 hm^2),新建经济林2.36万 hm^2,用材林4.44万 hm^2。

(四)长江、淮河流域防护林工程

1.工程建设的重要意义

长江、淮河是华夏文明的发源地,在经济发展战略中具有举足轻重的地位。从环境安全方面看,长江、淮河流域又是长期威胁中华民族生存和发展的生态最脆弱的地区。1998年长江流域发生的特大水灾,虽然水量不是历史上最大的,但对我国经济的影响及造成的损失却是史无前例的。其重要原因之一就是上游森林遭到严重破坏,林草植被减少,森林生态功能大大削弱,大量雨水直下江河,水土流失严重,造成河道湖泊淤积。

(1)长防林、淮防林工程在国民经济建设中占有重要地位。工程区总面积1 140.38万 hm^2,占全省土地面积的68.3%。其中,长江流域252.04万 hm^2,淮河流域888.34万 hm^2。该区又是全省粮、棉、油的主要产区,在全省乃至全国国民经济建设中起着举足轻重的作用。

由于淮河流域特殊的地理环境和气候条件,造成灾害频繁发生,每遇水患,不仅使粮棉减产,而且直接威胁着京广、陇海铁路的安全,使国家财产和人民生活蒙受巨大损失。虽然每年国家花费大量的人力、物力和财力用于防汛抗灾，却不能从根本上改变这一地区恶劣的生态环境。因此，加快流域的综合治理和开发，是当务之急的大事，不仅对保障该地区的经济发展有着巨大的作用，而且对整个华东地区的经济发展也有着举足轻重的意义。

(2)改善生态环境。明显的季风气候特征，加之境内地形复杂和人为因素的作用，致使该工程区内多种自然灾害频繁发生，尤其是水涝、干旱交替发生，严重制约着农业的发展，威胁着当地工农业生产及流域人民群众生命财产的安全。1991 年夏季发生的特大洪涝灾害，造成的灾患之深，损失之大，实属罕见。大灾之后，人们在反思，产生如此大的灾害，除流域所处特殊地理环境和异常气候条件等直接原因外，水利设施不完善、上游森林植被大量减少、生态屏障遭受破坏、水土流失加剧等也是这次水患的重要根源。

(3)保障农业稳产高产。森林植被的减少，使森林调节气候、涵养水源、保持水土的能力削弱，水涝、干旱、盐碱、干热风等自然灾害频繁发生，造成农业减产，人员伤亡，工厂不能正常生产，交通不能正常运营，经济损失巨大。据统计，1993 年 7 月，信阳地区和驻马店地区普降暴雨，不但造成焦枝线铁路交通中断，而且使信阳地区 200 万 hm^2 农田受灾，绝收 8 万 hm^2，倒塌房屋 10 万间，冲走粮食近 1 000 万 kg。1986 年冬春夏季持续干旱，造成秋粮大面积减产，平均产量只有2 325kg/hm^2，比上年平均减产 20%，受灾严重的平顶山、驻马店、周口、郑州等市区减产 40%以上。1987 年7～8 月淮河先后降了 5 次大暴雨，使多数地区发生了数十年及百年不遇的大洪水，信阳地区农作物受灾面积 24.4 万 hm^2，绝收 5.3 万 hm^2，经济损失达 4 亿元以上。1988 年发生严重干旱，造成夏粮比上年减产 6.5%，秋粮比上年减产 13.3%。

淮河流域频繁发生的灾害给农业和人民生命财产带来的破坏是巨大的、直接的，而现有森林植被的屏障作用和防护效能较为脆弱，缺乏有效的保护，因此加速流域内防护林建设，是当地人民的迫切愿望,也是建立良好的生态环境和保护农业稳产高产的需要。

总之,长江中下游、淮河流域日益恶化的生态环境,急需采取措施加以治理,淮河流域防护林建设工程,是改善流域生态环境不可替代的根本措施。营造长江、淮河流域防护林体系,既是保水利、促农牧的全局需要,也是林业自身建设的迫切需要。

2.工程建设范围

河南省长江流域共涉及南阳、洛阳、三门峡、驻马店、信阳等5个市(地)的18个县(市、区),因卢氏、栾川、嵩县大部分为黄河流域,且已列入黄河上中游防护林体系建设工程中,桐柏、泌阳、新县大部分属淮河流域,且已列入淮防林工程,因此长防林工程共包括12个县(市、区);淮河流域主要包括信阳、驻马店、南阳、周口、漯河、许昌、商丘、平顶山、郑州、开封、洛阳10个市(地)的83个县(市、区),除嵩县列入黄河上中游防护林体系建设工程,方城列入长江流域外,开封市4市、区未列入外,其他77个县(市、区)均列入本工程。

3.建设目标

该工程以恢复和扩大森林植被为中心,以遏制水土流失为重点,以改善农业生态环境、增强农业生产后劲、促进工农业发展和山区人民脱贫致富为目的,在保护现有植被的前提下,以生物措施为主,生物措施、工程措施和改革不合理耕作方式相结合,综合治理,建设以防护林为主,多林种、多树种齐上,网、带、片合理配置,生态效益、经济效益、社会效益相统一的生态经济型防护林体系。

根据工程区的土地利用现状、森林资源现状、劳动力资源、林业经营管理水平等情况,结合水土流失现状,工程建设区的建设规模为119.53万hm^2,占工程区林业用地面积的54.1%。其中,营造林102.63万hm^2,现有林管护16.90万hm^2。

营造林工程中,人工造林50.12万hm^2,飞播造林4.67万hm^2,封山育林25.11万hm^2,幼中龄林抚育14.73万hm^2,低质低效林改造 8.0 万 hm^2。

营造林规模按林种分:水土保持林 43.21 万 hm^2,水源涵养林 42.20 万 hm^2,农田防护林 13.76 万 hm^2,护路护岸林 0.56 万 hm^2,防风固沙林 2.90 万 hm^2。

4.进度安排

第一阶段 2001 ~ 2005 年完成人工造林、封山育林、飞播造林、幼中龄林抚育、低质低效林改造 64.95 万 hm^2,新增森林面积 51.13 万 hm^2,提高森林覆盖率 4.5 个百分点。其中,人工造林 32.28 万 hm^2,飞播造林 2.83 万 hm^2,封山育林 16.01 万 hm^2,幼中林抚育 9.03 万 hm^2,低质低效林改造 4.80 万 hm^2。

2006 ~ 2010 年完成人工造林、封山育林、飞播造林、幼中龄林抚育、低质低效林改造 37.67 万 hm^2,增加森林面积 28.77 万 hm^2,森林覆盖率在第一阶段基础上再提高 2.5 个百分点。其中,人工造林 17.83 万 hm^2,飞播造林 1.83 万 hm^2,封山育林 9.10 万 hm^2,幼中林抚育 5.71 万 hm^2,低质低效林改造 3.2 万 hm^2。

现有林管护 16.90 万 hm^2,全部安排从 2001 年开始实施。

5.总体布局

河南省长江及淮河流域范围广、面积大,占全省总土地面积的 68.3%,其自然地理、社会经济条件差异较大,森林资源现状及林业生产经营水平差异显著。根据工程区内土地资源、林业资源、农业资源、水资源以及社会经济状况,遵循地域分布规律、地形地貌相对一致,林业发展方向和经营措施相对一致,经济水平和自然灾害相对一致,自然地域和行政区划完整性等原则和森林分类区划的标准,将工程区域按流域分为 5 个省级治理区:①豫西伏牛山南坡水源涵养综合治理区;②南阳盆地水土保持综合治理区;③大别山桐柏山水土保持综合治理区;④豫西伏牛山北坡水源涵养综合治理区;⑤淮北平原农田林网综合治理区。前 2 个在长江流域,后 3 个在淮河流域。

1)长江流域各治理区基本情况简介

(1)豫西伏牛山南坡水源涵养综合治理区。包括西峡、淅川、南召、内乡4县,面积117.68万hm^2,占河南省长江流域面积的46.7%,占工程区总面积的10.3%。

豫西伏牛山南坡水源涵养综合治理区为长江中下游、汉水流域,主要河流有丹江,淇河、灌河、湍河、白河均发源北部界岭山。山势自陕西省深入,分支由南及东南延伸倾斜,主要山峰有老君山、白草尖、玉皇顶、石人山等;北部为中山地带,海拔高1 500~2 000m;中部为低山地带,海拔多在600~1 200m;南部和东南部为500m以下的丘陵区。各地貌类型所占比例大体是:中山35%,低山35%、丘陵20%、平地10%,地貌特点是山多平地少,陡坡起伏大,限制了耕作业的发展。

气候条件属豫西山地温凉半干旱半湿润区,北部伏牛山主岭形成天然屏障,因此受长江流域气候的影响较强,受北方寒流影响较弱。

森林植被及土壤分布规律性较强,海拔800m以下,属亚热带季风区,为含有常绿阔叶树种的针阔混交林带,代表性土壤为黄褐土;800~1 500m,属山地暖温带气候区,为落叶阔叶林带,代表性土壤为黄棕壤;1 500~1 800m,具有山地温带气候特征,为针叶与落叶阔叶混交林带;1 500m以上土壤为棕壤;海拔2 000m以上多为山顶灌丛草甸。

林业用地75.88万hm^2,其中有林地面积51.13万hm^2,疏林地2.92万hm^2,灌木林地6.36万hm^2,未成林造林地0.54万hm^2,无林地14.93万hm^2,森林覆盖率49.38%,有林地覆盖率43.45%。

项目区不仅山区面积大,而且水热条件好,历史上就是山峦重叠、林海苍茫的多林地区,有发展林业生产的基础和条件。新中国成立以来,当地林业建设虽取得了一定成绩,但因山区建设工作一度失误,盲目追求粮食生产,毁林开荒,致使天然次生林地面积大幅度缩减,形成生态恶化,水土流失严重,旱涝灾害频繁。

工程建设总任务 44.89 万 hm^2,其中营造林工程 36.26 万 hm^2,现有林管护 8.63 万 hm^2。

营造林工程按造林方式划分,人工造林 12.08 万 hm^2,封山育林 9.28 万 hm^2,飞播造林 2.83 万 hm^2,幼中林抚育 7.71 万 hm^2,低质低效林改造 4.36 万 hm^2。

营造林工程按林种划分,水土保持林 18.86 万 hm^2,水源涵养林 17.40 万 hm^2。

(2)南阳盆地水土保持综合治理区。该区南与湖北江汉平原相连,其余三面为伏牛山、桐柏山所围,包括镇平、方城、社旗、邓州、唐河、新野、南阳市宛城区、南阳市卧龙区等 8 个县(市、区),总面积 134.37 万 hm^2,占全省长江流域面积的 53.3%,占工程区总面积的 11.8%。

地势北、东、西三面较高,南部低,北山向阳,盆边有海拔 200m 左右的丘陵地带,盆内有海拔 120~200m 的垄岗高地,由于河流密布、沟谷发育,多切割成垄岗和小片倾斜平原。

区内森林资源较少,有林业用地 14.00 万 hm^2。其中,有林地 7.75 万 hm^2,疏林地 0.18 万 hm^2,灌木林地 0.42 万 hm^2,未成林造林地 0.16 万 hm^2,无林地 5.49 万 hm^2,森林覆盖率 9.62%,有林地覆盖率 5.77%。

区内种植业发达,是河南省粮、经作物的重要产区,但人多地少,旱涝灾害频繁,干热风危害严重,产量不高不稳,因此,大力营造防护林,同时抓好四旁植树,非常必要,意义深远。

工程建设总任务 6.08 万 hm^2,其中,营造林工程 5.93 万 hm^2,现有林管护 0.15 万 hm^2。

营造林工程按造林方式划分,人工造林 4.71 万 hm^2,封山育林 0.59 万 hm^2,飞播造林 0.5 万 hm^2,幼中林抚育 0.13 万 hm^2。

营造林工程按林种划分,水土保持林 2.35 万 hm^2,水源涵养林

1.57 万 hm^2,农田防护林 2.01 万 hm^2。

2)淮河流域各治理区基本情况简介

(1)大别山桐柏山水土保持综合治理区。包括桐柏、信阳市浉河区、信阳市平桥区、商城、新县、确山、泌阳、固始、光山、潢川、罗山等 11 个县(区),面积 223.43 万 hm^2,占全省淮河流域面积的 25.2%。

工程区为淮河干流和部分支流的源头,地貌多为低山丘陵,地势低缓,海拔多在 300～600m。其中,中山约占 10%,低山约占 40%,丘陵约占 50%。地形破碎,地带性土壤为黄棕壤。水热资源丰富,暴雨多,有亚热带湿润区和暖温带半湿润区的气候特点。

林业用地 73.09 万 hm^2,占工程区总面积的 32.7%。其中,有林地 49.27 万 hm^2,疏林地 2.54 万 hm^2,灌木林地 8.07 万 hm^2,未成林造林地 1.32 万 hm^2,苗圃地 0.30 万 hm^2,宜林地 11.59 万 hm^2,森林覆盖率 26.94%,有林地覆盖率 22.05%。区内水土流失严重,流失面积达 105.96 万 hm^2,占全区总面积的 47.4%。

工程区地处淮河干支流源头,暴雨多,河流流程短,森林植被较少,极易引起山洪暴发,泥石俱下,严重危及该区水利设施和人民生命财产的安全。针对这些特点,工程区林业建设重点是营造以水源涵养林和水土保持林为主体的防护林体系,在条件许可的地方营造经济林、用材林、薪炭林等,以提高山区森林涵养水源和防止水土流失的能力,实现减灾、防灾和繁荣山区经济的目的。

工程建设总任务 30.02 万 hm^2。其中,营造林工程 27.04 万 hm^2,现有林管护 2.98 万 hm^2。

营造林工程按造林方式划分,人工造林 10.68 万 hm^2,封山育林 10.61 万 hm^2,飞播造林 0.90 万 hm^2,幼中林抚育 2.95 万 hm^2,低质低效林改造 1.90 万 hm^2。

营造林工程按林种划分,水土保持林 12.09 万 hm^2,水源涵养林 14.38 万 hm^2,农田防护林 0.57 万 hm^2。

(2)豫西伏牛山北坡水源涵养综合治理区。包括汝阳、登封、新密、荥阳、禹州、汝州、宝丰、叶县、鲁山、郏县、平顶山市湛河区、平顶山市卫东区、平顶山市新华区、平顶山市石龙区、舞钢、襄城、遂平、郑州市中原区、郑州市二七区、郑州市邙山区等20个县(市、区),面积168.15万hm^2,占全省淮河流域面积的18.9%。

工程区是淮河主要支流颍河的源头,有伏牛山、外方山等山地,以低山丘陵为主,海拔多在1 000m以下。其中,中山约占20%,低山约占40%,丘陵约占40%。区内地形破碎、土薄石厚,地带性土壤为棕壤和褐土。在荥阳、登封、新密等地还有大片黄土覆盖区,是该区水土流失严重的地区。区内气候温暖湿润,年降水量700～800mm,鲁山、方城一线为暴雨中心,多年平均降水量1 411.9mm,平均暴雨量478.5mm。

工程区内有林业用地33.70万hm^2,占全区总面积的20.0%。其中,有林地15.91万hm^2,疏林地0.90万hm^2,灌木林地3.58万hm^2,未成林造林地1.03万hm^2,苗圃地0.08万hm^2,宜林地12.21万hm^2。森林覆盖率为14.77%,有林地覆盖率9.46%。工程区水土流失面积达83.40万hm^2,占该区面积的49.6%。区内有大型水库4座,中型水库14座,水库淤积严重,例如昭平台水库从1959年到1979年,20年共淤积2 276万m^3。

工程区森林覆盖率低,雨水集中,致使该区夏旱、山洪、泥石流等灾害常年发生,特别是严重的水土流失,使河床抬高,削弱了河流的泄洪能力,严重威胁到中下游工农业生产和人民生活。针对这些特点,工程区的建设目的主要是控制水土流失,涵养水源,分散、滞缓地表径流,调节河川流量和削弱洪峰,减免水旱灾害,减缓地表径流,避免土沙流入河川和水库,从而避免河床的抬高和延长水利工程的寿命。建设的重点是水土保持林、水源涵养林,在条件许可的地方辅以经济林、薪炭林、用材林和特用林等。

工程建设总任务22.80万hm^2,其中,营造林工程20.35万

hm^2，现有林管护 2.45 万 hm^2。

营造林工程按造林方式划分，人工造林 11.76 万 hm^2，封山育林 4.47 万 hm^2，飞播造林 0.43 万 hm^2，幼中林抚育 2.17 万 hm^2，低质低效林改造 1.52 万 hm^2。

营造林工程按林种划分，水土保持林 9.84 万 hm^2，水源涵养林 8.85 万 hm^2，农田防护林 1.66 万 hm^2。

(3)淮北平原农田林网综合治理区。包括驻马店市的正阳、上蔡、平舆、新蔡、西平、汝南，信阳市的息县、淮滨，漯河市的郾城、漯河市源汇区、临颍、舞阳，周口市的商水、项城、沈丘、太康、淮阳、郸城、鹿邑、扶沟、西华、周口市，许昌市的长葛、许昌县、鄢陵、许昌市魏都区，开封市的杞县、通许、兰考、尉氏、开封县、开封市郊，商丘市的宁陵、商丘市睢阳区、永城、睢县、虞城、商丘市梁园区、民权、柘城、夏邑，郑州市的中牟、新郑、郑州市管城区、郑州市金水区等，共 46 个县(市、区)，总面积 496.76 万 hm^2，占全省淮河流域面积的 55.9%。

工程区是华北平原的重要组成部分。区内地势平坦，起伏很小，属暖温带季风气候，土壤主要有潮土、风沙土、砂姜黑土，局部有盐碱土分布。全区林业用地 24.18 万 hm^2，占全区面积的 4.9%。其中，有林地 11.71 万 hm^2，疏林地 0.18 万 hm^2，灌木林地 0.01 万 hm^2，未成林造林地 1.09 万 hm^2，苗圃地 0.29 万 hm^2，宜林地 10.90 万 hm^2。森林覆盖率 10.13%，有林地覆盖率 2.36%。

工程区主要灾害有雨涝、干旱、干热风，其中洪涝和干旱尤为严重。北部靠黄河南岸一些地区，历史上为黄泛区及黄河故道区，风沙危害严重。林业发展以淮河干流和一、二级支流堤岸林为骨干的农田防护林为主，并结合路、渠、荒滩等进行综合治理，完善农田林网和防风固沙林，以提高防护林体系的总体效益。

工程建设总任务 15.74 万 hm^2。其中，营造林工程 13.05 万 hm^2，现有林管护 2.69 万 hm^2。

营造林工程按造林方式划分，人工造林 10.89 万 hm^2，封山育林 0.16 万 hm^2，幼中林抚育 1.78 万 hm^2，低质低效林改造 0.22 万 hm^2。

营造林工程按林种划分，水土保持林 0.08 万 hm^2，护路护岸林 0.56 万 hm^2，农田防护林 9.51 万 hm^2，防风固沙林 2.90 万 hm^2。

3)重点建设工程布局

长江、淮河流域防护林体系建设是国土整治、环境绿化的重要组成部分，按照“分类指导、突出重点、相对集中连片”，“先易后难、先急后缓”和“因地制宜、因害设防”的建设原则，优先安排一批生态环境脆弱、自然灾害严重的地区作为重点治理区。根据工程区的地形地貌、气候水文、危害种类、水土流失情况和森林资源现状等特点，拟定 9 个重点建设工程。其中，长江流域 4 个，淮河流域 5 个，共涉及 11 个市(地)54 个县(市、区)。9 大重点工程的名称、范围见表 5－2。

河南省重点工程区建设总任务共 110.79 万 hm^2。其中，营造林 94.87 万 hm^2，现有林管护 15.92 万 hm^2。工程建设分两个阶段进行，第一级段为 2001～2005 年，第二阶段为 2006～2010 年。建设内容及年度安排分述如下：

(1)人工造林：工程总任务为 43.43 万 hm^2，占重点工程总任务的 39.2%。任务分两个阶段实施，第一阶段工程任务 28.23 万 hm^2，占人工造林总任务的 65.0%；第二阶段工程总任务 15.20 万 hm^2，占人工造林总任务的 35.0%。

(2)封山育林：工程总任务为 24.85 万 hm^2，占重点工程总任务的 22.4%。任务分两个阶段实施，第一阶段工程任务 15.79 万 hm^2，占封山育林总任务的 63.5%；第二阶段工程总任务 9.06 万 hm^2，占封山育林总任务的 36.5%。

(3)飞播造林：工程总任务为 4.67 万 hm^2，占重点工程总任务的 4.2%。任务分两个阶段实施，第一阶段工程任务 2.84 万 hm^2，占飞播造林总任务的 60.7%；第二阶段工程总任务 1.83 万 hm^2，占飞播造林总任务的 39.3%。

表 5－2　长江、淮河流域防护林体系建设重点工程一览

流域	序号	工程名称	工程范围	规模（万 hm^2）
合计				110.79
长江	1	丹江口库区水源涵养林工程	淅川	7.57
	2	鸭河口库区水源涵养林工程	南召	9.13
	3	伏南水土保持林工程	西峡、内乡、镇平、方城	31.70
	4	南阳盆地农田防护林工程	社旗、卧龙、宛城	1.05
淮河	5	大别山水土保持林工程	罗山、光山、新县、固始、商城、平桥	17.27
	6	桐柏山水源涵养水土保持工程	桐柏、确山、泌阳	12.48
	7	伏北水源涵养水土保持林工程	汝阳、汝州、禹州、鲁山、舞钢、宝丰、叶县	18.43
	8	嵩山黄土丘陵水土保持工程	登封、新密、荥阳	3.37
	9	淮北平原农田防护林工程	淮滨、新蔡、西平、汝南、上蔡、平舆、淮阳、商水、项城、鹿邑、西华、舞阳、郾城、长葛、鄢陵、新郑、开封、尉氏、兰考、杞县、永城、柘城、虞城、夏邑、睢阳、梁园	9.79

(4)中幼龄林抚育：工程总任务为 14.08 万 hm^2，占重点工程总任务的 12.7%。任务分两个阶段实施，第一阶段工程任务 8.54 万 hm^2，占中幼龄林抚育总任务的 60.6%；第二阶段工程总任务 5.54 万 hm^2，占中幼龄林抚育总任务的 39.4%。

(5)低质低效林改造:工程总任务为7.84万hm^2,占重点工程总任务的7.1%。任务分两个阶段实施,第一阶段工程任务4.70万hm^2,占低质低效林改造总任务的60.0%;第二阶段工程总任务3.14万hm^2,占低质低效林改造总任务的40.0%。

现有林管护:工程总任务为15.92万hm^2,占重点工程总任务的14.4%,计划从2001年开始连续管护10年。

(五)野生动植物保护工程

1.工程概况

河南省地处中原,位于北亚热带向暖温带过渡地带,气候多样、地貌复杂、河流纵横、湖泊较多,为各种生物物种及生态系统的形成与发展提供了优越的条件,是全国生物物种较多的省份。

河南省的生态系统主要包括森林、农田和湿地三大类。其中森林是重要的生态系统之一,蕴藏了大量的生物物种,是生物多样性最为丰富的生态系统类型。河南省的森林类型具有明显的过渡性特征。伏牛山和淮河界线以北为暖温带落叶阔叶林;界线以南为北亚热带含有常绿阔叶树种的落叶阔叶混交林。独特的自然条件使许多亚热带和温带珍稀野生动植物得以保存。全省湿地总面积达110.9万hm^2,占全省总面积的6.6%,包括河流、湖泊、沼泽和人工湿地4大类。复杂的地形地貌和过渡性气候形成了河南省湿地生物的丰富多样性,其蕴藏的动植物资源达2 000多种,国家重点保护动植物达40多种。而且河南湿地作为我国最具代表性的内陆湿地之一,位于亚洲候鸟迁徙的中线,是许多湿地迁徙水鸟的重要途中停歇地或越冬地。

河南省约有脊椎动物520种。其中,两栖动物20种,爬行动物38种,鸟类382种,兽类80种,鱼类约100种。有维管束植物3 949种。其中,蕨类植物205种,裸子植物74种,被子植物3 670种。此外,河南省已定名的昆虫有7 600多种,占全国已定名昆虫种类的12.7%。

2.保护工程的重要意义

野生动植物是生态系统的重要组成部分,影响着生态系统的稳定和平衡;野生动植物资源又是人类生活的重要物质基础,和人类的衣食住行密切相关;野生动植物保存着丰富的遗传基因,为今后人类的生存与发展提供了广阔的空间。此外,野生动植物及其构成的自然美景还是人类文化艺术的重要源泉。为从根本上有效地保护、发展和合理利用野生动植物资源,必须使人口、资源、环境、经济协调发展。保护野生动植物,就是保护人类赖以生存的生态环境,就是保护社会经济可持续发展的战略资源,就是保护人类自己。

保护自然资源和建设美好的生态环境,是河南省实施可持续发展的一项重要战略任务。野生动植物及其栖息地的保护、建设和发展,是生态环境保护和建设中的一个重要组成部分。加强野生动植物的保护和管理,建立具有重要保护价值的自然保护区、湿地保护示范区,是河南省实施生物多样性保护的一个重要方面。河南省为我国第一人口大省,人均资源相对贫乏,经济比较落后。随着社会经济的迅猛发展,人为活动对生态环境及生物多样性造成的破坏与威胁日趋严重。这主要表现在天然林面积不断减少、农田土地沙化、水土流失、水质恶化、物种大量灭绝、经济资源锐减和自然灾害加剧等方面。由于生态环境的破坏和退化以及人们对野生动植物资源不合理的开发利用,使一些珍贵野生动植物物种已经绝迹或高度濒危。如华南虎、朱鹮、大果青杄、大别山五针松、楠木、红豆树、秤锤树等。河南省水资源人均占有量不足全国的1/6。随着工业废水和生活污水排放量的逐年增加,水污染日益严重,几乎所有湿地水体都受到不同程度的污染,部分水体水质恶化,不仅不符合饮用水标准,而且不能用于灌溉。野生动植物资源缺乏,特别是可利用水资源的严重短缺,生态环境不断恶化,已经成为制约全省经济发展的主要因素。因此,急需对河南省野生动植物及其栖息地进行全面保护,统筹安排,以便尽快提高全民的保护意识,加大资金投入,增强保护自然资源的能力,使其在全省生态环境和国民经济建设中发挥更大的作用。

3.建设目标

通过实施全省野生动植物保护及自然保护区工程建设总体工程,拯救一批国家和省重点保护野生动植物,扩大、完善和新建一批国家级、省、市、县级自然保护区、保护小区、禁猎区和种源基地及珍稀植物培育基地,恢复和发展珍稀物种资源。到建设期末,使河南省自然保护区数量达到110个,总面积96.9万hm^2,占全省国土面积的5.8%;林业系统自然保护区总数达到80个,总面积为67.0万hm^2,占全省国土面积的4.0%。形成一个以自然保护区、重要湿地为主体,布局合理、类型齐全、设施先进、管理高效的自然保护网络。实现全省野生动植物保护管理的规范化、科学化、法制化和信息化。

(1)近期目标(2001~2010年)。完善省级和市级野生动植物保护行政主管部门的体系建设,实行依法保护、管理,使河南省野生动植物管理工作在繁育、生产、运输、市场、医药和进出口等方面能够做到有效运转。重点实施13个野生动植物拯救工程,完成省野生动植物和湿地资源监测中心、省野生动物救护繁育中心建设。在2010年使全省自然保护区总数达到60个,自然保护区总面积达到66.90万hm^2,占全省土地总面积的4.01%;林业系统自然保护区总数达到48个,总面积达到50.99万hm^2,占全省土地总面积的3.05%,其中国家级自然保护区10个,省、市、县级自然保护区38个,初步形成较为完善的全省自然保护区网络。国家、省重点保护野生动植物和典型生态系统类型的90%得到有效保护,极大地改观濒危物种的生存状况。制定全省湿地保护和可持续利用工程,建设5个国家和省湿地保护与合理利用示范区,提高对湿地保护的管理、科研和监测水平。严格执法,有效保护和管理全省野生动植物资源。

(2)中期目标(2011～2030年)。进一步加强省级和市级行政主管部门的管理能力建设,使指挥、查询、统计、监测等管理工作实现网络化,初步建立健全野生动植物保护的管理体系,完善科研体系和国内外贸易管理体系。到2030年,全省自然保护区总数达80个,总面积达到76.8万 hm^2,自然保护区总面积占全省土地总面积的4.60%;林业系统自然保护区总数达到61个,总面积达到56.99万 hm^2,占全省土地总面积的3.41%,其中国家级自然保护区数量达到13个,省、市、县级自然保护区数量达到48个,形成完整的自然保护区保护管理体系,60%的国家和省重点保护野生动植物种群数量得到恢复和增加,95%的典型生态系统类型得到有效保护。建设3个国家和省湿地保护与合理利用示范区,全省湿地保护与合理利用示范区达到8个,建立健全湿地保护和合理利用的机制,基本控制重要湿地破坏性开发,遏制湿地面积下降趋势。

(3)远期目标(2031～2050年)。全面提高野生动植物保护管理的法制化、规范化和科学化水平,实现野生动植物资源的良性循环。2050年,全省自然保护区总数达到110个,自然保护区总面积达到96.9万 hm^2,占全省总土地面积的5.80%;林业系统自然保护区总数达到80个,总面积达到67.0万 hm^2,占全省总土地面积的4.01%,其中国家级自然保护区20个,省、市、县级自然保护区60个,同时,新建一批野生动物禁猎区、繁育基地、野生植物培植基地,河南省85%的国家和省级重点保护野生动植物种群数量得到恢复和增加,河南省所有的典型生态系统类型得到良好保护。建成具有本省地方特色的自然保护区保护、管理、建设体系,达到国内外自然保护区管理的先进水平。建立比较完善的湿地保护、管理与合理利用的法律、政策和监测体系,建设8个国家和省湿地保护与合理利用示范区,使全省湿地保护与合理利用示范区达到16个。

4.建设进度

总体工程期分为三个阶段:近期为 2001 ~ 2010 年,中期为 2011 ~ 2030 年,远期为 2031 ~ 2050 年。

5.工程布局及重点保护对象

根据河南省自然地带的递变规律和重点保护野生动植物资源的分布情况,将野生动植物及其栖息地保护总体工程在地域上划分为:①大别山、桐柏山北亚热带生态区;②伏牛山北亚热带、南暖温带过渡生态区;③太行山暖温带生态区;④黄、淮、海平原生态区共 4 个建设区域。每个区域内确定不同的建设目标和主攻方向,力争在本工程期内完成或基本完成主要建设工程。分区工程见表 5 - 3。

表 5 - 3　河南省林业系统自然保护区分区工程

<table>
<tr><th rowspan="3">分区名称</th><th colspan="2" rowspan="2">合计</th><th colspan="2" rowspan="2">已建</th><th colspan="6">2001 ~ 2010 年</th><th colspan="2" rowspan="2">2011 ~ 2030 年</th></tr>
<tr><th colspan="2">小计</th><th colspan="2">2001 ~ 2005 年</th><th colspan="2">2006 ~ 2010 年</th></tr>
<tr><th>数量(个)</th><th>面积(万 hm²)</th><th>数量(个)</th><th>面积(万 hm²)</th><th>数量(个)</th><th>面积(万 hm²)</th><th>数量(个)</th><th>面积(万 hm²)</th><th>数量(个)</th><th>面积(万 hm²)</th><th>数量(个)</th><th>面积(万 hm²)</th></tr>
<tr><td>Ⅰ</td><td>18</td><td>12.16</td><td>5</td><td>5.96</td><td>9</td><td>4.20</td><td>8</td><td>4.00</td><td>1</td><td>0.20</td><td>4</td><td>2.00</td></tr>
<tr><td>Ⅱ</td><td>25</td><td>28.39</td><td>8</td><td>16.39</td><td>15</td><td>11.00</td><td>13</td><td>6.50</td><td>2</td><td>4.50</td><td>2</td><td>1.00</td></tr>
<tr><td>Ⅲ</td><td>8</td><td>9.16</td><td>1</td><td>5.66</td><td>3</td><td>1.50</td><td>3</td><td>1.50</td><td></td><td></td><td>4</td><td>2.00</td></tr>
<tr><td>Ⅳ</td><td>10</td><td>7.28</td><td>2</td><td>3.28</td><td>5</td><td>3.00</td><td>3</td><td>1.00</td><td>2</td><td>2.00</td><td>3</td><td>1.00</td></tr>
<tr><td>合计</td><td>61</td><td>56.99</td><td>16</td><td>31.29</td><td>32</td><td>19.70</td><td>27</td><td>13.00</td><td>5</td><td>6.7</td><td>13</td><td>6.00</td></tr>
</table>

1)工程布局

(1)大别山、桐柏山北亚热带生态区。本区位于河南省南部,包括大别山、桐柏山和南阳盆地东侧丘陵区域,总面积 218.0 万 hm^2,占全省土地面积的 12.6%。该区地处我国亚热带北缘,平均气温在 15℃以上,1 月平均气温 1 ~ 2℃,无霜期 220d,年降水量

900～1 300mm,水、热资源丰富,自然条件优越。典型植被为含常绿树种的落叶阔叶林类型。生物种类众多,有维管束植物2 100多种,第一批国家重点保护野生植物14种;有鸟类233种,兽类37种,属国家重点保护野生动物43种。桐柏山是淮河的发源地,淮河支流在本区有250多条,是淮河流域的重要水源涵养林区。本区已建有2个国家级自然保护区,3个省级自然保护区,面积5.96万 hm^2,占全区土地面积的2.73%。

建设目标:建立亚热带典型森林生态系统和湿地生态系统自然保护区;保护典型有代表性森林生态系统和湿地生态系统,保护国家重点野生动植物及其栖息地。

主攻方向:2001～2005年,在大别山罗山董寨国家级自然保护区建立以白冠长尾雉为主的珍稀濒危野生动物繁殖基地、白冠长尾雉种质基因库;在鸡公山国家级自然保护区建立珍稀濒危植物培植基地,完善3个保护区,新建8个保护区;2006～2010年,完善2个保护区,新建1个保护区,使全区林业系统自然保护区总数达14个,总面积10.16万 hm^2,占全区总面积的4.66%。

(2)伏牛山北亚热带、南暖温带过渡生态区。本区位于河南省西部,包括伏牛山、外方山、熊耳山等秦岭支脉,全区面积463.0万 hm^2,占全省土地面积的27.7%。伏牛山位于我国南北地理的分界线上,也是我国南北气候、土壤、生物交错分布的过渡区。年平均气温12.8～15.8℃,1月平均气温－1～2℃,无霜期220～240d,年降水量700～900mm。伏牛山还是河南省黄河、淮河和长江三大水系的分水岭,是三大水系众多支流的发源地。山地面积大,森林植被覆盖率较高,生物种类十分丰富。据调查,全区有维管束植物2 879种,其中第一批国家重点保护野生植物13种;鸟类213种;兽类62种,其中国家重点保护鸟类37种,兽类11种。另外,昆虫资源估计有3 000余种(已鉴定939种)。1992年制定的《中国生物多样性行动计划》中已将该区列为优先领域保护地区。已建自然保护区12个(林业系统8个),其中国家级自然保护区2个,省级自然保护区6个,省级禁猎禁伐区1个,县级自然保护区3个,总面积17.22万 hm^2。全区自然保护区的数量和面积同其拥有的自然资源及生物多样性的丰富程度很不适应,宜作为全省发展自然保护区的重点地区。

建设目标:建立典型的气候过渡地带森林生态系统和湿地生态系统自然保护区;保护丰富的野生动植物资源,维护生物多样性。

主攻方向:2001~2005年,在伏牛山国家级自然保护区建立过渡地带珍稀濒危植物繁育培植基地、珍稀濒危野生动物繁育救护基地和山茱萸、猕猴桃、榆树、榉树、连香树等种质资源基因库,完善4个自然保护区,新建13个自然保护区;2006~2010年,完善4个自然保护区和新建2个自然保护区,使全区林业系统自然保护区总数达到23个,面积27.39万 hm^2,占全区总面积的5.92%。

(3)太行山南暖温带生态区。本区位于河南省西北部,包括太行山山地及丘陵地区,总面积65万 hm^2,约占全省土地面积的4%。太行山在河南省境内长达200km,海拔在1 000~1 300m,因断层作用造成山势异常险峻,多悬崖峭壁和深邃峡谷。年平均气温13℃左右,最冷月平均气温-4℃,无霜期不足200d,年降水量700mm左右。本区是我国暖温带和温带天然阔叶林保存较完整的地带,为华北、华中和西北植物镶嵌地带,植物区系成分复杂。据调查,区内高等植物有1 760多种,其中属国家重点保护的珍稀濒危植物有6种,如连香树、红豆杉、南方红豆杉、野大豆等。陆栖脊椎动物有200多种,属于国家重点保护的动物有30多种,如金钱豹、猕猴、水獭、林麝、黑鹳、白鹳、勺鸡、金雕、大鲵等。该区是我国黄河以北暖温带亚干旱区惟一有猕猴分布的地区,也是当今猕猴在世界上分布的北界。区内的猕猴属华北亚种,为我国所特有,具有独特的mtDNA RFLP(线粒体DNA限制片段长度多态性)。因此,太行山温带生态区具有重要的科学价值和特殊的保护意义,《中国生物多样性保护行动计划》已将其划为森林生态系统优先保护区域。目前本区已建保护区1个,面积5.66万hm^2,约占本区总面积的9.0%,其中太行山保护区已被列入世界自然基金(WWF)优先保护以及具有国家和全球意义的区域。

建设目标:建立具有典型生态系统类型的自然保护区,特别是水土保持林自然保护区和水源涵养林自然保护区,改善生态环境和野生动植物的栖息状况。

主攻方向:2001～2005年,在太行山建立猕猴种质基因库和太行山猕猴研究所,完善1个保护区,新建3个保护区;2006～2010年,完善1个自然保护区,使全区林业系统自然保护区总数达到4个,总面积7.16万hm^2,占全区总面积的11.02%。

(4)黄、淮、海平原生态区。位于河南省的东部、东北部和东南部,为华北平原的一部分,地势西高东低,海拔在40～100m,在新蔡、淮滨、固始一线的东北部海拔仅为33m左右,且多平凹地和湖沼地,总面积约为923.9万hm^2,约占全省土地面积的55.7%。气候为大陆性季风型气候,年平均气温13～15℃,1月平均气温0～2℃,7月平均气温27℃以上,年降水量由北向南呈递增趋势(600～900mm)。本区是我国重要的农业区,历史悠久,人工栽培植物取代了自然植被,大多数县已基本上实现了农田林网化,沙荒地和沿河地区已建成了防风固沙林和护堤林带。区内河流纵横交错,河道(滩涂)宽阔,水库、湖泊、沼泽和稻田等湿地较多,是河南省湿地主要分布区之一。这些人工防护林和湿地在防风固沙、防洪排涝、蓄水抗旱、保护农田与堤防、改善平原生态环境等方面起到了重要作用。同时,湿地也是许多候鸟及国家重点保护的珍稀鸟类如丹顶鹤、灰鹤、大天鹅、鸳鸯、黑鹳、大鸨等迁徙停歇和越冬的重要场所。据调查,本区仅湿地鸟类就有104种,其中属国家重点保护的鸟类有26种,省级保护鸟类10种,列入中日、中澳国际候鸟保护协定规定保护的鸟类 76 种。该区地势平坦，人口密集，交通便利，人为干扰严重，保护难度大。目前已建立自然保护区 3 个(林业系统 2 个)，总面积为 5.76 万 hm^2。

建设目标：建立重要的森林生态和防护林自然保护区，防止土地风沙化，改善平原地区生态环境；在湿地生物资源丰富或重要的鸟类迁徙停歇地和越冬地建立自然保护区，保护典型湿地生态系统和国家重点野生动物种群及其栖息环境；建立省级湿地保护和利用示范区。

主攻方向：2001 ~ 2005 年，在黄河滩区和部分水库、湖泊建设 5 个湿地保护利用示范区，完善 1 个和新建 3 个自然保护区；2006 ~ 2010年，完善 1 个和新建 2 个自然保护区，使该区林业系统自然保护区总数达到 7 个，总面积达到 6.28 万 hm^2，占全区总面积的 0.68%。

2)重点野生动物保护

(1)麋鹿保护。麋鹿原产于我国东部沿海平原地区，野生种群已灭绝。据有关资料记载，河南安阳殷墟出土有麋鹿的骨骼，根据其喜平原、沼泽、水域和以禾本科、苔类及其他多种嫩草、树叶为食的习性，河南黄河滩区是其理想生境。根据国家对重点物种的保护工程，在河南省原阳县黄河滩区实施麋鹿放归自然建设工程，以期恢复其原有分布。工程具体地点在原阳县境内的国有原阳林场，位于黄河北岸，面积 1 000hm^2。目标是将工程建设成为集麋鹿自然繁育、巡护监测、救护医疗、科学研究为一体的自然保护区。

(2)麝为中型食草动物，是经济价值最高的类群之一。河南省分布有林麝和原麝 2 种，历史上麝曾广泛分布于河南省的山区丘陵。由于大量捕杀及栖息地遭到严重破坏，全省麝资源大幅度下降。以西峡县为例，20 世纪 60 年代初平均每年收购麝皮 600 张左右，80 年代初每年收购量仅为 80 余张。其资源蕴藏量由新中国成立初期的 2 800 多只迅速下滑至 80 年代初的 700 余只。据调查,目前全省共有林麝 3 200 多只,原麝仅 1 000 多只,其分布区已由浅山丘陵区退缩至深山区。因此,加强对麝的拯救已刻不容缓。对已建成的麝资源自然保护区,选择一些麝资源丰富的自然保护区加大投入,在麝的集中分布地或重要栖息地建立 18 个科研监测站、5 个保护管理站,提高科研监测手段,加强野外保护能力建设,使河南省麝资源得以有效恢复。新建涉及麝资源的自然保护区 10 个,使其保护区面积达到 23.78 万 hm^2。建立禁猎区,加强栖息地的保护与管理。麝分布较为集中的商城、新县等大别山区和卢氏、栾川等伏牛山区建立 2 个禁猎区,禁猎区面积 10.00 万 hm^2,配置专门人员进行管理。由于麝香医药和香料产业需求量巨大,又不可能在野外大量捕杀麝,因此计划在河南省野生动物救护中心建立麝驯养繁殖基地 1 个,加强人工驯养繁殖技术研究,力争在短期内掌握人工饲养、繁殖技术,扩大繁殖种群,满足人民物质和文化生活需要。

(3)猕猴保护。太行山区为我国黄河以北暖温带亚干旱区惟一有猕猴分布的地区,也是当今猕猴在世界上分布的最北界,具有重要的科学价值和特殊的保护意义。据调查,河南省现有猕猴 2 000多只,分布于济源、辉县、修武、沁阳和博爱。已建立猕猴国家级自然保护区 1 个,面积 5.66 万 hm^2。森林植被破坏、数量稀少、生境破碎化以及人为捕杀,是影响猕猴分布和种群恢复的重要因素。针对原省级保护区面积过小的问题,国家已批准将其升格为国家级保护区,同时面积由 1.56 万 hm^2 增至 5.66 万 hm^2。

在自然保护区以外建立 3 个保护站,加强周边环境的保护,扩大保护范围。研究猕猴的生物学和生态学习性,针对猕猴食物需求,选择栖息地 10 000hm^2 进行植被恢复或改造,有计划地选择其喜食植物。在冬季广泛开展人工投食活动,改善冬季野外食物缺乏的现象。在保护区周边投放半驯化猴群,逐步开展以生态旅游为主的多种经营。一方面扩大猕猴分布范围,减轻保护区猕猴种群内部竞争压力,同时为保护区积累保护经费,带动当地经济发展。加强猕猴人工驯养繁殖,建立猕猴繁育基地1个。不仅可以满足社会需求,减轻野外保护的压力,而且可以选择合适的生境,开展野外释放试验,恢复种群,增加杂交机会。

(4)金钱豹保护。金钱豹曾广泛分布于河南省的太行山、伏牛山、桐柏山和大别山等山区及丘陵地带。随着乱捕滥猎和环境变迁,金钱豹已呈濒危状态。据调查,河南省金钱豹活动范围已退缩至深山区,数量只有50~60只。要加强栖息地的保护和恢复,防止金钱豹野外种群数量的继续下降。

目前,全省共建有9个涉及金钱豹的保护区,总面积约18.17万hm^2,分布于太行山、伏牛山和桐柏—大别山。这些保护区急需进行必要的生态环境改造,完善公安、防火、科研等基础设施和设备建设,加强野外保护能力和科研监测手段。

新建8个涉及金钱豹资源的自然保护区,使保护区总面积达到23.10万hm^2。同时,加强保护区外金钱豹分布区的保护工作。

在金钱豹分布区和分布区之间的断带区,优先安排天然林保护、退耕还林等重点林业生态工程,尽快恢复和改善栖息地,建立食物链,促进隔离种群遗传联系,实现野外种群自然增长,适时新建自然保护区。

选择人为干扰严重的金钱豹活动区建立6个保护站,宣传野生动物保护的重要意义,及时制止破坏栖息生境或伤害金钱豹等野生动物的不法行为。

加强金钱豹人工驯养繁殖研究,建立金钱豹繁育基地1个。不仅可以满足社会需求,减轻野外保护的压力,还可以选择合适的生存环境,开展野外释放试验,恢复种群,增加杂交机会。

(5)白冠长尾雉保护。河南省白冠长尾雉主要分布于大别山和桐柏山地区,伏牛山区也有零星分布。已建以保护白冠长尾雉为主的自然保护区1个,涉及白冠长尾雉资源的保护区4个,总面积5.96万 hm^2。保护区建立后，白冠长尾雉野外数量有明显增长，但是总体数量分布区狭窄、分散。

加强保护区的建设。加大现有5个自然保护区建设力度，提高保护区的管理能力。新建涉及白冠长尾雉的保护区4个，使保护区总面积达到7.25万 hm^2。在人为干扰严重的白冠长尾雉重要活动区建立5个保护站，提高野外保护管理效率。

建立白冠长尾雉繁育基地1个，积极开展繁育技术研究，不仅可以满足社会需求，减轻野外保护的压力，而且可以选择合适的生存环境，开展释放试验，恢复野外种群，增加杂交机会。

实施栖息地改造工程。全面加强白冠长尾雉栖息地保护，结合封山育林、人工造林等工程，在其主要分布区(保护区外)改造约5 000hm^2 栖息地，改善栖息生境质量，扩大分布范围，恢复分布区之间的通道。

(6)天鹅保护。河南省的天鹅主要有大天鹅和小天鹅2种，为冬候鸟，全省均有分布，主要分布区为三门峡库区和孟津黄河滩区。全省涉及天鹅保护的自然保护区有7个，面积13.12万 hm^2。

扩大保护区面积，改善栖息地环境。新建涉及天鹅的保护区3个，使保护区总面积达到14.50万 hm^2。选择性恢复和改善湿地1.0万 hm^2，加强栖息地环境污染防治。

建立健全保护监测网络，加强越冬期管理。在天鹅集中分布点建立保护监测站6个，实施动态监测。在天鹅越冬期间实行巡视制度，加大保护力度。

(7)黄嘴白鹭保护。河南省的黄嘴白鹭分布于全省，属夏季繁殖鸟。其集中分布区有商城鲇鱼山水库和信阳南湾水库。已建涉及黄嘴白鹭的自然保护区有7个，面积13.12万 hm^2。

做好黄嘴白鹭的保护工作，首先，要扩大保护区面积，改善栖息地环境。规划新建涉及黄嘴白鹭资源的自然保护区5个，面积4.00万 hm^2。选择性恢复和改善湿地1 000hm^2，加强栖息地环境污染防治。

其次，建立健全保护监测站，加强繁殖期管理。在黄嘴白鹭集中分布区建立保护监测站4个，实施动态监测。在黄嘴白鹭繁殖期实行巡视制度，加大保护力度。

3)重点野生植物保护

(1)兰科植物保护。兰科植物是生物多样性的重要组成部分。所有野生兰科植物种都是《野生动植物濒危物种国际贸易公约》的保护范围，河南省有兰科植物62种，均属该公约附录Ⅱ。近年来由于不合理采挖和利用，使资源破坏十分严重，全省约有10多种兰科植物处于濒危之中，亟待保护。全省已建涉及兰科植物资源的自然保护区9个，总面积18.17万 hm^2。

加强对现有保护区兰科植物的保护，在兰科植物较为集中的区域，建立保护站5个，保护其栖息地。加强管护，严禁乱采滥挖野生兰花和打击非法采伐行为。

开展兰科植物繁育技术研究，变野生为栽培。在南阳、信阳、洛阳等地建立兰科植物异地保存物种基因库和兰花良种生产基地，收集、研究、栽培各种兰科植物；推广兰科植物栽培技术，尽可能减少并逐步杜绝对兰科植物的破坏。

(2)红豆杉保护。红豆杉科红豆杉属，全世界约有10种，我国有4种，河南省有1种及1个变种。红豆杉生长于海拔1 000m以上的山沟或山坡杂木林中，在山白树、水蜡树、青皮椴、千金榆、落叶栎林形成的阔叶林中呈星散分布。在河南省分布地点主要有：济源黑龙沟、卢氏瓦窑沟、西峡黑烟镇、嵩县龙池墁、南召乔端、内乡宝天曼和鲁山石人山等地山林中。由于雌雄异株，结子量少，而且鸟雀喜食，生长环境要求苛刻，生长缓慢，加之材质好，人为砍伐利用严重，如不加以保护，在河南有灭绝的危险。已建涉及红豆杉资源的自然保护区3个，总面积11.80万 hm^2。

加强自然保护区建设，强化栖息地保护。完善已建保护区3

个,在红豆杉集中分布地区建立保护管理站和资源监测点,掌握资源变化动态,加强看护和打击非法采伐行为。新建涉及红豆杉资源的保护区 2 个,使保护区的总面积达到 13.00 万 hm^2。

保护母树林和建立人工培育基地。在宝天曼等重点分布的保护区内,建立母树林保护基地,开展野生红豆杉的种群复壮和发展研究。在太行山区建立人工培育基地 1 个,研究人工繁育技术,进行大规模人工繁育,在其他适宜生长地区,建立人工红豆杉种群。

(3)秦岭冷杉保护。秦岭冷杉别名杉松,河南省植株为数极少,仅见于伏牛山内乡宝天曼、南召乔端及灵宝小秦岭海拔1 800m 的山坡上。已建涉及秦岭冷杉的自然保护区有 3 个,总面积为 6.55 万 hm^2。

保护秦岭冷杉,应当注意研究群落演替动态,采取适当措施避免发生树种演替现象,防止秦岭冷杉被阔叶树种所淘汰。在伏牛山区建立人工培育基地 1 个,开展人工栽培和引种驯化试验,因地制宜地推广造林和城市园林绿化树种。应在分布区内,严格保护秦岭冷杉的自然景观,并且进行必要的人工促进更新措施,扩大其种群数量。

(4)大果青杄保护。大果青杄仅见于内乡宝天曼自然保护区阔叶林中,海拔高度 1 200m。由于其自然分布海拔低,易受人为的砍伐破坏,且生境狭窄,更新困难,已濒危。

在宝天曼建立人工培育基地 1 个,开展防止球果害虫的试验研究,人工促进其天然繁殖更新,同时注意收集种子,进行育苗造林,扩大其分布范围。在分布区内,采取严格保护措施,并且进行必要的人工促进更新措施,扩大其种群数量。

(5)大别山五针松保护。大别山五针松是我国特有种,亦是古老的残遗植物之一,河南省仅在商城县金刚台自然保护区残存十余株。

在大别山区建立人工培育基地 1 个,一是在原生境地域保护其自然群落环境,就地保护,并在已有天然更新种苗的基础上,进行人工促进天然更新措施,扩大其种群数量。二是采种育苗,进行引种栽培。

(6)连香树保护。连香树系第三纪孑遗植物,为单属科植物的稀有种,东亚植物区系的特征科,分布于河南太行、伏牛山区。

在连香树分布的地区,加强对现有太行山、伏牛山和宝天曼 3 个自然保护区连香树的保护,建立保护站和监测点,掌握资源变化动态,加强看护和打击非法采伐行为。

保护母树林和建立人工培育基地。在济源、卢氏、栾川、嵩县、西峡、内乡、南召等重点分布的保护区内,建立母树林保护基地,在济源建人工培育基地 1 个,开展野生连香树的种群复壮和发展研究,并研究人工繁育技术,进行大规模人工繁育,在其他适宜生长地区,建立人工连香树种群。

4)重点生态系统保护

(1)森林生态系统保护和自然保护区建设。包括北亚热带森林生态系统保护、北亚热带向南暖温带过渡森林生态系统保护、暖温带森林生态系统保护和平原防防林生态系统保护。

第一,北亚热带森林生态系统保护。河南省北亚热带生态区位于我国亚热带北缘,区内水、热资源丰富,自然条件优越,生物种类众多。典型植被为含常绿树种的落叶阔叶林类型。重要的保护区有鸡公山、董寨 2 个国家级自然保护区,金刚台、太白顶、连康山等 3 个省级自然保护区。

保护措施为:重点加强现有 2 个国家级和 3 个省级自然保护区的建设;晋升 2 个国家级自然保护区,新建 13 个省级自然保护区,增加面积 6.20 万 hm^2,使森林生态系统自然保护区面积达到 12.16 万 hm^2;在生态系统保护区内开展监测、生态系统结构和功能研究;加强保护区基础设施建设。

第二,北亚热带向南暖温带过渡森林生态系统保护。河南省的伏牛山、熊耳山、外方山等秦岭支脉,地处我国自然地理的南北分界线,气候温暖、湿润,雨量充沛,光热条件优越,野生动植物资源丰富。本区植被南北差异较大,垂直分带明显,分布有多种多样的植被类型,既有暖温带植被类型,又有亚热带植被残遗,是我国南北过渡地带天然森林生态系统的本底,对研究森林植被起源与演化、探讨植被与气候相互关系有重要作用。此外,伏牛山还是长江、黄河、淮河三大水系的分水岭,森林植被在保持水土、涵养水源方面具有十分重要的作用。区内有伏牛山、宝天曼2个国家级自然保护区和小秦岭1个省级禁猎禁伐区。

保护措施为:重点建设现有2个国家级自然保护区和1个省级禁猎禁伐区,加大基础设施建设投入,开展保护区(含禁猎禁伐区,下同)的生态功能监测,提高已建保护区的技术与保护管理水平。将在保护区附近的天然林和其他人为干扰较少的生态系统划入保护区,扩大自然保护区面积,维持生态系统的生态功能。

在天然林集中分布的生物多样性丰富地区和具有特殊生态功能的地区,新建10个自然保护区,增加面积4.33万hm^2,使森林生态系统自然保护区面积达到10.88万hm^2。晋升4个国家级自然保护区。

发展天然林综合利用示范区,在维持生态系统功能的前提下,发展旅游和其他非破坏性利用方式,在生态系统重要地区,进行恢复和重建示范。

第三,暖温带森林生态系统保护。河南省的太行山区是我国暖温带和温带天然阔叶林保存较完整的地带,其中分布的猕猴具有独特的遗传基因。《中国生物多样性保护行动计划》已把该区划为森林生态系统优先保护区域,世界自然基金(WWF)也将其列入优先保护以及具有国家和全球意义的区域。区内的太行山国家级自然保护区对保护野生动植物资源,维护区域生态系统功能具有重要意义。特别是该区气候干旱,土层瘠薄,生态系统脆弱,破坏以后,极难恢复,加强自然保护区建设对生态环境保护十分重要。

保护措施为:重点建设现有1个国家级自然保护区,加大基础设施建设投入,开展保护区的生态功能监测,提高已建保护区的技术与保护管理水平。将保护区附近的天然林和其他人为干扰较少的生态系统划入保护区,扩大自然保护区面积,维持生态系统的生态功能。

新建5个自然保护区,增加面积2.34万 hm^2,使森林生态系统自然保护区面积达到8.00万 hm^2。

发展天然林综合利用示范区,在维持生态系统功能的前提下,发展旅游和其他非破坏性利用方式,在生态系统重要地区,进行恢复和重建示范。

第四,平原防护林生态系统保护。河南省平原是华北平原的组成部分,在漫长的历史时期,由于黄河频繁地决口和改道,在黄泛区沉积了大量泥沙,在风力作用下,形成了大面积的风沙化土地,生态环境十分恶劣。新中国成立后,在党和政府的领导下,经过当地人民的艰苦奋斗,在广袤的平原建立了许多防风固沙林(带),极大地改善了平原地区的生产和生活条件。近几年来,由于部分干部群众认识不足和短期经济利益驱使,毁林开荒事件时有发生,大部分防护林面临着被蚕食的危险,严重威胁着河南省农业生产和人民生活,因此,必须采取有效的措施,以保护和恢复重要的防护林。

采取的措施为:在防风固沙林集中分布、防护位置重要、影响面大的地区,新建3个自然保护区,面积2.53万 hm^2。

(2)湿地生态系统自然保护区和示范区建设。河南省湿地数量多、面积大、类型较齐全,孕育着丰富的生物多样性。由于经济发展和人口增长的压力造成了对湿地资源的破坏性利用,导致湿地及其生物多样性受到了普遍的威胁和破坏,保护湿地及其生物多样性已到了刻不容缓的程度。由于国家财力有限,不可能对所有湿地进行投资性保护。因此,选择重点的湿地生态系统类型建立自然保护区,以保护好典型的湿地生态系统和生物多样性以及特殊的野生动植物栖息地。同时,选择面积较大(或相对集中连片)、生物多样性丰富、生态环境脆弱、对区域生态环境有重大影响的湿地,建立一批保护和恢复示范区。

第一,湿地生态系统自然保护区建设。目前河南省已建 8 个湿地自然保护区(林业系统 7 个,总面积 13.12 万 hm^2),其中,国家级保护区 1 个,省级湿地保护区 7 个,总面积为 15.59 万 hm^2。这些湿地自然保护区的建立,对保护典型湿地生态系统、候鸟繁殖和越冬栖息地,以及其他湿地野生动植物种的栖息地发挥了极其重要的作用。

保护措施为:完善 7 个湿地自然保护区的建设,加大基础设施投入,建立管理机构,加强巡护等措施,重点保护湿地和湿地特殊野生动植物种的栖息地。新建 13 个湿地类型自然保护区,面积 10.20 万 hm^2,晋升 2 个国家级自然保护区,强化对特有湿地生态系统功能和湿地生物多样性进行有效保护。

第二,湿地保护示范区建设。在黄河、淮河的滩区、黄河故道以及部分水库、湖泊建立 8 个湿地保护示范区,对大约 5 万 hm^2 的湿地及其多样性进行保护和恢复。建立湿地恢复和重建示范模式;通过建立禁猎区有效保护迁徙鸟类;初步建立滩区、故道和库区(含湖泊)湿地资源的生态开发模式;初步建立湿地资源合理利用模式。

(3)自然保护小区建设和生物多样性保护小区。建立自然保护小区,是针对河南省人口稠密地区实施生物多样性和珍稀动植物栖息地保护的一种有效方法和措施。它可以在全社会范围内,进一步改善自然生态环境和人民群众的生活环境,提高全民保护生态环境意识,是进行两个精神文明建设的一项有深远意义的社会公益事业。

凡有条件的地方都要因地制宜,都要采取多种形式建立各种类型的自然保护小区。自然保护小区的类型主要应当包括:国家重点保护野生动植物的主要栖息地、繁殖地和原生地;有益的和有重要经济、科学研究价值的野生动植物栖息繁殖地;候鸟越冬地和迁徙停歇地;有保存价值的原始森林、原始次生林和水源涵养林;有特殊保护价值的地形地貌、人文景观、历史遗迹地带;烈士纪念碑、烈士陵园林地;机关、部队、企事业单位的风景林、绿化带;自然村的绿化林、风景林等。

(六)防沙治沙工程

1.工程实施的重要意义

(1)加快防沙治沙工程建设是改善河南生态环境,再造秀美中州大地的迫切需要。河南地处中原,是交通要塞和经济重地。黄河两岸是古老中华文化的发源地,改善生态环境,使之不再黄沙满天,是广大沙区人民的强烈愿望,也是实现秀美中州大地的迫切需要。

(2)加快防风治沙工程是实现河南经济可持续发展的迫切需要。区内32个重点防沙治沙县,面积占全省总面积的19.7%,人口达2 156.1万人,全部处于华北平原,是国家粮、棉、油的主要产区,河南省的农业主产区。改变这里的生活条件,对河南省农业生产乃至整个国民经济的可持续发展都有重要作用。

(3)加快防沙治沙工程建设是拓展沙区人民生存与发展空间的迫切需要。河南人口众多,土地资源贫乏,目前全省人均占有耕地仅0.07hm^2,人口压力大,发展难度也大。随着人口的不断增加,可利用土地的减少,人地矛盾将更加尖锐。治理好沙化土地,改善生态环境,发展生产力,让有限的土地生产出更多的财富,有利于沙区人民的生存与发展。

(4)加快防沙治沙工程建设是保持社会稳定,促进农民脱贫致富奔小康的迫切需要。由于目前沙区生产落后,迫使不少农民进城谋生，给城市就业和社会稳定带来了压力，沙区的经济繁荣，可安置大量农民就业，减轻城市压力。大力发展沙区林果业，使农民在治沙的过程中尽快脱贫致富，是广大农民的长期愿望和迫切需要。

2.建设目标

在保护和巩固现有治理成果的基础上，通过重点治理，达到如下的目标。

(1)2005年目标是：①沙区新增有林地及林木覆盖面积5.42万hm^2，消灭流动沙丘沙地；②森林覆盖率由目前的14.85%提高到16.5%，净增1.65个百分点；③增加农田林网和间作面积18.25万hm^2，使农田林网控制率达到85%；④工程造林良种率达到85%以上，造林成活率95%以上，保存率90%以上，消灭"小老树"现象；⑤基本消灭沙埋作物现象，初步实现林茂粮丰。

(2)2010～2020年的治理目标：①沙区新增有林地及林木覆盖面积8.23万hm^2，流动、半流动沙丘全部固定或移沙改良；②森林覆盖率达到17%以上，沙区处处绿树成阴；③农田林网和间作的控制率达到98%以上；④工程区各县全部达到或超过河南省县级平原绿化高级标准；⑤沙区生态环境明显改善，作物保持稳产高产，真正实现大地园林化和林茂粮丰的壮景。

该工程建设总规模31.92万hm^2，其中，防风固沙林0.47万hm^2，小网格造林5.33万hm^2，大网格造林11.70万hm^2，农林间作11.00万hm^2，经济林3.42万hm^2。

3.建设范围

河南省的沙区主要分布在豫北、豫东平原的44个县(市、区)，根据分区治理突出重点的原则，工程安排在沙化土地面积大、风沙危害严重、主要城市周围及上风向的县份内，共在32个县(市、区)。它们分别是：郑州市的中牟县、新郑市、管城区；开封市的开封县、兰考县、尉氏县、市郊、杞县、通许县；商丘市的民权县、宁陵县、睢阳区、梁园区、睢县;周口地区的扶沟县、西华县、太康县、淮阳县;濮阳市的清丰县、南乐县、濮阳县;安阳市的内黄县、滑县;新乡市的原阳县、延津县、长垣县、封丘县;焦作市的温县、孟州市、武陟县;鹤壁市的浚县;许昌市的鄢陵县。

4.进度

工程建设期限为 2001 ~ 2010 年,分两个阶段进行实施:第一期 2001 ~ 2005 年,完成面积 20.85 万 hm^2,占总任务量的 65.3%;第二期 2006 ~ 2010 年,完成造成面积 11.07 万 hm^2,占总任务的 34.7%。

5.建设内容

(1)防风固沙林。由于流动沙丘分布较分散,对周围农田威胁较大,在流动沙荒地上,全面营造刺槐固沙林,规划面积为 0.48 万 hm^2,全部安排在前 5 年完成。

(2)小网格造林。在部分半固定的平沙地区和风沙危害较重的沙改田上造林,平均每个网格 $3hm^2$,每条林带 4 行树,每公顷造林 233 株,防护效果良好。小网格造林 5.32 万 hm^2。造林 5 年后林木覆盖面积可达 0.75 万 hm^2,占 14%。

(3)大网格造林。在河南平原推广较多。在一般沙改田上,主要营造生长快、防风效果好的杨树或泡桐林带,平均每个网格 $8hm^2$。该类型工程面积 11.70 万 hm^2。造林 5 年后林木覆盖面积可达 1.05 万 hm^2,占 9%。

(4)农林间作。在部分半固定的平沙地和沙改田上发展农林间作,规划面积 11.00 万 hm^2。造林 5 年后林木覆盖面积可达 2.53 万 hm^2。农林间作工程有三种模式,即农桐(杨)间作、农枣间作及农条(白蜡或杞柳)间作。

(5)经济林。在半固定平沙地区和沙改田上,成片营造经济林木。共规划面积 3.42 万 hm^2,其中杂果类 2.86 万 hm^2,金银花 0.22 万 hm^2,其他 0.34 万 hm^2。

(七)太行山绿化工程

1.工程建设的重要意义

太行山位于河南省西北部,地理位置十分重要,它矗立在晋、冀、豫三省交界上,太行山与燕山山脉构成华北平原的天然屏障,可御西北寒流袭击,可纳东南暖湿气流。太行山区气候的变异以及水文的变化、植被的面貌,不仅直接影响到太行山区,而且影响到京、津、冀、豫广大地区及京广、京九铁路的安全,关系到国计民生。1963 年 8 月,太行山降下多年不遇的大雨,洪水一泻而下,冲断了京广铁路,淹没了沿线广大平原地区,使工农业生产受到严重破坏,人民生命财产受到严重损失。太行山区矿产资源丰富,工业布局合理,有煤、铁、硫、铝、矾以及耐火材料等,在河南省国民经济和社会发展中具有较为重要的战略地位。近几年,华北地区干旱严重,地下水位下降,水源枯竭,严重影响了工农业生产和人民群众生活,不少地方饮水困难,要到几十里外的地方去挑水、运水。造成太行山区生态环境严重恶化的根本原因是森林植被的大量减少。太行山绿化的实施,构成黄淮海平原西北部的天然屏障,从根本上改善太行山区的生态环境,为太行山区经济、社会和生态环境可持续发展提供了坚实的基础。

2.建设目标

(1)建设总目标。到 2010 年,使太行山区现有 0.77 万 hm^2 生态公益林、现 27.00 万 hm^2 无林地上的林草植被得到切实有效保护,通过飞播造林、封山育林、人工造林等多种措施,在基本控制水土流失面积不再扩大的前提下,新治理水土流失面积 0.34 万 km^2,工程建设总规模达到 30.3 万 hm^2。其中,人工造林面积 8.98 万 hm^2,飞播造林 4.00 万 hm^2,封山育林 11.74 万 hm^2,中幼龄林抚育 2.30 万 hm^2,低质低效林改造 0.89 万 hm^2,现有林管护 2.39 万 hm^2,使太行山区的生态环境得到较大改善。初步实现工程区人口、经济、资源与环境的协调发展,向山川秀美的宏伟目标迈进。

(2)“十五”建设目标。到2005年,工程建设总任务达到16.74万 hm^2。其中,人工造林5.39万 hm^2,封山育林7.04万 hm^2,飞播造林2.4万 hm^2,中幼龄林抚育1.38万 hm^2,低质低效林改造0.53万 hm^2。

3.建设范围

根据太行山水系和现有森林资源分布的特点,以及对生态脆弱地区的保护和生态环境改善的需要,遵照国家林业局关于太行山绿化工程的原则,河南省太行山工程建设范围,包括安阳市的安阳县、林州市、安阳市郊区、汤阴县,鹤壁市的淇县、浚县、鹤壁市郊区、鹤山区、山城区,新乡市的卫辉市、辉县市、北站区,焦作市的博爱县、沁阳市、修武县、孟州市、焦作市山阳区共17县(市、区)。

4.进度

工程建设期限为10年,到2010年,共完成工程建设任务30.3万 hm^2。工程进度安排为前5年完成总工程量的60%,后5年完成总工程量的40%。漳河工程区到2005年完成工程任务3.96万 hm^2,2006~2010年完成工程任务2.64万 hm^2;卫河工程区到2005年完成工程任务13.17万 hm^2,2006~2010年完成工程任务8.78万 hm^2;沁河工程区到2005年完成工程任务1.05万 hm^2,2006~2010年完成工程任务0.70万 hm^2。

5.建设内容

根据河南省十大生态工程的总体布局,将太行山区在建设地域上划分为三个工程区,即漳河上游水源涵养林区、卫河上中游水源涵养林水土保持林区、沁河上中游水源涵养林水土保持林区。

(1)漳河上游水源涵养林区。只涉及林州市,是太行山区水土流失面积最大、平均侵蚀模数较高的地区,区内生态环境极端脆弱。其主攻方向应全面停止森林资源采伐,并采取有效措施严加管护;采取封山育林、飞播造林、人工造林等方式,加快宜林荒山荒地造林种草步伐;对陡坡耕地有计划、分步骤地实施退耕还林还草。到2010年完成规划任务6.60万hm^2。

(2)卫河上中游水源涵养林水土保持林区。涉及安阳市郊、安阳县、汤阴县,焦作市山阳区、修武县,鹤壁市郊区、鹤山区、山城区、淇县、浚县,新乡市北站区、卫辉市、辉县市。该区幅员面积86.24万hm^2,林业用地25.33万hm^2,有林地3.22万hm^2,灌木林地1.39万hm^2,无林地(含退耕还林地)20.22万hm^2,有林地占幅员面积的3.7%,灌木林占10.7%。该区植被稀少,水土流失严重。总体思路是加大封山育林力度,在深山远山实行全面封育,保护和恢复灌草和森林植被;加快人工植苗及飞播造林步伐,有计划有步骤地实施退耕还林。到2010年完成规划任务21.94万hm^2。

(3)沁河上中游水源涵养林水土保持林区。总面积16.77万hm^2,林业用地1.84万hm^2,有林地0.40万hm^2,宜林荒山荒地(包括退耕还林地)1.32万hm^2。沁河是太行山区南坡的主要水源地,也是著名的引沁济蟒工程的主要水源地,但有林地只占幅员面积的2.4%。该区的主攻方向是加大人工造林力度,实施封山育林,在低山浅山区实行集中连片规模治理,到2010年完成规划任务1.76万hm^2。

根据国家林业局确定的实施太行山绿化工程要“重点突出、整体推进”的工作方针,决定对重点地段进行重点治理,以带动整体工程再上新水平。计划在原有工程区的基础上,将河南省太行山区在建设地域上划分为五个重点工程区,即漳河上游水源涵养林工程、卫河上中游水源涵养林工程、淇河上游水源涵养林工程、安阳河上游水源涵养林工程、沁河上中游水源涵养林水土保持林工程。各工程详细情况如表5－4。

(1)漳河上游水源涵养林区。工程区地处漳河上游,总面积2 046km^2,其中,水土流失面积1 000km^2,流失面积占幅员面积的48.8%;年均侵蚀总量250万t,平均侵蚀模数为2 500$t/(km^2 \cdot a)$。该区林业用地8.30万hm^2,宜林地5.47万hm^2,16°以上需退耕还林地 0.73 万 hm^2,森林覆盖率 22.9%。

表 5-4 太行山绿化重点工程

序号	工程名称	工程范围	规模(万 hm^2)
	合 计		26.95
1	漳河上游水源涵养林工程	林州	5.83
2	卫河上中游水源涵养林工程	辉县、卫辉、修武、山阳区	16.94
3	淇河上游水源涵养林工程	淇县、鹤壁郊区、山城区、鹤山区	2.01
4	安阳河上游水源涵养林工程	安阳县	1.16
5	沁河上中游水源涵养林、水土保持林工程	沁阳、博爱	1.01

根据工程区内现有森林资源及无林地状况,从 2001~2010 年,规划建设任务 6.61 万 hm^2。其中,人工造林 1.34 万 hm^2,封山育林 2.69 万 hm^2,飞播造林 0.70 万 hm^2,中幼龄林抚育 0.73 万 hm^2,低质低效林改造 0.41 万 hm^2,现有林管护 0.74 万 hm^2。2001~2005年完成总工程量的 60%,2006~2010 年完成总工程量的 40%。

(2)卫河上中游水源涵养林水土保持林区。工程区涉及辉县市、卫辉市、修武县及山阳区 4 个县(市、区),总面积 3 923km^2,其中,水土流失面积 854km^2;林业用地 18.68 万 hm^2,占总面积的 48%;宜林地(包括退耕地)面积 16.30 万 hm^2,占总面积的 41.5%。

该区的自然条件恶劣。山阳区是工业城市焦作市的所在地,这里环境污染严重,环境质量恶劣,粉尘含量严重超标,水资源十分紧缺。加大这一地区的造林力度,恢复植被,是当务之急。因此,2001~2010 年的任务是完成人工造林 5.18 万 hm^2,封山育林

7.50 万 hm^2,飞播造林 3.30 万 hm^2,幼中龄林抚育 0.73 万 hm^2,低质低效林改造 0.18 万 hm^2,现有林管护 0.74 万 hm^2。其中,2001～2005 年完成总任务的 60%,2006～2010 年完成总任务的 40%。

(3)沁河上中游水源涵养林水土保持林区。涉及沁阳市、博爱县两个市(县)。工程区水土流失面积占幅员面积的 27%,土壤侵蚀模数分别为2 000t/(km^2·a)和 1 800t/(km^2·a)。目前仍有 0.98 万 hm^2 的宜林荒山荒地(含退耕还林地)。

规划期内,2001～2010 年完成 1.12 万 hm^2。其中,人工造林 0.76 万 hm^2,封山育林 0.09 万 hm^2,幼中龄林抚育 0.12 万 hm^2,低质低效林改造 0.02 万 hm^2,现有林管护 0.13 万 hm^2。

(4)安阳河上游水源涵养、水土保持林区。工程区重点是安阳县,总面积 15.20 万 hm^2。其中,林业用地 1.66 万 hm^2,宜林地 0.78 万 hm^2,森林覆盖率 5.19%;水土流失面积 15.3%,流失区年均侵蚀总量 39 万 t,平均侵蚀模数 1 800t/(km^2·a)。规划从 2001～2010 年完成人工造林 0.54 万 hm^2,封山育林 0.35 万 hm^2,中幼龄林抚育 0.06 万 hm^2,低质低效林业改造 0.16 万 hm^2,现有林管护 0.07 万 hm^2。前 5 年完成任务总量的 60%,后 5 年完成任务总量的 40%。

(5)淇河上游水源涵养林区。该区涉及鹤壁郊区、鹤山区、山城区、淇县 4 个行政单位,总面积 10.80 万 hm^2。其中,林业用地面积 3.20 万 hm^2,占总面积的 29.63%;宜林地(含退耕还林地)2.28 万 hm^2。荒山绿化任务十分繁重。因此,规划期内完成人工造林 0.78 万 hm^2,封山育林 1.07 万 hm^2,中幼龄林抚育 0.14 万 hm^2,低质低效林改造 0.03 万 hm^2,现有林管护 0.19 万 hm^2。前 5 年完成任务总量的 60%,后 5 年完成任务总量的 40%。

(八)城市绿化工程

根据国家要求,到 2005 年全国城市绿化覆盖率要达到 30%以上,人均公共绿地面积达到 8m^2 以上。据河南省建设部门的调查,2001 年全省 18 个地市城市绿化覆盖率 19.5%,人均公共绿地仅

$6m^2$,居全国第22位。其中,10个城市不足$3m^2$,3个城市不足$1m^2$,与国家现在规定的城市人均公共绿地面积$7m^2$以上的标准相比,有相当大的差距。按照《河南省国民经济和社会发展第十个五年计划纲要》,要把河南省由旅游大省建成旅游强省,围绕"三点一线"黄金旅游线的总体工程,提高城市的建设水平和品位,必须根据"园林城市"的建设目标,按照分级管理、分级负责的原则,省重点抓好郑州、开封、洛阳、三门峡旅游开发型城市和南阳、平顶山、濮阳能源开发型城市的城郊林业生态工程;各省辖市重点抓好市政府所在城市和县城的城郊林业生态工程建设;县(市、区)重点抓好县城和乡、镇所在地的环境绿化建设。

1.郑州市

郑州市是河南省省会,是全省政治、经济、文化的中心,是我国内陆主要开放城市和欧亚大陆桥的重要港口。经过几十年的努力,郑州城乡造林绿化事业取得了巨大成绩,1985年市区绿化覆盖率达到35.52%,人均占有绿地面积$4.12m^2$,位居国务院公布的全国317个城市之首,享有"绿城"之美誉;农村平原绿化经检查验收,被原林业部授予"平原绿化先进地市"光荣称号。但是,近年来由于城区迅猛扩展,人口急剧增加,水资源紧缺,环境问题日益严重。郑州市由于大陆性季风气候影响,加之森林植被稀少,自然灾害较多,主要有洪涝、干旱、冰雹、大风和沙暴、干热风等,以大风和沙暴危害最为严重。

实施环城生态防护林工程,用森林包围城市,让城市充满绿色,充分发挥森林调节气候、减灾降尘、涵养水源、遮阴覆盖、吸碳吐氧、净化空气、降低噪音等功能来改善城市生态环境,维护生态平衡,促进和谐发展,改变城市面貌,是提高城市品位的重要基础。郑州环城生态防护林的建设,将大幅增加城市近郊森林面积,有效遏制大气污染和生态环境日趋恶化的趋势。

环城防护林建设的范围及内容:环城生态防护林工程实施范

围涉及郑州近郊中原区、二七区、管城区、金水区和邙山区，工程区涉及23个乡(镇)，区域面积99 320hm^2。建设内容为：环城公路、107国道、开洛高速、沿黄、贾鲁河防护林带，完善农田林网和营造防风固沙林。工程建设总规模为10 304.1hm^2，其中营造防护林带总长112.6km，造林面积514.1hm^2；完善农田林网面积9 780.0hm^2(折合造林面积143.0hm^2)；营造防风固沙林10.0hm^2。

2.开封市

创建一流生态环境，实现造林绿化与造景的完善结合，最大限度地发挥森林的生态、社会和经济效益。体现林、水、田、城融为一体的城市风貌，提高开封市品位，塑造与历史文化名城相适应、与现代都市要求相符合的城市自然环境和自然风貌。开封市城郊生态防护林工程区是全市绿化的薄弱地区，林木覆盖率仅为10.12%，低于全市林木覆盖率17.69%的近8个百分点。农田林网和农林间作面积28 500hm^2，占适宜面积42 667hm^2的66.8%。固沙林面积为767hm^2，绿化覆盖率为56.1%。村镇绿化覆盖率为34.1%。

环城防护林建设的范围及内容：该工程涉及开封市郊区和开封县的6个乡、镇、场，总面积64 200hm^2。其中，开封市郊区34 200hm^2，开封县30 000hm^2。工程建设规模为18 292hm^2，其中环形林带324hm^2，骨干林带1 296hm^2，射线林带193hm^2，河流林带345hm^2，农田林网14 267hm^2，固沙林700hm^2，经济林1 267hm^2。

3.洛阳市

洛阳地处中原，位于黄河中游南岸，洛河之阳，是华夏文明的重要发祥地。悠久的建城历史，显赫的都城地位，发达的古代文化，新兴的工业基地，使洛阳成为闻名于世的历史文化名城和现代工业城市。但是，随着社会经济的快速发展，城市规模不断扩大，城市人口急剧增加，造林绿化相对有些滞后，城市人均绿地面积仅2.1m^2，生态环境亟待改善。为了保护古都洛阳，发展地域经济，创建全国优秀旅游业城市和国家园林城市。近年来,洛阳市、市政府把林业生态建设纳入了重要议程。在《洛阳市城市发展总体工程》中,把“绿化‘三山一河’(周山、龙门山、邙山、洛河),建设城市森林”作为“十五”计划期间建立城市生态安全绿色保护屏障的重要内容,也是造福广大市民的一项德政工程。

洛阳环城生态防护林工程建设范围及内容:主要涉及洛阳市的西工区、涧西区、廛河区、老城区、洛龙区和孟津县等6个区的17个乡(镇),工程区域面积461.3km^2,工程建设规模为6 149.5hm^{2}城郊生态防护林,其中环城防护林带256.5km,面积1 929.5hm^2;城郊生态林2 720hm^2;农田林网1 500hm^2。

4.三门峡市

三门峡市环城生态防护林工程,东起三门峡大坝,西至陕州风景区,北接黄河,南至青龙涧河南岸坡顶,总面积9 420hm^2,涉及三门峡湖滨区的3乡1镇22个行政村。工程区内林业用地总面积6 570hm^2,有林地面积400hm^2,疏林地430hm^2,未成林地228hm^2,无林地5 499hm^2,苗圃地13hm^2,森林覆盖率16.6%,活立木蓄积量2 102m^3。环城防护林工程面积6 570hm^2,其中两条河岸防护林带长31km,宽30~60m,面积170hm^2;铁路公路林带长52km,覆盖面积160hm^2,荒山荒沟荒坡营造水土保持林4 680hm^2,退耕还林绿化1 560hm^2。

(九)通道绿化工程

以“六纵四横”(六纵即京广、京九、焦枝铁路和106、107、207国道,四横即陇海铁路和310、311、312国道)和京珠、连霍高速公路河南段及南水北调中线工程河南段为骨干,以省道、县道、乡道为网络,大力营造护路、护渠林带,并在通道两侧营造高标准农田林网和绿化迎面山坡,形成全省性的绿色通道。营造防护林带360km,营造通道两侧高标准农田林网53.33万hm^2。配合农业产业结构调整,抓好310国道商丘段140km林果业绿化带建设。全省计划共新建绿色通道 2 万 km，其中铁路和干线公路绿化率达到 70%。

（十）村镇绿化工程

在农村实施"青山绿水工程"，结合农业产业结构调整，以提高乡（镇）村绿化水平，改善人居环境，增加农民收入为目标，以实施乡（镇）村（屯）绿化试点为重点，加快乡（镇）村绿化步伐。建设内容包括：以栽植名、优、特、新经济树种为主搞好庭院内外绿化，在乡（镇）村集镇及居民多的周边地区营造速生丰产用材林，搞好街心花园、广场绿地、小游园、小公园等的绿化等，形成多层次绿化格局。重点抓好省定的 115 个乡（镇）绿化建设和南街、刘庄、竹林、毛楼等一批园林式村庄建设。

第六章　林业生态建设的战略措施

第一节　加强生态安全与生态意识教育

一、生态安全释义

生态安全又称国家生态安全，是指一个国家生存和发展所需的生态环境处于不受或少受破坏与威胁的状态，是国家安全和社会稳定的一个重要组成部分。越来越多的事实表明，生态破坏将使人们丧失大量适于生存的空间，并可能由此产生大量生态灾民而影响本国、本区域甚至全球社会稳定。

当今世界，生态环境对人类生存和国家安危的影响逐步显现。生态环境的恶化，不仅对经济、社会生活形成挑战，而且对国家的安全稳定构成了严重威胁。据统计，第二次世界大战以后，由领土争端和海洋权益争夺引发的局部战争与冲突，约占第二次世界大战后爆发的 200 余场局部战争和军事冲突的 20%。同时，由生态问题引发的国际冲突与摩擦不断增大。如加拿大因受到来自美国的酸雨伤害而提出抗议，引起两国间的多次外交摩擦。由于生态问题对国家安全的影响，它已不单纯是经济问题或科技问题。专家认为，生态安全应当提到政治安全、军事安全、经济安全、科技安全同一层次上，构成国家安全的又一种外延。

二、我国生态安全现状

我国的生态安全正面临严峻挑战，生态环境安全整体仍呈恶化趋势：

第一，尽管全国的森林覆盖率整个来说有所增加，但森林资源的总体质量仍呈下降趋势，人均积蓄量不足世界平均水平的1/7，森林的生态功能严重退化。

第二，大部分草地已经或正在退化。由于对草地的掠夺式开发，乱开滥垦、过度樵采和长期超载过牧，全国草地面积逐年缩小，草地质量逐渐下降，其中中度退化程度以上的草地达1.3亿hm^2，并且每年还以2万km^2的速度蔓延。

第三，全国水土流失面积已达367万km^2，并以每年1万km^2的速度在增加；全国荒漠化土地面积已达262万km^2，继续以每年2 460km^2的速度扩展。目前，我国沙化土地的面积为168.9万km^2，占国土面积的17.6%。

第四，水资源匮乏，水体污染突出。全国人均水资源只有2 000多吨，是世界人均占有量的1/4，为世界上13个贫水国家之一。而且，水资源分布贫富不均，华北、西北的一些地区缺水严重。同时，主要河流普遍污染，其中辽河、海河污染严重，淮河水质较差，黄河水质不容乐观。主要淡水湖泊富营养化严重，多数城市地下水受到一定程度污染，且有逐年加重的趋势。近岸海域污染严重，四类和劣四类海水已达46%以上，其中污染最严重的东海海区，劣四类海水比例高达53%。

第五，大气环境恶化。有关部门统计，全国338个城市中，只有33.1%城市达到国家空气质量Ⅱ级标准，剩余的66.9%都超过了Ⅱ级标准，其中有137个超过Ⅲ级标准，占统计城市的40.5%。

第六，土壤酸化、盐渍化严重，耕地面积减少，土壤肥力下降。全国的酸雨面积已占国土面积的25%，土壤酸化程度有增无减；

盐渍化土地总面积约占国土总面积的8.5%;1995年全国人均耕地仅为0.08hm^{2}左右,在全世界26个人口5 000万以上的国家中排倒数第3位。

三、生态环境恶化的主要危害

第一,造成经济损失。根据国家环保总局组织的研究结果显示,1986年全国生态破坏造成的直接经济损失和间接经济损失值为831.4亿元;“八五”期间,随着国民经济的快速增长,生态环境破坏加剧,1994年因生态环境破坏造成的经济损失约为4 201.6亿元,接近同年GDP的10%。需要指出的是,上述数据仅包含了生态破坏的直接经济损失和部分间接经济损失,没有包括基因、物种消失等许多难以测算的潜在经济损失。据联合国环境规划署评估,实际上这些未被计算进去的损失远大于生态破坏造成的直接经济损失,有时为其2~3倍,甚至10倍。

第二,加剧贫困,影响社会安定。目前,在宁夏、内蒙古一些沙化严重的地区,已经迫使当地一些农民远走他乡,从而成为生态灾民。如内蒙古阿拉善地区,由于当地环境受到破坏,人民的生存受到了严重威胁,出现了两万多名生态灾民。

第三,加剧自然灾害发生。在类型众多的自然灾害中,除了地震、火山活动之外,许多自然灾害都与人类破坏生态密切相关,特别是洪涝、干旱、泥石流、沙尘暴等的频繁发生,可以说是生态环境恶化导致的后果。

第四,制约经济社会的可持续发展。严重的江河断流和污染,使水资源供需矛盾更加激化,给下游地区的社会经济发展造成了严重影响;生物资源的过量消耗和物种的大量消失,不仅破坏了生态系统的稳定,而且进一步削弱了工农业生产的原材料供给能力。

第五,影响城乡居民生活。譬如化肥、剧毒农药在农村的滥用,不仅破坏当地生态系统,而且对居民健康构成了威胁;原本非常清澈的小溪,由于开矿或建小企业,不注意环境保护,溪水污染变臭,甚至殃及地下水源,造成饮水困难,长期在这样的环境中生活,不仅容易引发疾病,而且极易使人烦躁不安,给精神健康带来巨大催残。生态环境问题的持续大范围发生,可使该区域的百姓丧失基本的生存条件,不仅谈不上安居乐业,甚至需要大规模迁徙。可以设想,如果农村生态环境恶化到一定程度,那么农村人口极有可能大量涌入城市,从而加剧城市人口、交通、就业压力。

第六,影响国际关系。目前,在非洲等国家,由于沙漠化严重,百姓生存条件恶劣,本国难民大量涌入邻国,造成了许多摩擦。2002年春季的沙尘暴波及韩国、日本及我国的台湾地区,在国际上造成了很大影响。

四、国家生态安全的呼唤

1. 构建生态文化

生态文化是以生态环境为背景,以人类与环境和谐共存为指导思想和研究对象的文化体系,是传统文化的有机组成部分。生态文化的研究目的,是从文化层次系统总结人类在各种生产实践中与周围环境发生关系而取得的各种智慧、经验和教训,从而重新认识和协调人与环境的关系,通过思想渗透,使人们在充分尊重自然的基础上,深刻认识、利用自然,促进可持续发展。

2. 构建森林文化

森林是陆地生态系统的主体,森林文化是整个生态文化的重要组成部分。历史上的文明古国都诞生于森林中,在森林中得以发展而辉煌于世,但在文明发展的过程中首当其冲受到破坏的也是森林。文明在森林中诞生和发展,同时又反过来破坏森林,甚至导致文明自身的衰退。如何正确处理森林与文明的关系是人类长期思考的问题。历史告诉我们,没有森林,文明将衰退,人类也将无法生存。总之,森林与树木是人类的摇篮、文化与文明的催化剂。森林对人类文化与文明的发展作出了不可磨灭的贡献,而且正起着越来越重要的作用。

3. 构建生态、森林文化普及、流通的渠道

生态、森林文化不应只被变成铅字而束之高阁,而应当从专家、学者的书房走出来,高擎自然辩证法的旗帜,以大众化的形象亲和工、农、商、学、兵等各个阶层,从而树立全民爱护自然、保护环境的文明风尚。其中,首当其冲的是加强对有关决策层的教育,使他们正视存在的环境问题,切实做到经济建设与环境保护协调发展。其次,要增强全民的环境意识,让广大民众认识到生态环境恶化的严重性和后果,从自身做起,保护环境。特别是要充分利用各种新闻媒体大力宣传生态环境恶化带来的严重后果,增强改善生态环境的紧迫感;大力宣传森林在陆地生态系统中的主体地位和林业在生态环境建设中的主体作用,提高广大干部群众的绿色意识和生态意识,增强全社会保护环境、保护森林的责任感和使命感。

国外十分注重中小学环境教育,北京的一位教师在德国观摩中小学教育后感触很深,专门对德国与我国的中小学生环境教育进行了对比,他认为:

(1)环境教育的首要任务是培养环境意识。德国的环境教育从幼儿园便开始,他们认为环境教育从越小的孩子做起越有效。因为这样有利于培养孩子们的环境意识,使他们对自然环境中的各种生命产生尊重的情感,从而自觉地去保护环境。他们认为,使人对环境有一个正确的态度是最重要的。我国的环境教育偏重于知识,要知道有的人具有很多知识,但他们并不去实践,甚至还会做有害于环境的事情。

(2)环境教育要渗透到学生生活的每一个角落。在德国汉堡有些学校参加了“fifty - fifty”项目,此项目也称“对半分”,就是国家把学校中因学生行为改变而节约下的水电费的半数奖励给学校。

不少学校教室的门上贴有提示牌，提醒学生离开教室时，要关灯、关窗、关门(因已供暖，关门窗可节约能源)。老师教育学生注意全部生活小节，这样可以逐渐养成同学们节约的良好行为。在“对半分”项目中也开展减少废物的行动，参加的学生很多。相反在我国节约的传统丧失，铺张浪费更加重了对环境的破坏和资源的浪费。

(3)环境教育要从热爱和感受大自然开始。我国的教师常常以说教形式告诫学生应该这样去做，不应该那样去做；同时，也常常教授给学生怎样测水质、测大气等技术，但因缺少情感教育，这样进行的环境教育收效甚微。德国的老师领着学生到大自然中去，在那里调动学生的所有感官，去看、去听、去闻、去触摸、去劳动、去品尝，从而使学生感受大自然中的空气、水、土地、动植物等，培养学生对大自然的感情，和大自然建立密切关系，这样才会使他们热爱大自然，去保护大自然。

(4)环境教育要因地制宜，因陋就简。德国是一个经济发达的富国，但他们在环境教育中是少花钱，多做事。有一个学校，为了让学生了解水生生态系统，在校园内挖了一个 $3m^2$ 的水坑。坑下，铺了一层橡胶防水层，然后贮集了雨水，放进了一些水生动植物，从而建立起了一个水生生态系统，后来这里成为学生们很喜欢来活动的场所。有的学校老师和学生还一起开垦荒地，种植庄稼。有的学校学生利用废旧木料制作蜂箱，然后养蜂。他们进行的许许多多的环境教育活动都是因陋就简。各个学校根据自己的环境，因地制宜，在环境教育上有自己的选择。而我们的环境教育却追求高投入、高技术，有些教师借口没有良好的条件，而放弃进行环境教育的责任。

“他山之石，可以攻玉。”我们要学习德国环境教育的经验。中华民族和日耳曼民族一样是伟大而优秀的民族，我们也能够把环境教育搞好，培养适应 21 世纪的合格公民。

第二节　抓好林业基础建设

要保证林业事业得到快速、持续、健康的发展,必须抓好林业基础建设。

一、建立比较完备的科技支撑体系

1. 加强科技创新

首先,要加强现有林业科研机构建设,重点是抓好省级林业科研机构和部分城市市级林业科研机构的建设,补充、完善、提高科研机构实验室、研究中心等科研基础设施建设;特别要加强"林木良种培育"和"农用林业"等重点实验室建设,努力改进科研手段,提高仪器设备的档次和精度,使两个重点实验室的硬件设施达到国内先进水平。其次,要引导和鼓励林产工业企业建立健全科研或技术开发机构,增强企业的科技创新和技术开发能力,真正使企业成为林产工业科技创新的主体。同时,要围绕森林资源培育、保护和高效利用,组织科技攻关。重点加强生物工程技术在新品种选育上的应用,力争选育出品种相对齐全的优质高产高效和高抗逆性的用材林、特种用途林优良品种,并合理开发引进用材林、经济林、特种用途林优良品种;开展困难造林地植被恢复技术及造林树种选择、重点林业生态工程林种与树种空间配置技术、速生丰产林集约高效栽培技术和低价林改造技术、高标准农田防护林营建以及长江中上游、黄河中游林业生态治理优化模式等方面的研究,为重点林业生态工程和商品林基地建设提供多套高效生态经济模式;加强木材、果品深加工技术的研究,为林产工业发展提供技术保障。

2. 建立健全林业科技示范体系

重点抓好全省"科教兴林"示范县建设;建立林业高新技术综

合开发试验区;努力搞好已建“河南省林业高新技术试验示范园区”,加大“国家高技术产业化示范项目”的争取力度,搞好高技术产业化项目建设。结合国家、省重点科技推广项目的实施和省重点林业生态工程建设,新建一批科技示范基地,逐步形成点面结合的科技示范体系。

3. 巩固和完善林业科技推广体系

按照“提高省、市级,完善县一级,强化乡一级,发展村一级”的要求,以队伍建设、基地建设、场所建设和手段改善为重点,使其达到试验示范有基地、培训有场所、服务有手段、推广有队伍,形成以各级林业推广机构为骨干,科研所、林业企业、国有场圃及群众性科技服务组织、农民技术员为补充的完善的林业科技推广体系。“十五”期间,要重点加强市、县两级林业科技推广机构建设,进一步改善工作条件和科技推广手段。同时,要组织实施一批适应面广、生产急需的重大科技推广项目。

4. 建立健全林业质量技术监督体系

重点抓好省林产品质量技术监督检验站的建设,努力提高质量监测人员的业务素质和执法水平,做到从严执法,依法监督。同时,要进一步加强知识产权保护工作,积极开展林业植物新品种审定与保护工作。

二、建立比较完备的林业教育培训体系

林业教育要按照现代林业要求,培养和输送大批适应社会主义市场经济发展及林业建设需要的专门人才。要按照“三个代表”重要思想的要求和全国干部教育培训规划,大力加强干部教育培训工作,建设高素质的干部队伍。要进一步深化林业教育改革,全面转换办学机制,调整高等林业教育内部层次和专业结构,加强学科建设,在河南省林业学校的基础上建立河南林业职业技术学院,发展林业高等职业技术教育。积极发展林业高等教育自学考试和

函授、广播电视、计算机网络等远程教育，强化行业培训、林农培训和干部继续教育，加速引进和培养高层次人才等工作，提高林业职工队伍的整体素质。大力推行“林业绿色证书”活动，努力培养一支扎根农村、带领农民依靠林业致富的农民林业技术员队伍。

三、建立比较完善的良种壮苗培育供应体系

“十五”期间，在搞好国有苗圃建设的同时，鼓励企业、个人等社会力量参与种苗工程建设。认真抓好国家批准的 6 个重点林木种苗基地建设项目，建成 5 个高起点、高标准的省级种苗示范基地和 18 处市级种苗示范基地；在种子重点产区新建、改建种子低温库 5 座，常温库 37 座；审（认）定推广 100 个林木良种；种子、苗木受检率达到 90%以上，完成种苗质量监督检验体系、种苗市场体系和种苗信息管理化体系的建设。同时，充分发挥河南省的区位优势和综合资源优势，适应国家西部大开发战略的需要，为西部天然林保护、退耕还林（草）和通道绿化工程建设提供优质苗木。到“十五”期末，使河南省造林良种使用率由现在的 57% 提高到 62%，速生丰产林和经济林造林全部使用良种；裸根苗出圃合格率由现在的 85%提高到 95%以上，一级苗出圃率由现在的 60%提高到 75%，容器苗稳定在 20%。

四、建立比较完备的森林资源和生态环境综合监测与评价体系

（1）狠抓森林资源、森林环境和荒漠化监测体系建设，巩固、完善省级森林资源监测体系，搞好森林资源规划设计调查（二类调查）和地方森林资源监测体系建设，认真编制和执行森林经营方案。积极采用先进技术，建立全省数字林业管理系统，实现林业资源监测、管理的科学化、现代化。

（2）建立健全荒漠化监测体系，采取遥感（RS）、地理信息系统

(GIS)、全球卫星定位系统(GPS)等高新技术与常规技术相结合,建立从地面测量到航片和卫星影像图数据处理的航天、航空和地面相结合的立体监测系统,建成由30~60个地面监测站(点)组成的省、市、县三级监测网络;建立荒漠化监测分类评价指标、荒漠化灾害数据库、荒漠化预警系统。

(3)建立森林环境和野生动植物监测体系。对全省野生动植物资源和湿地资源进行本底清查,摸清资源状况,逐步建立由省监测中心、市级监测站和野外监测点组成的三级监测体系,对河南省野生动植物资源和湿地资源进行长期监测,掌握资源的动态变化趋势。

(4)进一步加快林业信息技术体系建设步伐,建立全省林业信息网络并制定统一规程,解决林业及环境分布式数据库信息共享技术。"十五"期间,重点抓好"河南省林业系统宽带综合业务数字网(B-ISDN)"、"河南省林业环境与资源管理信息系统"建设。

第三节　搞好森林资源的保护管理

生态环境保护是功在当代、惠及子孙的伟大事业和宏伟工程。为全面实施可持续发展战略,落实环境保护基本国策,国务院于2001年印发了《全国生态环境建设纲要》。对加强森林资源保护提出了明确要求:

第一,建立生态功能保护区。对江河源头区、重要水源涵养区、水土保持的重点预防保护区和重点监督区、江河洪水调蓄区、防风固沙区和重要渔业水域等重要生态功能区这些区域的现有植被和自然生态系统应严加保护。通过建立生态功能保护区,实施保护措施,防止生态环境的破坏和生态功能的退化。跨省域和重点流域、重点区域的重要生态功能区,建立国家级生态功能保护区;跨地(市)和县(市)的重要生态功能区,建立省级和地(市)级生态功能保护区。在生态功能保护区内停止一切导致生态功能继续退化的开发活动和其他人为破坏活动；停止一切产生严重环境污染的工程项目建设；严格控制人口增长，区内人口已超出承载能力的应采取必要的移民措施；改变粗放生产经营方式，走生态经济型发展道路，对已经破坏的重要生态系统，要结合生态环境建设措施，认真组织重建与恢复，尽快遏制生态环境恶化趋势。

第二，切实加强对森林这一重要自然资源的环境管理。森林资源的开发，必须遵守相关的法律法规，依法履行、生态环境影响评价手续；资源开发重点建设项目，应编报水土保持方案，否则一律不得开工建设。

第三，加强生态用地保护，冻结征用具有重要生态功能的草地、林地、湿地。建设项目确需占用生态用地的，应严格依法报批和补偿，并实行“占一补一”的制度，确保恢复面积不少于占用面积。加强对交通、能源、水利等重大基础设施建设的生态环境保护监管，建设线路和施工场址要科学选比，尽量减少占用林地、草地和耕地，防止水土流失和土地沙化。加强非牧场草地开发利用的生态监管。大江大河上中游陡坡耕地要按照有关规划，有计划、分步骤地实行退耕还林还草，并加强对退耕地的管理，防止复耕。

第四，对具有重要生态功能的林区、草原，应划为禁垦区、禁伐区或禁牧区，严格管护；已经开发利用的，要退耕退牧，育林育草，使其休养生息。实施天然林保护工程，最大限度地保护和发挥好森林的生态效益；要切实保护好各类水源涵养林、水土保持林、防风固沙林、特种用途林等生态公益林；对毁林、毁草开垦的耕地和造成的废弃地，要按照“谁批准谁负责，谁破坏谁恢复”的原则，限期退耕还林还草。加强森林、草原防火和病虫鼠害防治工作，努力减少林草资源灾害性损失；加大火烧迹地、采伐迹地的封山育林育草力度，加速林区、草原生态环境的恢复和生态功能的提高；大力发展风能、太阳能、生物质能等可再生能源技术，减少樵采对林草植被的破坏。

第五,生物物种资源的开发应在保护物种多样性和确保生物安全的前提下进行。依法禁止一切形式的捕杀、采集濒危野生动植物的活动。严厉打击濒危野生动植物的非法贸易。严格限制捕杀、采集和销售益虫、益鸟、益兽。鼓励野生动植物的驯养、繁育。加强野生生物资源开发管理,逐步划定准采区,规范采挖方式,严禁乱采滥挖;严格禁止采集和销售发菜,取缔一切发菜贸易,坚决制止在干旱、半干旱草原滥挖具有重要固沙作用的各类野生药用植物。切实搞好重要鱼类的产卵场、索饵场、越冬场、洄游通道和重要水生生物及其生境的保护。加强生物安全管理,建立转基因生物活体及其产品的进出口管理制度和风险评估制度;对引进外来物种必须进行风险评估,加强进口检疫工作,防止国外有害物种进入国内。

第六,严禁在生态功能保护区、自然保护区、风景名胜区、森林公园内采矿。严禁在崩塌滑坡危险区、泥石流易发区和易导致自然景观破坏的区域采石、采砂、取土。矿产资源开发利用必须严格规划管理,开发应选取有利于生态环境保护的工期、区域和方式,把开发活动对生态环境的破坏减少到最低限度。矿产资源开发必须防止次生地质灾害的发生。在沿江、沿河、沿湖、沿库、沿海地区开采矿产资源,必须落实生态环境保护措施,尽量避免和减少对生态环境的破坏。已造成破坏的,开发者必须限期恢复。已停止采矿或关闭的矿山、坑口,必须及时做好土地复垦。

第七,旅游资源的开发必须明确环境保护的目标与要求,确保旅游设施建设与自然景观相协调。科学确定旅游区的游客容量,合理设计旅游线路,使旅游基础设施建设与生态环境的承载能力相适应。加强自然景观、景点的保护,限制对重要自然遗迹的旅游开发,从严控制重点风景名胜区的旅游开发,严格管制索道等旅游设施的建设规模与数量,对不符合规划要求建设的设施,要限期拆除。

第八，重视城市生态环境保护。在城镇化进程中，要切实保护好各类重要生态用地。大中城市要确保一定比例的公共绿地和生态用地；深入开展园林城市创建活动，加强城市公园、绿化带、片林、草坪的建设与保护，大力推广庭院、墙面、屋顶、桥体的绿化和美化。严禁在城区和城镇郊区随意开山填海、开发湿地，禁止随意填占溪、河、渠、塘。

具体到河南省，森林资源保护管理工作形势也十分严峻，主要表现在破坏森林资源的势头有增无减，乱捕滥猎、非法运输野生动物案件呈上升趋势，群众信访案件不断增多。且呈现如下特点：其一，一些地方基层干部，尤其是村干部参与有计划、有预谋的团伙犯罪增多。如济源市金沟村群众举报村支部书记将大面积幼林卖给当地煤矿，造成了严重的乱砍滥伐。经调查，该村在未办理采伐证的情况下，组织砍伐防护林5 067株，情况基本属实。镇平县二龙乡凉水坪村村支书为发展香菇生产，组织村民采伐本村集体林木1.47万株。其二，执法不力，监督不到位，一些管理措施流于形式，甚至徇私舞弊、监守自盗。其三，有些地方政府领导只顾眼前经济利益，用行政命令，强迫农民砍伐林木，造成森林资源的严重破坏。据清查，卢氏县11年间，栎类中龄以上林分面积减少1.65万hm^2、蓄积量减少127.3万m^3，分别降低90.4%和90.1%；西峡县11年间，栎类中龄以上林分面积减少4.81万hm^2、蓄积量减少276.5万m^3，分别降低80.5%和75.4%；泌阳县1997年以来，每年消耗十几万立方米栎材，有2/3是从邻近的西峡、内乡、南召、桐柏等县购进。内乡县岞岖乡上庄村为完成上级分配的食用菌生产任务，村干部组织400多名村民滥伐林木103m^3。其四，一些农民受利益驱动，偷砍滥伐林木。还有的是林地转包后，放松管理，造成乱砍滥伐。造成这些问题的主要原因，一是部分基层干部、群众法律法规意识淡薄；二是受经济利益驱动；三是有关部门工作不力，执法不严。这些问题必须在今后的工作中切实加以解决。

一、加强资源保护,坚持依法治林

认真贯彻执行《中华人民共和国森林法》、《中华人民共和国野生动物保护法》、《中华人民共和国种子法》、《河南省实施〈中华人民共和国森林法〉办法》、《河南省林地保护管理条例》和《河南省天然林保护工程建设管理办法》等法律法规。严格执行森林采伐限额,加强林木采伐、运输和木材市场管理,停止一切毁林开垦活动,积极稳妥地做好退耕还林工作,切实做好森林资源监测和年度造林实绩核查。加快林业立法进程,制定和颁布《河南省防沙治沙条例》、《河南省天然林保护条例》、《河南省森林生态效益补偿办法》、《河南省义务植树条例》、《河南省森林植物检疫条例》、《河南省国有林场管理办法》和《河南省实施〈中华人民共和国种子法〉办法》等法规。加大林业执法力度,建立健全林业执法体系,严厉打击破坏森林资源的违法犯罪行为,搞好林区社会治安综合治理。在伏牛山、大别山、太行山区实施野生动植物就地保护,以黄河、淮河、汉水流域滩涂、主要湖泊为湿地保护重点,新建、扩建一批自然保护区,形成类型齐全、功能完备的野生动植物保护体系。“十五”期间,全省新建森林、野生动物和湿地类型自然保护区 10 个,总数增加到 23 个,总面积达 30 万 hm^2,占全省国土面积的 2%。其中新建罗山董寨、黄河湿地、小秦岭等国家级自然保护区 3 个,使河南省国家级自然保护区总数达到 7 个;新建洛阳熊耳山、信阳天目山、淅川丹江口湿地、汝南宿鸭湖湿地、内乡湍河湿地、商城鲇鱼山湿地、淮滨淮南湿地、黄河小浪底湿地等省级自然保护区 8 个。

二、严格执法,严格管理

要加大法律法规的宣传力度。目前,部分基层干部和群众对林业法律法规知之甚少,往往把违法的事当作正确的事去坚持。

各级林业部门一定要充分利用一切宣传工具,采取多种形式,广泛宣传林业法律法规,不仅要宣传领导,更要宣传群众,教育广大干部群众成为遵纪守法的模范。要加强林业执法队伍建设。高素质的执法队伍,是严格执行法律、法规的前提和基础。要实行分级分类突破,切实解决好实际问题。要进一步建立健全各项规章制度,规范执法行为。要加强监督检查,对滥用职权、玩忽职守、执法犯法的人员,依法严肃查处。要严格执法,敢于碰硬。林业执法,必须"严"字当头,对各种违法行为要敢于碰硬,坚决做到有法必依,执法必严,违法必究。

三、突出重点,重拳出击

森林资源保护管理的重点在农村,在山区,关键在乡、村两级。因此,一是要加强基层干部的教育管理,广泛宣传林业在发展农村经济、改善生态环境中的重要地位和作用,教育他们正确处理发展经济与保护森林资源、改善生态环境的关系,把依法治林变为广大基层干部的自觉行动。二是要抓好重点地区的森林资源保护管理。深山远山和经济不发达的贫困地区,是各类林业案件的高发区。要加大对这一地区的管理,积极帮助广大农民群众选择脱贫致富的正确途径。三是集中力量查处大案要案。特别是全省林业公安机关,要在公、检、法、工商和新闻等单位的支持下,开展经常性的林业严打专项斗争。对群众反映强烈的案件,要集中力量,严肃查处。

四、建立比较完备的森林防火体系

森林防火工作总的指导思想是:以保障重点林业工程建设、巩固造林绿化成果、改善生态环境、维护社会安定为宗旨,全面贯彻江泽民总书记"隐患险于明火,防范胜于救灾,责任重于泰山"的重要指示和"预防为主、积极消灭"的森林防火工作方针,继续坚持

“突出重点,集中投放,综合治理,分区突破”的原则,加大工作力度,强化基础建设,努力推进森林防火工作再上新台阶。今后10年的森林防火工作将突出三大林区、强化“三大体系”、抓好四支队伍、推进六大工程、实现六项目标。

(一)突出三大林区

即突出抓好全省三大重点火险区的森林防火建设:一是黄河中下游天然林区15个县;二是易于燃烧,火灾损失极为惨重的针叶林(飞播林)集中分布区20余县(市);三是风景旅游区、自然保护区、森林公园等火灾多发区域130余处,该区内人为活动频繁,发火次数占全省火灾总数的50%以上。

(二)强化“三大体系”

1. 组织指挥体系

进一步强化森林防火各级行政领导负责制和部门系统分工负责制,逐步建立起反应迅速、指挥果断、协调有力的组织指挥体系。同时,加大县以上防火办规范化建设力度。

2. 科技支撑体系

组织以水灭火、爆破灭火、地理信息系统、林火预测预报等科技攻关,大力进行化学除草、计划烧除、防火隔离带建设等新技术的推广应用,不断提高森林防火的科技含量。加强森林防火岗位技术培训,切实提高森林防火管理水平。

3. 法律规章体系

在国家修订《森林防火条例》的基础上,结合河南实际,组织修订《河南省〈森林防火条例〉实施办法》及其他相关法规,使森林防火工作从预防到扑救、指挥、火案查处、责任追究、后勤保障、内业建设等都有法可依、有章可循。

(三)抓好四支队伍

1. 预防监测队伍

建立比较完备的地面巡护监测网络。

2. 防火纠查队伍

逐步在全省209个重点林区乡镇建立森林防火纠查队，防火期内坚持巡山护林、监督用火、查处火情、组织报警，并有针对性地开展森林防火宣传教育。

3. 群众护林队伍

在推广实施卫辉市拴马乡森林防火"农户包山责任制"的基础上，以村为单位，在重点林区村建立600～800支群众护林队伍，从根本上实现"群防群治"。

4. 扑火抢险队伍

建立健全专业、半专业扑火队伍，基本实现扑火队伍专业、半专业化。

(四)推进六大工程

1. 宣传通道工程

在进一步开展群众性防火宣传教育的基础上，在全省重点林区和紧要地段开辟15条森林防火宣传通道、25条森林防火宣传街道、150条林区森林防火宣传走廊；强化11月森林防火宣传月活动；实现林区中小学森林防火教育制度化。

2. 火情监测工程

(1)建立比较完备的卫星监测网络。

(2)建立比较完备的瞭望台监测网络。

3. 信息传输工程

建立比较完备的辅助卫星通讯网络。

4. 预测预报工程

建立林区气象站60处，建立流动气象观测哨100处，组织各县实施森林火险天气预报，并逐步开展林火发生监测预报工作。

5. 阻火隔离工程

在全面实施生物防火林带建设与新区开发、现有林改造同步规划、同步设计、同步施工、同步验收"四同步"的同时，以针叶林区和新造林区为重点，扩大生物防火林带工程建设试点规模，推动全省以防火林带为主体的阻火隔离工程建设。

6. 后勤保障工程

建立起比较完备的后勤保障体系。组建10座省级大型森林防火物资储备库、35处县（市）级中型储备库、121处小型储备库。争取到2010年，具备同时扑救3处以上重大森林火灾的后勤供应能力。

（五）实现六项目标

今后10年森林防火要实现的六项目标为：

（1）将年均森林火灾发生次数控制在100次以下；

（2）森林火灾发生率控制在3次/10万hm^2以内；

（3）森林受害率不高于0.3‰；

（4）森林火灾控制率控制在8hm^2/次；

（5）森林火灾火案查处率达到60%以上；

（6）重大森林火灾控制力由2年一遇提高到5年一遇。

五、建立比较完备的森林病虫害防治体系

认真实行“预防为主，综合治理”的方针，结合重点林业生态工程建设，综合协调运用营林、生物、基因、物理和化学等防治措施，对主要病虫害实行工程治理。坚持依法防治，依法检疫，促进森林病虫害防治工作由重除治向重预防转变，由治标向治本转变，由一般防治向工程治理转变，由以化学防治为主向以生物防治为主转变，提高森林尤其是人工林自身抗御病虫害的能力，逐步实现森林病虫害的可持续控制。一是逐步建立健全森林病虫害预测预报网络体系，充实专兼职测报人员，坚持定点、定人、定期调查和定期发布测报信息，为科学防治提供正确依据。二是逐步建立危险性森

林病虫害预防体系，加强产地和调运检疫，对造林用种用苗实行源头管理，保证用良种壮苗造林，同时，封锁堵截危险性森林病虫害的传播，确保森林资源安全。三是逐步建立管理科学、控灾能力较强的森林病虫害防治体系，通过加强“一站三网”森防体系建设、加强人员培训、开发引进先进防治技术和先进设备，提高森林病虫害防治管理机构的管理水平，逐步实现对森林病虫害的可持续控制。“十五”期间，新建和完善省级标准站 50 个，国家级标准站 30 个，国家级、省级中心测报点 40 个；抓好无检疫对象苗圃建设，建成省级隔离试种苗圃 1 个。逐步形成省、市及重点县的测报、防治、检疫网络，提高御灾抗灾能力。

六、切实加强林业执法体系建设

一是要进一步加强林业公安队伍建设。以森林公安机关“三项教育”为契机，强化队伍建设，提高林业公安队伍整体素质和执法水平；加强林业公安装备和基础设施建设，建立省森林公安指挥中心，提高林业公安机动作战、快速反应和侦察破案能力；加大破坏森林资源重点地区、破坏野生动物资源重点地区和社会治安混乱、案件多发地区综合治理；加大林业公安基本建设投资力度，解决林业公安交通、通信和装备落后等突出问题。“十五”期间，新建基层公安派出所 37 个，实现全省各县(市、区)均有林业公安机构，并在 24 个重点山区县和 18 个市建立森林公安局(分局)。二是要加强林业行政执法体系建设，强化执法人员培训，提高执法队伍素质，改善执法队伍装备，使林业行政执法能够基本适应林业发展的整体要求；抓好木材检查站建设、森林资源监督体系建设，实现全省木材检查站达标，大部分木材检查站要达到一级站标准。同时要继续加强森林植物检疫体系和林木种苗执法体系建设。

第四节　加大林业生态建设投入

一、加大对林业生态建设的投入，必须提高对林业生态建设重要性的认识

人类在地球上生存只有50万年的历史，而森林在几亿年前就存在于地球。森林养育了原始人，保证了人类的起源与发展。人类取氧于林，取食于林，取车船于林，取房于林，取燃料于林，取药材于林。据生物学家计算，一个人如果没有平均10m^{2}的森林，就不能保证呼吸足够的氧气和消除呼出的二氧化碳。森林能调节气候，净化空气，保持生态平衡，治理环境污染，给人类创造清洁、舒适、优美的生活条件。俗话说，有林风调雨顺，无林大地生灾。

森林能保持水土，涵养水源。水利是农业的命脉，森林是水利的源泉，是农业的屏障，没有林业就没有农业。一个国家，一个地区森林覆盖率达到30%，而且分布均匀，就能使农业稳产、高产。据专家研究，农桐间作对防止小麦夏收前干热风作用明显，可降低风速35%～58%，地面蒸发减少20%～40%，空气相对湿度增加9%～29%，10～50cm土层含水量可增加24%左右。据测定，每公顷种植60棵泡桐，小麦可增产11%～22%，谷子增产20%，玉米增产10%；在农田栽植的泡桐比未间作的生长快2～3倍。

森林与人类健康关系极大。树木是氧气的制造厂，通常1hm^{2}树木通过光合作用每天放出700kg氧气，吸收1t左右二氧化碳。700kg氧气可供1 000人一天需用。树木还具有吸热、吸尘、遮光、蒸发水分、减小风速、吸毒杀菌、降低噪声等作用。据调查，每公顷油松每年可吸滞粉尘30多吨，1hm^{2}柳杉每年能吸收二氧化硫720kg，1hm^{2}侧柏每天能分泌30kg杀菌素，可杀死白喉、肺结核等病菌；公园或庭院中成片树木可降低噪音24～43分贝。

林业独有的、显著的生态效益无处不在,但往往容易被人们所忽视。植树造林,绿化祖国,是治理山河,建立良好生态屏障,促进经济发展,造福子孙后代的伟大事业,是我国的一项基本国策。发达的林业,是国家富足、民族繁荣、社会文明的主要标志。林业生态建设具有很强的社会性,它关系到方方面面和千家万户。造林、营林、保护森林都需要大量的资金投入。要想加大对林业生态建设的投入,必先提高各级领导和广大干部群众对森林所产生的巨大生态效益的认识和加强林业生态建设重要性的认识,提高各级政府和全民的投入意识。

二、加大对林业生态建设的投入,必须正确认识"投入"的真正内涵

加大对林业生态建设的投入是广义的。生态建设投入不单是投钱,要从林业生态建设综合需要出发,全方位进行投入。首先,要在宣传教育上进行投入。不重视林业生态建设重要性的宣传教育,不能长期坚持进行林业生态建设教育,要想使整个林业生态建设得到持续、快速、健康发展是不可能的。美国十分重视生态环境建设与保护的宣传、教育。1934 年 5 月,由于过度放牧和开垦,美国发生了一场历史罕见的特大风暴,约 6 000 万 hm^2 耕地受灾,全国为之震动。自然的惩罚,使美国政府深刻体会到保护生态环境的重要。为治理风沙危害,同年 7 月,罗斯福林业工程启动,至 1942 年,8 年植树 2 亿株,营造防护林带28 962km,保护农田 162 万 hm^2。为搞好生态环境建设与保护工作,美国将热爱大自然、保护生态环境的内容编入小学教材,长期灌输绿化、美化知识。广播、电视、报刊、杂志等社会传播媒介,也规定了生态宣传任务,无偿服务。其次是政府、领导真正关心、支持林业生态建设。要通过宣传,使全社会都重视林业生态建设。但这种重视如果只停留在口

头上、停留在文件中，流于形式，没有实际行动，同样不可能促进林业生态建设事业的发展。一个国家、一个地区要想干成一番事业，政府不重视不行，领导干部不领着干也不行。再次是资金、物资上的投入。林业生态建设，是公益性事业，它产生的效益多数是无形的，是无法用金钱去计算的。它不同于其他经济建设项目，没有足量资金投入，林业生态建设更是巧妇难为无米之炊。

三、加大对林业生态建设的资金投入，必须尽快建立科学的投入机制

加大对林业生态工程建设的投入，需要各级计划、财政、金融等部门想方设法逐年增加建设投资比例。国家安排的农业综合开发、以工代赈等投资，要向林业生态工程建设项目倾斜。新开工基本建设项目要把植树绿化投资纳入工程概预算。煤炭、造纸等部门应依法按规定比例提取一定数额的资金，用于营造坑木、造纸等用材林。城建部门要按照规定足额提取城市建设绿化费。各级绿化委员会对本地没有履行植树义务的单位和个人，要按照规定收缴绿化费。要按照《中华人民共和国森林法》的有关规定，逐步建立森林生态效益补偿制度，征收森林生态效益补偿费。要拓宽思路、选准项目，合理有效地利用外资。黑龙江省造林绿化的八项筹资措施和日本海防林建设的投入机制很值得我们学习。

黑龙江省造林绿化的八项筹资措施是：第一，森工企业和国有林场的育林基金必须专款用于造林、育林、护林。销售自有林生产木材提取的育林基金也要用于本部门造林。第二，各地、市、县根据造林任务的大小，在地方财政支出中安排一定比例的资金，用于造林绿化。造林任务繁重，财政形势较好的市县，其投入不低于地方财力安排支出的1%。在农业发展基金中，要有林业的份额，要安排一部分农贷资金用于造林。第三，发动农村群众投资投劳，自

筹造林资金;集体林可以实行"造、抚、管"一条龙的承包方法。第四,处理毁林案件收缴的木材变价款和赔偿损失费,由林业主管部门统一掌握,用于造林、护林。第五,煤炭、造纸等部门按规定提取的育林费用,要用于营造原料林、矿柱林;铁路、公路、农垦、水利以及旅游等部门,要从自有资金中划拨专款用于本部门的造林和绿化。第六,城市建设要从配套费中提取一定份额用于环境绿化。第七,按全民义务植树规定的适龄公民,未完成义务植树任务的,按规定缴纳绿化费。第八,一切从森林中直接或间接受益的单位或个人,都要缴纳生态补偿费,用于发展林业。

日本海岸防护林建设的投入情况是:日本《森林法》第 25 条规定,凡营造海岸防护林,如属国有林,全由中央给予补助;属于民有林部分,中央补助 50%,都、道、府、县地区政府投入 50%;属群众性经营的,造林所需一切费用,均由中央、地方政府两方给予投资。待林木有收益时,中央、地方占 80%,群众占 20%。同时中央还规定,由地方政府配套投资的部分,都、道、府、县都必须事先把资金存入银行,林野厅才拨下去中央给的投资,否则中央不给拨款。此外,日本为了发展林业,支持造林,还设立了三个专业银行:第一,中央农林渔业金融公库及各级支库。公库专管农林渔业贷款,内设有林业课。国家财政给公库一定数额的周转资金,由公库通过地方林业部门、森林组合等向群众发放。第二,林业信用基金。这是一个半民间性组织,其作用是吸收林业经营者的存款或贷款。除吸收林业经营者存款外,中央、地方政府按 1:1 的比例也给一定数量的资金补助,地方不拿钱,中央也不给,地方使用中央的贷款,年息 1%。第三,农业中央金库。这个组织可以发放公债,也可向其他银行借款,然后向农林业贷款。借入款与贷出款的利差,由中央财政给予补贴。日本在建设海岸防护林方面不惜人力、物力和财力。营造 $1hm^2$ 海防林(不包括工程措施),投资 800 ~ 1 000 万日元(折合人民币 24.8 万 ~ 31 万元)。

第五节　加快林业体制改革步伐

一、进行林业体制改革的必要性和紧迫性

1978 年 12 月，中共十一届三中全会拉开了中国改革的帷幕。农村改革走在全国改革的前列，打破人民公社“三级所有，队为基础”的管理体制，实行了以家庭联产承包为主的责任制，逐步建立、完善分散经营和统一经营相结合的双层经营体制，赋予了广大农民比较充分的经营自主权，调动了广大农民的劳动积极性，极大地促进了农村经济的全面发展。

随着农村改革的推进，林业经营体制的改革也取得了相应进展，各种形式的林业生产责任制、租赁、承包、股份合作等林业经营形式不断涌现，农村林业经济出现了前所未有的活跃局面，广大农民的林业生产积极性空前高涨。但是，林业有其自身的自然规律和经济规律，它既不能等同于农业，也不能等同于畜牧业。随着改革的深入，林业深层次问题不断被触及，林业的特点也日益显露，仍套用农业的办法已不能完全解决林业改革中遇到的种种问题。如何适应当前发展生态林业的需要，逐步创建能够大力推进林业全面发展的经营管理体制，成为最近一个时期需要抓紧研究解决的一个重要课题。

二、河南省林业管理体制改革的思路和工作重点

新中国成立 50 多年来，河南省林业管理体制几经变化，有高峰也有低谷，但总的看，林业事业是向前发展的，特别是 20 世纪 80 年代以后，随着平原绿化步伐的加快，全省森林资源呈快速增长的势头。据 1998 年森林资源连续清查资料，全省有林地面积20 901 万 hm^2，灌木林地5 778万 hm^2，四旁树木折算面积6 430万 hm^2，林木覆

盖率 19.83%,活立木蓄积量13 167.55万 m^3,实现了有林地面积、林木覆盖率、活立木蓄积量的同步增长。但是,综观林业全局,现行管理体制仍有一些地方不能很好适应现代林业管理的需要。在建设生态林业的大好形势下,进一步深化林业体制改革,逐步实现林业管理体制和经济运行机制方面的制度创新和组织创新,全面解放林区生产力,充分调动林农生产积极性,成为时代发展的迫切需要。

林业管理体制改革的总体思路是:坚持以马列主义、毛泽东思想、邓小平理论、江泽民"三个代表"重要思想为指导,解放思想,实事求是,分类经营,与时俱进,逐步建立既符合市场经济规律,又体现林业特点的林业管理体制和经济运行机制。林业体制改革要紧跟时代潮流,重视关注热点问题,要有超前探索意识,同时注重体制与政策的规范化,林业体制改革要与立法工作紧密结合,用法律来引导、推进和保障改革的顺利进行。

林业体制改革的重点:

(1)农村林业基本经营制度改革,重点是探索林地有偿流转的程序和方式、组织制度建设与适度规模经营方式;

(2)林业合作经济组织建设改革,重点是探索林业股份合作组织建设、利益分配及资产监管、运营等;

(3)林业市场体系与市场中介组织建设改革,重点是探索产供销一条龙、林工商一体化组织形式创新,建立森林及林产品专业市场、开展森林资产评估、发展转让服务中介组织以及木材和林产品流通体制改革、发育市场主体等;

(4)林业综合开发与扶贫工作相结合问题改革,重点是探索选择新的生产方式、资源优化配置方式、扶贫资金有效使用形式,贫困地区林业资源综合开发模式,形成特色产业优势的途径,有效争取外来资金的措施等;

(5)发展高产、优质、高效、持续林业改革,重点是探索林业资源高效开发利用模式，资源优化配置动力和方式，产供销一条龙的组织形式与社会化服务体系建设，引导林业资源和产品进入市场，促进资源向资本转换等；

(6)现代林业企业制度改革，重点是探索林业企业产权重组的多种形式、多种经济成分之间的财产关系、分配关系、组织制度、经营机制转换等；

(7)林业部门事权划分改革，重点是探索哪些事应由企业来办，哪些事应作为事业来办，哪些事应由政府来办。

三、林业体制改革的基本模式

根据社会主导需求和林地主导利用方向的不同，先将林地划分为公益林地和商品林地。再将林地经营单位划分为公益性经营单位和商品性经营单位，实行不同的经济政策、经营管理体制和发展模式。对公益性经营单位，实行事业化管理。公益性建设，列入社会公益事业，由各级政府通过财政统筹安排投入，组织各有关单位进行建设和管理，同时，积极组织动员全社会参与，广泛吸收社会各界的资金投入。商品性经营单位，则一律实行企业管理。通过放宽限制，理顺分配关系，减轻税费负担，依靠市场机制吸收各类投资主体参与商品林经营。可通过组建有限责任公司、采取股份制、股份合作制改组等新的经营组织形式和承包、租赁、兼并、收购、出售等经营形式，搞活林业经营机制。

四、国内外林业体制改革的成功经验

(一)福建省三明市集体林区管理体制改革的经验

三明市林业管理体制改革起步于 20 世纪 80 年代初期。该市始建于 1958 年，建市后 20 年中，地(市)县两级林业管理体制变动频繁，林业机构分分合合，几经撤并。在此期间，三明市集体林区沿用当时苏联模式，实行纵向集权式管理体制。虽然也有几次改革,但主要是在营林、森工两个生产环节上分分合合,在管理权限上进行调整,而没有将改革的着力点放在林业生产要素的优化组合上,没有放在林业经济内部各业之间以及再生产各环节之间的有机联系上。因此,长期以来,旧的管理体制的弊端没有从根本上得以革除。主要表现:一是林业被分割于农、工、商等各个部门。森林的营造管护归林业,造纸、家具等木材加工归轻工部门,毛竹的经营归供销社,木生食用菌归科委、农委等部门。二是林业生产经营造、管、采、产、运、贮等环节的有机联系被肢解,各自为政,重复建设,重复设置,造成人财物的分散、浪费和林业单位间苦乐不均。三是林业行业分割和生产环节被肢解,使得森林资源利用的受益部门无需承担任何恢复和发展森林资源的责任,造成森林的过度采伐或资金的无偿瓜分,使林业失去自我积累、自我发展的能力。四是机构重叠,部门林立,政企矛盾,基层组织软弱涣散,综合管理能力很差。

根据林业事业发展的新特点,三明市将林业管理体制改革的重点放在调整和理顺部门分割,产、供、销、加脱节的旧的管理体制和经营机制上,建立健全配套的社会化、专业化、系列化服务体系,积极发展“大林业”一体化经营结构。主要做法:一是建立林业委员会。旧的市(县)林业局是归口农委的专业局。根据要求,1983年12月撤销市(县)林业局,相应成立林业委员会,扩大林委的行业管理权限,直属市(县)政府领导。林业委员会内部,资源和林政管理、计划和财务管理行使行政职权,科技推广、营林、森林防火和病虫害防治等实行事业管理,木材公司、林产工业公司、林业建设投资公司等实行企业化管理。二是建立网络化的基层林业管理体系。三明市总面积230多万公顷,林业用地约占土地总面积的81.9%,全市森林覆盖率达63.3%。全市有58个国有林场、采育场。乡(镇)林业站是集体林业管理的基层组织,也是落实各项林业工作的基础。经过改革和发展,由138个乡(镇)林业站组成乡

(镇)林业管理服务网,由 42 个木材采购站组成乡(镇)木材购销流通管理服务网,由 118 个乡(镇)集体林场和1 347个村林业股东会形成村级林业经营管理网。市、县、乡、村成立林业科技推广服务组织,形成科技推广网,有的县、乡还成立了林业股东协会等民间管理服务组织。三是探索建立“大林业”管理新体制。1989 年、1990 年,三明市选择永安市为试点,开始毛竹归口林业管理的新体制探索。主要内容是:进行毛竹资源总量调查,以承包户为单位,建立竹林资源档案,实行凭证、标号、限额采挖;制定毛竹资源培育、加工利用发展规划,改造低产林分;收足、管好、用好育林基金和生产扶持金,保证资金投入;完善生产承包责任制;协调好毛竹资源的保护、发展和加工利用的关系,逐步拓宽营林资源渠道;理顺销售管理体制,搞好经营流通,妥善解决改革中出现的各种矛盾。

(二)湖南怀化山区综合开发改革的经验

新中国成立以来,怀化地区山林经营体制随着林业所有制的变革,先后经历了 4 次较大的变化:一是土地改革时期,将土地和山林分给林农,山林的所有权和经营权都给经营者;二是初级合作化时期,山林所有权归农民,但经营权归合作社;三是高级合作社和人民公社时期,除少量零星木分给私人经营外,其他山林通过农村社会主义改造作价转为集体所有,由集体统一经营;四是中共十一届三中全会后,随着林业“三定”工作的开展,山林以自留山和责任山的形式,普遍实行了分户经营,山地所有权归集体,使用权承包给林农。以上 4 次山林经营体制改革未从根本上解决林业发展过程中的深层次问题,相反有些矛盾和问题更加突出。主要表现:第一,产权主体不明确;第二,利益分配不合理;第三,缺乏市场竞争力;第四,管护难度大,规模效益差。这些矛盾集中到一点,就是小农经济的分散经营与现代林业的规模经营不相适应,与发展社会主义市场经济的要求不相适应。

广大林农纷纷要求改革山林分户经营体制。对山林经济体制实行股份制改造，就是以入股方式把分散的、属于不同所有者的生产要素集中起来，统一使用，合理经营，自负盈亏，按股分红。改革的基本内容有以下几个方面。

1. 建立规范化的山林产权制度

按照山林资产形成的过程界定山林产权，明确山地、林木产权的主体：山地的所有权归村合作经济组织或村委会；林木属原来集体分到户的，其所有权原则上应归村集体所有，但考虑到林农承包后经营状况不同，好坏不一，这部分产权基本界定到林农，集体所占份额一般为5%左右；新造林木按照谁造谁有、谁投入谁受益的原则，界定到投入主体。产权界定后逐户造册登记，建立档案，没有颁发所有权和使用权证书的一律补发证书。

2. 建立规范化的山林流转制度

通过资产评价、折股计算、办场经营建立起规范化的山林有偿流转制度。规范内容包括五个方面：一是规范流转的范围和对象。允许分户经营的自留山、责任山的山地和林木资产可以折价入股。二是规范山林的评价标准。山地按立地条件、可及程度、林木生长情况进行分类，明确标价；林木按蓄积或立木材积进行评价，幼树按生长状况分类评价。三是根据评价标准对资产进行现场评估。四是设置股份，折股入场。股份设置有农户土地股、农户林木股、集体山林股、劳动投入预留股、林场积累股、预留新增人口福利股。五是规范股份管理档案和台账。

3. 建立规范化的组织管理制度

一是建立组织机构和领导体制。由股东代表选举产生股东代表大会，由股东代表大会民主选举产生董事会和监事会，再由董事会任命场长。场长全权负责日常生产经营活动。二是制定股份合作林场的章程和制度。三是建立新的管理办法和运行机制。

4. 落实三项政策措施

一是坚持三条原则，即坚持林业政策的连续性、稳定性原则，坚持入股自愿、股权平等、利益均沾、风险共担及山林所有权与经营权相分离原则，坚持股份制理论的通用性原则。二是实行三条优惠政策，即股份制林场的商品材指标，根据经营方案计划单列；所属林场预留更新费全部返回林场用于更新造林，育林基金大部分返回用于林场扩大再生产；条件成熟后，允许林场进行自产自销，产销见面，产品直接进入市场。三是制定三条纪律，即在筹建股份合作林场期间，停止批发采伐证，停止采伐木材，停止运输木材，停止销售木材；凡原来分配的木材采伐指标承认有效，但必须在林场建成后，由林场统一安排采伐；凡是乱砍滥伐林木的，依法从重从快处理。

通过资产评价，产权更加明晰，利益更加直接，发展林业的积极性更加高涨。实现了对财产所有权、决策权与经营权适当分离，机制更加灵活，经营自主权更加落实。坚持按入股要素分红的原则，保障了投入主体的合法权益，壮大了林业产业资本，保护了林农的利益。建立组织化程度较高、竞争能力较强的企业组织，为实现产销见面、放开搞活，把林业推向市场，奠定了微观组织基础。林场实行规模经营和集约经营，为林业产业结构调整，发展高效林业创造了有利条件。改分户管理为办场管理，使管护林业资源的政策措施有了组织保证，有效地稳定和改善了林区生产秩序。

（三）美国林业管理体制

为保证生态环境建设各项措施的落实和实施，从联邦到州、县都有相应的管理机构，形成了一个比较完整的、强有力的管理系统。防护林与水土保持工作由联邦农业部统一领导，农业部下属与此有关的主要业务管理机构有林务局、水土保持局、农业科研局及技术推广服务局。州、县都有相应机构。林务局与水保局同归一个部长助理（自然资源和环境部长助理）领导，林务局主要负责国有林地的经营管理及州和私有林地的管理，水保局主要负责私有土地的管理，在具体工作上既有分工，又有相互合作。联邦林务局与水保局根据全国气候、土壤、植被等类型，分别将全国划分为10个地区，设有地区办公室和专员。州林务局与水保局又对其辖区划分若干片，一个片包括若干县，也设有办事处。地区与片区两级都是派出机构，负责协调和督促检查，帮助州、县执行建设和治理规划。相邻几县有的还成立土地私有者协会，设办事人员进行协调。此外，联邦政府内务部设有土地管理局、鱼类及野生动物保护局、矿产办公室，负责管理牧场、自然保护区、森林公园及矿区等；大河流的工程、航运等属海军部军队工程局管理；环境保护局也参与生态环境的建设与管理。各方面既有分工又有合作，中心任务是共同建立一个良好的生态环境。水土保持局和林务局在水土流失的治理上保持一种合作关系，如一些州对私有土地治理时，如需造林，水保部门提出目标、任务、需求，由林业部门去执行。水土保持局内也有林业技术人员，负责完成林业技术方面的工作。

第六节　加强人才培养及林业生态的科技支撑

依靠科技，振兴林业，是一项具有战略意义的长期任务。林业没有科技就没有希望，更不能发展和振兴，这一点，应该成为全社会的共识。林业系统广大干部职工在进行林业生态建设事业中更要重视人才培养问题。

一、加强林业生态建设人才培养的必要性和紧迫性

受社会发展阶段和人们对传统林业认识的影响，现有林业体系管理、科研和技术推广体系人员结构、知识水平方面存在布局不合理、知识老化等突出问题。在大力发展生态林业的今天，特别缺

少具备现代林业管理知识、掌握高新技术的领导干部和一线技术人员。林业生产落后与技术力量薄弱有密切关系。林业生态建设是时代发展的需要,是跨世纪的宏伟工程。因此,加强林业生态建设人才的引进和培养,逐步提高现代林业管理水平和技术推广体系,成为十分重要而紧迫的任务。只有根据生产发展需要,建立健全人才培养机制,多出人才,快出人才,特别是掌握先进知识和技术的人才;同时,集中科研力量,提高科研手段,加强科技攻关力度,早出和多出有创新、易推广的科研成果,这样,才能为林业生态建设提供强有力的科技支撑。

二、林业生态建设人才培养的内容

(一)培养有创新精神和创新意识的人才

林业生态建设是继往开来、造福子孙后代的宏大伟业。人类的不断进步和社会的向前发展,为林业生态建设提出更新、更高的要求。从事林业生态建设事业,不能照抄照搬书本知识,不能因循守旧,要有改革的精神和意识,要结合时代特点辩证地继承已有的理论和方法,坚持实践是检验真理的惟一标准,大胆进行创新和尝试。固步自封、不思进取、跳不出旧的圈子,林业生态建设就不可能有大发展。要建立健全培养有创新精神和创新意识林业生态建设人才的激励机制,制定培养计划,实施人才工程,营造“尊重知识,尊重人才”的宽松环境,力争多出人才、快出人才、出新人才。

(二)培养有敬业精神的人才

建设林业生态事业,是一项庞大的社会工程,是造福千家万户的光荣事业,要求每一个公民,特别是林业系统的干部职工要为这一伟大事业奉献力量。林业系统干部职工作为建设林业生态事业的主力军,一定要在党中央和各级党组织的领导下,树立正确的人生观、价值观,要有艰苦奋斗、无私奉献精神,有全心全意为人民服务的精神。只要埋头苦干,奋力拼搏,林业生态建设事业就一定能成功。培养有敬业精神的人才,必须加强职业道德教育,培育行业精神,树立行业作风。培养“四有”职工队伍,是促进林业生态建设的内在要求。在深入开展社会主义市场经济的新形势下,更要培养和造就既有开拓进取精神,又有高尚道德品质、爱岗敬业的林业职工。马克思、恩格斯在《共产党宣言》中明确指出:“人们的观念、观点、概念,简短些说,人们的意识,是随着人们的生活条件,人们的社会关系和人们的社会存在的改变而改变。”市场经济和现代企业制度的形成,要求我们林业行业必须加强职工的职业道德教育,使每个职工都能感到干林业光荣,这样才能做到干一行爱一行,不讲收益,只讲奉献。

(三)培养有综合素质的人才

时代在发展,社会在进步。历史的车轮已将我们载入 21 世纪,重视和发展生态环境建设事业已成为新世纪的主旋律。在新的世纪,新的历史发展阶段,要想开创林业生态建设事业的新局面,必须重视和培养具有综合素质的人才。这种人才要懂技术,会管理,通外语,有经济头脑,有政治敏锐性和洞察力,有创新和奉献精神,有发现问题和解决问题的能力,有拒腐防变能力。培养具有综合素质的人才,是社会发展的需要。这项工作应引起各级政府和林业主管部门的重视。

(四)培养掌握科技前沿知识的人才

伟大的理论,指导伟大的实践。建设林业生态事业这一伟大实践,需要有先进的理论来引导,需要有无数的科技带头人来为之奋斗。这些科技带头人就是掌握高精尖技术、掌握科技前沿知识的人。这些人,在林业生态建设中,无论规划设计、造林营林、采种育苗、疫情监测,还是控灾减灾等,都有绝活。这类人是真正的“精英”,他们的一个灵感,也许会带来一场革命。因此,要鼓励、培养、吸引、留住这些掌握科技前沿知识的人才,激发他们的创造欲望,充分发挥他们的科技带头作用,使他们在林业生态建设事业中多出成果,多作贡献。

(五)培养有领导才能的人才

领导是一门艺术,有些人搞研究可以,有些人跑腿办事可以,有的人懂管理、会组织协调当领导可以。林业生态建设是一项涉及面广、周期性长的复杂的系统工程,带领大家为这一伟大工程奋斗的人,要有信心、有毅力,要懂专业、会决策,要精通政治、经济、地理、运筹、市场经济等学科知识,并善于将有关理论知识融合到一起科学地指导工作。

三、林业生态建设的科技支撑体系

在生态公益林建设方面,科技支撑体系包括:宜林宜草地区的科学划分技术,植被合理配置技术,抗逆性强的优良树(草)种选择技术,良种壮苗培育技术,径流林业、保水剂应用等蓄水、保水、节水造林种草技术,雨季飞播、飞播前种子包衣处理等飞播造林配套技术,森林病虫害预防与除治技术等。尽快筛选、组装和推广应用一批适用的科技成果和先进成熟技术,对其中的技术难题和技术关键开展进一步的攻关研究成为当前的主要任务。

在商品林基地建设方面,科技支撑的重点是利用生物遗传技术,加大良种繁育力度,为基地造林提供优良品种,形成可以产业化规模经营的栽培技术,使商品林培育成为一项科技含量高的产业。解决如何做到速生、丰产、优质、高效的问题。

在林业企业发展上,一方面,要引进国际、国内具有先进技术水平的成果和设备,推进企业技术改造和技术升级;另一方面,要加大技术创新力度,重点开发符合环境保护需要的新型木质环境木材和环境制品,开发木质复合材料和木质重组新材料以及无机胶膈人造板制造和应用技术、低污染木材保护新技术、高强低毒木质人造板生产技术;林果系列产品保鲜加工新技术、开发昆虫病毒杀虫剂等生物制剂、制药技术,以高技术促进传统林产工业的技术改造,加快传统产业的优化升级。

建立林业生态建设的科技支撑体系要从以下四方面入手:一是建立和完善各级科技推广体系。做到有人懂科学技术,有人推广科学技术。二是要搞好示范。要结合区域的建设重点,建立一批科技示范区、示范点,通过示范来促进先进技术的推广应用。三是要建立有利于应用先进技术的机制。凡是重点生态工程建设和重点商品林基地建设,在规划制定、计划安排、作业设计、工程实施等环节都要有科技保障的内容。要确定科技保障的资金渠道,并作为强制性的要求,予以明确。四是要分层次全面强化科技培训工作,努力提高林业队伍的整体素质。

第七节 政策措施

林业生态建设要认真贯彻以营林为基础,普遍护林、大力造林、采育结合、永续利用的方针,做到国家、集体、个人一起上,全民全社会办林业。积极改革林业计划、财务、价格体系,减少指令性计划指标,扩大指导性计划指标。建立林价制度,变无偿采伐为有偿采伐,有计划地调整木材价格,建立林业基金制度,自觉地运用价值规律和经济杠杆促进林业生态建设的发展。

进一步落实和放宽林业政策,大力发展非公有制林业。发展非公有制林业符合邓小平关于以物质利益为国民经济发展动力机制的思想。在各国森林资源的数量扩张阶段,一项具有神奇威力的举措就是发展私有林。改革开放以来,我国其他行业对这种激励机制原理的利用卓有成效,私人企业也如雨后春笋,所以很快走出了短缺经济时代。近年来,随着社会主义市场经济的深入发展,私有林业发展迅速,为林业建设注入了新的活力。但总体上看,目前各地对私有林业的发展重视不够,许多地方只停留在一般性号召上,离真正发动起群众来,还有一大段路要走。大力发展非公有制林业，必须加紧制定和完善发展非公有制林业的相关政策，必须解决以下 5 个问题：

一是解决产权问题。目前制约产权的最大障碍是土地所有权。在现行宪法基础上，土地是国家的，不可以买卖。但如果采取某种变通或特许方式解决这个问题，如规范土地使用权的市场化转让，允许的使用权时限足够长，也是可以被业主接受的。这是根本性的问题。不彻底解决这个问题，私有林业主最终不会有长期经营思想，也不会考虑土地改良这类基本经营措施。而解决了这个问题，被锁定的土地价值，就可以被激活并进入流通，不仅可以增加巨额的财政收入，又可使土地增值。目前采取承包经营方式，理论上可以一包 50 年或 70 年不变，并不能引发群众的热情。

二是设计好激励政策。比如，只要按经批准的造林计划造林，国家可以无偿提供苗木，或若干年内给予免税优惠(法国是造林免税 30 年)，或提供技术指导。只要造林主掏出7 000元造林，马上就可以得到3 000元的补贴，他的资金很快变成了 1 万元，将无人不为之，而国家得到的森林资源，尽管产权是私人的，但它毕竟是国民产值。这种政策在很多国家都使国民趋之若鹜，迅速形成了造林热潮。

三是为私有林发展储备后续政策。一旦私有林大规模出现，林主的经营积极性肯定会下降，因为他们这时会发现个体经营森林有一系列实际困难。如修林道、防火、防治病虫害等，这些事情皆非个人所能为之。这个时候，政策储备中的合作化经营，或建立森林转让市场机制等必须跟上来。私有林是一把双刃剑，应预料到这一点，采取措施以趋利避害。

四是运用绿色政策，控制经济林规模，激励经营天然林。私有林，按经济法则发展，肯定大部分都是经济林或速生林，这并不完全合乎国家生态建设的目标。为了解决这个问题，对在生态敏感地段营造生态防护林、多功能森林或天然林的，国家、地方政府或受益部门应给予生态补偿,或国家采取更加优惠的政策替代这种补偿,以使林主能通过生态效益获得收益。

五是大力发展林业产业。近年来,不少地方探索出了“公司加农户”的发展模式,用产业的发展带动群众造林,真正使群众从发展林业中得到实惠。把发展林业由被动的政府号召、资金推动转变为广大人民群众的自觉行动。